PSYCHOLOGIE
DU DÉVELOPPEMENT
DE L'ENFANT

ÉDITION ABRÉGÉE DE PSYCHOLOGIE DU DÉVELOPPEMENT HUMAIN

6ᵉ ÉDITION

SALLY W. OLDS
DIANE E. PAPALIA

ADAPTATION SOUS LA DIRECTION DE **ANNICK BÈVE**

ANNIE DEVAULT

NICOLE LAQUERRE

Beauchemin

CHENELIÈRE ÉDUCATION

Psychologie du développement de l'enfant
6ᵉ édition

Sally W. Olds et Diane E. Papalia

Adaptation sous la direction d'Annick Bève

© 2004 McGraw-Hill Companies, Inc.
© 2005 Groupe Beauchemin, éditeur ltée

Édition : Jean-François Bojanowski
Chargée de projet : Karine Méthot
Coordonnatrice à la production : Josée Desjardins
Révision linguistique : Roseline Desforges
Correction d'épreuves : Lyne Mondor, Nathalie Larose,
    Nathalie Mailhot
Recherche iconographique : Claudine Bourgès
Indexeure : Isabelle Léger
Infographie : Pénéga communication inc.
Maquette intérieure : Pénéga communication inc.
Réalisation de la page couverture : Pénéga communication inc.
Photos de la page couverture : photos.com

CHENELIÈRE ÉDUCATION

7001, boul. Saint-Laurent
Montréal (Québec)
Canada H2S 3E3
Téléphone : (514) 273-1066
Télécopieur : (514) 276-0324
info@cheneliere.ca

ISBN 2-7616-2729-6

Dépôt légal : 2ᵉ trimestre 2005
Bibliothèque nationale du Québec
Bibliothèque et Archives Canada

Imprimé au Canada

3   4   5   6   7   IS   10   09   08   07   06

Nous reconnaissons l'aide financière du gouvernement du Canada par l'entremise du Programme d'aide au développement de l'industrie de l'édition (PADIÉ) pour nos activités d'édition.

L'Éditeur a fait tout ce qui était en son pouvoir pour retrouver les copyrights. On peut lui signaler tout renseignement menant à la correction d'erreurs ou d'omissions.

Un ouvrage centré sur l'enfance

Voici une version abrégée de la 6ᵉ édition du manuel *Psychologie du développement humain* de Diane E. Papalia et Sally W. Olds (anciennement intitulé *Le développement de la personne*). Cet abrégé a pour mission de répondre aux besoins des enseignants et des élèves qui recherchent un manuel en accord avec les programmes portant sur l'enfance. Seul titre abordant avec autant de profondeur et d'acuité les différentes étapes de l'enfance, il demeure, par son contenu et son approche, l'outil le mieux adapté aux nouveaux programmes traitant de l'enfant, de la période prénatale à 12 ans. Tout comme dans la 6ᵉ édition du manuel *Psychologie du développement humain*, le contenu suit les orientations suivantes.

Nouveautés de la 6ᵉ édition

Produire un nouveau manuel de psychologie qui explique la fascinante histoire du développement de l'être humain, de sa conception à sa mort, représente un défi passionnant, tant la matière à couvrir, très souvent abordée en une seule session de cours, est riche, abondante et complexe. Nous avons donc voulu épurer l'ancienne édition du Papalia et Olds, et en renouveler l'apparence, tout en préservant les nombreuses qualités qui ont assuré son succès au sein du réseau collégial. Les critiques pertinentes et constructives apportées par plusieurs enseignants utilisateurs de l'édition précédente nous ont aidés à repenser en profondeur cette nouvelle édition, que nous sommes fiers de vous présenter.

Tout en maintenant la même rigueur scientifique, nous avons voulu donner jour à un livre plus clair, plus accessible, plus intéressant à lire ; un livre qui constitue à la fois un véritable pilier du cours, et un instrument d'apprentissage motivant et efficace.

Pour atteindre ces objectifs, nous avons structuré le contenu au moyen d'un plan numéroté qui permet de distinguer facilement les notions principales de celles qui sont plus secondaires. Le lecteur peut ainsi mieux comprendre non seulement la logique qui sous-tend chacun des chapitres mais aussi l'ensemble de l'ouvrage.

Nous avons également eu le souci exigeant d'utiliser une langue claire, correcte, précise et accessible à l'étudiant de niveau collégial.

Tout en suivant la chronologie du développement humain, nous avons mis en évidence les interactions constantes qui caractérisent ce processus, que ce soit entre les diverses dimensions et les différentes périodes du développement ou entre l'individu et son milieu de vie.

Processus dynamique et continu, le développement est un tout dont l'étonnante complexité reste toujours à découvrir et à approfondir davantage.

Cet intérêt, nous avons voulu le faire partager aux lecteurs, d'une part, en leur présentant des données théoriques récentes, issues de la recherche en psychologie, et, d'autre part, en illustrant ces données par des exemples puisés à même la réalité quotidienne. Nous avons privilégié les références au contexte québécois, afin que l'étudiant puisse plus facilement s'y identifier, sans négliger pour autant les références à d'autres contextes sociaux et culturels. Nous avons également pris soin de traiter de problématiques actuelles, sur lesquelles la jeune génération se questionne.

Nous avons tenu à ce que ce manuel soit agréable à consulter, grâce à une iconographie choisie, qui ajoute au texte une dimension évocatrice, et à une utilisation de la couleur, qui permet de distinguer rapidement les différentes périodes du développement et facilite, entre autres, la lecture des tableaux.

Enfin, la mise sur pied du site Odilon.ca est venue couronner notre entreprise en offrant aux étudiants et aux professeurs un outil d'apprentissage sans précédent, dans lequel l'ensemble de cet ouvrage est traduit en activités interactives.

Grâce au formidable travail d'équipe qui a rendu possible la publication de cette nouvelle édition, nous pensons avoir relevé le défi et nous souhaitons que cet ouvrage devienne un élément indispensable de votre travail et de votre formation.

Annick Bève

Remerciements

Les changements apportés à la présente édition tiennent compte des commentaires, critiques et recommandations d'enseignants de différents collèges de la province qui ont volontiers accepté de participer à la consultation. Nous tenons à remercier les personnes suivantes pour leur aimable contribution :

Collège Ahuntsic : Mélanie Alexandra Daher, Josée Déziel

Cégep F.-X.-Garneau : Réjeanne Marcotte

Cégep de Trois-Rivières : Denis Buist

Cégep de Valleyfield : Ronald Durand

Collège de Sherbrooke : Lise Delorme, Renée Lafrance, Julie Boisvert

Cégep de Saint-Jean-sur-Richelieu : Josée Paradis

ODILON.CA

Le virage vers les nouvelles technologies

Cette dernière édition de *Psychologie du développement de l'enfant* nous fait entrer dans une ère nouvelle de l'utilisation d'outils informatiques accompagnant les manuels scolaires. Depuis quelques années, le matériel complémentaire se trouvant sur les sites Internet consistait principalement en documents écrits et « figés », en format Word ou PDF, par exemple. L'étudiant ou le professeur devait alors les télécharger pour ensuite les imprimer sur du papier... Aucune interactivité dans ce type de matériel ! Ce temps est maintenant révolu. Aujourd'hui, les possibilités offertes par l'application des nouvelles technologies en éducation amènent d'importants changements dans l'enseignement. Concrètement, ce sont les étudiants et leurs professeurs qui y gagnent. L'utilisation de l'ouvrage *Psychologie du développement de l'enfant* leur permet dorénavant d'accéder tout à fait gratuitement à un site Internet qui enrichit, diversifie, dynamise et personnalise leur cours.

www.odilon.ca

Ce site Internet constitue réellement un outil pédagogique innovateur. La pertinence de ce nouvel outil informatique, sans précédent dans l'enseignement du cours d'initiation à la psychologie, réside dans le fait qu'il contribue largement à la mission éducative en offrant un environnement stimulant favorable à l'apprentissage et à la réussite scolaire. Odilon propose des questions, des exercices et des tests interactifs complémentaires à chacun des chapitres qui permettent d'appliquer les éléments de compétence liés au cours. Il est doté d'un outil de correction qui donne instantanément une rétroaction appropriée à l'étudiant après l'exécution d'une activité. Avec ses résultats en mains, ainsi qu'un relevé de ses bonnes et mauvaises réponses, celui-ci peut reprendre les exercices jusqu'à ce que les notions soient parfaitement maîtrisées. L'enseignant peut ainsi gagner un temps de correction considérable dans le cadre de ses évaluations formatives, puisqu'il peut accéder en tout temps au dossier de ses étudiants et choisir ensuite de retenir ou non les notes obtenues. Notez que toutes les activités peuvent être réalisées en laboratoire ou à la maison très facilement.

Gilles Laporte

Remerciements

Nous tenons à souligner l'immense collaboration et le professionnalisme de **Mme Annick Bève**, directrice de l'ouvrage. Son dévouement, son jugement et les longues heures passées sur les manuscrits ont assuré l'émergence d'un manuel d'une grande qualité, parfaitement adapté au curriculum québécois et à partir duquel on a pu aisément construire le projet Odilon.

C'est à la créativité débordante et à l'énergie contagieuse de Gilles Laporte, enseignant en histoire au Cégep du Vieux-Montréal et concepteur du site, que nous devons la réussite du projet Odilon.

Enfin, nous tenons à remercier tout particulièrement les adaptatrices pour leur précieuse collaboration dans l'élaboration de cet ouvrage. Elles ont mené avec brio la rédaction des différents chapitres qui le composent.

Annie Devault

Mme Annie Devault, Université du Québec en Outaouais
Mme Nicole Laquerre, Collège de Rosemont

Jean-François Bojanowski
Éditeur

Nicole Laquerre

L'ouverture du chapitre

L'ouverture de chacun des chapitres consiste en un plan du chapitre qui informe sur les thèmes abordés. Ce plan favorise une vue d'ensemble du chapitre, permet de structurer la lecture et l'étude, et facilite les résumés de lecture.

Chapitre 3

NICOLE LAQUERRE

Le développement physique et cognitif de l'enfant, de la naissance à 2-3 ans

PLAN DU CHAPITRE

L'aperçu

La deuxième page d'ouverture de chapitre présente un aperçu du contenu. Cette synthèse a comme but d'éveiller l'intérêt de l'étudiant pour les notions présentées dans le chapitre et de mieux les lui faire intégrer en les situant dans une perspective globale

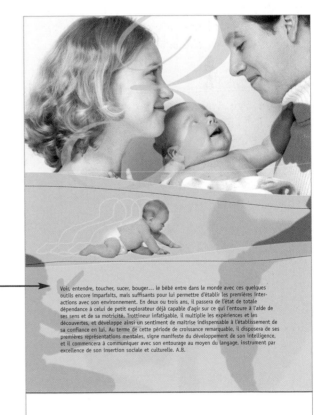

Voir, entendre, toucher, sucer, bouger... le bébé entre dans le monde avec ces quelques outils encore imparfaits, mais suffisants pour lui permettre d'établir les premières interactions avec son environnement. En deux ou trois ans, il passera de l'état de totale dépendance à celui de petit explorateur déjà capable d'agir sur ce qui l'entoure à l'aide de ses sens et de sa motricité. Trottineur infatigable, il multiplie les expériences et les découvertes, et développe ainsi un sentiment de maîtrise indispensable à l'établissement de sa confiance en lui. Au terme de cette période de croissance remarquable, il disposera de ses premières représentations mentales, signe manifeste du développement de son intelligence, et il commencera à communiquer avec son entourage au moyen du langage, instrument par excellence de son insertion sociale et culturelle. A.B.

La mise en page

Les chapitres débutent par une *Mise en situation* qui met en lumière certaines caractéristiques propres au développement physique, affectif ou social d'une personne en fonction de la catégorie d'âge étudiée. Cette mise en situation est immédiatement suivie par des *Questions à se poser* qui permettent à l'étudiant de saisir les différentes notions qui seront abordées dans le chapitre.

Le glossaire

Au fil de la lecture, les termes plus complexes sont présentés en caractère gras et en couleur, ce qui indique que l'on peut trouver immédiatement leur définition dans la marge. Toutes ces définitions se trouvent également dans le glossaire présenté à la fin du manuel.

MISE EN SITUATION

Maxime ne peut rester tranquille. Il est incapable de terminer une tâche, même simple, et il se met toujours les pieds dans les plats. La situation est telle qu'il éprouve beaucoup de difficulté à se faire des amis. Son enseignant semble impuissant à maintenir l'attention de Maxime sur une tâche précise. Le médecin de famille rassure les parents et leur conseille d'attendre. Il affirme que le temps arrangera les choses. Le voisin, lui, considère tout simplement Maxime comme un enfant gâté.

À huit ans, Maxime est en troisième année. Malgré son impulsivité, il réussit à suivre son groupe grâce au soutien constant de ses parents et à la routine stable qu'ils ont instaurée à la maison. Le sport occupe aussi une place importante dans la vie de Maxime : natation, bicyclette, soccer, hockey. Il a essayé plusieurs autres sports, qu'il a abandonnés après peu de temps. Les aptitudes physiques de Maxime sont excellentes. Il est plus grand que les enfants de son âge et sa coordination est remarquable. Ses performances sportives pourraient être prodigieuses, mais il a beaucoup de difficulté à respecter les consignes et les règlements d'un sport d'équipe. Il préfère souvent se chamailler avec son frère aîné ou sauter sur le trampoline.

Lorsque vient le temps de faire ses devoirs, la mère de Maxime constate que celui-ci progresse malgré tout. Il arrive à lire, même si, parfois, il semble deviner les mots plutôt que de les décoder. Lorsqu'il s'agit de compter, il a droit à autant de culbutes qu'il a de bonnes réponses dans ses additions. Jusqu'à maintenant, c'est ce que ses parents ont trouvé de mieux pour le motiver. Maxime a aussi compris qu'il peut utiliser des trucs pour se rappeler ce qu'il doit faire. Hier, par exemple, il a placé son sac de billes près de ses bottes pour penser à les apporter à l'école.

Lors de la dernière visite de ses grands-parents, Maxime a entendu ceux-ci parler d'un homme qui venait de mourir dans un accident de voiture. Alors que Maxime posait des questions sur le sujet, son grand-père lui a expliqué que certaines circonstances sont parfois impossibles à contrôler. Maxime comprend qu'il doit toujours s'attacher en voiture, mais il comprend un peu difficilement que, même si l'on est attaché, on peut quand même être blessé. Ses parents lui ont tellement répété que s'il ne faisait pas attention, et cela lui arrive fréquemment, il pourrait avoir un accident. Or, Maxime se blesse souvent, tant il est intrépide et impulsif, mais par bonheur rien de vraiment grave ne lui est arrivé jusqu'à maintenant.

QUESTIONS À SE POSER

- Le comportement impulsif de Maxime pourrait-il être le symptôme d'un trouble particulier ?
- Les parents de Maxime prennent-ils les bons moyens pour faciliter ses apprentissages scolaires ?
- L'utilisation de stratégies pour se rappeler quelque chose est-elle fréquente chez les enfants de huit ans ?
- Pourquoi Maxime comprend-il difficilement qu'on peut avoir des accidents malgré les mesures de sécurité ?

Comme chez tous les enfants de 6 à 11 ans, les habiletés motrices de Maxime progresseront moins rapidement qu'au cours de la période précédente. Ces années sont néanmoins importantes pour le développement de la force, de l'équilibre, de l'endurance et des aptitudes motrices requises dans les sports ou dans certaines activités extérieures. Dans ce chapitre, nous verrons en quoi consistent les changements physiques. Sur le plan cognitif, nous verrons comment l'entrée dans le stade des opérations concrètes de Piaget permet l'accès à la pensée logique et à un jugement plus mature. Nous nous pencherons sur la façon dont les enfants progressent sur le plan de la mémoire et de la résolution de problèmes, et nous verrons comment leurs apprentissages scolaires, en particulier les habiletés de lecture et d'écriture, leur permettront d'élargir leur univers.

162 | CHAPITRE 7

enfance à l'âge adulte. Les chercheurs ont examiné le degré d'activité des enfants, la régularité de leurs fonctions biologiques (faim, sommeil, élimination), leurs réactions à une situation nouvelle ou à un étranger, leurs capacités d'adaptation aux changements de routine, leur sensibilité au bruit, à la lumière ou à d'autres stimuli, l'intensité de leurs réactions, leur humeur (si l'enfant tend à être joyeux et amical ou malheureux et peu ouvert aux autres), leur tendance à la distraction, leur capacité d'attention et leur persistance dans l'effort. Les auteurs de l'étude ont constaté que les deux tiers des enfants pouvaient être classés en trois catégories : les enfants faciles, les enfants difficiles et les enfants plus lents à réagir (voir le tableau 4.2). Ils ont également découvert que l'appartenance à une catégorie demeurait relativement stable jusqu'à l'âge adulte (Thomas et Chess, 1984).

Quarante pour cent (40 %) des enfants entraient dans la catégorie des **enfants faciles** : ils faisaient preuve de gaieté, de régularité biologique et d'ouverture à l'égard des nouvelles expériences. Dix pour cent (10 %) étaient des **enfants difficiles** : ils étaient plus irritables et difficiles à satisfaire, irréguliers dans leurs rythmes biologiques et plus intenses dans l'expression de leurs émotions. Enfin, 15 % des **enfants plus lents à réagir** : leurs réactions (positives ou négatives) étaient de faible intensité, mais ils mettaient plus de temps à s'adapter à des situations nouvelles ou à des personnes inconnues (Thomas et Chess, 1984).

Il importe de noter que plusieurs enfants (incluant 35 % des enfants de l'échantillon de la NYLS) n'entrent dans aucune de ces trois catégories de tempérament. Par exemple, un enfant peut manger et dormir avec régularité mais craindre les étrangers. Un autre peut s'adapter lentement à un nouvel aliment mais s'attacher très vite à une nouvelle gardienne. Toutes ces variantes sont normales.

Par ailleurs, les enfants « difficiles » ne sont pas nécessairement destinés à une mauvaise adaptation. Selon la NYLS, la clé d'un développement sain réside dans le degré d'**adéquation** entre le tempérament de l'enfant et les exigences de son environnement. Par exemple, si nous attendons d'un enfant très actif qu'il reste tranquille pendant de longues périodes ou que nous plaçons constamment un enfant « plus lent à réagir » face à de nouvelles situations, nous ne favorisons pas l'adéquation. Il est important pour les parents et les éducateurs de reconnaître le tempérament de l'enfant et d'ajuster leurs demandes en fonction de celui-ci. Le changement de comportement de Sylvie, la mère de Charlotte, constitue un bon exemple d'adaptation à l'enfant. Lorsqu'elle a vu que Charlotte tenait à jouer dans le sable et qu'elle l'a laissée faire, elle a probablement reconnu que le besoin de propreté lui appartenait. Le fait d'accepter le tempérament inné de leur enfant libère les parents d'une lourde charge émotive. Ils comprennent alors que leur enfant n'agit ni par entêtement ni par malveillance. Ils acceptent ainsi l'enfant tel qu'il est et risquent moins de devenir impatients et sévères. Ils peuvent aider l'enfant à utiliser son tempérament comme une force plutôt que de le considérer comme un obstacle.

• LA STABILITÉ DU TEMPÉRAMENT

Le tempérament semble inné, probablement héréditaire (Thomas et Chess, 1984) et relativement stable. Comme nous l'avons vu, les nouveau-nés affichent des tempéraments différents qui semblent persister dans le temps. Cependant il semble que seul un faible pourcentage (10 %) d'enfants très difficiles maintienne ce tempérament jusqu'à l'entrée à l'école (Rubin *et al.*, 1997). Le tempérament n'est pas complètement formé à la naissance et continue de se développer dans l'enfance. Il peut changer en fonction de l'attitude des parents. Dans l'échantillon de la NYLS, une fille « difficile » qui éprouvait des problèmes durant l'enfance s'est soudainement découvert des talents pour la musique et le théâtre vers l'âge de 10 ans, ce qui a amené ses parents à la considérer sous un jour nouveau et à interagir différemment avec elle : elle était parfaitement bien adaptée à 22 ans. La culture influence aussi la stabilité du tempérament. En effet, selon la culture d'appartenance, les parents encourageront les enfants à maintenir un type de tempérament plutôt qu'un autre. Par exemple, une étude comparative Canada-Chine a montré que les mères canadiennes d'enfants timides se montraient plutôt punitives ou surprotectrices. En revanche, les mères

Enfant facile
Enfant démontrant un tempérament généralement joyeux, une ouverture aux nouvelles expériences et ayant des rythmes biologiques réguliers.

Enfant difficile
Enfants au tempérament irritable, ayant un rythme biologique irrégulier et des réactions émotionnelles intenses.

Enfant plus lent à réagir
Enfant dont le tempérament est généralement calme, mais qui se montre hésitant devant de nouvelles situations.

Adéquation
Concordance entre le tempérament d'un enfant et les caractéristiques de son environnement.

FIGURE 4.5 **UN BÉBÉ AU TEMPÉRAMENT FACILE**

Le petit Daniel, âgé de sept mois, sourit et accepte volontiers de goûter à de nouveaux aliments. Ces signes démontrent un tempérament facile.

90 | CHAPITRE 4

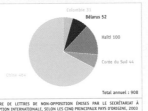

Les encadrés : Application, Approfondissement, Contexte québécois et Réflexion

Les quatre types d'encadrés traitent de façon plus approfondie une série de problématiques actuelles en psychologie du développement humain. Il s'agit de compléments d'information pertinents qui abordent divers aspects de ce domaine.

Les tableaux et les figures

Plusieurs tableaux et figures agrémentent le texte tout en le dynamisant. Ces éléments visuels précisent, illustrent et soutiennent une explication donnée dans le texte. Ils simplifient les notions plus complexes et favorisent la compréhension.

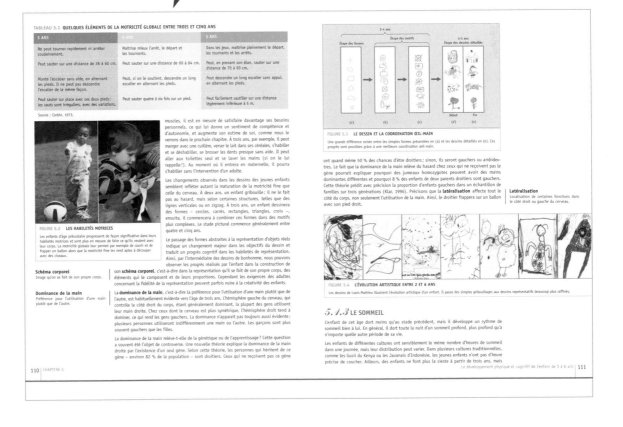

Table des matières

Chapitre 1

Le développement humain : vue d'ensemble et approches théoriques

Chapitre 2

La conception, le développement prénatal, la naissance et le nouveau-né

Chapitre 3
Le développement physique et cognitif de l'enfant, de la naissance à 2-3 ans

Chapitre 6

Le développement affectif et social de l'enfant de 3 à 6 ans

Chapitre 7

Le développement physique et cognitif de l'enfant de 6 à 11 ans

Chapitre *1*

ANNIE DEVAULT

Le développement humain : vue d'ensemble et approches théoriques

PLAN DU CHAPITRE

Le développement humain est un processus dynamique et continu qui dure toute la vie. Toutes les dimensions de la personne, qu'elles soient physiques, cognitives, affectives ou sociales, subiront de profonds changements sous les influences respectives et souvent combinées de l'hérédité et de l'environnement. Chacune de ces dimensions se développera en interaction avec les autres, faisant du développement un processus global. Que ce soit l'approche psychodynamique, l'approche béhavioriste, l'approche cognitiviste, l'approche humaniste ou l'approche écologique, tous ces grands courants de la psychologie se sont intéressés au développement humain. Toutefois, aucune théorie ne peut à elle seule expliquer l'ensemble du développement et sa complexité, mais chacune, compte tenu de l'approche dans laquelle elle s'inscrit, jette un regard particulier sur certains aspects de ce développement, et nous permet de mieux le comprendre. A.B.

Quand Marie, âgée de 19 ans, annonça à son conjoint qu'elle était enceinte, celui-ci, devant son refus d'avorter, la quitta. Elle vécut donc seule sa grossesse, mais reçut beaucoup de soutien de ses parents et amis. À sa naissance, Mathieu, son fils, pesait quatre kilos. C'était un bébé en santé et souriant. Marie aimait s'en occuper et jouer avec lui. Les premiers pas de Mathieu à l'âge de 15 mois firent la joie de sa mère et de ses grands-parents. Fière de son fils, Marie avait l'impression qu'il se développait bien. Sa grand-mère répétait que Mathieu devait cesser de sucer son pouce, mais Marie estimait qu'il ne s'agissait pas d'un réel problème. C'est au moment où Marie retourna au travail qu'elle et son enfant connurent une période plus difficile. Après une année passée à s'occuper presque seule de son enfant, et malgré l'aide qu'elle recevait de ses parents, Marie se sentait fatiguée. Elle voulait cependant retourner au travail. La première matinée de Mathieu à la garderie fut très pénible. Il criait et se débattait dans les bras de l'éducatrice qui, tant bien que mal, essayait de le calmer. Marie était aussi au bord des larmes, peinée de le laisser dans un tel état. Aussi, plutôt que de rentrer au travail, elle retourna chez elle et pleura jusqu'à ce que le sommeil l'emportât. Elle fut réveillée par la sonnerie du téléphone. Son patron s'enquit du motif de son absence. Malgré son embarras, Marie lui avoua la vérité, ce qu'elle regretta aussitôt. Non seulement son patron laissa-t-il entendre que c'était un mauvais choix que d'élever seule son enfant, mais il la menaça de la renvoyer si elle ne se présentait pas à la première heure, le lendemain. Quand elle arriva à la garderie pour reprendre Mathieu, celui-ci l'ignora. L'éducatrice vint à sa rencontre pour lui expliquer que Mathieu était un garçon très bien développé, qu'il avait le goût d'apprendre et faisait montre d'une bonne mémoire. Il était un peu timide mais c'était sa première journée, il fallait lui donner une chance ! Marie réussit à prendre Mathieu dans ses bras. Ils soupèrent chez les parents de Marie, qui la trouvèrent bien fatiguée. Cette situation dura pendant des mois. Mathieu se montrait toujours inconsolable lorsqu'il arrivait à la garderie.

Dix-huit ans plus tard, Mathieu entrait au cégep. Les années précédentes, passées dans une école secondaire, lui avaient confirmé qu'il réussissait bien, de fait, il était premier de classe. Il est vrai que son grand-père, lui-même professeur, l'avait toujours encouragé à lire et à s'intéresser à de nouveaux sujets. Il prenait un réel plaisir à partager ses connaissances avec Mathieu et à l'encourager à poursuivre ses propres apprentissages. Mathieu entrait au cégep, confiant... sur le plan intellectuel. Quant au reste, il préférait ne pas y penser. Il était mal à l'aise avec les autres, surtout avec les filles, et il savait que ce n'était pas normal à son âge. Malgré ses nombreux efforts, il entrait très difficilement en contact avec les jeunes de son âge. Timide ? Asocial ? Peu intéressé ? Selon sa mère, Mathieu devait se créer un réseau d'amis, coûte que coûte !

QUESTIONS À SE POSER

· *Que pouvons-nous dire de Mathieu sur le plan de son développement affectif et social ?*

· *Quel serait le point de vue d'un tenant de l'approche psychanalytique sur Mathieu ?*

· *Que diraient les néo-béhavioristes de la situation de Mathieu ?*

· *À l'aide du modèle écologique, situez les différents facteurs qui affectent le développement de Mathieu.*

1.1 L'ÉTUDE DU DÉVELOPPEMENT HUMAIN

1.1.1 LA VISION ACTUELLE DU DÉVELOPPEMENT

L'étude du **développement humain** est l'étude scientifique de la façon dont les individus se transforment, d'une part, et demeurent les mêmes tout au long de la vie, d'autre part.

• LES TYPES DE CHANGEMENTS

Si les changements sont généralement plus visibles et plus rapides chez les enfants, ils surviennent à tout âge. Il existe deux types de changements : les **changements quantitatifs**,

---

Développement humain
Étude scientifique des changements quantitatifs et qualitatifs qui se produisent au cours de la vie d'une personne.

Changement quantitatif
Changement mesurable en nombre ou en quantité, par exemple, la taille, le poids, le vocabulaire.

c'est-à-dire ceux qui peuvent être mesurés (ex. : le poids, le quotient intellectuel, le nombre de mots utilisés, etc.) et les **changements qualitatifs**, c'est-à-dire les transformations qui touchent la nature de la personne ou son organisation interne (ex. : la nature de l'intelligence, les mécanismes de la pensée, la capacité d'attachement, etc.).

À certains égards, les personnes demeurent les mêmes tout au long de leur vie ; à d'autres égards, elles changent et elles évoluent. Par exemple, des recherches ont montré que de 10 à 15 % des enfants timides le restent toute leur vie et que 10 à 15 % de ceux qui sont sociables dans l'enfance le sont à l'âge adulte (Kagan, 1989). Certaines caractéristiques comme la névrose et l'ouverture à de nouvelles expériences semblent persister jusqu'à l'âge adulte, d'autres se transforment avec la maturité. Par exemple, les femmes deviennent habituellement plus affirmatives, et les hommes, plus ouverts à l'intimité et plus dévoués ; les femmes comme les hommes ont tendance à devenir plus introspectifs, soit à réfléchir davantage sur leur vie.

La psychologie du développement est une discipline complexe qui s'intéresse aux facteurs qui influencent tous les individus. Cependant, comme chaque être humain est unique, il est également intéressant de savoir pourquoi une personne diffère d'une autre. En examinant l'évolution des personnes, les chercheurs ont beaucoup appris sur ce qui est nécessaire à leur développement normal, sur leur façon de réagir aux influences externes et internes ainsi que sur leur manière de réaliser pleinement leur potentiel en tant qu'individu et membre d'un groupe.

• L'APPORT DE L'ÉTUDE DU DÉVELOPPEMENT

Qui ne s'est pas déjà demandé : Suis-je normal ? Ma petite sœur est-elle comparable à un enfant de son âge ? Comprendre le développement humain aide à répondre à ces questions.

L'étude du développement de la personne permet de jalonner le développement, d'identifier différentes étapes que tous les êtres humains franchissent autour du même âge. Les études portant sur les transitions qui surviennent dans la vie aident à comprendre comment la plupart des gens y font face et fournissent donc des pistes susceptibles de nous aider à nous y préparer : que ce soit l'arrivée d'un petit frère, l'entrée à la garderie et à l'école, les débuts de la vie sexuelle active, la formation d'un couple, le retour au travail après un congé de maternité, la retraite, l'apparition d'une maladie incurable, le décès du conjoint...

1.1.2 LES PRINCIPES DU DÉVELOPPEMENT

Le développement est un processus dynamique et continu qui n'est pas le fruit du hasard. Il suit plutôt certains principes communs à tous les êtres humains, que ce soit avant ou après la naissance. Ces principes sont la progression céphalo-caudale, la progression proximo-distale et la progression du simple au complexe.

• LA PROGRESSION CÉPHALO-CAUDALE

La tête est la première partie du corps à se développer. Selon la **progression céphalo-caudale**, le développement commence par la tête et se termine par les membres inférieurs. La tête, le cerveau et les yeux de l'embryon se développent d'abord. Pour l'embryon de deux mois, la tête représente la moitié de son corps. Lorsque l'enfant naît, sa tête ne représente plus que le quart de la taille de son corps. Cette proportion continuera de diminuer même après la naissance, pour finir par représenter seulement un huitième du corps d'un adulte. Les enfants apprennent aussi à utiliser les parties supérieures du corps avant les parties inférieures. Les bébés lèvent la tête avant de maîtriser les mouvements du tronc et ils savent saisir des objets avec leurs mains bien avant de pouvoir marcher.

• LA PROGRESSION PROXIMO-DISTALE

Avant de maîtriser les mouvements de leurs mains, les enfants perfectionnent les mouvements de leurs bras. En effet, selon la **progression proximo-distale**, le développement se fait d'abord dans la partie centrale du corps (la proximité), puis se poursuit vers les parties extérieures (plus

Changement qualitatif
Changement de nature, de structure ou d'organisation, par exemple, le type d'intelligence, le fonctionnement cognitif d'une personne.

Progression céphalo-caudale
Principe selon lequel le développement se fait de la tête au pied, c'est-à-dire que les parties supérieures du corps se développent avant les parties inférieures.

Progression proximo-distale
Principe selon lequel le développement se fait de l'intérieur vers l'extérieur, c'est-à-dire que les parties proches du tronc se développent avant les extrémités.

FIGURE 1.1 L'INTERACTION DES DIFFÉRENTES DIMENSIONS DU DÉVELOPPEMENT

Ces enfants qui examinent des escargots sur une table en pierre illustrent bien les rapports qui existent entre les différents domaines de développement : la perception sensorielle, l'apprentissage cognitif et les interactions émotionnelles et sociales.

distantes). La tête et le tronc de l'embryon se développent avant les membres ; les bras et les jambes se développent avant les doigts et les orteils. Il en va de même pour le développement de la maîtrise des mouvements. Les bébés apprennent d'abord à maîtriser les articulations des bras et des jambes, puis les parties antérieures des bras et des jambes, et finalement les doigts et les orteils.

• LA PROGRESSION DU SIMPLE AU COMPLEXE

Ce principe du développement est très simple. Nous apprenons d'abord des choses simples pour ensuite être en mesure d'effectuer des opérations plus complexes. Par exemple, avant d'être en mesure de marcher seul, un enfant doit d'abord être tenu par les bras pour apprendre à mettre un pied devant l'autre. Bien que cela semble évident, il reste que dans l'acquisition de presque toutes nos habiletés, physiques ou cognitives, nous progressons du simple au complexe. Ce type de changement progressif soutient l'individu dans son adaptation croissante à son milieu.

1.1.3 LES DIMENSIONS DU DÉVELOPPEMENT

Le développement humain touche plusieurs aspects, soit le développement physique, le développement cognitif, le développement affectif et social. Dans ce livre, nous abordons séparément ces aspects du développement pour en faciliter l'apprentissage et la compréhension. Toutefois il ne faut pas perdre de vue que, tout au long du développement, ces différents aspects demeurent indissociables et s'influencent les uns les autres, cette notion d'interaction étant centrale dans tout le développement.

• LE DÉVELOPPEMENT PHYSIQUE

Les changements concernant le corps, le cerveau et les capacités sensorielles et motrices font tous partie du développement physique. La mise en situation du début du chapitre nous renseigne sur le développement physique de Mathieu. Ce dernier pèse 4 kilos à la naissance, il fait ses premiers pas à 15 mois, il jouit d'une bonne santé. Le développement physique a une influence importante sur le développement de l'intelligence et de la personnalité. Ainsi, un nouveau-né prend d'abord connaissance du monde par le biais de ses sens et de ses mouvements. Un enfant qui naît sourd risque de souffrir d'un retard du langage. Le fait que le développement du cerveau ne soit achevé qu'à l'adolescence expliquerait pourquoi la pensée abstraite n'est pas établie avant cet âge. Par ailleurs, la présence d'un handicap physique peut affecter le développement social.

• LE DÉVELOPPEMENT COGNITIF

L'apprentissage, la mémoire, le raisonnement, la perception et le langage correspondent à différents aspects du développement cognitif. Que savons-nous du développement cognitif de Mathieu ? Selon l'éducatrice, il désire apprendre, il possède une bonne mémoire. En outre, plus tard, il deviendra premier de classe. Le développement cognitif est lié au développement physique et affectif. Par exemple, l'attachement à une personne est relié à notre capacité de nous souvenir d'elle, d'un contact à l'autre. La mémoire joue aussi un rôle évident dans les apprentissages. Ainsi, pour apprendre à lire, un enfant doit se souvenir de la forme des lettres.

• LE DÉVELOPPEMENT AFFECTIF ET SOCIAL

Les émotions, la personnalité et les relations avec les autres font partie du développement social et affectif. Que pouvons-nous dire du développement affectif et social de Mathieu ? Lorsqu'il est bébé, Mathieu éprouve de la difficulté à se séparer de sa mère, il fait une crise lorsqu'elle le laisse à la garderie et réagit négativement lorsqu'elle revient le chercher. À l'adolescence, il semble que cette difficulté à entrer en contact avec les autres ait persisté. Il a peu d'amis et cette situation semble créer chez lui une certaine anxiété. La personnalité et le développement social ont des effets sur les aspects physiques et cognitifs du fonctionnement. Par exemple, l'anxiété relative à un examen peut nuire au rendement académique alors que le soutien d'amis peut contribuer à amoindrir les effets négatifs d'un deuil sur notre bien-être. Par ailleurs, les aspects physiques et cognitifs ont des effets sur la vie sociale : les enfants qui parlent peu éprouvent souvent de la difficulté à exprimer leurs besoins, ce qui peut entraîner de la frustration et de l'agressivité.

1.1.4 LES PÉRIODES DE LA VIE

Dans cet ouvrage, nous étudions la vie humaine en la divisant en huit périodes : période prénatale, 0 à 3 ans, 3 à 6 ans, 6 à 11 ans, 11 à 20 ans, 20 à 40 ans, 40 à 65 ans et 65 ans et plus. Cette division est approximative et un peu arbitraire, particulièrement en ce qui a trait à la période adulte, pendant laquelle peu d'événements sociaux ou physiques déterminent le passage d'un stade à un nouveau stade. Malgré cela, les chercheurs dans le domaine du développement humain indiquent que chaque période comporte des événements et des phénomènes qui lui sont propres. Les principales caractéristiques de ces périodes sont décrites au tableau 1.1 (à la page suivante).

1.1.5 LES DIFFÉRENCES INDIVIDUELLES DANS LE DÉVELOPPEMENT

Même si les personnes se développent généralement selon la même séquence, il existe de nombreuses différences individuelles quant au moment et à la façon dont ces changements se produisent. Dans ce livre, nous donnons les âges auxquels se présentent certains phénomènes. Ces âges ne sont que des moyennes. Par exemple, l'âge auquel un enfant commence à marcher peut varier grandement d'un enfant à l'autre. Dans ce contexte, la réponse à la question «suis-je normal?» demande beaucoup de nuances. Nous considérons que le développement d'une personne est en avance ou en retard seulement en cas d'écart extrême.

La majorité des enfants franchissent les étapes du développement à des âges semblables, car ces étapes sont liées à une maturation assez fixe du corps et du cerveau. Nous observons tout de même des différences individuelles sur le plan de la taille, du poids, de la morphologie, de l'état de santé, de la pensée abstraite et des réactions émotives. Plus tard dans la vie, les expériences et le milieu exercent une plus grande influence. Notre travail et le plaisir que nous en retirons, la famille dans laquelle nous vivons, notre réseau de relations sociales, notre milieu de vie constituent autant d'éléments susceptibles d'influencer notre développement.

1.1.6 LES INFLUENCES SUR LE DÉVELOPPEMENT

Le développement est soumis à l'influence du bagage génétique et des expériences. Certaines de ces expériences sont purement individuelles, tandis que d'autres sont communes à des groupes – des groupes d'âges, des générations ou des cultures. Le comportement et le mode de vie d'une personne influencent également son développement.

• LES FACTEURS INTERNES

Les influences internes sur le développement proviennent de l'**hérédité**, soit les traits génétiques hérités des parents (hérédité individuelle), soit ceux qui sont hérités de l'espèce à laquelle nous appartenons (hérédité spécifique). Plusieurs changements, surtout dans l'enfance, sont influencés par la maturation du corps et du cerveau. La **maturation** désigne la succession de changements physiques, programmés génétiquement, qui rend un individu apte ou non à effectuer une tâche. Par exemple, nous ne pouvons demander à un nourrisson de contrôler ses sphincters ou de marcher, puisque les étapes physiologiques nécessaires à ces comportements, par exemple le développement des os, des muscles ou du système nerveux, n'ont pas été franchies. Autrement dit, les fonctions physiologiques de cet enfant n'ont pas atteint le niveau de maturation nécessaire au contrôle des sphincters ou à la marche.

Hérédité
Ensemble des traits transmis d'une génération à l'autre par les gènes.

Maturation
Succession de changements physiques, programmés génétiquement, qui font en sorte qu'un individu est en mesure ou non d'effectuer une tâche.

TABLEAU 1.1 PRINCIPAUX DÉVELOPPEMENTS AU COURS DE LA VIE

TRANCHE D'ÂGE	DÉVELOPPEMENT PHYSIQUE	DÉVELOPPEMENT COGNITIF	DÉVELOPPEMENT PSYCHOSOCIAL
Période prénatale (de la conception à la naissance)	Conception. Dès le début, le patrimoine génétique interagit avec l'environnement. Les structures de base du corps et les organes se forment. La croissance du cerveau commence. À aucune autre période de la vie, le développement physique n'est aussi rapide. La vulnérabilité aux influences environnementales est importante.	Développement des capacités d'apprentissage, de mémorisation et de réponse aux stimuli sensoriels.	Le fœtus réagit à la voix de sa mère et manifeste une préférence pour cette dernière.
Tout-petits (de la naissance à 3 ans)	Tous les sens et les systèmes du corps fonctionnent dès la naissance à des degrés divers. Le cerveau devient plus complexe et est très sensible aux influences environnementales. La croissance physique et le développement moteur sont rapides.	Les capacités d'apprentissage et de mémorisation sont présentes, même dans les toutes premières semaines de vie. L'utilisation de symboles apparaît, et la capacité de résoudre des problèmes se développe à la fin de la seconde année.	L'attachement aux parents et aux autres se crée et se développe. L'enfant prend conscience de son existence. Passage de la dépendance à l'autonomie. L'intérêt pour les autres enfants grandit de plus en plus.
Petite enfance (de 3 à 6 ans)	La croissance est constante : le corps s'allonge et commence à prendre les proportions de l'être humain adulte. L'appétit diminue et les problèmes de sommeil sont courants. La dextérité apparaît, les motricités fine et globale s'améliorent, et la force musculaire augmente.	La compréhension et l'usage du langage se développent rapidement. La pensée est un peu égocentrique, mais la compréhension du point de vue des autres personnes croît. Le manque de maturité cognitive entraîne une conception quelque peu illogique du monde. La mémoire et le langage s'améliorent. L'intelligence devient de plus en plus prévisible. L'enfant fréquente généralement une école pré-maternelle ou une garderie.	L'image de soi et la compréhension des émotions augmentent. L'indépendance, l'initiative, la maîtrise de soi et l'autonomie augmentent. L'identité de genre se développe. Le jeu devient plus imaginatif, plus élaboré et plus social. L'altruisme, l'agressivité et la peur sont courants. La famille est encore le centre de la vie sociale, mais les autres enfants prennent de plus en plus d'importance.
Enfance moyenne (de 6 à 11 ans)	La croissance ralentit. La force et les capacités physiques augmentent. Les maladies respiratoires sont courantes, mais la santé est généralement meilleure que dans toute autre période de la vie.	L'égocentrisme diminue. Les enfants commencent à réfléchir de façon logique et concrète. La mémoire et le langage s'améliorent. Les gains que les enfants ont acquis sur le plan cognitif leur permettent de suivre une éducation formelle.	L'image de soi devient plus complexe et affecte l'estime de soi. La corégulation montre le passage graduel du contrôle des parents aux enfants. Les pairs prennent la place centrale.
Adolescence (de 11 à 20 ans)	La croissance physique et les autres changements sont rapides et importants. L'enfant atteint la maturité sexuelle. Les principaux problèmes de santé proviennent de comportements inadéquats, tels que l'absence d'une alimentation saine ou l'utilisation de drogues.	La réflexion abstraite et le raisonnement scientifique se développent. La réflexion manque encore de maturité pour certaines attitudes et certains comportements. L'apprentissage se concentre sur la préparation à l'université ou la carrière.	La recherche d'identité, y compris l'identité sexuelle, prend la place centrale. En général, les relations avec les parents sont bonnes. Les groupes de pairs permettent aux adolescents de développer et de tester leur image de soi, mais ces groupes peuvent également exercer une influence néfaste.

TRANCHE D'ÂGE	DÉVELOPPEMENT PHYSIQUE	DÉVELOPPEMENT COGNITIF	DÉVELOPPEMENT PSYCHOSOCIAL
Jeune adulte (de 20 à 40 ans)	La condition physique culmine, puis commence à décliner progressivement. Les choix de styles de vie influencent la santé.	Les capacités cognitives et le jugement moral deviennent plus complexes. L'individu fait des choix relatifs à ses études et à sa carrière.	Les traits de caractères et le style de personnalité tendent à se stabiliser, mais des changements peuvent se produire avec l'âge, selon les événements. Des décisions sont prises en ce qui concerne les relations intimes et le style de vie personnel. La plupart des gens forment un couple et ont des enfants.
Adulte d'âge mûr (de 40 à 65 ans)	Parfois, les habiletés sensorielles, la santé et la résistance peuvent se détériorer. Les femmes deviennent ménopausées.	La plupart des capacités mentales de base culminent; l'expertise et la capacité de résolution de problèmes pratiques atteignent leur sommet. La créativité peut être moins fréquente, mais s'avère de meilleure qualité. Pour certains individus, les succès professionnels et le bien-être matériel culminent; pour d'autres, l'épuisement professionnel ou des changements de carrière peuvent survenir.	L'identité continue de se développer; une «crise de la quarantaine» peut survenir, ce qui entraînera un certain stress. La double responsabilité de s'occuper des enfants et des parents peut entraîner du stress. Le départ des enfants laisse un vide.
Adulte d'âge avancé (de 65 ans et plus)	La plupart des individus sont actifs et en forme, même si la santé et les capacités physiques diminuent légèrement. Le ralentissement du temps de réaction affecte certains aspects du fonctionnement.	La plupart des individus jouissent de toutes leurs capacités mentales. Même si l'intelligence et la mémoire peuvent se détériorer dans certains domaines, la plupart des gens trouvent le moyen de compenser ces lacunes.	La retraite peut offrir de nouvelles possibilités d'utilisation du temps. Les individus doivent faire face aux diminutions de leurs capacités physiques et à l'éventualité de la mort. Les relations avec la famille et les amis proches peuvent s'avérer un soutien important. La recherche du sens de la vie occupe une place centrale.

• LES FACTEURS EXTERNES

Les influences externes ou **influences du milieu** proviennent du contact avec le monde extérieur. Dès la naissance, une foule de contextes influencent le développement du nourrisson. Le type de famille dans laquelle il naît, les contacts avec les grands-parents, les caractéristiques du voisinage, le statut socioéconomique de la famille et la culture sont parmi les facteurs qui ont une influence majeure sur le développement humain. Ces facteurs externes sont-ils plus influents que les facteurs internes? Autrement dit, l'hérédité joue-t-elle un rôle plus grand que l'expérience? En fait, ces deux types d'influences jouent simultanément et il est souvent très difficile de les distinguer. Par exemple, un nourrisson au tempérament enjoué provoque des réponses positives dans son entourage. Ces réponses, en retour, encouragent le nourrisson à poursuivre son babillage. Ainsi, l'étude du développement humain demande que nous réfléchissions en termes d'interaction constante entre l'inné et l'acquis, entre la maturation et l'apprentissage.

Influences du milieu
Influences attribuables aux expériences vécues au contact du monde extérieur.

• LES INFLUENCES NORMATIVES ET LES INFLUENCES NON NORMATIVES

Une influence est dite «normative» si elle est semblable pour la plupart des gens d'un groupe d'âge donné. Les influences normatives liées *à l'âge* sont des facteurs qui agissent sur le développement d'un individu, peu importe où et quand il vit. Parmi ces facteurs se trouvent des événements biologiques, comme la puberté et la ménopause, et des événements culturels, comme l'entrée à l'école et le retrait du marché du travail.

Cohorte

Groupe d'individus qui grandissent au même endroit et au même moment.

Les influences normatives liées *à la génération* sont des facteurs qui touchent toutes les personnes d'une **cohorte**. La révolution tranquille des années 1960, les famines massives dont plusieurs pays africains ont été victimes dans les années 1980 et la guerre en Irak des années 2000 font partie de ce type d'influences. Elles incluent aussi des facteurs culturels, tels que la transformation du rôle de la femme, le recours à l'anesthésie pendant l'accouchement et l'influence d'Internet sur la vie quotidienne.

Les *influences non normatives* sont liées à des événements inhabituels qui touchent certains individus, soit des événements communs qui se produisent à un âge inhabituel, soit des événements que la majorité des gens ne vivront jamais. Il peut s'agir d'événements dramatiques comme des malformations congénitales, la mort d'un parent pour un jeune enfant, une maladie grave... ou d'événements heureux comme le fait de gagner à la loterie. Une personne peut contribuer à créer ses propres événements non normatifs. Par exemple, elle peut devenir astronaute et être appelée à mettre le pied sur Mars ou alors choisir un loisir risqué comme l'escalade du mont Everest.

• LES PÉRIODES CRITIQUES OU SENSIBLES

Période critique

Moment précis où un événement donné risque d'avoir le plus de répercussions.

Une **période critique** constitue un moment du développement où un événement donné ou son absence aura plus d'impact sur l'individu qu'à tout autre moment. Par exemple, si une femme subit une radiographie ou prend certains médicaments à certaines étapes de sa grossesse, le fœtus peut en souffrir; le type et la gravité des affections varient selon le moment du «choc».

Le concept de période critique a été appliqué au développement physique et psychologique. Ainsi, des preuves de l'existence de périodes critiques pour le développement physique sont incontestables, particulièrement chez le fœtus. Par ailleurs, Lenneberg (1969) a avancé l'idée qu'il existe dans l'enfance une période critique pour le développement du langage. Cependant, pour les autres aspects du développement, la notion de périodes critiques irréversibles est fort controversée et semble trop restrictive. Il est préférable de parler de **période sensible**, c'est-à-dire une période au cours de laquelle une personne est particulièrement prête à répondre à une expérience. Par exemple, si un enfant ne commence pas à parler correctement dans sa période sensible, soit autour de deux ans, il est possible de l'aider à acquérir le langage lorsqu'il est plus âgé. Il serait donc faux de croire qu'il existe une période critique pour le langage, comme si, une fois passée cette période, aucune acquisition n'était possible.

Période sensible

Période de temps durant laquelle une personne est particulièrement prête à répondre à une expérience ou à effectuer une tâche.

1.1.7 L'ÉVOLUTION DE L'ÉTUDE SCIENTIFIQUE DU DÉVELOPPEMENT HUMAIN

Le développement est évidemment aussi ancien que l'être humain lui-même, mais les idées à son sujet ont connu une profonde évolution. Aujourd'hui, l'étude scientifique du développement apporte des connaissances plus précises et modifie la façon dont les adultes considèrent les enfants. Elle modifie également nos pratiques à l'égard des enfants, en particulier en ce qui concerne les pratiques éducatives familiales et le milieu scolaire, où la connaissance du développement cognitif de l'enfant a largement modifié l'enseignement des mathématiques.

• LES ÉTUDES SUR L'ENFANCE

FIGURE 1.2   UN EXEMPLE D'INFLUENCE NORMATIVE

L'utilisation étendue des ordinateurs est une influence normative progressive sur le développement de l'enfant, laquelle n'existait pas dans les générations précédentes.

Au fil des siècles, les manières de considérer les enfants et de les éduquer ont bien changé. Selon l'historien français Philippe Ariès (1962), ce n'est qu'au 17e siècle que les gens ont commencé à voir les enfants comme des êtres qualitativement différents des adultes. Avant, on les considérait simplement comme des petits adultes. Ariès fonde ses opinions, entre autres, sur l'observation de peintures. Lors de votre prochaine visite au musée, observez comment sont représentés les enfants dans les tableaux anciens. Ils possèdent des traits d'adultes et sont vêtus comme eux, mais ils sont de petites tailles. La théorie d'Ariès a été largement acceptée, mais d'autres analyses sur diverses périodes de l'histoire brossent un tableau différent. Le psychologue David Elkind (1987) a trouvé dans la Bible et dans les textes grecs et romains des écrits témoignant de la nature spéciale des enfants. Linda A. Pollock (1983), après avoir examiné des autobiographies, des journaux intimes et des documents littéraires remontant au 16e siècle, nous donne de bonnes raisons de croire que les enfants sont traités différemment des adultes depuis fort longtemps.

Les ouvrages éducatifs à l'intention des parents sont apparus vers le 16e siècle. Souvent les médecins y exprimaient des recommandations qui, aujourd'hui, nous semblent loufoques : par exemple, conseiller aux mères d'éviter d'allaiter leur enfant après avoir fait une colère, de peur que leur lait ne soit empoisonné, commencer l'apprentissage de la propreté à trois semaines et attacher les mains du bébé pendant plusieurs mois pour l'empêcher de sucer son pouce (Ryerson, 1961).

Au 19e siècle, une nouvelle discipline scientifique, la psychologie, fait officiellement son entrée dans le monde des sciences humaines. La psychologie se propose non seulement d'expliquer le comportement humain, mais elle considère également l'enfance comme une période critique du développement de la personne à laquelle il faut s'attarder. Elle soutient aussi que l'individu peut mieux se comprendre s'il découvre les influences qui l'ont marqué au cours de son enfance. À cette époque, la psychologie du développement ne se limite qu'à la description du développement de l'enfant.

• LES ÉTUDES SUR L'ADOLESCENCE, L'ÂGE ADULTE ET LE VIEILLISSEMENT

Il faut attendre le 20e siècle pour que l'adolescence soit considérée comme une période particulière du développement, quand Stanley Hall (1904) publie *Adolescence*.

Hall est aussi l'un des premiers psychologues à s'intéresser au vieillissement. En 1922, à l'âge de 78 ans, il publie *Senescence : The Last Half of Life*. En 1946, le National Institute of Health (NIH) crée un centre de recherche pour procéder à des études sur le vieillissement, portant par exemple sur les capacités intellectuelles et les temps de réaction, et par la suite sur les aspects affectifs du vieillissement.

Depuis la fin des années 1930, on s'intéresse au développement de la personne à l'âge adulte. La première étude longitudinale (portant sur les mêmes participants à divers moments de leur vie) a été menée par Grant. Les sujets, des étudiants de l'université Harvard, ont été suivis de l'âge de 18 ans jusqu'à l'âge mûr. Au milieu des années 1950, d'autres chercheurs tels que Neugarten et Schaie ont poursuivi ces travaux sur l'adulte d'âge mûr. Ces études et bien d'autres ont enrichi notre compréhension du développement adulte. Toutefois, à ce jour, nous demeurons toujours mieux renseignés sur l'enfant et l'adulte vieillissant que sur le jeune adulte et sur l'adulte d'âge moyen.

• LES ÉTUDES SUR LE CYCLE COMPLET DE LA VIE

Une autre manière de bien comprendre comment se développent les individus consiste à les observer tout au long de leur vie. Cette méthode permet de comprendre l'enchaînement des différentes périodes de la vie et de situer l'influence d'une période sur les autres. Une étude sur les enfants doués, entreprise en 1921, sous la direction de Lewis Terman, à l'université de Stanford, se poursuit toujours : on continue d'observer l'évolution d'individus sélectionnés dès l'enfance en raison de leur intelligence exceptionnelle. Ces études et d'autres s'appuient sur une gamme diversifiée d'outils de recherche que nous décrirons à la fin de ce chapitre.

La plupart des études sur le développement portent sur la description des comportements humains. Aujourd'hui, on tente non seulement de décrire le comportement, mais également d'expliquer, de prédire et éventuellement de modifier ce comportement. Prenons par exemple le cas de Mathieu. Nous pouvons décrire ses difficultés sur le plan des relations sociales. Une meilleure compréhension de l'origine de son problème nous permettrait d'expliquer pourquoi ce problème existe. À la suite d'études menées auprès d'autres enfants, nous pourrions être en mesure de prédire comment ce comportement évoluera. Enfin, l'ensemble de ces connaissances pourra soutenir des programmes d'intervention spécifiques destinés aux jeunes qui éprouvent ces difficultés. Les programmes d'entraînement aux habiletés sociales, dans lesquels on favorise l'apprentissage de l'affirmation de soi et de l'écoute, en sont un bon exemple.

• L'APPROCHE DE BALTES SUR LE DÉVELOPPEMENT

Que conclure du développement humain tout au long de la vie? L'approche de Baltes et de ses collègues (1998) identifie six principes de base qui résument les informations vues jusqu'ici.

1. *Le développement se poursuit tout au long de la vie.* Le développement humain est un processus continu de changement des capacités d'adaptation de l'individu à son environnement. Chaque période de la vie est affectée par la précédente et influence les périodes subséquentes. Chaque période comporte ses caractéristiques spécifiques ou ses défis particuliers. Aucune de ces périodes n'est plus importante qu'une autre. Même si l'on a déjà cru que le développement cessait à l'adolescence, nous savons maintenant que même les personnes âgées continuent d'évoluer.

2. *Le développement comporte des gains et des pertes.* Le développement est multidimensionnel et multidirectionnel. Il est influencé par des dimensions biologiques, psychologiques et sociales qui interagissent les unes avec les autres, mais qui se développent chacune à des rythmes différents. Une personne peut faire des gains sur un aspect et des pertes sur un autre, simultanément. Par exemple, les adolescents gagnent en habiletés physiques, mais perdent la facilité d'acquisition du langage qu'ils possédaient en bas âge. De manière générale, les individus tentent tout au long de la vie de maximiser les gains et de minimiser les pertes en s'adaptant à ces dernières.

3. *L'influence relative de la biologie et de la culture change au cours de la vie.* Le processus de développement est influencé par la biologie et la culture, et l'équilibre entre ces deux sources d'influence varie avec le temps. À titre d'exemple, à mesure qu'une personne vieillit, son acuité sensorielle et sa force musculaire peuvent diminuer, mais ses capacités sur le plan cognitif ou social s'améliorent.

4. *Le développement demande une répartition des énergies.* Personne n'est en mesure de tout faire. Les individus choisissent d'investir dans certains domaines, c'est-à-dire de consacrer du temps, de l'argent, des énergies à différentes activités, par exemple le développement d'un talent ou l'investissement dans leurs relations interpersonnelles. Tout au long de la vie, nous pouvons utiliser nos énergies pour notre propre développement (ex. : l'apprentissage d'un instrument de musique), pour maintenir un état de bien-être, pour récupérer à la suite d'un événement stressant (ex. : le maintien d'une relation amoureuse ou le divorce des parents) ou pour faire face à une perte (ex. : le suicide d'un ami). Dans l'enfance et l'adolescence, les énergies sont surtout vouées au développement personnel. À un âge plus avancé, les énergies se répartissent davantage entre le développement, le maintien et l'acceptation des pertes.

5. *Le développement est modifiable.* Les personnes peuvent se développer tout au long de leur vie. Plusieurs habiletés, comme la mémoire ou la force physique, peuvent s'améliorer avec un entraînement et de la pratique, même chez les personnes âgées. Cependant le potentiel de changement, même chez les enfants, comporte des limites. Les recherches actuelles dans le domaine du développement tentent de déterminer les aspects du développement qui peuvent être modifiés et d'identifier jusqu'à quel âge cela est possible.

6. *Le contexte historique et culturel influence le développement.* Chaque personne se développe dans des contextes multiples. Ces contextes, qu'ils soient biologiques, familiaux, sociaux, historiques ou culturels, ont des impacts indéniables sur le développement humain.

1.2 LE DÉVELOPPEMENT HUMAIN : LES APPROCHES THÉORIQUES

Chaque théorie se définit en quelque sorte comme une paire de lunettes qui donne une perspective spécifique du développement humain et qui met l'accent sur un angle plus que sur un autre. Cette perspective influence notre explication du développement humain : selon les types de lunettes que nous portons, nous opterons pour une explication différente du développement d'une personne.

En termes scientifiques, une **théorie** se veut un ensemble organisé d'énoncés liés entre eux, élaborés à partir de **données**, soit les informations obtenues par la recherche et l'observation. Une théorie a pour objectif principal d'expliquer le comportement (comprendre son origine) ainsi que de le prédire (prévoir ce qui se passera). Quoique la recherche tente de maintenir une objectivité maximale, elle se base toujours sur une perspective théorique. Ainsi, une recherche portant sur le développement de la relation affective mère/enfant ne s'inspirera pas de la même approche théorique qu'une recherche sur l'apprentissage de la lecture.

Au moins cinq approches différentes permettent aujourd'hui d'étudier le développement : l'approche psychanalytique, l'approche béhavioriste, l'approche cognitiviste, l'approche humaniste et l'approche écologique. Chacune a ses partisans et ses opposants, et chacune contribue de façon importante à notre compréhension de la personne. Le tableau 1.2 (à la page suivante) résume les caractéristiques de ces approches décrites dans les prochaines sections.

1.2.1 L'APPROCHE PSYCHANALYTIQUE OU PSYCHODYNAMIQUE

Croyez-vous que votre enfance a eu une influence sur la personne que vous êtes aujourd'hui ? L'**approche psychanalytique** stipule que les événements qui se produisent durant l'enfance déterminent le développement de la personnalité adulte.

• SIGMUND FREUD : LA THÉORIE PSYCHOSEXUELLE

Sigmund Freud (1856-1939), l'aîné de huit enfants, croit être le préféré de sa mère et s'attend à accomplir de grands exploits (Jones, 1961). Son objectif premier est la recherche médicale, mais des ressources financières limitées et les obstacles à la formation universitaire des Juifs le forceront à s'orienter vers la pratique privée de la médecine.

Il s'intéresse à la neurologie, soit à l'étude du cerveau et des troubles du système nerveux. Dans le cadre de sa pratique, il s'aperçoit que certains maux demeurent inexplicables physiologiquement. Dans l'espoir de soulager leurs symptômes, Freud commence à questionner ses patients, dans le but d'éveiller en eux des souvenirs enfouis depuis l'enfance. Il en conclut que certains de ces troubles viennent d'expériences traumatisantes dans l'enfance, expériences qui ont été refoulées, c'est-à-dire oubliées.

Pour Freud, l'être humain fonctionne selon des instincts de base qu'il appelle pulsions et qui orientent le comportement vers la recherche du plaisir et l'évitement de la douleur. Deux pulsions fondamentales dominent le comportement de façon inconsciente : la pulsion sexuelle et la pulsion agressive. Cependant, les contraintes liées à la réalité, empêchent souvent la satisfaction de ces pulsions et créent des **conflits psychiques** la plupart du temps inconscients : la personne ne sait pas qu'elle vit ces conflits alors que ces derniers influencent ses émotions et ses comportements. Ce n'est qu'avec l'aide d'une psychanalyse que ces conflits refoulés peuvent revenir à la mémoire.

Freud et ses successeurs ont élaboré une théorie du développement fondée sur les stades du **développement psychosexuel**, lesquels constituent la base du développement de la personnalité. Selon Freud, la personnalité se forme au cours des premières années de la vie

---

Théorie

Ensemble organisé d'énoncés liés entre eux, se rapportant à des données qui visent à expliquer un phénomène. Les théories aident les scientifiques à expliquer, à interpréter et à prédire des phénomènes.

Données

Informations obtenues par la recherche.

FIGURE 1.3 FREUD

À l'aide des souvenirs d'enfance de ses patients adultes, le médecin viennois Sigmund Freud a développé une théorie originale, à la fois importante et très controversée, du développement psychosexuel durant l'enfance. Sa fille Anna, que l'on voit à ses côtés sur la photo, a suivi ses traces et a élaboré ses propres théories du développement de la personnalité.

Approche psychanalytique

Théorie développée par Freud portant sur les forces inconscientes qui motivent le comportement humain et qui stipule que les événements qui se produisent durant l'enfance déterminent le développement de la personnalité adulte.

Conflits psychiques

Conflits inconscients entre les pulsions fondamentales et les contraintes liées à la réalité.

Développement psychosexuel

Dans la théorie psychanalytique, séquence invariable de stades dans le développement de la personnalité, depuis l'enfance jusqu'à l'adolescence, au cours de laquelle différentes zones érogènes sont investies.

TABLEAU 1.2 CINQ APPROCHES DU DÉVELOPPEMENT

APPROCHE	PRINCIPALE THÉORIE	CROYANCE DE BASE	TECHNIQUE UTILISÉE	BASÉE SUR DES ÉTAPES	ORIGINE	INDIVIDU ACTIF OU PASSIF
Psychanalytique	Théorie psycho-sexuelle (Freud)	Le comportement est contrôlé par des pulsions inconscientes puissantes.	Observation clinique	Oui	Facteurs congénitaux modifiés par l'expérience	Passif
	Théorie psychosociale (Erikson)	La personnalité est influencée par la société et se développe en passant par différentes crises ou alternatives critiques.	Observation clinique	Oui	Interaction de facteurs congénitaux et de facteurs expérimentaux	Actif
Béhavioriste et néo-béhavioriste	Béhaviorisme ou théorie traditionnelle de l'apprentissage (Pavlov, Skinner, Watson)	Les individus réagissent aux stimuli de l'environnement; le comportement est contrôlé par l'environnement.	Procédure scientifique (expérimentale) rigoureuse	Non	Expérience	Passif
	Théorie de l'apprentissage social ou sociocognitif (Bandura)	Les individus apprennent dans un contexte social donné, en observant et en imitant des modèles. L'individu contribue activement à l'apprentissage.	Procédure scientifique (expérimentale) rigoureuse	Non	Expérience modifiée par des facteurs congénitaux	Actif et passif
Cognitiviste	Théorie cognitiviste (Piaget) *constructivisme*	Des changements qualitatifs de la pensée se produisent entre l'enfance et l'adolescence. L'individu prépare activement le développement. Les êtres humains traitent des symboles.	Entrevues souples; observation méticuleuse	Oui	Interaction de facteurs congénitaux et de facteurs expérimentaux	Actif
	Théorie socio-culturelle (Vygotsky)	Le contexte socioculturel est central pour le développement cognitif de l'enfant.	Recherche interculturelle; observation d'enfants interagissant avec plusieurs personnes compétentes	Non	Expérience	Actif
Humaniste	La pyramide des besoins (Maslow)	Les besoins de base doivent être satisfaits avant qu'une personne n'atteigne l'actualisation de soi.	Observation clinique	Non	Expérience	Actif et passif
	L'actualisation de soi (Rogers)	L'être humain tend vers le développement de son plein potentiel en étant authentique et congruent.	Observation clinique	Non	Expérience	Actif et passif
Écologique	Modèle écologique (Bronfenbrenner)	Le développement se fait grâce aux interactions entre l'individu en croissance et six systèmes d'influence entrecroisés, contextuels et environnants, qui vont de l'ontosystème au chronosystème.	Observation et analyse naturalistes	Non	Interaction de facteurs congénitaux et de facteurs expérimentaux	Actif

et la façon dont chacun des stades est franchi influence la formation de la personnalité. Chaque stade est relié à une **zone érogène**, soit une partie du corps de l'enfant qui demande satisfaction. Une fixation peut survenir si une satisfaction adéquate n'est pas obtenue. Cet arrêt du développement aura un impact sur la nature de la personnalité. La personnalité est composée de trois instances psychiques, le *ça*, le *moi* et le *surmoi*. Les nouveau-nés sont gouvernés par le **ça**, la source des pulsions. Le *ça* est inconscient et amoral, et exige une satisfaction immédiate des besoins sans tenir compte des contraintes extérieures. Avec le temps et les exigences extérieures, c'est-à-dire l'impossibilité de voir les besoins satisfaits sans délai, se développe le **moi**, une partie de la personnalité qui compose avec la réalité et qui est en grande partie consciente. Un peu plus tard (autour de six ans) apparaît le **surmoi**, qui intègre certaines règles et valeurs transmises par les parents. Une grande partie des conflits inconscients naissent de l'opposition entre les exigences du *ça* et les interdits du *surmoi*.

Si Freud devait analyser le cas de Mathieu, que dirait-il ? D'abord, il concentrerait son analyse sur l'enfance de Mathieu. Il examinerait comment certaines expériences traumatisantes peuvent avoir influencé le développement de sa personnalité. La première journée à la garderie a peut-être marqué Mathieu pour le reste de sa vie et c'est ce qui expliquerait ses difficultés sur le plan social. Freud essaierait de comprendre le lien qui existe entre Mathieu et sa mère ainsi que les raisons pour lesquelles Mathieu éprouve tant de difficultés à se séparer d'elle. Il tenterait de comprendre pourquoi Mathieu suce trop son pouce, au dire de sa grand-mère. Peut-être poserait-il l'hypothèse que Mathieu a eu une fixation à l'un des stades du développement psychosexuel pour lequel la bouche représente la zone érogène investie. Freud s'intéresserait aussi certainement au fait que Mathieu est élevé seulement par sa mère. Lorsque vous connaîtrez mieux la théorie freudienne, vous constaterez que les garçons doivent s'identifier à leur père pour résoudre le complexe d'Œdipe. Nous verrons cette notion au chapitre qui traite des enfants de 3 à 6 ans.

• ERIK ERIKSON : LA THÉORIE PSYCHOSOCIALE

Né en Allemagne, Erik Erikson (1902-1994) a reçu sa formation de psychanalyste d'Anna Freud, la fille de Sigmund, à Vienne. Il doit fuir devant la menace nazie (laquelle finit par démanteler le cercle de Sigmund Freud) et s'installe aux États-Unis en 1933. Son expérience personnelle et professionnelle l'a amené à développer une nouvelle perspective théorique qui intègre certains aspects de la théorie de Freud.

Erikson est d'ascendance juive et danoise. Après le divorce de ses parents, il perd contact avec son père ; dans sa jeunesse, il tâtonne longuement avant de trouver sa vocation ; son arrivée aux États-Unis l'oblige à redéfinir son identité en tant qu'immigrant. Ces expériences personnelles, ainsi que des observations réalisées auprès d'adolescents troublés, de soldats au combat pendant la Deuxième Guerre mondiale et de membres de groupes minoritaires ont influencé l'élaboration de sa théorie (Erikson, 1968, 1973 ; Evans, 1967). D'autres recherches l'ont amené à s'intéresser à l'éducation chez les Amérindiens et aux coutumes sociales en Inde. Il en conclut que la recherche d'identité est l'un des principaux thèmes de l'existence.

Erikson trouve que la théorie psychosexuelle sous-estime l'influence de la société sur le développement de la personnalité. Par exemple, une fille qui grandit dans une réserve sioux, où les femmes apprennent à servir leur mari chasseur, se développera différemment d'une fille qui a vécu dans une famille viennoise aisée du début du 20ᵉ siècle, comme la plupart des patientes de Freud. Erikson estime aussi que Freud a une vision trop négative de la société.

La **théorie du développement psychosocial** d'Erikson suppose, contrairement à la théorie psychosexuelle de Freud, que le développement d'une personne se poursuit tout au long de sa vie. Cette théorie tient compte des influences sociales et culturelles qui façonnent la personnalité à chacun des huit « âges » de l'existence (Erikson, 1950). Ces huit « âges » constituent des stades que les êtres humains franchissent plus ou moins bien et plus ou moins rapidement. Chacun des stades est caractérisé par un conflit central qui engendre une crise. La résolution de chacune des huit crises exige l'atteinte d'un équilibre entre deux traits

Zone érogène
Partie du corps qui procure une sensation de plaisir et qui est associée à un stade du développement psychosexuel.

Ça
Dans la théorie psychanalytique, instance innée et inconsciente de la personnalité, présente dès la naissance, qui obéit au principe de plaisir par la recherche d'une gratification immédiate.

Moi
Dans la théorie psychanalytique, instance de la personnalité qui obéit au principe de réalité dans la recherche de modes acceptables de satisfaction des désirs.

Surmoi
Dans la théorie psychanalytique, instance de la personnalité qui représente les interdits ou principes moraux transmis à l'enfant par les parents et d'autres représentants de la société. Le surmoi se développe vers l'âge de cinq ou six ans.

FIGURE 1.4   **ERIKSON**

Le psychanalyste Erik Erikson est parti de la théorie freudienne mais, selon lui, les influences de la société affectent autant sinon davantage la personnalité que les facteurs biologiques. Erikson a divisé le développement en huit périodes décisives qui surviennent à différents moments de la vie.

Théorie du développement psychosocial
Théorie développée par Erikson laquelle souligne l'importance des influences sociales et culturelles dans le développement de la personnalité. Selon cette théorie, le développement du moi, qui se poursuit tout au long de la vie, procède en huit stades. À chaque stade, la personne doit résoudre une crise, c'est-à-dire atteindre un équilibre entre deux pôles, l'un négatif, l'autre positif.

de caractère qui s'opposent. Par exemple, dans la première crise nommée «confiance/méfiance fondamentale», le bébé fait l'apprentissage de son lien de base avec le monde extérieur. Selon Erikson, l'enfant doit trouver l'équilibre entre le fait d'accorder une confiance aveugle à tous et celui de rester en retrait à cause d'une trop grande méfiance. Selon cette théorie, un enfant équilibré fera fondamentalement confiance au monde, mais gardera un minimum de méfiance pour reconnaître les situations dangereuses ou malsaines. La façon dont chacune des crises est résolue aura un impact sur la personnalité. Contrairement à Freud, qui parle de fixation à un stade qui influencerait la personnalité de manière inéluctable, Erikson croit plutôt en la présence de périodes sensibles. Ainsi, si une crise est franchie plus difficilement, l'enfant, et même l'adulte, pourra la résoudre lorsque d'autres occasions se présenteront au cours de sa vie. Par exemple, un enfant qui traverse mal la crise de «confiance/méfiance» pourra, lors d'une première relation amoureuse, expérimenter une nouvelle forme d'attachement qui lui permettra de devenir davantage confiant.

Comment Erikson interpréterait-il la situation de Mathieu? À la différence de Freud, il s'intéresserait à Mathieu de l'enfance à l'âge adulte, puisque selon la théorie psychosociale le développement se poursuit tout au long de la vie. Il tenterait de comprendre pourquoi Mathieu semble avoir résolu la crise «confiance/méfiance» en tendant davantage vers la méfiance face au monde extérieur. Sachant que le père de Mathieu a quitté la mère et l'enfant, Erikson n'examinerait pas l'absence du père sous l'angle de l'absence d'un modèle nécessaire à la résolution du complexe d'Œdipe, mais plutôt comme une expérience qui empêche Mathieu de développer sa confiance fondamentale. Après avoir analysé la famille de Mathieu, il élargirait son examen à son contexte de vie. Mathieu fait-il partie d'une société qui entretient des préjugés négatifs à l'égard des familles monoparentales? La réaction du patron de Marie, lorsqu'elle explique la raison de son absence au travail, semble en être une certaine illustration. De plus, Erikson constaterait que même si Mathieu éprouve certaines difficultés sur le plan de ses relations sociales, cela ne l'empêche pas d'avoir résolu avec succès une autre crise, ce qui lui a permis de bien réussir sur le plan cognitif et scolaire.

• LA CRITIQUE DE L'APPROCHE PSYCHANALYTIQUE OU PSYCHODYNAMIQUE

La pensée de Freud a immensément contribué à notre compréhension de l'enfance et de son importance. Freud nous a permis, entre autres choses, de prendre conscience de la sexualité infantile, de la nature des pensées et des émotions inconscientes, de l'importance – et de l'ambivalence – des relations parent-enfant. Nous pouvons aussi affirmer que Freud a eu une influence considérable sur le monde de la psychothérapie : nous lui devons la méthode psychanalytique. La fille de Freud, Anna, a poursuivi le travail de son père et a développé des méthodes thérapeutiques pour venir en aide aux enfants. Quant à la théorie d'Erikson, une de ses forces consiste à reconnaître que l'individu se développe tout au long de sa vie. Elle réside aussi dans l'importance qu'elle accorde aux influences sociales et culturelles qui s'exercent sur le développement. D'autres figures importantes ont, depuis Freud et Erikson, influencé la pensée psychodynamique. C'est le cas de Françoise Dolto, dont le travail est résumé dans l'encadré 1.1.

Les théories psychosexuelle et psychosociale ont toutes deux été critiquées. On reproche à Freud d'accorder une importance exagérée à l'inconscient. Certains remettent en question la théorie parce qu'elle a été élaborée à partir d'entretiens cliniques et non à partir d'études scientifiques, avec des adultes issus de milieux favorisés qui ne représentent pas la majorité de la population. Quant à Erikson, certaines recherches plus récentes révèlent qu'il existe peu de preuves à l'effet que les stades se succèdent comme il le prétend (Chiriboga, 1989). Enfin, Freud et Erikson reçoivent tous deux la même critique, quoique formulée différemment : ils ont centré leur théorie sur l'homme comme étant la norme d'un sain développement, ce qui, de fait, laisse de côté la moitié de la population!

Françoise Dolto, une psy à la radio !

Pédiatre et psychanalyste, Françoise Dolto (1908-1988) participa avec Lacan, un autre psychanalyste, à la création de l'école freudienne de Paris. Pionnière de la psychanalyse des enfants en France, ses nombreux livres et ses interventions radiophoniques eurent un impact considérable. Françoise Dolto considérait que l'enfant est un être de parole et que, même très jeune, il a une capacité de compréhension souvent ignorée par l'entourage. Bien que le jeune enfant ne puisse parler, Dolto croyait qu'il pouvait écouter et comprendre. Lorsque l'enfant ou la famille vit une difficulté, l'enfant doit être rassuré par des paroles qui lui sont directement transmises. Elle mit également l'accent sur les problèmes de l'enfant comme symptôme d'un problème familial gardé secret. Dans l'un de ses ouvrages, elle décrivit cet entretien thérapeutique avec une famille : « Il me revient aussi le souvenir d'un cas extraordinaire d'enfant mutique (qui ne parle pas). C'était une petite fille de trois ans ; elle s'occupait à un jeu tel que j'ai demandé à la mère si elle avait fait une fausse couche. Elle me répondit : "Oui, mais c'était avant la naissance de la petite." Elle avait alors subi un avortement sur le conseil d'un médecin. Ce n'était donc pas cela. [...] Je lui dis : "Non, il ne s'agit pas d'une fausse couche que vous auriez faite avant sa naissance, mais de quelque chose qui s'est produit du vivant de l'enfant. – Oui, bien sûr, quand elle avait dix mois, j'ai été de nouveau enceinte. J'ai fait une IVG (interruption volontaire de grossesse). Or, cela fait maintenant six mois que nous voudrions avoir un autre enfant et je ne peux pas. Cela m'ennuie beaucoup, mais je me demande si ce serait raisonnable avec une enfant muette, une enfant qui sera un problème toute la vie".

Je la rassure : "Je ne crois pas qu'elle sera muette toute sa vie ; votre enfant est en train de dire avec son mutisme : vous ne m'avez pas expliqué, ni papa, ni toi, pourquoi tu avais un enfant dans le ventre et pourquoi il est parti."

À ce moment, la petite m'a regardée et elle a tiré son père : "Viens papa, cette femme est idiote." »

L'une des grandes forces de Françoise Dolto a été de vulgariser les connaissances théoriques dans le domaine du développement du jeune enfant et de les diffuser en dehors des cercles de la psychanalyse.

Elle a consacré une très grande somme d'énergie à donner des conseils et des informations, d'une manière simple et compréhensible, non seulement à des éducateurs, à des enseignants, mais aussi au public en général au moyen d'une émission de radio qu'elle a animée en France pendant de nombreuses années. Plusieurs de ses interventions publiques, qu'elles soient écrites ou orales, visaient à faire connaître aux parents et aux éducateurs l'importance de la parole dans la vie des jeunes enfants. Par ses échanges avec le grand public, elle a probablement contribué à prévenir l'apparition de certains problèmes chez les enfants. Vers la fin de sa vie, Françoise Dolto et sa fille, Catherine Dolto-Tolitch (1989), ont écrit un ouvrage s'adressant directement aux adolescents, lequel est intitulé : *Paroles pour adolescents ou le complexe du homard*. L'amour, la sexualité, les amitiés, les parents et la société font partie des thèmes sur lesquels se sont penchées les auteures. Un ouvrage à lire si vous voulez savoir ce que Dolto a à vous dire !

1.2.2 L'APPROCHE BÉHAVIORISTE ET NÉO-BÉHAVIORISTE

L'**approche béhavioriste** est à l'opposé de l'approche psychodynamique : elle nie les motivations inconscientes et ne s'intéresse qu'aux comportements observables, mesurables et quantifiables. S'ils reconnaissent que la biologie limite les actions humaines, les tenants de cette approche considèrent que l'environnement joue un rôle déterminant dans l'orientation du comportement : on dit qu'ils sont **déterministes**. Pour eux, le développement humain repose avant tout sur un ensemble de réactions aux événements extérieurs. Par conséquent, si nous parvenons à cerner toutes les influences exercées par l'environnement sur l'individu, nous pourrons prédire ses comportements et même les modifier. Il faut donc tenter de reconnaître et d'isoler les facteurs qui poussent les gens à agir de telle ou telle façon. Pour étudier les comportements complexes, il faut les diviser en éléments plus simples. Pour les béhavioristes, les changements de comportements observés durant le développement sont essentiellement dus à l'apprentissage et, en particulier, à la façon dont un individu réagira aux stimuli agréables ou douloureux venant de son environnement. Les tenants de cette approche se sont surtout intéressés à deux formes d'apprentissages, soit le conditionnement classique ou répondant et le conditionnement instrumental ou opérant.

Approche béhavioriste
Conception selon laquelle le développement est une réaction à des stimuli et à des événements externes.

Déterminisme
Vision selon laquelle l'environnement joue un rôle déterminant dans l'orientation du comportement.

• LE CONDITIONNEMENT CLASSIQUE OU RÉPONDANT

Ivan Pavlov (1849-1936), un physiologiste russe, est devenu célèbre avec une expérience nommée communément : le chien de Pavlov. Nous savons que les chiens salivent au moment où nous leur offrons de la nourriture. Pavlov a appris à un chien à saliver au son

Conditionnement classique

Apprentissage grâce auquel un stimulus précédemment neutre devient capable de déclencher cette réponse après avoir été associé de façon répétée à un stimulus inconditionnel qui, lui, provoque cette réponse.

d'une cloche! Comment? Chaque fois qu'il présentait de la nourriture au chien, il faisait sonner une cloche. Graduellement le chien a associé le son de la cloche à la présence de nourriture et il s'est mis à saliver au seul son de la cloche. Cette expérience illustre le **conditionnement classique**. John B. Watson (1878-1958) a été le premier béhavioriste à appliquer le conditionnement classique à l'étude du développement de l'enfant. Nous verrons ultérieurement comment il a conditionné un enfant à avoir peur des objets à fourrure blanche. Nous sommes tous «victimes» de conditionnements classiques. Pouvez-vous trouver un exemple dans votre vie quotidienne?

• LE CONDITIONNEMENT INSTRUMENTAL OU OPÉRANT

Le psychologue américain Burrhus F. Skinner (1904-1990) a décrit un type de conditionnement fréquemment utilisé par les parents, les enseignants et les dompteurs d'animaux. Skinner (1938) a amené des pigeons à reconnaître des leviers de couleurs différentes en les récompensant avec de la nourriture lorsqu'ils appuyaient sur le bon levier. Il a ensuite montré que le même principe pouvait s'appliquer au comportement humain : par exemple, une personne a tendance à adopter un comportement lorsque ce dernier est suivi d'une récompense. C'est sur ce principe que repose le **conditionnement opérant**, une forme d'apprentissage par lequel un sujet ajuste son comportement en fonction des conséquences qu'il entraîne. Si un comportement entraîne une conséquence agréable (ou l'évitement d'une conséquence désagréable), nous dirons qu'il est renforcé. La probabilité que le sujet adopte de nouveau le même comportement augmente alors. Si, au contraire, le comportement entraîne une conséquence désagréable (ou empêche une conséquence agréable), ce comportement est puni, et la probabilité que le sujet l'adopte à nouveau baisse.

Conditionnement opérant

Forme d'apprentissage dans laquelle une réponse continue à se produire parce qu'elle a été renforcée ou cesse de se produire parce qu'elle a été punie.

• LE RENFORCEMENT ET LA PUNITION

Le renforcement peut être positif ou négatif. Le **renforcement positif** consiste à donner une récompense telle que de la nourriture, des étoiles rouges dans un cahier d'élève, de l'argent ou des compliments à la suite de la réponse du sujet. Le **renforcement négatif** consiste à retirer de l'environnement du sujet quelque chose qu'il n'aime pas, par exemple une lumière aveuglante ou un bruit désagréable (un stimulus aversif). Nous savons tous ce qu'est une punition. Il s'agit d'une conséquence désagréable qui suit un comportement. Il faut cependant distinguer le renforcement négatif de la punition : alors que le renforcement négatif augmente la probabilité d'apparition d'une réponse, la punition diminue cette probabilité. Par exemple, si un bon ami vous insulte lors d'une dispute, vous pourriez le punir en cessant de lui parler. Vous infligez une conséquence désagréable pour faire disparaître le comportement en question. Lorsque nous appliquons un renforcement négatif, nous retirons une conséquence désagréable si le comportement souhaité apparaît. Par exemple, si votre ami s'excuse après avoir proféré des paroles blessantes et que vous recommencez à le fréquenter, vous aurez retiré la conséquence désagréable que vous lui aviez infligée. Généralement le retrait de la conséquence désagréable augmente la probabilité de répétition de ce comportement dans des circonstances semblables. Le conditionnement opérant est un outil puissant, qui a été utilisé pour former ou modifier le comportement des enfants et des adultes. Nous encourageons les actions désirées par un renforcement tandis que nous punissons ou ignorons celles qui sont indésirables. Cependant le choix d'un stimulus efficace dépend de l'individu : le renforcement pour une personne peut être la punition pour une autre.

Renforcement positif

Dans le conditionnement opérant, stimulus agréable appliqué après un comportement pour augmenter la probabilité de réapparition du comportement.

Renforcement négatif

Dans le conditionnement opérant, stimulus désagréable retiré après un comportement pour augmenter la probabilité de réapparition du comportement.

• LA THÉORIE DE L'APPRENTISSAGE SOCIAL OU APPRENTISSAGE PAR OBSERVATION

La **théorie de l'apprentissage social** maintient que la personne – notamment l'enfant – apprend en observant et en imitant des modèles (par exemple, ses parents). Cette théorie, dont Albert Bandura (1925-   ) est le principal défenseur, met, elle aussi, l'accent sur la réponse à un stimulus de l'environnement. Toutefois elle attribue à la personne un rôle plus actif que le béhaviorisme classique et elle reconnaît l'importance de la pensée dans l'apprentissage, d'où la qualification de «néo-béhaviorisme». Selon la théorie de l'apprentissage social – ou *théorie sociale cognitive*, comme la nomme Bandura depuis 1989 –, nous apprenons

Théorie de l'apprentissage social

Théorie principalement élaborée par Bandura, selon laquelle les comportements sont acquis par l'imitation de modèles et maintenus par le renforcement.

à partir de l'observation des personnes de notre entourage. Si les comportements des personnes observées sont récompensés, nous aurons tendance à adopter ces comportements dans l'espoir d'être récompensés à notre tour. La théorie de l'apprentissage social reconnaît ainsi l'influence des processus cognitifs. Avant que les comportements observés ne soient reproduits, des processus cognitifs sont mis en branle, comme la capacité d'être attentif et d'organiser mentalement l'information sensorielle. Ces processus agiront sur les apprentissages. L'individu choisit ses modèles, et ce choix peut influencer les apprentissages. Par exemple, un adolescent peut décider de choisir pour modèle un jeune délinquant parce qu'il obtient, par ses comportements, beaucoup d'attention de ses pairs. Cependant ce choix est probablement inadéquat dans d'autres contextes, par exemple dans la famille de cet adolescent. Aujourd'hui rares sont les personnes qui excluent la dimension cognitive de l'apprentissage comme le faisaient les tenants du conditionnement répondant et opérant. Les gens apprennent dans un contexte social et culturel, et l'apprentissage humain semble présenter une complexité que le simple conditionnement ne peut à lui seul expliquer.

Skinner et Bandura se retrouvent devant Mathieu! Qu'ont-ils à dire sur sa situation? Ils examineraient les comportements qui ont été encouragés chez Mathieu. Bandura, particulièrement, conclurait probablement qu'il n'est pas étonnant que Mathieu soit premier de classe, son grand-père l'ayant à la fois renforcé dans sa réussite scolaire et lui ayant servi de modèle positif. Par ailleurs, Pavlov émettrait peut-être l'hypothèse selon laquelle Mathieu a rapidement associé la vue de la garderie à la séparation d'avec sa mère et expliquerait ainsi pourquoi l'enfant se met à pleurer dès qu'il voit la garderie.

• LA CRITIQUE DE L'APPROCHE BÉHAVIORISTE

Le béhaviorisme a contribué à rendre plus rigoureuse l'étude du développement, grâce à une définition mesurable des comportements et à des expériences en laboratoire. Cependant cette approche a tendance à sous-estimer les facteurs biologiques et héréditaires, ainsi que la motivation interne, le libre arbitre et les facteurs inconscients du comportement. Elle a tendance à exagérer le déterminisme de l'environnement et fait peu de distinction entre les différentes périodes de la vie.

Parmi les principales contributions du béhaviorisme se trouvent les programmes conçus pour permettre d'obtenir des modifications rapides du comportement (par exemple, cesser de fumer) ou pour inculquer de nouveaux comportements (comme l'apprentissage de la propreté) sans plonger dans une recherche approfondie sur les conflits affectifs. Toutefois, selon certains, le principal défaut de la théorie béhavioriste est qu'elle ne se penche pas sur les causes profondes des symptômes. Ils soutiennent que le fait d'éliminer seulement le comportement indésirable (par exemple, mouiller son lit) peut entraîner un autre comportement tout aussi négatif (comme voler des objets), parce que la source du problème n'a pas été identifiée.

Les principales caractéristiques de la théorie de l'apprentissage social – mettre l'accent sur le contexte social, reconnaître le rôle actif de la personne dans son propre développement et montrer l'importance des processus cognitifs – représentent de nettes améliorations par rapport aux théories quelque peu réductionnistes du béhaviorisme classique. Cependant cette approche ne précise pas davantage comment interviennent les changements en fonction de l'âge.

FIGURE 1.5   BANDURA

Le psychologue Albert Bandura est un éminent défenseur de la théorie de l'apprentissage social selon laquelle l'apprentissage passe par l'observation et l'imitation (renforcement).

1.2.3 L'APPROCHE COGNITIVISTE

Cette approche s'intéresse surtout au développement de l'intelligence et des processus cognitifs tels que la perception, la mémoire, la pensée... Jean Piaget a eu une influence déterminante sur la compréhension de l'intelligence du jeune enfant. De son côté, Lev Vygotsky s'est également intéressé au développement cognitif des enfants, mais en situant les apprentissages dans un contexte socioculturel.

• JEAN PIAGET : LA THÉORIE DES STADES DU DÉVELOPPEMENT COGNITIF

Perspective cognitiviste

Conception théorique, principalement développée par Piaget, qui explique le développement intellectuel des individus en ce qui concerne la perception, la mémoire, l'intelligence.

Développement cognitif

Suite de changements dans les mécanismes de la pensée qui résultent en une capacité croissante d'acquérir et d'utiliser la connaissance.

FIGURE 1.6   PIAGET

Le psychologue suisse Jean Piaget a étudié le développement cognitif des enfants en observant et en discutant avec plusieurs d'entre eux dans différentes situations, et en leur posant des questions pour découvrir comment fonctionnait leur esprit.

Invariants fonctionnels

Dans la perspective piagétienne, modes de développement cognitif qui agissent entre eux à tous les stades du développement de l'intelligence. Ils sont au nombre de trois : l'organisation cognitive, l'adaptation et l'équilibration.

Organisation cognitive

Tendance héréditaire à créer des systèmes qui rassemblent systématiquement en un tout cohérent les connaissances d'une personne.

Adaptation

Terme issu de la théorie de Piaget désignant une interaction efficace entre l'environnement et l'individu. Elle résulte de l'assimilation et de l'accommodation.

Assimilation

Terme issu de la théorie de Piaget désignant l'intégration d'une nouvelle information dans une structure cognitive existante.

Le théoricien suisse Jean Piaget (1896-1980) a été le plus éminent défenseur de la **perspective cognitiviste**. Ses recherches ont grandement amélioré notre connaissance du développement de la pensée de l'enfant.

Enfant, Piaget est très curieux. Il note ses observations, qui portent sur des sujets aussi variés que la mécanique, les mollusques et un moineau albinos qu'il a vu au parc. Adulte, il applique sa vaste connaissance de la biologie, de la philosophie et de la psychologie à l'observation des enfants. Au moment de sa mort, en 1980, Piaget a rédigé plus de 40 livres et 100 articles sur la psychologie de l'enfant, sans compter des ouvrages de philosophie et d'éducation, dont plusieurs ont été écrits avec sa collaboratrice de longue date, Bärbel Inhelder. Les travaux de Piaget influenceront d'autres théoriciens, comme Lawrence Kohlberg, dont il sera question plus loin.

Piaget développe son modèle à l'aide de sa méthode clinique. Cette méthode consiste à observer et à interroger systématiquement des enfants qui effectuent des tâches de résolution de problèmes. Les problèmes sont conçus pour lui permettre de découvrir les limites des modes de raisonnement des enfants. C'est ainsi que Piaget peut découvrir, par exemple, qu'un enfant de quatre ans croit que des pièces de monnaie sont plus nombreuses si elles sont alignées plutôt qu'empilées. Il élabore des théories complexes au sujet du **développement cognitif**, défini comme une suite de transformations des modes de pensée qui permet à l'enfant de s'adapter de mieux en mieux au monde.

Pour Piaget, la tendance innée à s'adapter à l'environnement se situe au cœur du développement, de celui de l'intelligence en particulier. À partir de certaines capacités innées, réflexes et capacité d'apprendre que tout enfant possède à la naissance, et compte tenu de la maturation, celui-ci développera une connaissance du monde de plus en plus précise. Il commencera par utiliser ses capacités sensorielles et motrices ; en touchant un caillou, en explorant les limites du salon, il fera des expériences nouvelles et développera des structures mentales de plus en plus complexes. Selon Piaget, cette progression se fait selon quatre stades de développement cognitif.

• LES PRINCIPES DU DÉVELOPPEMENT COGNITIF DE PIAGET

La théorie de Piaget fonctionne selon trois principes du développement, reliés entre eux. Il a nommé ces tendances héréditaires **invariants fonctionnels** parce qu'elles agissent à tous les stades du développement cognitif. Ces trois principes sont l'organisation cognitive, l'adaptation et l'équilibration.

On entend par **organisation cognitive** la tendance à créer des systèmes qui rassemblent les connaissances d'une personne. À chaque stade du développement, la personne essaie de donner un sens à son univers. Elle y parvient en organisant systématiquement ses connaissances. Le développement cognitif évolue à partir de structures organisationnelles simples vers des structures complexes. Par exemple, les habiletés utilisées par un enfant pour regarder et saisir un objet fonctionnent d'abord séparément. Par la suite, l'enfant organise ces habiletés distinctes en un seul processus plus complexe qui lui permet de regarder un objet tout en le tenant, de coordonner l'œil et la main. À mesure que l'enfant apprend, une organisation de plus en plus complexe se développe.

L'**adaptation**, terme que Piaget emploie pour désigner la façon dont une personne traite une nouvelle information, est le deuxième invariant fonctionnel. Elle comporte deux mécanismes, soit l'assimilation de la nouvelle information et l'accommodation à celle-ci. L'**assimilation** consiste à incorporer une nouvelle information dans une structure cognitive existante. Lorsqu'un enfant nourri au sein commence à téter un biberon, il fait preuve d'assimilation, c'est-à-dire qu'il utilise un ancien comportement pour aborder une situation nouvelle. Quant à l'**accommodation**, elle consiste à modifier un processus cognitif existant pour tenir compte d'une nouvelle information ou situation. Par exemple, quand l'enfant découvre que, pour téter un biberon, il doit effectuer des mouvements de langue et de bouche différents de ceux qu'il utilise pour téter le sein, il s'accommode à cette situation inédite en modifiant sa façon d'agir pour y intégrer une nouvelle expérience, le biberon. L'assimilation et l'accommodation fonctionnent de pair et en interaction constante pour produire une adaptation aux conditions changeantes de l'environnement.

Accommodation
Terme issu de la théorie de Piaget désignant la modification que subit une structure cognitive pour intégrer une nouvelle information.

L'**équilibration**, le troisième invariant fonctionnel, est la tendance à s'efforcer d'atteindre un état d'équilibre mental. Il peut s'agir d'un équilibre entre la personne et le monde extérieur ou encore d'un équilibre entre différents éléments cognitifs. Le besoin d'équilibre amène l'enfant à passer de l'assimilation à l'accommodation. En effet, lorsque ses structures existantes s'avèrent insuffisantes pour affronter une nouvelle situation, il doit développer de nouveaux processus cognitifs pour retrouver son équilibre mental.

Équilibration
Dans la terminologie piagétienne, tendance à harmoniser les divers éléments cognitifs au sein de l'organisme et entre l'organisme et le monde extérieur.

• LEV VYGOTSKY : LA THÉORIE SOCIOCULTURELLE

Le psychologue russe Lev Semenovich Vygotsky (1896-1934) perçoit l'enfant comme partie intégrante du contexte social, culturel et historique. Suivant la **théorie socioculturelle**, pour comprendre le développement cognitif, les chercheurs doivent prendre en considération les processus sociaux et culturels dont l'enfant fait partie, puisque sa façon de penser en découle.

Théorie socioculturelle
Théorie cognitiviste élaborée par Vygotsky, selon laquelle le développement cognitif doit être compris en tenant compte des processus sociaux et culturels au sein desquels l'enfant se développe. Le développement cognitif résulte de la collaboration entre l'enfant et son environnement.

Comme la théorie piagétienne, la théorie socioculturelle considère que l'enfant prend une part active dans son développement cognitif. Cependant si Piaget met l'accent sur la façon dont l'enfant, individuellement, intègre et interprète les informations qui lui parviennent par des processus cognitifs spécifiques, Vygotsky, lui, s'attache au processus de collaboration active qui s'instaure entre l'enfant et son environnement. Ainsi, selon cette théorie, les enfants se développent sur le plan cognitif à travers leurs interactions sociales et ils intègrent ainsi les modes de pensée de la société à laquelle ils appartiennent.

• LES ZONES PROXIMALES DE DÉVELOPPEMENT

Selon la théorie socioculturelle, les adultes qui entourent l'enfant (parents, professeurs...) ou des enfants plus âgés (frères ou amis) doivent servir de guides. Ils doivent encadrer l'enfant et le soutenir dans l'organisation de sa pensée, avant même qu'il ne soit « prêt » à faire un nouvel apprentissage. Ce soutien doit se situer dans les **zones proximales de développement**, c'est-à-dire la distance entre ce que l'enfant sait déjà et ce qu'il ne peut accomplir seul. Par exemple, un enfant qui apprend à prononcer des voyelles a besoin d'adultes pour l'aider à enrichir son vocabulaire. Ces guides doivent cependant partir de ce que l'enfant sait déjà pour l'amener plus loin. Le franchissement d'une zone proximale de développement pour une tâche spécifique ne peut s'accomplir qu'avec l'aide d'une autre personne de l'entourage (ou des ressources de l'environnement) qui, par ses questions et ses interventions, amènera l'enfant à acquérir cette nouvelle habileté. La théorie socioculturelle implique donc que l'environnement immédiat s'adapte aux capacités cognitives de l'enfant à un moment précis, de manière à l'aider à évoluer vers des tâches plus complexes. Elle nous montre aussi que les normes de développement varient non seulement d'une culture à une autre, mais aussi d'un sous-groupe à un autre à l'intérieur d'une même culture. Par exemple, les normes reliées à l'éducation des enfants dans la culture amérindienne diffèrent de celles que l'on retrouve dans la culture caucasienne. Les attentes à l'égard des enfants seront également différentes.

Zone proximale de développement
Dans la théorie cognitiviste de Vygotsky, distance la plus petite entre ce qu'un enfant connaît et le niveau qu'il doit atteindre pour accéder à une connaissance plus complexe. Ce passage de la zone proximale de développement doit être franchi avec l'aide de l'entourage de l'enfant.

FIGURE 1.7   VYGOTSKY

Selon le psychologue russe Lev Semenovich Vygotsky, les enfants apprennent grâce aux interactions sociales.

• LA CRITIQUE DE L'APPROCHE COGNITIVISTE

De manière générale, les cognitivistes ont grandement influencé notre compréhension du développement des habiletés cognitives, en particulier celui de l'intelligence. Piaget, plus que tout autre théoricien, a inspiré un grand nombre de recherches sur le développement cognitif des enfants. Il a souligné des caractéristiques uniques de leur pensée et il a montré à quel point cette pensée diffère de celle des adultes. De plus, en décrivant ce que les enfants peuvent comprendre à différents stades de leur développement cognitif, Piaget a fourni des barèmes précieux à tous ceux qui s'occupent d'enfants, plus particulièrement au niveau scolaire. Malgré ces grandes contributions, Piaget est aussi critiqué. Ses travaux ont peu tenu compte des différences individuelles, de l'influence de l'éducation ou de la culture. Bon nombre de ses idées proviennent d'observations personnelles portant sur ses propres enfants. De son côté, Vygotsky a su intégrer l'apport de l'environnement dans le développement cognitif des enfants. Cette théorie a la force de mettre l'accent sur l'importance de la culture et de l'environnement social dans le développement de l'intelligence. Cependant, comme les autres approches cognitivistes, elle ne tient pas compte de l'impact du développement affectif sur les capacités intellectuelles.

1.2.4 L'APPROCHE HUMANISTE

En 1962, un groupe de psychologues inspirés par les travaux de l'Américain Carl Rogers fondent l'Association de psychologie humaniste. Protestant contre la vision mécaniste et essentiellement négative que sous-tendent, selon eux, les théories béhavioriste et psychanalytique, ces psychologues avancent l'idée que la nature humaine est bonne et que ses aspects indésirables résultent de torts infligés par des facteurs provenant du milieu.

Approche humaniste
Conception selon laquelle chaque personne a la capacité de prendre sa vie en main, d'assumer son développement de manière saine et positive, grâce à des caractéristiques propres à l'être humain, comme la capacité de choisir, de créer, de tendre vers l'actualisation de soi.

L'**approche humaniste** s'appuie sur le postulat que chaque personne a la capacité de prendre sa vie en main et de veiller à son propre développement. Les humanistes insistent sur l'idée d'un potentiel inné de développement positif et sain, et sur la capacité de faire des choix et d'être créatif. La réalisation de soi représente le but ultime de tout être humain. Abraham Maslow (1908-1970) a été l'un des tenants de cette approche. Il s'est surtout fait connaître par la pyramide de la hiérarchie des besoins, appelée communément «pyramide de Maslow» (figure 1.8). Selon Maslow (1954), ce n'est qu'une fois les besoins élémentaires satisfaits que l'on peut atteindre la réalisation de soi. Selon Maslow (1968), la personne adulte pleinement développée et actualisée présente toutes les caractéristiques suivantes : une perception aiguë de la réalité ; l'acceptation de soi, des autres et de la nature ; la

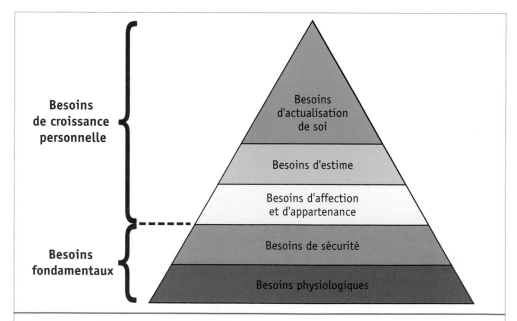

FIGURE 1.8 **LA PYRAMIDE DES BESOINS DE MASLOW**

Selon Maslow, l'être humain n'accorde pas les mêmes priorités à ses différents besoins. Le besoin qui vient en premier est la survie (base de la pyramide). Une personne affamée prendra des risques importants pour trouver de la nourriture ; une fois sa survie assurée, elle commencera à penser à sa sécurité. Le besoin de sécurité doit être satisfait au moins en partie avant que la personne puisse combler son besoin d'affection. Quand ses besoins sont satisfaits sur un plan, la personne se préoccupe de satisfaire les besoins qui se situent sur le plan suivant. Cette progression n'est pas invariable ; ainsi, le sacrifice de soi serait un exemple d'exception (Maslow, 1954).

spontanéité; la capacité de résoudre des problèmes et l'autodétermination; le détachement et le désir d'intimité; la liberté de pensée et la richesse émotive; des relations interpersonnelles satisfaisantes et dynamiques; une attitude démocratique, la créativité et le sens des valeurs.

• CARL ROGERS : L'ACTUALISATION DE SOI

Carl Rogers (1902-1987) est l'un des fondateurs du courant humaniste. Pour lui, comme pour les autres humanistes, l'être humain est fondamentalement libre de ses actions et peut donc orienter sa vie selon ses choix, afin de se réaliser pleinement. Il a développé une approche thérapeutique dite thérapie centrée sur le client, dans laquelle il poursuit l'objectif d'amener les individus à actualiser leur plein potentiel en prenant conscience de leur interprétation de la réalité. Les concepts clés de cette approche ont été utilisés non seulement en thérapie individuelle ou de groupe, mais également dans un contexte pédagogique inspirant le courant de la pédagogie dite non directive. Rogers et les autres humanistes s'intéressent essentiellement à l'expérience subjective des individus, c'est-à-dire à la façon dont ils perçoivent leurs expériences et les sentiments qui s'y rattachent. L'authenticité est une valeur chère aux humanistes. Elle implique qu'une personne soit le plus possible elle-même, c'est-à-dire en contact avec ses sentiments, ses valeurs et ses espoirs. L'authenticité exige elle-même la **congruence**, qui se définit comme la correspondance qui existe entre l'expérience, la prise de conscience et la communication. Un bon exemple de congruence est celui d'un nourrisson affamé. Si ce dernier éprouve la sensation de faim sur le plan physiologique, il a conscience de cette expérience et il l'exprime en pleurant. Ces trois dimensions ne sont pas contradictoires mais reliées. Selon Rogers, ce sont les apprentissages sociaux qui font obstacle à la congruence, et il importe que l'individu en prenne conscience.

Si Carl Rogers rencontrait Mathieu, c'est à son expérience subjective qu'il s'intéresserait. Il demanderait à Mathieu de décrire comment il se sent depuis qu'il fréquente le cégep, quels sentiments l'habitent dans cette situation. Il essaierait de déterminer avec lui quels éléments l'empêchent actuellement de se réaliser pleinement, en particulier sur le plan de ses relations avec les autres. Probablement conclurait-il que Mathieu manque de congruence dans ses relations interpersonnelles puisque, bien que la situation soit difficile, il préfère l'ignorer et ne communique à personne son malaise.

• LA CRITIQUE DE L'APPROCHE HUMANISTE

Contrairement au point de vue freudien, plutôt fataliste, l'humanisme propose un modèle plus positif de la personne humaine. De plus, contrairement au béhaviorisme, en reconnaissant l'importance des réalités intimes de la personne (tels ses sentiments, ses valeurs et ses espoirs) comme facteurs importants du développement, l'humanisme ne traite pas uniquement de comportements observables. En ce sens, les théories humanistes ont contribué à l'élaboration de méthodes thérapeutiques et éducatives qui respectent le caractère unique de l'enfant.

Par ailleurs, le caractère subjectif et peu mesurable des aspects étudiés limite quelque peu l'approche humaniste. Les concepts humanistes apparaissent flous et se traduisent difficilement en données quantifiables sur lesquelles la méthode scientifique peut s'exercer. De plus, l'approche humaniste ne distingue généralement pas de stades au cours de la vie, ce qui rend l'étude du développement plus difficile.

1.2.5 L'APPROCHE ÉCOLOGIQUE

• URIE BRONFENBRENNER : LE MODÈLE ÉCOLOGIQUE

Le modèle écologique développé par Urie Bronfenbrenner (1979) offre une grille d'analyse nouvelle du développement humain. L'**approche écologique** a ceci de particulier qu'elle permet de tenir compte de l'ensemble des facteurs (géographiques, politiques, économiques, culturels, etc.) susceptibles d'influencer le développement d'une personne et de comprendre

Congruence
Dans la conception rogérienne, état d'une personne qui ressent une correspondance entre ce qu'elle vit (l'expérience), ce qu'elle en sait (la prise de conscience) et ce qu'elle en dit (la communication).

FIGURE 1.9   ROGERS

Carl Rogers, l'un des fondateurs du courant humaniste, considère l'être humain comme fondamentalement libre de ses actions.

Approche écologique
Approche théorique développée par Bronfenbrenner, laquelle explique le développement humain par l'interaction qui existe entre la dimension ontosystémique (caractéristiques personnelles d'un individu), la dimension chronosystémique (transition vécue et moment du développement), le contexte de développement (famille, école...) et l'environnement (facteurs géographiques, politiques, économiques et culturels).

Ontosystème

Dans le modèle écologique, facteur de développement relié aux caractéristiques individuelles telles que le bagage génétique, les habitudes de vie, l'attitude, les habiletés.

Chronosystème

Dans le modèle écologique, facteur de développement relié au passage du temps, que ce soit les périodes de transition de la vie ou l'époque pendant laquelle un individu évolue.

Microsystème

Dans le modèle écologique, facteur de développement relié au milieu fréquenté par la personne, dans lequel elle entretient des contacts avec d'autres individus. Pour une même personne, il existe plusieurs microsystèmes tels que la famille, l'école, le centre de loisirs.

les liens entre ces facteurs (figure 1.10). Fondée sur la notion d'interaction, la version révisée du modèle écologique (Bronfenbrenner et Morris, 1998) stipule que, pour étudier le développement, trois dimensions doivent être prises en considération : 1) la dimension ontosystémique (ou **ontosystème**), c'est-à-dire les caractéristiques personnelles d'un individu tels son bagage génétique, ses attitudes et ses valeurs ; 2) la dimension chronosystémique (ou **chronosystème**), c'est-à-dire les transitions vécues par l'individu et l'époque dans laquelle il se développe et 3) le contexte et l'environnement dans lesquels la personne évolue. Ces dimensions sont reliées entre elles et s'influencent mutuellement. Cela signifie que le tempérament d'un enfant influencera le fonctionnement de sa famille autant que sa famille exercera un impact sur lui. De la même façon, le stress ressenti au travail par le père influencera sa relation avec sa fille, comme cette même relation, si elle est agréable peut atténuer le stress ressenti au travail. L'environnement écologique humain est un système complexe qui se subdivise en quatre sous-systèmes : le microsystème, le mésosystème, l'exosystème et le macrosystème.

Vient en premier lieu le **microsystème**, soit un milieu fréquenté par la personne et dans lequel elle entretient des contacts avec d'autres. Pour une même personne, il existe plusieurs microsystèmes : la maison, l'école, la garderie pour l'enfant ; la maison, le milieu de travail et le centre de loisirs pour le parent. Dans chacun de ces microsystèmes, l'individu joue un rôle, on nourrit des attentes à son égard et il doit suivre certaines règles. L'examen des

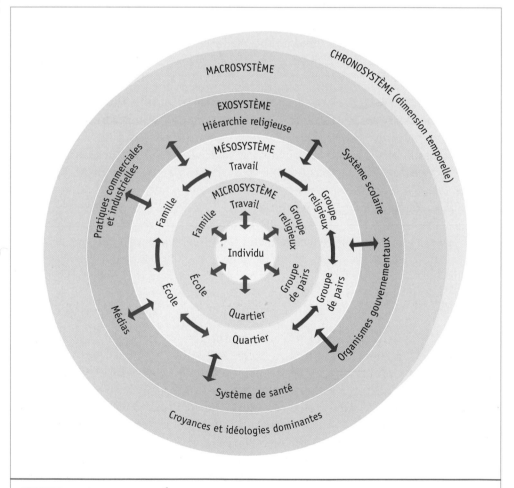

FIGURE 1.10 L'APPROCHE ÉCOLOGIQUE DE BRONFENBRENNER

Les cercles concentriques montrent cinq niveaux d'influence environnementale, qui vont du plus intime au centre, au plus extérieur le tout dans un contexte temporel. Les cercles forment un ensemble d'influences imbriquées, un peu comme différentes sphères qui s'emboîtent les unes dans les autres autour de la personne qui se développe. La figure montre ce que nous verrions en effectuant une coupe transversale de ces sphères. N'oubliez pas que les frontières entre les sphères sont fluides et qu'elles sont en interrelations (Source : Traduction libre d'une adaptation de Cole et Cole, 1989).

microsystèmes peut nous amener à poser des questions telles que : Comment se passent les relations d'un enfant dans sa famille ? Est-il reconnu et valorisé dans sa classe ? A-t-il un rôle spécifique ? Les règles respectent-elles ce qu'il est ?

Le deuxième niveau est celui du **mésosystème**, c'est-à-dire les liens qui existent entre les différents microsystèmes : entre l'école ou la garderie et la maison pour l'enfant, entre la maison et le travail, ou le travail et la communauté pour le parent. Cette dimension inclut également les **réseaux de soutien social**, c'est-à-dire l'ensemble des personnes qui composent les relations sociales et qui offrent un ou plusieurs types d'aide (quelqu'un à qui nous nous confions et qui nous donne des conseils, des gens avec qui nous pratiquons des loisirs). Un examen mésosystémique appelle à l'examen de la nature des interactions entre les microsystèmes. Partagent-ils les mêmes valeurs ? Le rôle d'un enfant à la maison est-il compatible avec le rôle qu'on attend de lui à l'école ? Pour faire un examen de votre propre mésosystème, vous devriez d'abord identifier tous vos microsystèmes et analyser les liens qui existent entre eux, aussi bien les compatibilités que les contradictions. Par exemple, avez-vous l'impression que vos valeurs familiales sont compatibles avec celles de vos amis ? Votre travail s'agence-t-il bien avec votre vie d'étudiant en termes d'horaire et d'exigences ?

Au troisième rang, nous trouvons l'**exosystème**, soit des lieux (généralement des institutions) non fréquentés par la personne dont nous étudions le développement, mais qui exercent une influence sur sa vie : par exemple, le système scolaire, les conseils d'administration et les organismes gouvernementaux. Les décisions relatives aux droits de scolarité du cégep constituent un bon exemple de dimension exosystémique. Vous ne faites pas partie des instances qui décident d'augmenter les droits de scolarité, mais s'ils le sont, cela aura un impact concret sur votre vie. Les décisions reliées à la fixation du seuil de la pauvreté, aux heures d'ouverture d'une garderie représentent d'autres exemples de dimensions exosystémiques.

Enfin, le milieu le plus large, le **macrosystème**, comprend les modèles culturels, les idéologies et les valeurs transmis par le gouvernement, la religion, l'éducation et l'économie. De quelle façon le fait de vivre dans une société capitaliste et individualiste influence-t-il vos choix ? Les idées véhiculées au sujet des hommes et des femmes, dans les médias par exemple, influencent-elles vos amis ? Ces quatre sous-systèmes sont eux aussi interdépendants et en interaction. Par exemple, la mondialisation des marchés (macrosystème) déclenche la restructuration de l'entreprise où travaille votre père (exosystème), ce qui entraîne sa mise à pied et la diminution du revenu familial (mésosystème). Vos parents ne peuvent plus payer vos études et vous ressentez une tension à la maison (microsystème).

Bronfenbrenner, dans son analyse de la situation de Mathieu, récoltait des informations sur tous les systèmes, de manière à brosser un tableau complet de la situation. Ontosystème : Mathieu est un enfant bien portant qui se développe bien sur le plan cognitif. Par contre, sur le plan affectif et social, Mathieu éprouve plus de difficulté, il est timide. Chronosystème : Nous assistons à deux transitions. L'entrée à la garderie et l'entrée au cégep. Microsystème : Mathieu vit seul avec sa mère. Ils semblent avoir une bonne entente. Cependant, le fait qu'elle soit chef de famille sans autre soutien financier affecte probablement son revenu. L'autre microsystème de Mathieu est la garderie dans laquelle il ne se sent pas à l'aise. Mésosystème : Mathieu semble entretenir de bonnes relations avec ses grands-parents. Ces derniers offrent du soutien à Mathieu et à sa mère. Par contre, ses relations avec des jeunes de son âge posent problème. Exosystème : Lors de son retour au travail, Marie éprouve des problèmes avec son patron. Il est possible que sa difficulté au travail influence son attitude envers Mathieu. Macrosystème : Marie a élevé son enfant seule depuis sa grossesse. Mathieu est-il victime de préjugés ? La remarque du patron au sujet du choix de Marie d'élever un enfant seule témoigne d'une certaine méfiance à l'égard de leur structure familiale.

Mésosystème

Dans le modèle écologique, facteur de développement relié à l'ensemble des liens qui existent entre les différents microsystèmes d'un individu.

Réseau de soutien social

Ensemble des personnes qui font partie de l'entourage d'un individu, qui offrent différents types d'aide et avec qui il partage des relations interpersonnelles.

Exosystème

Dans le modèle écologique, facteur de développement relié aux décisions prises dans des instances non fréquentées par la personne, mais qui ont un impact direct sur sa vie.

Macrosystème

Dans le modèle écologique, facteur de développement relié aux valeurs et aux normes véhiculées dans une société.

FIGURE 1.11 BRONFENBRENNER

Urie Bronfenbrenner a développé le modèle écologique pour expliquer le développement humain.

L'approche écologique a le mérite de tenter de tenir compte de l'ensemble des dimensions présentes dans la vie des personnes. Contrairement aux autres approches, elle ne se centre pas sur une seule dimension, soit la personne elle-même, pour comprendre son développement. Elle tente aussi de prendre en considération des facteurs plus rarement étudiés en psychologie : l'influence du milieu de travail, la dimension économique, les réseaux de soutien, les décisions gouvernementales, les valeurs sociales... C'est également une approche qui élargit l'intervention. Par exemple, la plupart des interventions issues des théories psychodynamiques, cognitivistes ou humanistes se concentrent essentiellement sur la modification des comportements ou des émotions de l'individu qui éprouve le problème. L'approche écologique permet de choisir d'autres voies d'intervention. Si nous revenons au problème de Mathieu à la garderie, l'approche écologique, par sa référence à tous les contextes de vie de Mathieu et de sa mère pourrait proposer des interventions visant Mathieu lui-même, mais elle ouvrirait la porte à d'autres voies d'intervention. Peut-être que si Marie habitait plus près de la garderie, elle serait mieux disposée à le laisser ? Si le patron de Marie se montrait davantage sensibilisé à sa situation et plus compréhensif, cela diminuerait peut-être le stress de Marie au travail. Peut-être serait-il préférable que le grand-père amène Mathieu à la garderie, de manière à offrir un soutien plus intensif à Marie ? L'initiative « 1, 2, 3 Go ! » est un programme d'intervention communautaire qui illustre bien l'application du modèle écologique (encadré 1.2).

ENCADRÉ 1.2

1, 2, 3 GO ! Un programme visant le mieux-être des tout-petits, de leur famille et de la communauté

L'initiative « 1, 2, 3 GO ! » est un programme québécois de promotion du bien-être des enfants, qui existe sur plusieurs territoires montréalais depuis 1995. À partir du constat voulant que les enfants qui vivent sur des territoires où le niveau de pauvreté est élevé ont moins de chances de se développer pleinement, comparativement aux enfants en contexte favorisé, les promoteurs du projet ont proposé à six territoires présentant des indices élevés de « défavorisation » de participer à un projet visant à soutenir les enfants ainsi que leur famille. Cette initiative trouve sa source dans l'approche écologique de Bronfenbrenner. Comme nous l'avons vu dans la description de cette approche, le modèle écologique considère que le développement de l'enfant résulte de l'interaction entre l'enfant et son environnement humain et social. Ce modèle prend en considération l'importance du contexte économique, organisationnel et culturel dans lequel se développe un enfant. Comme nous l'avons également mentionné, l'approche écologique favorise l'émergence d'interventions multidimensionnelles qui, bien qu'elles visent le développement optimum de l'enfant, s'adressent à l'ensemble des contextes de vie de l'enfant. Damant et ses

collègues (1999) décrivent ainsi les objectifs poursuivis par l'initiative « 1, 2, 3 GO ! » sur les différents territoires :
- objectifs ontosystémiques : amélioration des compétences parentales, de la situation occupationnelle des parents, des habiletés cognitives et sociales des enfants et de la nutrition ;
- objectifs microsystémiques : amélioration des relations parent-enfant, des aires de jeux et de la sécurité dans les parcs ;
- objectifs mésosystémiques : création de ressources d'entraide et de soutien entre les parents, enrichissement des liens entre les familles et les services sociaux et scolaires, amélioration du transport ;
- objectifs exosystémiques : amélioration de la qualité des services destinés aux parents ou aux enfants, meilleure intégration des services voués aux familles ;
- objectifs macrosystémiques : tolérance et bienveillance plus grande envers les enfants dans le voisinage, association plus affirmée entre les acteurs du milieu économique et du milieu social de manière à influencer les choix idéologiques à l'égard des enfants.
La poursuite de ces objectifs a engendré des activités qui s'adressent principalement aux enfants et aux parents, ainsi qu'aux services

présents sur le territoire et aux dirigeants. Les activités destinées aux enfants prennent surtout la forme d'ateliers de stimulation cognitive, d'ateliers de peinture ou de bricolage, ou la fréquentation d'un camp de jour. Selon les auteurs de ce programme (Damant *et al.*, 1999), « ces activités favorisent le développement de la motricité fine et globale, de la créativité, tout en socialisant les tout-petits qui se retrouvent en présence d'autres enfants de leur âge » (p. 147). On offre également des activités parent-enfant, que ce soit par l'animation par les parents d'activités auprès de l'enfant ou tout simplement de séances de jeux communs. Les parents constituent une cible importante de cette initiative. On favorise la mise en place de services de répit pour les parents, de groupes de soutien alimentaire (par exemple, des cuisines collectives), de groupes d'entraide et d'activités visant à soutenir les parents dans leurs habiletés parentales. Les apprentissages issus de cette initiative permettront certainement à d'autres territoires d'implanter au sein de leur communauté des programmes semblables de soutien aux enfants et aux familles. Prêts, pas prêts, partez !

APPLICATION

1.3 LES MÉTHODES DE RECHERCHE ET LA DIMENSION ÉTHIQUE

1.3.1 L'ÉLABORATION DES THÉORIES

La recherche et la théorie s'avèrent toutes les deux indispensables et indissociables. Comme nous l'avons vu, les théories aident à organiser les données selon une structure cohérente : elles permettent de dépasser les observations faites à partir des recherches. Elles leur donnent un sens et permettent de généraliser, c'est-à-dire de fournir des explications qui s'appliquent à l'ensemble des individus d'un même groupe d'âges. De plus, les approches théoriques façonnent les questions des chercheurs, leurs méthodes et leur interprétation des résultats. Les théories nourrissent la recherche en fournissant des hypothèses à vérifier. Une **hypothèse** est une prédiction du résultat d'une expérience. Quand la recherche confirme une hypothèse, elle renforce la théorie dont elle s'inspire. Toutefois il arrive aussi que les théories doivent être modifiées pour correspondre aux découvertes de la recherche.

Hypothèse
Prédiction du résultat d'une expérience, basée sur des connaissances antérieures au sujet d'un phénomène.

La recherche dans le domaine du développement humain comporte différentes étapes basées sur la méthode scientifique. L'utilisation rigoureuse de cette méthode permet aux chercheurs de tirer des conclusions sur le développement des personnes. Les étapes de la méthode scientifique sont les suivantes :

- identifier un problème à étudier, qui découle généralement d'une théorie ou de recherches précédentes ;
- formuler une hypothèse qui sera testée durant l'étude ;
- effectuer la collecte des informations ;
- analyser les informations pour vérifier si l'hypothèse est vérifiée ;
- diffuser les résultats de la recherche de manière à ce que d'autres personnes puissent évaluer la validité de la recherche, apprendre de cette recherche ou la reproduire pour faire progresser les connaissances dans le domaine d'étude.

Les études menées dans le domaine du développement humain s'appuient sur une gamme diversifiée d'outils de recherche. Il existe différentes formes de collecte de données et plusieurs méthodes de recherche. Les tableaux 1.3 et 1.4 décrivent quelques-unes de ces méthodes.

1.3.2 LA DIMENSION ÉTHIQUE DE LA RECHERCHE

Peut-on permettre que soit entreprise une recherche qui est susceptible de nuire aux sujets ? Comment trouver un équilibre entre les bénéfices potentiels pour l'avancement de la science et les risques de préjudices pour le sujet ? Les lignes suivantes présentent quelques-unes des considérations éthiques les plus répandues.

• LE CONSENTEMENT LIBRE ET ÉCLAIRÉ

Tout individu a le droit de choisir lui-même de participer ou non à une recherche. C'est un principe d'éthique central. Selon le nouveau *Code civil* du Québec, même un mineur dont les parents ont donné leur accord à sa participation à une recherche a tout à fait le droit de refuser de participer à celle-ci (*Code civil*, article 21, ministère de la Justice du Québec, 1994).

Pour que le consentement soit libre et éclairé, il faut que le sujet reçoive de l'information honnête concernant la recherche, qu'il soit capable de bien la comprendre et qu'il soit libre de refuser de participer sans qu'il en subisse des conséquences négatives. Par exemple, l'accord d'une personne souffrant de déficience intellectuelle peut être jugé insuffisant pour lui donner le droit de participer à une expérience (bien que cette personne ait toujours le droit de refuser par elle-même). Aussi, un prisonnier qu'on obligerait à participer à une expérience pour obtenir une libération conditionnelle ne donnerait pas un consentement libre.

• L'ESTIME DE SOI

Les sujets peuvent aussi être troublés par leur propre comportement durant une expérience. Par exemple, une recherche sur la limite des capacités met souvent un sujet en situation d'échec. Jusqu'à quel point cet échec pourrait-il ébranler la confiance en soi de ce sujet? De même, lorsque les chercheurs publient des résultats indiquant que les enfants des classes moyennes réussissent mieux à l'école que les enfants des classes défavorisées, il se peut que l'on cause involontairement un préjudice à ces derniers.

• LES NORMES ÉTHIQUES

Au Canada, les chercheurs utilisant des sujets humains doivent respecter certains principes éthiques : le consentement libre et éclairé des sujets, la considération des droits individuels, l'absence de tromperie, l'évaluation des risques et des avantages, le droit à la protection de la vie privée et le respect de l'anonymat (Conseil de recherches en sciences humaines du Canada, 1994). Néanmoins, certaines situations nécessitent des jugements nuancés. Quiconque travaille dans le domaine du développement de la personne doit s'engager à se conduire de façon morale.

Questions interactives :
ODILON.CA

TABLEAU 1.3 **MÉTHODES DE COLLECTE DE DONNÉES DANS L'ÉTUDE DU DÉVELOPPEMENT HUMAIN**

TYPE DE CUEILLETTE	CARACTÉRISTIQUES	AVANTAGES	INCONVÉNIENTS
Étude transversale	Étude qui compare des sujets parvenus à des étapes différentes du développement.	Donne un aperçu général de l'effet de l'âge sur le développement. Méthode relativement rapide et économique qui permet d'aborder des sujets d'étude présentant un intérêt actuel. Le chercheur ne risque pas de perdre des sujets en cours de route.	Peut facilement confondre les effets du développement et les effets de cohorte. Voile les différences entre les individus, car ne s'intéresse qu'aux moyennes de groupe. Ne donne pas beaucoup de renseignements sur les séquences du développement.
Étude séquentielle	Étude qui suit l'évolution des mêmes sujets sur une longue période de temps.	Cible bien l'effet du développement. Élimine la confusion des résultats avec l'effet de cohorte. Sensible aux changements individuels. Permet d'observer les séquences du changement.	Demande beaucoup de temps et d'argent. Les résultats obtenus ne sont pas nécessairement généralisables aux autres cohortes. Dans certains types d'études, il faut tenir compte de l'effet des tests répétés à plusieurs reprises. Biais possible de l'échantillon : les sujets qui se portent volontaires ont des traits particuliers. Fort taux d'abandon des sujets.
Étude longitudinale	Étude qui emprunte aux deux autres méthodes. Étude de plusieurs cohortes au cours d'une période donnée.	Cible bien l'effet du développement. Élimine l'effet de cohorte tout en donnant des résultats pouvant être généralisés aux autres générations.	Méthode parfois difficile à utiliser.

TABLEAU 1.4 **CARACTÉRISTIQUES DES PRINCIPALES MÉTHODES DE RECHERCHE**

MÉTHODES	PRINCIPALES CARACTÉRISTIQUES	AVANTAGES	INCONVÉNIENTS
MÉTHODES NON EXPÉRIMENTALES			
Étude de cas	Étude approfondie d'un individu.	Portrait détaillé du comportement et du développement d'une personne.	Impossibilité de généraliser les observations à l'ensemble des gens. Biais de l'observateur.
Observation sur le terrain	Observation de personnes dans un contexte familier, sans intervention destinée à influencer le comportement.	Bonne description du comportement. Absence de conditions artificielles (comme le laboratoire) susceptibles de modifier le comportement. Source d'hypothèses de recherche.	Absence de contrôle. Impossibilité d'expliquer les liens de causalité. Biais de l'observateur.
Observation en laboratoire	Observation de personnes en laboratoire, sans intervention destinée à influencer le comportement.	Bonne description. Meilleur contrôle des variables que l'observation sur le terrain. Source d'hypothèses de recherche.	Milieu artificiel. Impossibilité d'expliquer les liens de causalité. Biais de l'observateur.
Entrevue	Questions destinées à obtenir des renseignements sur certains aspects de la vie des participants. Entrevue très structurée ou plus souple.	Renseignements plus approfondis sur la vie, les attitudes et les opinions d'une personne qu'avec l'observation.	Souvenirs imprécis. Déformation des réponses pour les rendre socialement acceptables. La façon de poser les questions influence les réponses.
Étude de corrélation	Mesure de la direction et de la grandeur d'une relation entre deux variables.	En fonction d'une variable, formulation possible de prédictions au sujet d'une autre variable.	Comme avec les autres méthodes non expérimentales, impossibilité de déterminer l'existence de liens de causalité.
MÉTHODES EXPÉRIMENTALES			
Expérience en laboratoire	Expérience en milieu bien contrôlé.	Possibilité d'établir des rapports de causalité. Interventions contrôlées de près, qu'un autre expérimentateur peut reproduire. Permet de déterminer précisément l'objet sur lequel une variable agit.	Situation très artificielle. Maximise les risques de comportements non représentatifs de la vie ordinaire. Impossibilité, pour des raisons éthiques, de manipuler certaines variables (par exemple, demander à des gens de fumer pour voir s'ils développent un cancer).
Expérience sur le terrain	L'expérimentateur manipule une variable dans un milieu naturel pour en voir les effets (par exemple, demander à des parents de lire avec leur enfant).	Méthode pour découvrir le lien de causalité qui est le plus représentatif de la vie ordinaire.	Le changement amené par la manipulation de variables modifie déjà légèrement la situation naturelle.
Expérience naturelle	Quasi-expérimentation qui mesure les différences entre deux groupes qui se sont séparés naturellement (par exemple, comparer les degrés de stress des décrocheurs et des étudiants).	Méthode la plus proche de l'expérimentation permettant d'étudier des aspects qui ne peuvent être manipulés pour des raisons éthiques.	N'est pas une expérimentation à proprement parler. Ne permet pas d'établir des liens de causalité.

Chapitre 2

NICOLE LAQUERRE

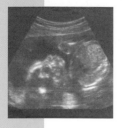

La conception, le développement prénatal, la naissance et le nouveau-né

PLAN DU CHAPITRE

Deux cellules se rencontrent et s'unissent pour n'en former qu'une – véritable usine à fabriquer de la vie! Cette cellule-mère, détentrice du patrimoine génétique de notre espèce et des caractéristiques transmises par nos parents, produira bientôt un nouvel être humain, au cours d'un processus de croissance sans précédent. Dès cet instant, le développement du futur bébé s'amorce. Niché au sein de la matrice, dépendant de sa mère pour sa survie, le fœtus peut subir certaines influences nocives qui auront des conséquences plus ou moins graves sur son développement. Sa naissance émerveillera ses parents et le projettera dans un monde inconnu, où il lui faudra devenir autonome. Fragile, incapable de satisfaire seul ses besoins, ce petit d'humain possède cependant les aptitudes indispensables à son développement : la capacité d'apprendre et de s'adapter à son environnement. A.B.

Le sommet de son crâne apparaît. Encore une poussée et toute la tête est sortie. Il lance son premier cri. Enfin, Simon est arrivé ! Papa coupera le cordon ombilical et maman lui donnera quelques gouttes de son lait. Cette nouvelle aventure qui commence pour Simon et ses parents n'est que la suite d'une histoire qui a débuté environ neuf mois plus tôt, lorsqu'un spermatozoïde de Jonathan a rencontré un ovule de Valérie.

Ils ont beaucoup désiré avoir un enfant, d'autant plus que Valérie a maintenant 36 ans. Dès le début de sa grossesse, Valérie s'informe et prend conscience de l'ampleur des responsabilités qui les attendent. Elle cesse de fumer – Jonathan lui promet qu'il arrêtera à la naissance du bébé –, elle surveille son alimentation et prend des vitamines. La grossesse de Valérie se déroule assez bien ; elle consulte son médecin régulièrement, ainsi qu'une sage-femme. Valérie et Jonathan suivent des cours prénatals, se rendent ensemble à l'échographie, acceptent de passer une amniocentèse (fortement recommandée, à cause de l'âge de Valérie) et préparent la chambre du futur bébé.

Trois jours avant la date prévue pour l'accouchement, Valérie sent, durant la nuit, un liquide s'écouler entre ses jambes, et les contractions commencent peu de temps après. Arrivés à l'hôpital, où la sage-femme les attend (celle-ci aidera le médecin pendant l'accouchement), ils sont confortablement installés dans une chambre de naissance. Les contractions deviennent de plus en plus rapprochées et de plus en plus douloureuses. Valérie voulait vivre son accouchement sans médicaments, mais, après plusieurs heures de travail, elle demande une injection péridurale. Cela soulage ses douleurs ; elle peut toutefois bouger les jambes et sentir les contractions.

À l'arrivée de Simon, ses parents pleurent de joie et ressentent une grande fierté. Ce bébé, ils l'ont désiré longtemps et ils l'examinent avec soin : il est parfait ! Après quelques minutes, les contractions reprennent et une grosse masse gélatineuse est expulsée. C'est le placenta, qu'on examine attentivement. Pendant les heures qui suivront, on massera l'utérus de Valérie pour l'aider à se contracter et à reprendre sa place. Simon finira par s'endormir.

QUESTIONS À SE POSER

· *Comment le sexe d'un enfant est-il déterminé ?*

· *Pendant sa grossesse, Valérie prend-elle les bonnes précautions pour maximiser ses chances de donner naissance à un bébé en santé ?*

· *Toutes les femmes reçoivent-elles des médicaments lors de l'accouchement ?*

· *L'allaitement au sein présente-t-il des avantages ?*

2.1 LA CONCEPTION

2.1.1 LA FÉCONDATION

La vie de Simon a débuté en moins d'une seconde par la rencontre des deux cellules sexuelles ou **gamètes** : un seul spermatozoïde, parmi les millions que produit le père, réussit à percer l'ovule. L'œuf fécondé, appelé **zygote**, commence alors à se diviser et à se différencier : si les circonstances sont favorables, un bébé formé de plusieurs trillions de cellules naîtra environ neuf mois plus tard.

Comme toutes les femmes, Valérie possède des milliers d'ovules et chacun mesure environ le quart du point qui se trouve à la fin de cette phrase. Malgré cela, l'ovule est la plus grosse cellule du corps humain. Lors de l'ovulation, un ovule provenant de l'un ou l'autre des ovaires se libère de son follicule et amorce son voyage à travers la trompe de Fallope jusqu'à l'utérus. La fécondation se produit normalement dans l'une des trompes de Fallope.

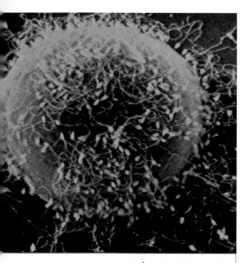

FIGURE 2.1   LA FÉCONDATION

Un minuscule spermatozoïde réussira à percer la surface de l'ovule, la plus grosse cellule du corps humain.

Gamètes
Cellules reproductrices sexuées (spermatozoïde ou ovule).

Zygote
Organisme unicellulaire provenant de l'union d'un spermatozoïde et d'un ovule.

Les spermatozoïdes, quant à eux, figurent parmi les plus petites cellules du corps et ne gardent leur capacité de féconder l'ovule que pendant 48 heures environ. Si la fécondation n'a pas lieu, les spermatozoïdes sont détruits par les globules blancs de la femme tandis que l'ovule passe dans l'utérus et sort par le vagin au moment des menstruations.

2.1.2 LES NAISSANCES MULTIPLES

Une femme donne normalement naissance à un enfant à la fois, mais des naissances multiples peuvent se produire. La cause la plus courante est la libération de deux ovules par l'ovaire, et ce, dans un intervalle très bref. Si les deux ovules sont fécondés, il en résulte des **jumeaux dizygotes**, aussi appelés jumeaux fraternels. Le bagage génétique de chacun de ces jumeaux, qui proviennent de deux ovules et de deux spermatozoïdes différents, diffère autant que celui de chacun des autres enfants issus des mêmes parents. Ces jumeaux peuvent donc être du même sexe ou de sexe opposé.

La division du zygote en deux, après le processus de fécondation, constitue la deuxième cause. On parle alors de **jumeaux monozygotes**, c'est-à-dire de jumeaux identiques. Ces derniers possèdent exactement le même patrimoine génétique et sont nécessairement du même sexe. Les triplés, les quadruplés ou les autres naissances multiples peuvent résulter d'une combinaison des deux.

La conception de jumeaux identiques semble résulter du hasard alors que celle de jumeaux dizygotes apparaît plus fréquente dans les cas de grossesses tardives, dans les familles où il y a déjà eu des jumeaux et dans certains groupes ethniques. Ces dernières années, le taux de naissances multiples a considérablement augmenté dans plusieurs pays. On attribue cette augmentation aux médicaments fertilisants et aux techniques de procréation assistée, qui augmentent la quantité d'ovules libérés lors d'un cycle de reproduction.

2.1.3 LES MÉCANISMES DE L'HÉRÉDITÉ

• LE CODE GÉNÉTIQUE

Nous venons de voir que la première cellule de vie provient de l'union des cellules reproductrices, l'ovule et le spermatozoïde. Chacune de ces cellules ne contient que 23 **chromosomes**, alors que toutes les autres cellules du corps en contiennent 23 paires, soit 46. À la suite de l'union des 2 gamètes, le zygote contiendra lui aussi 23 paires de chromosomes. Ces 46 chromosomes, porteurs de milliers de gènes, contiennent toutes les informations génétiques qui guideront le développement du futur bébé. Le **gène**, un fragment d'**acide désoxyribonucléique (ADN)**, est l'élément de base de l'hérédité. Ce sont les gènes qui déterminent les caractéristiques héréditaires. Ils indiquent à chaque cellule sa spécialisation et la manière de faire la synthèse des protéines nécessaires aux principales fonctions de l'organisme. Ce programme, appelé code génétique, est unique à chaque personne, sauf pour les jumeaux monozygotes. Après la division du zygote, processus appelé **mitose**, chaque cellule-fille, exception faite des cellules sexuelles, possédera 46 chromosomes identiques à ceux du zygote original. Chaque cellule du corps renferme donc la même information génétique, qui demeure constante tout au long de la vie. Ce qu'on appelle le génome humain, c'est l'identification des séquences de gènes qui sont particuliers à l'espèce humaine. En avril 2003, la communauté scientifique a réussi à séquencer tous les gènes à 99 %. On en dénombre environ 25 000 (voir l'encadré 2.1).

• LA DÉTERMINATION DU SEXE

Contrairement à ce que l'on a longtemps cru, c'est le père qui est responsable du sexe de l'enfant à naître. Au moment de la conception, comme nous l'avons vu plus haut, les 23 chromosomes du spermatozoïde forment des paires avec les 23 chromosomes de l'ovule et alignent leurs gènes. Sur les 23 paires de chromosomes, 22 sont autosomes, c'est-à-dire non liées au sexe ; la 23e paire, composée des hétérochromosomes ou chromosomes sexuels, détermine le sexe de l'enfant.

FIGURE 2.2   DES JUMEAUX IDENTIQUES ?

Lors du Défilé des jumeaux qui se déroule chaque année à Montréal, on essaie d'accentuer les ressemblances entre jumeaux. Mais attention ! Ce n'est pas parce que des jumeaux se ressemblent qu'ils sont tous des jumeaux identiques.

Jumeaux dizygotes
Jumeaux nés de l'union de deux ovules différents et de deux spermatozoïdes différents ; aussi appelés jumeaux fraternels, faux jumeaux ou jumeaux non identiques.

Jumeaux monozygotes
Jumeaux nés de la division d'un seul zygote après la fécondation ; aussi appelés vrais jumeaux ou jumeaux identiques.

Chromosomes
Segments d'ADN porteurs des gènes qui transmettent les facteurs héréditaires ; ils sont au nombre de 46 chez l'être humain normal.

Gène
Composante de base de l'hérédité, qui détermine le trait hérité.

Acide désoxyribonucléique (ADN)
Substance chimique du génome qui transporte les instructions contrôlant la synthèse des protéines et, ce faisant, la formation et le fonctionnement des cellules.

Mitose
Division du noyau d'une cellule en deux cellules identiques.

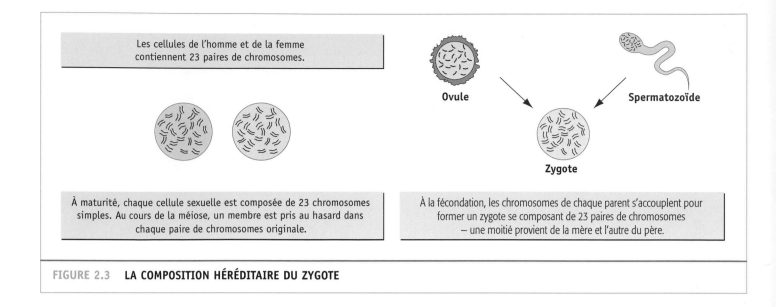

FIGURE 2.3   LA COMPOSITION HÉRÉDITAIRE DU ZYGOTE

ENCADRÉ 2.1

Le dépistage génétique

Dans les prochaines années, le dépistage génétique et la thérapie génique ont des chances de révolutionner la médecine. On a réussi à identifier les gènes impliqués dans plusieurs maladies connues. Certaines de ces maladies résultent de la défectuosité d'un gène alors que d'autres sont dues à la combinaison de facteurs environnementaux et de gènes de prédisposition. Il existe aujourd'hui des tests permettant d'identifier ces gènes défectueux et de savoir si un individu est porteur d'un gène de prédisposition. Cependant ces tests génétiques soulèvent des questions d'éthique fondamentales. D'une part, les prédictions demeurent imparfaites ; d'autre part, un faux résultat positif pourrait provoquer de l'anxiété inutile, tandis qu'un faux résultat négatif pourrait provoquer un excès de confiance. Qu'arrive-t-il si une affection génétique est incurable ? À quoi cela servirait-il alors de savoir que vous possédez le gène de cette maladie ? Nous devons également considérer la question du respect de la vie privée. Bien que les données médicales soient censées être confidentielles, il est presque impossible de maintenir ce genre d'informations privé.

Pouvons-nous avoir accès à des informations sur des personnes qui nous sont apparentées ? Tout ce que le dépistage génétique peut nous apprendre porte sur les probabilités de développer une maladie. Comme nous l'avons mentionné, la plupart des maladies sont issues d'une combinaison complexe de gènes et dépendent en partie du mode de vie et d'autres facteurs environnementaux. Est-ce acceptable de se servir du profil génétique d'une personne en santé pour lui refuser un emploi ou une assurance-vie ? D'autres considérations se rattachent au testage des enfants. Qui devrait décider si un enfant doit être testé, les parents ou l'enfant ? Un enfant devrait-il être testé si ce test peut profiter à l'un de ses frères ou sœurs ? Comment un enfant sera-t-il affecté s'il apprend qu'il pourrait développer une maladie dans vingt, trente ou cinquante ans ? L'enfant grandira-t-il en pensant : « Quelque chose ne va pas avec moi » ? Des parents qui apprennent que leur enfant possède le gène d'une maladie incurable deviendront-ils surprotecteurs ? Ou craindront-ils de trop s'attacher à un enfant susceptible de mourir jeune ? Si un test révèle que le pré-

sumé père biologique n'est pas le vrai père, ce renseignement devrait-il être révélé ? Si oui, à qui ?

Une éventualité particulièrement troublante est celle qui consisterait à utiliser des résultats de dépistage génétique pour justifier la stérilisation de personnes porteuses de gènes « indésirables ». De futurs parents pourraient opter pour l'avortement si un fœtus est porteur du « mauvais » bagage génétique. La thérapie génique, malgré tous ses bénéfices possibles, risque d'être utilisée d'une façon abusive. Ce genre de thérapie devrait-il être utilisé pour contrer la calvitie ? Pour rendre grand un enfant petit ou transformer un enfant obèse en enfant mince ? Pour améliorer l'apparence ou l'intelligence d'un bébé à naître ? L'écart entre la correction thérapeutique de troubles et la manipulation génétique à des fins esthétiques ou fonctionnelles pourrait s'avérer être mince, et nous pourrions voir naître une société dans laquelle certains parents se permettraient de donner les « meilleurs » gènes à leurs enfants tandis que d'autres ne le pourraient pas.

Méiose
Division cellulaire au cours de laquelle le nombre de chromosomes diminue de moitié. Ce type particulier de division, qui suppose une variété presque infinie de combinaisons de gènes dans l'ovule et le spermatozoïde, explique les différences de constitution génétique entre enfants issus de mêmes parents.

Chez la femme, la 23e paire de chromosomes se compose de deux chromosomes identiques XX. Chez l'homme, un chromosome X est uni à un chromosome Y, plus petit. Lors de la **méiose**, une forme de division cellulaire au cours de laquelle le nombre de chromosomes diminue de moitié, les paires de chromosomes se divisent, et le gamète mature ne contient plus que 23 chromosomes. L'ovule de Valérie ne peut donc porter qu'un chromosome X ; le spermatozoïde de Jonathan, quant à lui, peut porter un chromosome X ou un chromosome Y. Un ovule fécondé par un spermatozoïde porteur d'un chromosome Y produit le zygote XY, donc un embryon mâle ;

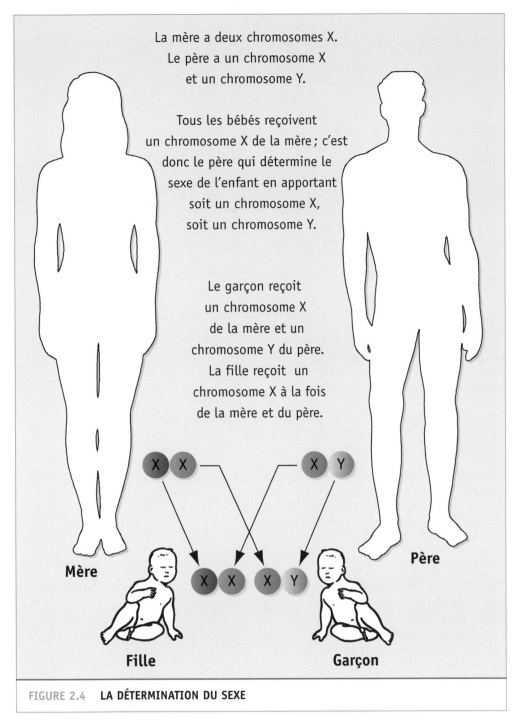

La mère a deux chromosomes X.
Le père a un chromosome X
et un chromosome Y.

Tous les bébés reçoivent
un chromosome X de la mère ; c'est
donc le père qui détermine le
sexe de l'enfant en apportant
soit un chromosome X,
soit un chromosome Y.

Le garçon reçoit
un chromosome X
de la mère et un
chromosome Y du père.
La fille reçoit un
chromosome X à la fois
de la mère et du père.

Mère

Fille

Père

Garçon

FIGURE 2.4   **LA DÉTERMINATION DU SEXE**

alors qu'un ovule fécondé par un spermatozoïde porteur d'un chromosome X produit le zygote XX, donc un embryon femelle. Comme Simon est un petit garçon, il provient d'un zygote XY.

• LES ANOMALIES GÉNÉTIQUES ET CHROMOSOMIQUES

Nous avons vu, au début du chapitre, le fonctionnement de base des mécanismes de l'hérédité. Malheureusement il arrive que ce processus soit perturbé. On estime, au Québec, que 2 % à 3 % des enfants naissent avec une ou plusieurs anomalies congénitales graves.

Les anomalies génétiques et chromosomiques ne sont pas toutes décelables à la naissance, elles peuvent même apparaître aussi tard qu'à la fin de la trentaine. Certaines sont causées par des mutations, qui sont des modifications subies par les gènes ou les chromosomes. D'autres résultent de l'interaction entre une prédisposition innée et un facteur environnemental survenant avant ou après la naissance. Le tableau 2.1 donne la liste des principaux problèmes reconnus.

TABLEAU 2.1 LES MALFORMATIONS CONGÉNITALES

LES PROBLÈMES	LES EFFETS	LES PERSONNES À RISQUE
Syndrome de Down	Déficit intellectuel léger ou profond, causé par un chromosome en trop sur la 21ᵉ paire.	Une femme sur 350, âgée de plus de 35 ans; une femme sur 40, chez les 45 ans et plus.
Carence d'alpha-1-antitrypsine	Carence enzymatique pouvant provoquer, dans la petite enfance, la cirrhose et, à l'âge adulte, l'emphysème pulmonaire ainsi qu'une affection pulmonaire dégénérative.	Une personne blanche sur 1 000.
Fibrose kystique	Production excessive de mucus, qui s'accumule dans les poumons et le système digestif. Les enfants qui en sont atteints ne grandissent pas normalement et meurent généralement avant 30 ans, quoique certains vivent plus longtemps.	Une personne blanche sur 2 000.
Malformations du tube neural	Absence de tissus crâniens. Le bébé est mort-né ou meurt peu après l'accouchement.	Une personne sur 1 000.
Anencéphalie Spina-bifida	Occlusion incomplète du tube rachidien, résultant en une faiblesse musculaire ou en une paralysie et une perte de maîtrise de la vessie et des intestins. Fréquemment accompagnée d'hydrocéphalie, une accumulation de fluide rachidien dans le cerveau qui peut provoquer la déficience intellectuelle.	Une personne sur 1 000.
Anomalie du chromosome sexuel (Syndrome de Turner, de Kleinfelter, du triple X, du double Y)	Troubles légers ou graves de développement et d'apprentissage, causés par l'absence d'un chromosome X ou la présence d'un chromosome X ou Y en trop.	Une personne sur 500.
Syndrome de fragilité liée au sexe	Déficit intellectuel léger ou profond. Les symptômes, plus graves chez les hommes, comprennent des retards de langage et de développement moteur, des troubles de la parole et de l'hyperactivité. Ce syndrome est considéré comme une des principales causes de l'autisme.	Un garçon sur 1 200. Une fille sur 2 000.
Maladie de Tay-Sachs	Maladie dégénérative du cerveau et des cellules nerveuses, provoquant la mort avant l'âge de cinq ans.	Une personne juive d'Europe de l'Est sur 3 000.
Dystrophie musculaire progressive de type Duchenne	Maladie mortelle propre aux hommes, caractérisée par une faiblesse musculaire et fréquemment accompagnée d'un léger déficit intellectuel. L'insuffisance respiratoire et la mort se produisent habituellement au début de l'âge adulte.	Un garçon sur 4 000.
Hémophilie	Hémorragies prolongées n'affectant que les hommes. Dans sa forme la plus aiguë, la maladie peut, à l'âge adulte, provoquer l'arthrite invalidante.	Une famille sur 10 000 ayant des antécédents d'hémophilie.
Polykystose rénale	Chez l'enfant : hypertrophie des reins provoquant des problèmes respiratoires et une insuffisance cardiaque. Chez l'adulte : douleurs rénales, calculs rénaux et hypertension provoquée par l'insuffisance rénale chronique. Les symptômes se manifestent habituellement vers 30 ans.	Une personne sur 1 000.
Drépanocytose	Globules rouges déformés et fragiles pouvant bloquer les vaisseaux, privant le corps d'oxygène. Les symptômes comprennent des douleurs graves, une croissance retardée, des infections fréquentes, des ulcères de jambe, des calculs biliaires, la vulnérabilité aux pneumonies et aux accidents cardio-vasculaires.	Une personne noire sur 500.

Source : Adaptation de Fahey, 1988, p. 68 et 69 ; Tisdale, 1988, p. 64 à 72.

Le **syndrome de Down**, ou trisomie 21, représente l'anomalie chromosomique la plus répandue. Le syndrome se manifeste par plusieurs signes : des yeux bridés, une petite tête, un nez aplati, une grosse langue, une déficience intellectuelle plus ou moins grave, une déficience motrice légère ou profonde, et des malformations du cœur, des yeux et des oreilles. Le syndrome de Down est causé par la présence d'un chromosome supplémentaire à la 21e paire, d'où le nom couramment utilisé de trisomie 21.

Cette anomalie risque surtout de se produire quand les parents sont relativement âgés au moment de la conception. Les risques augmentent avec l'âge de la mère : 1 enfant sur 2 500 chez les femmes de 25 ans et 1 enfant sur 40 chez les femmes de plus de 45 ans. Les risques augmentent également avec l'âge du père, surtout lorsqu'il a plus de 50 ans. Le test de l'**amniocentèse**, que Valérie a accepté de passer, sert justement à détecter ce genre de problème.

De nombreux enfants trisomiques sont toutefois décrits comme étant attachants et affectueux, et plusieurs peuvent acquérir des habiletés qui leur permettront de subvenir à leurs besoins quand ils atteindront l'âge adulte.

• LES MODÈLES DE TRANSMISSION GÉNÉTIQUE

Pourquoi une personne a-t-elle les yeux bleus et l'autre, les yeux bruns ? Qu'est-ce qui cause le daltonisme ? Pourquoi une maladie héréditaire n'affecte-t-elle que certains membres d'une même famille ? Pour répondre à de telles questions, il faut savoir comment sont transmis les traits héréditaires.

• Le mode de transmission dominant-récessif

Depuis les travaux de Mendel sur le croisement des petits pois, et sa loi de la dominance qui en a résulté, nous savons que certaines caractéristiques génétiques sont transmises selon un

Syndrome de Down

Anomalie chromosomique habituellement causée par la présence d'un chromosome 21 supplémentaire et caractérisée par la déficience intellectuelle légère ou profonde, de même que par certaines anomalies physiques comme les yeux bridés.

Amniocentèse

Ponction du liquide amniotique. Ce test prénatal permet de dépister certaines anomalies génétiques, de connaître le sexe du bébé ainsi que son âge fœtal.

FIGURE 2.5 **LE SYNDROME DE DOWN**

Cet enfant aux yeux bridés est atteint du syndrome de Down. Ce syndrome est causé par la présence d'un chromosome supplémentaire dans la 21e paire, d'où le nom couramment utilisé de trisomie 21.

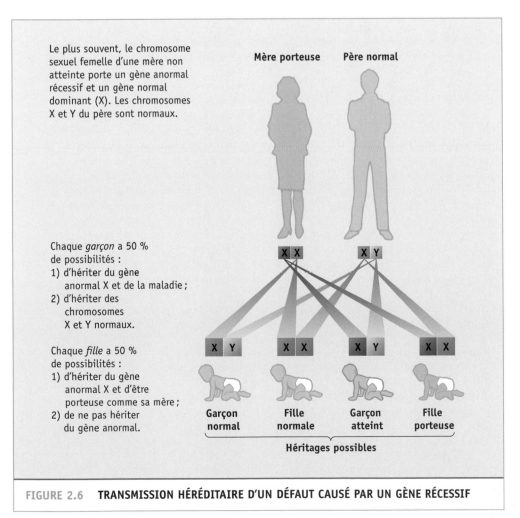

Le plus souvent, le chromosome sexuel femelle d'une mère non atteinte porte un gène anormal récessif et un gène normal dominant (X). Les chromosomes X et Y du père sont normaux.

Mère porteuse   **Père normal**

X X   X Y

Chaque *garçon* a 50 % de possibilités :
1) d'hériter du gène anormal X et de la maladie ;
2) d'hériter des chromosomes X et Y normaux.

Chaque *fille* a 50 % de possibilités :
1) d'hériter du gène anormal X et d'être porteuse comme sa mère ;
2) de ne pas hériter du gène anormal.

X Y   X X   X Y   X X

Garçon normal   **Fille normale**   **Garçon atteint**   **Fille porteuse**

Héritages possibles

FIGURE 2.6 **TRANSMISSION HÉRÉDITAIRE D'UN DÉFAUT CAUSÉ PAR UN GÈNE RÉCESSIF**

Mode de transmission dominant-récessif

Mode de transmission génétique qui fait qu'un trait déterminé par un gène récessif se manifeste seulement s'il n'est pas en présence d'un gène dominant pour ce même trait.

Allèle

Les différentes formes possibles d'un même gène.

Mode de transmission polygénique

Mode de transmission génétique qui fait qu'un trait est déterminé par plusieurs gènes.

mode dominant-récessif. Pour chaque caractéristique, l'individu reçoit au moins un gène de chaque parent. On appelle ces gènes des **allèles.** Quand ces allèles sont identiques, la caractéristique se manifeste chez l'individu; s'ils diffèrent, c'est l'allèle dominant qui se manifeste. Une caractéristique récessive n'apparaît que si les deux allèles sont récessifs (voir figure 2.6). Par exemple, certains types d'intolérance au lait, plus fréquents dans certains groupes ethniques, résultent d'un allèle récessif. Toutefois peu de traits se transmettent uniquement selon le mode dominant-récessif. La transmission est souvent beaucoup plus complexe.

• Le mode de transmission polygénique

Les gènes peuvent aussi se combiner pour donner une caractéristique se situant sur un continuum. C'est le cas pour la couleur de la peau. Si l'un des parents a un teint foncé et l'autre, un teint clair, la peau de l'enfant révélera une combinaison des deux. La plupart des traits semblent toutefois être transmis par l'interaction de plusieurs gènes qui présentent chacun des effets plus ou moins prononcés; on parle d'un **mode de transmission polygénique.** L'intelligence, par exemple, peut être affectée par plus de 50 gènes différents.

• Le mode de transmission plurifactorielle

Les caractéristiques d'un individu résultent souvent d'une combinaison de facteurs génétiques et de facteurs environnementaux. Certaines caractéristiques physiques (comme la taille et le

---

ENCADRÉ 2.2

Le rôle de l'hérédité et de l'environnement dans certaines caractéristiques personnelles

La façon dont notre patrimoine génétique se manifeste dépend dans une large mesure du milieu spécifique dans lequel nous évoluons. De nombreux traits varient selon l'environnement, mais à l'intérieur des limites fixées par les gènes.

L'obésité L'obésité est définie, chez un enfant, comme un indice de masse corporelle au-dessus du 90e percentile des enfants de son sexe et du même groupe d'âge. Chez l'adulte, on la définit comme une surcharge de tissu adipeux qui se traduit par un indice de masse corporelle (IMC) égal ou supérieur à 30 kg/m². Plusieurs études révèlent que l'hérédité joue un rôle important dans l'obésité. La cartographie génétique a identifié jusqu'à maintenant plus de 200 gènes ou marqueurs génétiques qui seraient liés à l'obésité. Toutefois l'accroissement rapide des cas d'obésité dans les pays industrialisés depuis les vingt dernières années laisse croire que l'environnement exerce aussi une influence primordiale. Que s'est-il passé pour que l'obésité devienne aussi répandue? Des changements dans les habitudes alimentaires, ainsi qu'une diminution de l'exercice physique seraient les premiers responsables de cette situation. Il est clair que, pour prendre du poids, il faut que les apports caloriques soient supérieurs aux besoins de l'organisme, mais ces besoins diffèrent selon plusieurs facteurs, dont le métabolisme. Le métabolisme des personnes obèses fonctionnerait différemment et il en résulterait pour

ces personnes une plus grande difficulté à utiliser les graisses stockées dans leurs tissus (Froyn et Despres, 1995). L'obésité est donc un problème complexe qui relève autant de facteurs génétiques que de facteurs psychologiques et sociaux.

L'intelligence Des études démontrant que des enfants adoptés présentent une ressemblance plus marquée avec le quotient intellectuel de leur mère biologique qu'avec leur famille adoptive nous laissent croire qu'une bonne part de l'intelligence relève de l'hérédité. N'oublions pas cependant que la génétique n'explique qu'une partie des variations de l'intelligence dans une population donnée; un changement d'environnement peut entraîner des répercussions considérables. Par exemple, les enfants de classes socioéconomiques défavorisées, adoptés par des familles favorisées, obtiennent des résultats supérieurs à la moyenne aux tests de quotient intellectuel et aux examens scolaires.

Des études récentes révèlent toutefois que l'impact de l'environnement se produit plus tôt qu'on ne le croyait. L'environnement prénatal compterait pour 20 % de la similitude entre les jumeaux et pour 5 % dans le cas des frères et sœurs (qui ont partagé le même utérus, mais à des périodes différentes) (Devlin *et al.*, 1997). Ces résultats suggèrent que l'influence des gènes sur l'intelligence est peut-être moins forte qu'on le croyait et l'influence de l'environnement prénatal, plus importante. On ignore quels aspects particuliers du milieu prénatal sont en jeu, mais ces données ouvrent la porte aux possibilités d'augmenter le niveau intellectuel d'une population, en portant une attention spécifique aux influences prénatales.

L'alcoolisme Précisons tout de suite qu'on ne naît pas alcoolique. Il existe cependant certaines prédispositions à l'alcoolisme. En effet, une personne peut le devenir si elle se trouve dans une situation propice à son développement. Une équipe de chercheurs de l'hôpital Douglas à Montréal a réussi à isoler un site de prédisposition héréditaire dans le circuit de la sérotonine (un neurotransmetteur important du système nerveux) chez des alcooliques, des ex-alcooliques et des individus à fort risque génétique d'alcoolisme, site absent chez des sujets d'un groupe témoin (Suranyi-Cadotte *et al.*, 1989). Cela explique peut-être pourquoi les fils de pères alcooliques sont quatre fois plus susceptibles de devenir alcooliques que les fils de pères non alcooliques, même lorsqu'ils sont séparés de ce père dès la naissance, que leurs parents adoptifs soient alcooliques ou non. Les enfants adoptés ne semblent pas exposés à un grand risque d'être alcooliques si leurs parents biologiques ne le sont pas, même si leurs parents adoptifs le sont (Schuckit, 1987). Nous ne pouvons prédire qu'une personne deviendra alcoolique. Cependant, comme les facteurs génétiques semblent rendre certaines personnes plus vulnérables, les

APPROFONDISSEMENT

enfants de parents alcooliques devraient être prévenus : le fait de boire risque de ne pas avoir les mêmes conséquences pour eux que pour d'autres enfants.

La schizophrénie La schizophrénie est un terme général qui désigne un ensemble de symptômes caractérisés par une perte de contact avec la réalité, des hallucinations et des perturbations de la pensée. Plusieurs études entreprises pour en découvrir les causes ont suggéré la présence d'une forte composante héréditaire. Ainsi, le risque de devenir schizophrène est multiplié par 10 lorsqu'un des deux parents biologiques est affecté par la maladie et par 30 si les deux parents en sont atteints (McGuffin *et al.*, 1995). En fait, plus le lien biologique existant entre un individu et une personne atteinte de schizophrénie est étroit, plus cet individu est susceptible de souffrir lui-même de cette maladie.

Cependant, comme les jumeaux identiques ne sont pas tous prédisposés de la même manière pour cette maladie, les causes ne peuvent pas être seulement génétiques. Des études suggèrent qu'une infection virale prénatale, transmissible par le sang, pourrait être en cause dans la schizophrénie (Phelps *et al.*, 1997). La maladie elle-même ne serait pas transmise, mais on constaterait plutôt une prédisposition à la maladie. Ainsi, certains événements stressants (perte d'un être cher, séparation amoureuse, conflits, etc.) peuvent contribuer à amorcer le développement de la maladie chez les personnes qui ont hérité de cette prédisposition.

L'autisme infantile L'autisme infantile consiste en une anomalie développementale rare qui se manifeste par l'incapacité de communiquer avec les autres ou de réagir à eux. Il apparaît dans les deux premières années et demie de la vie, plus souvent chez les garçons que chez les filles. L'enfant reste couché dans son berceau, est apathique et ne réagit pas à son entourage.

Il ne fait pas de caresses, ne regarde pas les autres ; pour lui, les adultes sont interchangeables ou bien il s'accroche à une personne comme un automate. Il peut ne jamais apprendre à parler tout en maîtrisant un vaste répertoire de chansons. Les garçons sont trois fois plus susceptibles que les filles de souffrir d'autisme. Un grand nombre d'enfants autistes sont déficients intellectuels. Cependant ils réussissent bien dans des tâches de manipulation ou d'habiletés visuelle et spatiale.

L'autisme se définit comme un désordre biologique du système nerveux, qui semble présenter une forte composante génétique puisque la concordance de la maladie s'élève à plus de 90 % chez les jumeaux identiques, comparativement à moins de 10 % chez les jumeaux fraternels de même sexe (Bailey *et al.*, 1995). Un gène qui contrôle la sérotonine (toujours le même neurotransmetteur) serait associé à l'autisme (Cook *et al.*, 1997). Grâce aux techniques du conditionnement opérant, on a pu aider certains enfants autistes à développer des habiletés de langage et des habiletés sociales, surtout lorsque l'environnement est fortement stimulant. Dans l'ensemble, un autiste sur six s'adapte suffisamment aux contraintes sociales pour pouvoir accomplir un certain travail une fois adulte, mais la plupart nécessitent une supervision toute leur vie. Heureusement cette anomalie est très rare (3 cas sur 10 000 personnes).

La dépression Il ne faut pas confondre le grave syndrome clinique qu'est la dépression avec un sentiment normal et passager de tristesse. La personne qui souffre de dépression se sent malheureuse, toujours fatiguée, se dévalorise ; elle connaît des problèmes de sommeil, des sentiments d'inutilité et cela peut même aller jusqu'aux idées suicidaires. Cette maladie ne touche pas seulement les adultes, mais aussi les enfants et les adolescents, et

parfois les bébés. Les femmes semblent plus vulnérables que les hommes.

Nous entendons souvent dire que la dépression a une forte composante héréditaire, puisqu'un taux élevé d'individus dépressifs ont des parents dépressifs. Il faut apporter des précisions. Il existe un facteur génétique dans la dépression, mais son importance est relative. Les enfants déprimés vivent habituellement dans des familles dysfonctionnelles, souvent avec des parents qui sont eux-mêmes dépressifs, anxieux, toxicomanes ou socialement inadaptés. Des relations déficientes avec les personnes qui en ont pris soin dans la petite enfance peuvent avoir préparé le terrain pour l'émergence de problèmes affectifs. Les enfants de mères dépressives apprennent par exemple qu'ils possèdent peu de pouvoir sur les réactions de leur mère, qu'elle est instable et qu'ils ne peuvent avoir confiance en personne. On se demande si les enfants deviennent dépressifs à la suite d'interactions avec une mère irresponsable ou parce qu'ils ont une prédisposition génétique ou encore s'ils pourraient avoir acquis cette prédisposition à cause des influences hormonales ou physiologiques lors du développement prénatal. Les nouveau-nés de mères dépressives se montrent plus irritables, moins robustes, moins actifs, moins expressifs et moins intéressés par les stimulations sensorielles que les autres bébés. Cela semble relever d'une tendance innée, mais il est possible aussi que, très tôt après la naissance, les interactions avec leur mère dépressive conduisent à ces réactions ou que les influences prénatales soient en cause. Apparemment de nombreuses formes de dépression résultent de l'interaction entre une sensibilité biochimique héréditaire et des sources de stress couramment répandues. Ici encore, le contexte de vie de l'individu interagit avec ses prédispositions héréditaires.

poids) et la plupart des caractéristiques psychologiques (comme l'intelligence, la personnalité, l'habileté musicale et bien d'autres) proviennent d'une interaction complexe entre plusieurs gènes et plusieurs facteurs environnementaux ; on parle d'une **transmission plurifactorielle**.

• LE GÉNOTYPE ET LE PHÉNOTYPE

L'ensemble des traits observables constitue le **phénotype** ; le bagage génétique invisible et sous-jacent qui contribue à la manifestation de ces traits représente le **génotype**. Quand nous regardons les yeux bruns de Valérie et de Jonathan, nous voyons leur phénotype. Cependant ils sont peut-être porteurs tous les deux d'un gène pour les yeux bleus, ce qui représenterait le génotype. Toutefois nous ne pouvons le savoir simplement en les regardant dans les yeux. Dans ce cas, Simon aurait pu avoir les yeux bleus si le hasard avait voulu que ses parents lui transmettent tous les deux leur gène « bleu ». La couleur des yeux se transmet en partie selon un mode dominant-récessif, le brun étant dominant et le bleu, récessif, mais d'autres facteurs entrent en jeu dans cette transmission. Le phénotype résulte aussi des influences de l'environnement. Par exemple, la taille d'une personne, normalement

Mode de transmission plurifactorielle
Mode de transmission génétique qui fait qu'un trait résulte d'une interaction complexe entre des gènes et plusieurs facteurs environnementaux.

Phénotype
Ensemble des caractéristiques observables d'un individu.

Génotype
Composition génétique sous-jacente qui mène à la manifestation de certains traits.

déterminée par son patrimoine génétique, peut être altérée par la maladie ou la malnutrition. C'est le cas d'un enfant dont la mère a consommé des drogues pouvant affecter le développement du fœtus.

Ce que nous venons de voir nous amène à soulever la question du rôle respectif de l'hérédité et de l'environnement dans le développement. Ainsi, certaines caractéristiques, comme la couleur des yeux ou le groupe sanguin, sont clairement héréditaires, alors que des traits plus complexes, relatifs à la santé, à l'intelligence et à la personnalité, résultent d'une interaction complexe entre l'hérédité et l'environnement (voir l'encadré 2.2).

2.2 LE DÉVELOPPEMENT PRÉNATAL

Le développement prénatal, appelé gestation, transformera une seule cellule en un être extrêmement complexe. Après un survol des motivations qui poussent une femme à vouloir un enfant, nous verrons les grandes étapes de ce processus, qui dure normalement 38 semaines, et comment certaines influences peuvent déjà en affecter le déroulement.

2.2.1 LE DÉSIR D'ENFANT

Le désir d'avoir un enfant est complexe. Il peut même être absent dans le cas de grossesses non planifiées ou non voulues et cela pourra affecter le comportement de la mère, comme, par exemple, dans le cas des grossesses d'adolescentes. S'il représente souvent la réalisation de la féminité chez une femme, l'aboutissement de l'amour d'un couple, le besoin de se prolonger dans un autre être et la recherche d'un amour inconditionnel, dans certaines sociétés, il peut répondre à des motifs socioéconomiques : avoir des enfants qui aideront leurs parents dans leur travail ou qui prendront soin d'eux lorsqu'ils seront âgés. Pour Freud, ce désir correspondrait à un instinct. Des sentiments ambivalents de joie et d'angoisse habitent souvent la femme qui apprend qu'elle est enceinte. Ces sentiments évolueront tout au long de la grossesse. La future mère arrive souvent à surmonter ses craintes en projetant l'image d'un bébé parfait et en idéalisant la maternité. Les émotions qui l'habitent, qu'elles soient positives ou négatives, auront des répercussions sur le développement de l'enfant qu'elle porte. Par la suite, si le bébé tant attendu ne correspond pas au bébé idéal, ce qui arrive la plupart du temps, la mère s'expose à une grande déception. Si son nouveau-né n'est pas le bébé calme et tranquille qu'elle souhaitait ou tout simplement s'il pleure la nuit, comme tout bébé normal, elle risque de vivre un sentiment d'incompétence ou d'inaptitude.

Pour plusieurs femmes, le désir d'enfant se heurte à des contraintes. C'est alors qu'elles peuvent avoir recours à la reproduction assistée (voir l'encadré 2.3) ou à l'adoption.

2.2.2 LES PÉRIODES DU DÉVELOPPEMENT PRÉNATAL

Le développement prénatal de Simon s'est déroulé en trois étapes : la période germinale, la période embryonnaire et la période fœtale. Nous aborderons ici les points les plus importants de chaque période, et vous trouverez au tableau 2.2 une description détaillée du développement mois par mois.

• LA PÉRIODE GERMINALE (DE LA FÉCONDATION À 2 SEMAINES ENVIRON)

Période germinale
Stade du développement prénatal au cours duquel le zygote se divise et s'implante dans l'utérus.

Au cours de la **période germinale** ou préembryonnaire, le zygote unicellulaire entreprend sa migration vers l'utérus et se divise rapidement en 2 puis en 4, en 8, en 16 cellules, etc. Pendant les 36 heures qui suivent la fécondation, le zygote unicellulaire amorce une période de division rapide. Tout en se divisant, l'œuf fécondé descend le long de la trompe de Fallope pour atteindre l'utérus, après un « voyage » de trois à quatre jours (figure 2.7). À ce stade, il

ENCADRÉ 2.3

La reproduction assistée

De plus en plus d'adultes non fertiles qui désirent des enfants se tournent vers des techniques qui contournent le processus biologique normal.

Lorsque l'homme produit un nombre de spermatozoïdes insuffisant, il est possible pour le couple de recourir à l'*insémination artificielle* – l'introduction de sperme dans le col de l'utérus de la femme. Cela permet de rassembler le sperme de plusieurs éjaculations pour une injection. On accroît les chances de réussite si l'on augmente la production d'ovules par une stimulation ovarienne et si l'on injecte directement le sperme dans l'utérus (Guzick *et al.*, 1999). En cas d'infertilité masculine, un couple peut choisir l'IAD, l'*insémination artificielle avec donneur*. Le donneur peut être choisi selon les caractéristiques physiques du père. Un nombre croissant de couples ont recours à la *fécondation in vitro* (FIV) – la fécondation se fait hors du corps de la mère. Cette méthode comporte plusieurs étapes : un traitement hormonal permettant d'augmenter la production d'ovules, le prélèvement d'un ovule mature, sa fertilisation en laboratoire et l'implantation de l'embryon dans l'utérus de la mère. En général, plusieurs tentatives sont nécessaires ; les taux de réussite oscillent entre 12 et 20 %. Souvent, plusieurs ovules sont fertilisés et implantés pour augmenter les chances de réussite, ce qui entraîne régulièrement des naissances multiples. Deux nouvelles techniques enregistrent un taux de réussite supérieur. Il s'agit du *GIFT* (transfert intra-tubère de gamètes) et du *ZIFT* (transfert intra-tubère de zygotes), dans lesquels l'ovule et le sperme, ou l'embryon lui-même, sont introduits dans les trompes de Fallope.

Avec le *don d'ovule*, l'équivalent féminin de l'IAD, un ovule est «donné», généralement de façon anonyme, par une jeune femme fertile. Il est ensuite fertilisé en laboratoire et implanté dans l'utérus de la mère. L'ovule peut également être fertilisé dans le corps de la donneuse par insémination artificielle. Quelques jours plus tard, l'embryon est récupéré et transplanté dans l'utérus de la mère. Cette technique a déjà été utilisée chez des femmes ménopausées.

La *mère porteuse* est une femme fertile qui est fécondée par le père, généralement par insémination artificielle. Elle porte le bébé jusqu'à terme et le remet au couple à sa naissance. La maternité de substitution se trouve dans un vide juridique, ce qui fait qu'aucune entente entre le couple et la mère porteuse ne serait reconnue par les tribunaux du Québec. Outre l'éventualité de forcer la mère porteuse à renoncer à l'enfant, l'aspect qui soulève le plus d'objections en matière de maternité de substitution est l'aspect financier. Beaucoup de gens craignent que ne se crée une «classe reproductrice» de femmes pauvres et désavantagées, qui porteront les bébés des femmes aisées. Des questions du même type ont été soulevées au sujet du paiement des ovules et de l'exploitation des futurs parents.

Toutes ces techniques soulèvent des questions d'éthique. Les cliniques de fertilité doivent-elles être réservées aux personnes stériles ou accessibles également aux gens qui souhaitent les utiliser pour des raisons de commodité ? Les personnes seules, les couples non mariés et homosexuels peuvent-ils avoir accès à ces méthodes ? Qu'en est-il des personnes plus âgées qui pourraient devenir

malades ou même décéder avant que l'enfant ne devienne adulte ? Les enfants doivent-ils connaître leurs origines ? Faut-il procéder à des tests génétiques sur les donneurs et les mères porteuses éventuels pour identifier les anomalies ou les sensibilités à certaines maladies ou troubles potentielles ? Doit-on fixer légalement des limites sur le nombre d'embryons implantés ? Que se passe-t-il si un couple qui a signé un contrat avec une mère porteuse divorce avant la naissance de l'enfant ? Lorsqu'un couple opte pour une fécondation *in vitro*, que faut-il faire avec les embryons inutilisés ? Nous le voyons, il reste bien des questions graves et non résolues.

Il faut aussi s'attarder aux risques psychologiques qui menacent les enfants issus de dons d'ovules ou de sperme. L'absence de lien génétique avec un parent ou les deux, cumulée au silence qui accompagne généralement ce genre de procédure et à la déception reliée à l'infertilité risquent-ils d'influencer l'atmosphère familiale ? Une étude à ce sujet a révélé que non : le souhait très fort d'avoir un enfant semble importer davantage que les liens génétiques. La qualité du parentage était supérieure dans le cas d'un enfant né d'une fécondation *in vitro* ou par insémination artificielle que dans le cas d'une naissance normale, et aucune différence n'était notable dans les sentiments, le comportement des enfants ni dans leur relation avec leurs parents (Golombock *et al.*, 1995).

Une chose semble certaine : tant qu'il y aura des gens qui souhaiteront des enfants et qui ne pourront pas en avoir, la créativité humaine et la technologie trouveront de nouvelles façons de satisfaire leurs besoins.

---

adopte la forme d'une sphère remplie de fluide, le **blastocyste**, et il flotte librement dans l'utérus un jour ou deux avant de s'y implanter. La différenciation des cellules commence : certaines cellules du blastocyste s'agglomèrent d'un côté pour former le disque embryonnaire, une masse de cellules à partir desquelles l'embryon se développera. Autour, d'autres cellules seront à l'origine du système de soutien : le sac et le liquide amniotique, le placenta et le cordon ombilical. Cette enveloppe externe produit de minuscules filaments qui s'enfouissent dans la paroi utérine, créant ainsi une sorte de nid. Une fois implanté dans l'utérus, le blastocyste contient environ 150 cellules et devient un embryon. Toutefois seulement une minorité des œufs fécondés parviendront à s'implanter et à poursuivre leur développement.

Blastocyste
Stade de développement de l'embryon avant qu'il s'implante dans l'utérus.

• LA PÉRIODE EMBRYONNAIRE (DE LA 2ᵉ À LA 8ᵉ SEMAINE)

Le **période embryonnaire** commence une fois que l'œuf est implanté et s'étend jusqu'à la fin de la huitième semaine. Le système de soutien termine son développement et les principaux organes et systèmes (respiratoire, digestif, nerveux) commencent alors à se développer rapidement.

Période embryonnaire
Stade du développement prénatal qui s'étend de la deuxième à la huitième semaine et au cours duquel les principaux organes et systèmes se développent.

TABLEAU 2.2 **LE DÉVELOPPEMENT PRÉNATAL**

MOIS	DESCRIPTION
Premier mois 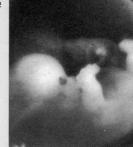	La croissance est plus rapide au cours du premier mois qu'à toute autre période de la vie : l'embryon devient 10 000 fois plus gros que le zygote. Il mesure maintenant entre 6,3 mm et 7,2 mm de longueur. Le sang circule dans ses veines et ses artères minuscules. Son petit cœur bat 65 fois à la minute. Son cerveau, ses reins, son foie et son système digestif commencent déjà à se former. Le cordon ombilical, lien vital avec sa mère, fonctionne. En l'observant attentivement au microscope, on peut apercevoir sur la tête les tumescences qui deviendront les yeux, les oreilles, la bouche et le nez. Il est encore trop tôt pour déterminer son sexe.
Deuxième mois	L'embryon mesure environ 2,54 cm et ne pèse que 2,18 g. La tête représente la moitié de la longueur totale du corps. On peut déjà distinguer les différentes parties du visage, ainsi que la langue et les bourgeons dentaires. Ses bras sont prolongés par des mains, des doigts et des pouces ; ses jambes, par des genoux, des chevilles et des orteils. Il est recouvert d'une peau mince ; ses mains et ses pieds peuvent laisser des empreintes. Les impulsions du cerveau de l'embryon coordonnent les fonctions de ses systèmes organiques. Les organes sexuels se développent ; les battements du cœur sont réguliers. L'estomac sécrète des sucs digestifs et le foie produit des cellules sanguines. Les reins filtrent l'acide urique dans le sang. La peau est maintenant suffisamment sensible pour réagir à la stimulation tactile. Si l'on caresse un embryon avorté de huit semaines, il réagit en fléchissant le tronc, en étirant le cou et en repliant les bras.
Troisième mois 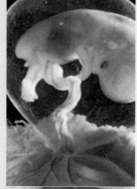	La personne en voie de développement, maintenant un fœtus, pèse 28,35 g et mesure environ 7,62 cm de long. Elle a des ongles aux doigts et aux orteils, des paupières (encore fermées), des cordes vocales, des lèvres et un nez proéminent. Elle a une grosse tête (environ le tiers de la longueur totale de son corps) et le front large. On peut facilement savoir s'il s'agit d'un garçon ou d'une fille. Les organes vitaux (appareils digestif, respiratoire, etc.) fonctionnent : le fœtus peut maintenant respirer, absorber du liquide amniotique dans ses poumons et l'expulser ; il peut même uriner de temps à autre. Ses côtes et ses vertèbres se sont transformées en cartilage, et ses organes de reproduction internes contiennent des cellules primitives d'ovules ou de spermatozoïdes. À ce stade, le fœtus jouit d'une grande variété de réactions : il peut bouger les jambes, les pieds, les pouces et la tête ; sa bouche peut s'ouvrir, se fermer et avaler. Si l'on touche à ses paupières, il grimace ; si l'on touche ses paumes, ses mains se referment à moitié ; si l'on touche ses lèvres, il suce, et si l'on touche à la plante de ses pieds, ses orteils se déploient. Ces comportements réflexes seront encore présents à la naissance, mais ils disparaîtront au cours des premiers mois de vie.
Quatrième mois 	Le corps atteint maintenant les proportions qu'il aura à la naissance : la tête ne représente plus que le quart de sa longueur totale. Le fœtus mesure maintenant entre 15,24 cm et 25,40 cm et il pèse environ 198,4 g. Le cordon ombilical est aussi long que le fœtus et il continuera de croître avec lui. Le placenta est maintenant complètement développé et tous les organes sont formés. La mère peut sentir les coups de pied de son bébé, appelés mouvements actifs du fœtus, qui représentent aux yeux de certaines religions et sociétés le début de la vie humaine. Grâce au développement du système musculaire, les réflexes apparus au troisième mois sont maintenant plus énergiques.
Cinquième mois 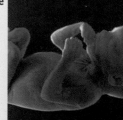	Le fœtus pèse maintenant entre 340 g et 450 g, il mesure environ 30,4 cm et des signes de son individualité commencent à se manifester. Son cycle sommeil–éveil est bien établi, il prend sa position préférée dans l'utérus et il devient plus actif : il donne des coups de pied, s'étire, se tortille – il a même des crises de hoquet. Si l'on appuie l'oreille contre le ventre de la mère, on peut entendre son cœur battre. Les glandes sudoripares et sébacées fonctionnent. Le système respiratoire n'est pas encore suffisamment développé pour fonctionner en dehors de l'utérus ; un bébé qui naît à ce stade n'a aucune chance de survivre. De rudes cils et sourcils ont commencé à pousser ; de fins cheveux couvrent la tête et un duvet laineux, appelé lanugo, recouvre le corps ; ce duvet disparaîtra à la naissance ou peu après.
Sixième mois 	La croissance du fœtus a un peu ralenti. Il mesure maintenant environ 35 cm et pèse quelque 570 g. Des coussins adipeux se forment sous sa peau ; les yeux sont complets : le fœtus peut maintenant les ouvrir, les fermer et regarder dans toutes les directions. Sa respiration reste toujours régulière et il est capable de pleurer et de serrer les poings fermement. Si le fœtus naissait maintenant, ses chances de survie seraient très minces, car son appareil respiratoire n'est pas encore suffisamment développé. Les cas de fœtus de cet âge qui survivent hors de l'utérus sont cependant de plus en plus nombreux.

MOIS		DESCRIPTION
Septième mois	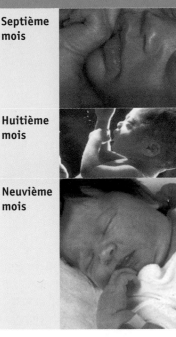	Le fœtus mesure environ 40 cm et pèse entre 1 360 g et 2 270 g, et ses réflexes sont maintenant complètement développés. Il pleure, respire, avale et peut même sucer son pouce. Le lanugo peut disparaître à cette période, mais il demeure parfois jusqu'après la naissance. Les cheveux continuent parfois de pousser. Si le fœtus pèse au moins 1 600 g, il a de bonnes chances de survivre hors de l'utérus, pourvu qu'il reçoive des soins médicaux intensifs. Il devra probablement vivre dans un incubateur jusqu'à ce que son poids atteigne environ 2 300 g.
Huitième mois		Le fœtus, qui mesure entre 45 cm et 50 cm et pèse entre 2 270 g et 3 180 g, est maintenant à l'étroit dans l'utérus et ses mouvements sont réduits. Au cours des huitième et neuvième mois, une couche adipeuse recouvre tout le corps du fœtus pour lui permettre de s'adapter aux variations de température à l'extérieur de l'utérus.
Neuvième mois		Environ une semaine avant la naissance, le bébé cesse de grandir, ayant atteint un poids moyen de 3 180 g et 50 cm de longueur; les garçons sont en général un peu plus grands et plus lourds que les filles. Des coussins adipeux continuent de se former, les organes fonctionnent mieux, le rythme cardiaque s'accélère et le bébé élimine plus de déchets. La couleur rougeâtre de la peau s'estompe. Le jour de sa naissance, le fœtus aura séjourné environ 266 jours dans l'utérus, même si la durée de la gestation est normalement fixée à 280 jours par les médecins, qui situent le début de la grossesse à la dernière menstruation de la mère. Remarque : Des différences individuelles apparaissent dès les premiers stades de la vie. Les mesures et les descriptions fournies ici représentent des moyennes.

Le sac amniotique, première structure du système de soutien, est formé d'une membrane renfermant un liquide maintenu à température constante et dans lequel baigne le bébé en gestation. Le placenta est relié à l'embryon par le cordon ombilical. Le rôle de ce dernier est de transmettre l'oxygène et les substances nutritives au fœtus et d'éliminer les déchets. Le placenta contribue à combattre les infections internes en filtrant les substances nocives, mais il n'arrive pas à toutes les éliminer. Nous en reparlerons un peu plus loin.

Vers le 22ᵉ jour, une ébauche de cœur commence à battre; le système cardio-vasculaire se met en place. Après un mois, le tube neural, qui formera le cerveau, se développe et le système nerveux prend forme. On commence à distinguer la tête, avec les yeux et les cellules olfactives, ainsi que les bourgeons qui deviendront les bras et les jambes. Ces derniers s'allongent au cours du deuxième mois; les doigts et les orteils finissent par apparaître.

À la fin de la période embryonnaire, l'embryon a déjà la forme d'un être humain et ses principaux organes vitaux sont en place.

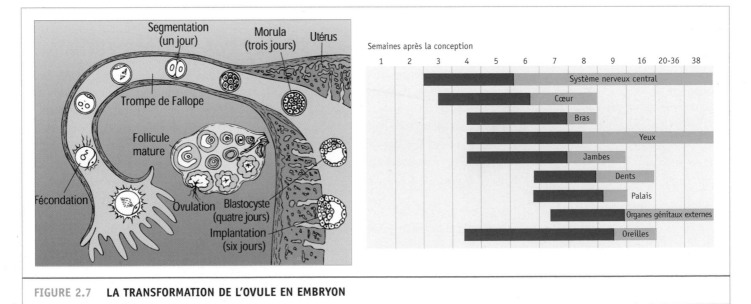

FIGURE 2.7   **LA TRANSFORMATION DE L'OVULE EN EMBRYON**

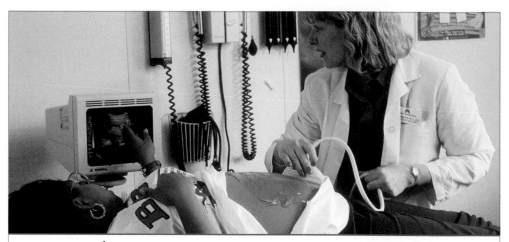

FIGURE 2.8 **L'ÉCHOGRAPHIE**

Les ultrasons dirigés vers l'abdomen de la mère permettent d'avoir une image du fœtus. On peut ainsi s'assurer qu'il est bien vivant, voir s'il y a plus d'un fœtus et dépister certaines anomalies.

La forme très primitive de la structure de base de l'embryon et la rapidité de son développement le rendent très vulnérable aux influences nocives. Presque toutes les anomalies congénitales (bec-de-lièvre, membres incomplets ou absents, cécité, surdité, etc.) apparaissent durant cette période critique du premier trimestre de la grossesse. En général, les embryons les plus gravement atteints ne survivent pas au-delà de cette période, et la mère avorte spontanément : c'est ce qu'on appelle une fausse couche.

• LA PÉRIODE FŒTALE (DE LA 8ᵉ SEMAINE À LA NAISSANCE)

Période fœtale
Stade du développement prénatal qui va environ de la huitième semaine à la naissance et au cours duquel le fœtus présente une apparence humaine.

Fœtus
Nom donné à l'embryon après la huitième semaine de la grossesse, c'est-à-dire dès qu'il commence à présenter des formes humaines.

La **période fœtale** commence vers la huitième semaine, alors les premières cellules osseuses apparaissent et l'embryon devient un **fœtus**. Au troisième mois de gestation, les organes génitaux se forment. Les six derniers mois serviront à peaufiner les structures et les systèmes déjà en place : les ongles, les paupières, les cheveux apparaîtront. Le cerveau grossit de plus en plus et les cellules nerveuses continuent leur développement, ce qui permettra au fœtus de réagir peu à peu aux stimuli.

Loin d'être un passager passif dans l'utérus de sa mère, Simon, le fœtus, donne des coups de pied, se retourne, s'étire, fait des pirouettes, avale, ferme le poing, hoquette et suce son pouce. Comme il réagit aux sons et aux vibrations, cela signifie qu'il peut entendre et ressentir. D'ailleurs, nous verrons plus loin dans quelle mesure l'état émotif de la mère peut affecter l'enfant qu'elle porte.

Durant les deux derniers mois de la grossesse, le poids du bébé augmente considérablement.

2.2.3 LES INFLUENCES SUR LE DÉVELOPPEMENT PRÉNATAL

Tératogène
Susceptible de causer des malformations congénitales.

Les diverses influences qui s'exercent sur le milieu prénatal n'affecteront pas tous les fœtus de la même façon. Dans certains cas, un facteur environnemental sera **tératogène** (c'est-à-dire qu'il aura des conséquences nocives) et, dans d'autres, il aura des effets négligeables ou nuls. La recherche semble indiquer que le moment où intervient cet agent, de même que son intensité et son interaction avec d'autres facteurs, est déterminant. Voyons maintenant comment certains agents pourraient affecter le développement prénatal de Simon.

• L'INCOMPATIBILITÉ DES GROUPES SANGUINS

Lorsque le sang du fœtus contient le facteur rhésus (Rh), une substance protéique, et que le sang de la mère ne le possède pas, celle-ci peut fabriquer des anticorps capables d'attaquer le fœtus, ce qui risque de produire un avortement spontané, la mortinatalité, la jaunisse, l'anémie, des anomalies cardiaques ou même la déficience intellectuelle. Habituellement le premier bébé dont le sang est rhésus positif ne court pas de danger, mais le risque s'accroît avec chaque grossesse subséquente. Aujourd'hui une mère ayant un sang rhésus négatif peut recevoir un vaccin. S'il est administré dans les trois jours suivant la naissance ou l'avortement, il empêchera l'organisme de la mère de produire des anticorps. Les bébés qui sont déjà affectés par une incompatibilité du facteur Rh peuvent être soignés par une série de transfusions sanguines, données parfois avant même la naissance.

• L'ALIMENTATION DURANT LA GROSSESSE

Valérie a eu bien raison de surveiller son alimentation, car c'est un fait reconnu : le régime alimentaire de la mère avant la grossesse, mais surtout durant le dernier trimestre de la grossesse, a un effet crucial sur la santé future de l'enfant. Des mères bien alimentées donnent naissance à des enfants en meilleure santé. Par contre le problème est de taille dans les pays en voie de développement, où la majorité des individus souffrent de sous-alimentation.

Des mères dont le régime est inadéquat sont davantage susceptibles de donner naissance à un enfant prématuré, de faible poids, mort-né, qui mourra peu de temps après la naissance ou dont le cerveau ne se développera pas normalement. Par exemple, un manque de fer pourrait entraîner des retards dans la croissance, une carence en iode peut causer un retard intellectuel, et un manque de calcium et de vitamine D peut conduire au rachitisme (problème des os).

Ce n'est que depuis les années 1980 que les chercheurs ont commencé à reconnaître l'importance de l'acide folique, une vitamine B qui se retrouve principalement dans les fruits et les légumes, lors de la grossesse. Une carence sur ce plan peut entraîner des problèmes au tube neural. C'est pourquoi on recommande aux femmes de commencer à prendre de l'acide folique avant de devenir enceintes, puisque les dommages se produisent généralement durant les premières semaines de la grossesse. Toutefois une bonne alimentation après la naissance peut contribuer, dans une certaine mesure, à neutraliser les effets négatifs d'une mauvaise alimentation durant la grossesse.

• LA NICOTINE

Fumer durant la grossesse est nocif pour le bébé. La nicotine passe la barrière placentaire et peut affecter le développement du fœtus de plusieurs façons : ralentissement de la croissance, augmentation du débit cardiaque, risque de rupture prématurée des membranes et par conséquent de naissance prématurée, diminution de l'oxygène dans le sang amené au fœtus : ce ne sont que quelques-uns des effets connus de la nicotine. Le cancer peut aussi être lié au fait de fumer durant la grossesse. On a décelé dans l'urine des enfants de mères fumeuses, contrairement à celle des enfants dont la mère ne fumait pas, un élément cancérigène qui se trouve seulement dans le tabac (Lackmann *et al.*, 1999). De plus, il a été démontré que le tabagisme durant la grossesse augmente considérablement le risque de mort subite du nourrisson, en retardant le développement de certaines structures du système nerveux central (Chang, 2003).

Plusieurs femmes ayant fumé durant leur grossesse continuent après la naissance de l'enfant. Il devient alors difficile de déterminer les éléments responsables des troubles observés chez les enfants. Une étude y a réussi en examinant des bébés de deux jours avant qu'ils ne soient exposés à la fumée secondaire. On a remarqué, là aussi, que les bébés de mères fumeuses étaient plus petits et souffraient davantage de problèmes respiratoires que les bébés de mères non fumeuses (Stick *et al.*, 1996).

Il existe un gène qui protège contre les effets nocifs du tabac. Les enfants chez qui ce gène est absent ou défectueux, ce qui est le cas pour près de la moitié de la population, sont plus sensibles aux effets néfastes de la nicotine. Des chercheurs rapportent que les enfants nés d'une mère ayant fumé durant sa grossesse se retrouvent quatre fois plus souvent dans les services d'urgences pour des problèmes respiratoires que les autres enfants et deux fois plus souvent pour des problèmes d'asthme (Frank D. Gilliland *et al.*, 2002). En arrêtant de fumer, Valérie n'est pas certaine que son bébé n'aura aucun problème, mais elle diminue considérablement les risques.

Selon plusieurs chercheurs, le fait d'avoir été exposé à la nicotine pendant le développement prénatal aurait aussi des répercussions à l'âge scolaire : faible capacité d'attention, hyperactivité, troubles d'apprentissage et de comportements et résultats médiocres aux tests de quotient intellectuel (Weissman *et al.*, 1999).

Même si les nombreuses campagnes de publicité anti-tabac ont contribué à la diminution du taux de fumeuses chez les femmes enceintes, 17 % des femmes qui ont donné naissance à un enfant depuis les cinq dernières années ont admis avoir fumé pendant leur grossesse (Statistique Canada, 2004).

• L'ALCOOL

L'alcool, comme la nicotine, peut causer des dommages importants au fœtus. Plus une mère consomme de l'alcool durant sa grossesse, plus les risques sont élevés. Comme il s'avère très difficile de préciser avec certitude la quantité d'alcool à partir de laquelle les dommages sont négligeables, on recommande aux femmes d'éviter de consommer de l'alcool durant la grossesse, même à partir du moment où elles songent à concevoir jusqu'à ce qu'elles cessent d'allaiter (Santé Canada, 1996). En effet, l'alcool consommé par la femme enceinte passe dans le sang du bébé qu'elle porte et affecte la croissance des cellules nerveuses. Les risques de déficience intellectuelle augmentent avec la consommation. Une forte consommation prolongée peut conduire au **syndrome d'alcoolisation fœtale** (SAF), qui se manifeste par un sérieux retard de croissance, par des malformations du visage (voir figure 2. 9) et par des troubles du système nerveux central. Ces troubles comprennent, dans la petite enfance, un mauvais réflexe de succion, des anomalies dans l'activité électrique cérébrale et des troubles du sommeil. Tout au long de l'enfance, on observe, chez les enfants atteints, des troubles de l'attention, de l'agitation, de l'irritabilité et de l'hyperactivité, des troubles d'apprentissage et des troubles moteurs. Les effets peuvent être un peu moins sérieux, mais comprendre néanmoins différents degrés d'hyperactivité, des difficultés d'apprentissage et une incapacité générale à fonctionner normalement en société.

Au Canada, en moyenne un à deux enfants sur mille souffriraient du syndrome d'alcoolisation fœtale, mais, dans certaines communautés du pays, il peut atteindre près de 100 enfants pour mille (Square, 1997). Lors d'une enquête nationale, 32 % des Québécoises ont affirmé avoir consommé de l'alcool à un moment ou l'autre de leur grossesse (Statistique Canada, 1994).

• LES MÉDICAMENTS ET LES DROGUES

Jusqu'au début des années 1960, on a cru que le placenta protégeait le fœtus contre les drogues et les médicaments pris par la mère pendant sa grossesse. On a changé d'avis lorsqu'on a découvert les effets de la thalidomide : ce médicament a entraîné de graves malformations chez des milliers d'enfants. Ce drame a permis de sensibiliser les professionnels de la santé et le public aux dangers de la prise de médicaments durant la grossesse. Aujourd'hui une trentaine de médicaments ont été identifiés comme présentant des effets tératogènes. Parmi ceux-ci, notons la tétracycline (un antibiotique), certains barbituriques, les opiacés et les autres dépresseurs du système nerveux central, plusieurs hormones, dont les anovulants, l'Accutane, médicament souvent prescrit dans les cas graves d'acné, et même la simple aspirine. Des observations portant sur la consommation importante de drogues comme la marijuana, la morphine, la cocaïne, l'héroïne durant la grossesse nous portent à croire que ces substances peuvent aussi avoir un impact négatif important sur l'enfant.

Le fœtus est particulièrement vulnérable durant les premiers mois, période au cours de laquelle le développement est le plus rapide. Il est toutefois recommandé d'éviter toute consommation de drogues ou de médicaments durant toute la grossesse et la durée de l'allaitement.

• LES MALADIES

Plusieurs maladies contractées durant la grossesse, particulièrement la **rubéole** et le **sida**, peuvent avoir de graves répercussions sur le développement du fœtus. Tout dépend du moment où la mère en a été atteinte.

La rubéole contractée avant la 11e semaine de grossesse entraînera presque à coup sûr la surdité et des anomalies cardiaques chez le bébé. Par contre, la probabilité de tels effets devient

---

Syndrome d'alcoolisation fœtale
Anomalies cérébrales, motrices et développementales (comprenant retard de croissance, malformations du visage et du corps, et troubles du système nerveux central) dont sont atteints les enfants de femmes qui consomment une quantité excessive d'alcool durant la grossesse.

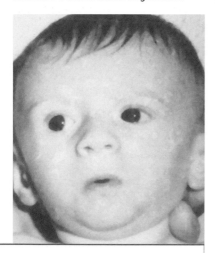

FIGURE 2.9 **LE SYNDROME D'ALCOOLISATION FŒTALE**

Une mère qui consomme de l'alcool d'une manière excessive durant sa grossesse risque d'avoir un enfant atteint du syndrome d'alcoolisation fœtale, comme cet enfant.

Rubéole
Maladie contagieuse, généralement bénigne, dont les symptômes sont un gonflement des ganglions, la fièvre et des rougeurs sur la peau. Elle peut avoir des conséquences graves si la mère contracte cette maladie dans les premiers mois de sa grossesse.

Sida
Syndrome d'immunodéficience acquise qui se caractérise par une faiblesse du système immunitaire, ce qui favorise le développement d'infections et de cancers.

presque nulle si le virus infecte la mère après la 16e semaine. Cette situation peut être évitée en immunisant les femmes longtemps avant la grossesse, de préférence avant la puberté.

La tuberculose et la syphilis causent également des problèmes durant le développement fœtal, et l'herpès génital peut avoir des effets nocifs sur l'enfant au moment de l'accouchement.

En ce qui concerne le VIH, il peut être contracté par le fœtus si la mère est atteinte ou porteuse du virus. Plus la maladie de la mère est ancienne, plus le risque augmente. Par ailleurs, plusieurs bébés seront infectés au moment de l'accouchement ou par le lait maternel. Cependant un espoir existe : depuis que le traitement à l'AZT s'est répandu, le nombre d'enfants atteints a diminué des deux tiers entre 1992 et 1997 et l'on croit que, dans un avenir rapproché, on pourra enrayer la transmission materno-fœtale du virus (Lindegren *et al.*, 1999). Ceci ne vaut cependant que pour les pays développés. Dans les pays où ces médicaments ne sont pas disponibles, les ravages sont immenses.

• LES AUTRES DANGERS ENVIRONNEMENTAUX

Tout ce qui agit sur la femme enceinte peut agir sur le fœtus, que ce soient des radiations comme les rayons X, des conditions extrêmes de chaleur et d'humidité ou des produits chimiques et industriels. Nous savons par exemple qu'une exposition élevée au plomb et aux métaux lourds lors du développement prénatal peut affecter les habiletés cognitives de l'enfant. Si le père a été exposé à ces mêmes substances, cela peut aussi entraîner la production de spermatozoïdes anormaux. Les radiations émanant d'accidents nucléaires, comme celui de Tchernobyl, augmentent les risques de mutations et d'aberrations chromosomiques, de déficience intellectuelle, de trisomie 21, d'épilepsie et peuvent être à l'origine d'un rendement médiocre à l'école. La période critique semble se situer entre la 8e et la 15e semaine après la fécondation (Yamazaki et Schull, 1990).

• L'ÉTAT ÉMOTIF DE LA MÈRE

L'état émotif de la mère pourrait aussi avoir des répercussions sur l'enfant qu'elle porte. Comme nous l'avons déjà dit, le fœtus a déjà commencé à réagir à différentes stimulations dans l'utérus. Plusieurs recherches sur des animaux ont démontré que le stress maternel provoque des modifications de l'environnement hormonal du fœtus, notamment une augmentation du cortisol, ce qui engendre des effets neurobiologiques à court et à long terme. Chez les humains, il augmenterait le risque d'accouchement prématuré et de retard de croissance. Les effets à long terme se manifestent sous forme d'anxiété, d'hyperactivité (surtout pour les garçons dont les mères ont vécu d'importants stress pendant le dernier trimestre de leur grossesse), de troubles de sommeil, de réduction des capacités intellectuelles et de problèmes de comportement (O'Connor *et al.*, 2002). Pendant la crise du verglas au Québec en janvier 1998, une situation particulièrement stressante, on a suivi 150 femmes enceintes. On a d'abord remarqué un taux plus élevé de naissances prématurées et de bébés de faible poids à la naissance. Un suivi à long terme a démontré que, à l'âge de deux ans, les enfants qui avaient été exposés à un stress prénatal étaient plus susceptibles de présenter une lenteur intellectuelle, par exemple en ce qui concerne le langage (King, S., 2000). Les chercheurs ont l'intention de poursuivre cette étude pendant quelques années encore.

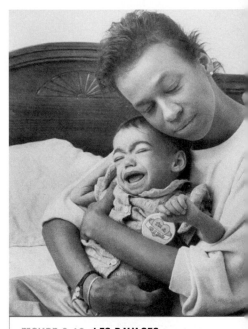

FIGURE 2.10 LES RAVAGES DU SIDA

Cette mère de 26 ans a contracté le sida de son conjoint, qui avait lui-même été infecté par une amie, une consommatrice de drogue par intraveineuse. Le père est décédé le premier du sida, ensuite le bébé à l'âge de 21 mois, puis la mère.

2.3 LA NAISSANCE

Nous ne savons pas exactement ce qui provoque le déclenchement du processus de la naissance, mais plusieurs hormones y jouent un rôle important. Nous allons explorer ce qui se passe lors d'un accouchement, non seulement en ce qui concerne le corps de la mère et du bébé, mais aussi en ce qui concerne le contexte dans lequel l'événement se déroule.

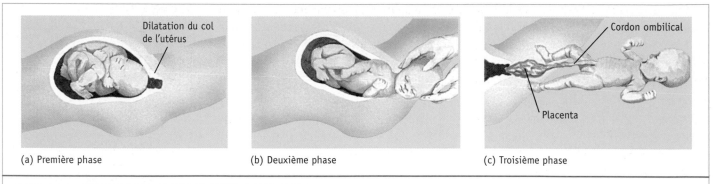

FIGURE 2.11 UN ACCOUCHEMENT PAR VOIES NATURELLES

a) Dans la première phase, des contractions de plus en plus fortes dilatent le col de l'utérus de la mère. b) Dans la deuxième phase, la tête du bébé s'engage dans le col et émerge du vagin. c) Dans la dernière phase, après la sortie du bébé, le placenta et le reste du cordon ombilical sont expulsés de l'utérus.

2.3.1 L'ACCOUCHEMENT

Le premier facteur à considérer lors d'un accouchement est la sécurité de la mère et de l'enfant. Il faut ensuite penser au confort de la mère. Ces considérations déterminent si l'accouchement se fera par voies naturelles ou par **césarienne**.

• LES PHASES DE L'ACCOUCHEMENT PAR VOIES NATURELLES

Un accouchement par voies naturelles se déroule en trois phases qui se chevauchent (voir la figure 2.11).

La première phase de l'accouchement, appelée le **travail**, est la plus longue : elle dure en moyenne de 8 à 12 heures, parfois plus, chez la primipare (femme qui donne naissance à son premier enfant). Au cours de cette étape, le col de l'utérus s'efface et se dilate à l'aide des contractions utérines. Il s'élargit jusqu'à ce que la tête du bébé puisse passer, soit jusqu'à 10 cm environ. Au début de cette phase, les contractions, peu douloureuses, durent une trentaine de secondes et se produisent environ toutes les 10 à 20 minutes. À mesure que le travail avance, les contractions deviennent de plus en plus longues et de plus en plus rapprochées. Elles sont aussi de plus en plus douloureuses. Il arrive souvent, comme dans le cas de Valérie, qu'une fissure du sac amniotique laisse s'écouler le liquide amniotique : c'est ce qu'on appelle communément «la perte des eaux». Cela peut se produire avant le début des contractions ou pendant le travail. Comme Valérie et Jonathan s'étaient préparés à l'accouchement en suivant des cours prénatals, ils ont appris des techniques de respiration qui ont facilité le travail.

Lorsque le sommet du crâne de Simon est apparu, la deuxième phase a commencé : la phase de l'**expulsion**. Elle dure environ une heure et demie et débute au moment où la tête du bébé s'engage dans le col. Elle se termine lorsque le bébé est complètement sorti du vagin de la mère. Durant cette deuxième phase, la mère qui s'est bien préparée à l'accouchement peut pousser énergiquement avec ses muscles abdominaux à chaque contraction, aidant ainsi le bébé à sortir. L'enfant naît à la fin de cette phase. On coupe ensuite le cordon ombilical, toujours attaché au placenta.

Arrive enfin la troisième phase, appelée **délivrance**, qui ne dure que quelques minutes. Le reste du cordon ombilical et le placenta sont expulsés du corps de la mère.

Le bébé joue un rôle totalement passif durant l'accouchement. Ce sont les contractions involontaires de l'utérus, déclenchées par des mécanismes hormonaux complexes, et les poussées volontaires de la mère qui sont responsables de sa venue au monde.

• L'ACCOUCHEMENT PAR CÉSARIENNE

Parfois, la sécurité de la mère ou du bébé exige un accouchement par césarienne, une intervention chirurgicale qui consiste à extraire l'enfant de l'utérus en pratiquant une incision

Césarienne
Intervention chirurgicale qui consiste à pratiquer une incision dans la paroi abdominale, afin d'extraire le bébé de l'utérus.

Travail
Première phase de l'accouchement, caractérisée par la présence de contractions régulières.

Expulsion
Phase de l'accouchement qui débute au moment où la tête du bébé commence à s'engager dans le col et le vagin, et qui se termine lorsque le bébé est complètement sorti du corps de la mère.

Délivrance
Troisième phase de l'accouchement, pendant laquelle le placenta et le sac amniotique sont expulsés.

horizontale d'environ 10 centimètres juste au-dessus du pubis. On pratique une césarienne si le bassin de la mère est trop étroit, si la dilatation du col ne se fait pas correctement, si le bébé semble éprouver des difficultés, s'il se présente en mauvaise position ou si la mère souffre d'une hémorragie. L'intervention est souvent pratiquée en urgence, mais elle peut aussi être programmée dans certaines situations.

Il faut bien peser les avantages d'une césarienne par rapport aux risques. C'est peut-être plus facile pour le bébé, mais pour la mère, il s'agit d'une intervention chirurgicale importante. La cicatrisation peut être douloureuse, les complications, comme une hémorragie ou une infection, sont plus fréquentes que lors d'un accouchement naturel de même que le taux de mortalité (qui demeure quand même assez bas).

Au Québec, les naissances par césarienne représentent actuellement 18 % de toutes les naissances, alors que cette proportion était de 5 % en 1970. Ce taux est l'un des plus élevés au monde et il dénote une médicalisation à outrance d'un acte très naturel. Cette augmentation pourrait s'expliquer par les progrès médicaux, qui permettent d'identifier la souffrance fœtale, et par un nombre plus élevé de grossesses à risques (survenant à un âge plus avancé). Toutefois plusieurs personnes croient que ce taux est trop élevé. Selon la politique québécoise de périnatalité (1993), il faut mettre en place des mesures visant à diminuer le nombre de césariennes non nécessaires.

Il arrive aussi que certaines femmes demandent une césarienne sans motif médical, avant le début du travail. Cette attitude traduirait une peur de l'accouchement et dénote souvent un manque d'information.

• L'UTILISATION DE MÉDICAMENTS

La douleur des contractions est bien réelle, mais le recours à différents moyens peut l'atténuer. L'anesthésie générale, qui rend les femmes complètement inconscientes, est rarement utilisée aujourd'hui, même dans les cas de césariennes. On a plutôt recours à l'injection péridurale, une technique qui consiste à administrer, de façon progressive et continue, un médicament visant à diminuer (**analgésie péridurale**) ou à bloquer (**anesthésie péridurale**) la transmission de la douleur au cerveau. Comme dans bien des cas, l'analgésie a été suffisante à Valérie pour enrayer les douleurs des contractions tout en lui permettant quand même de les ressentir et de pousser au moment opportun, et ce, sans entraver la mobilité des jambes.

Les chercheurs ne s'entendent pas sur l'effet de ces médicaments. Certains affirment que toutes les drogues traversent le placenta et pénètrent dans les réserves sanguines et les tissus du fœtus. Toutefois des recherches ultérieures ont comparé des enfants sur le plan de la robustesse, de la sensibilité tactile, de l'activité, de l'irritabilité et du sommeil. Aucune différence n'a été observée entre les enfants de mères ayant reçu une injection péridurale et ceux qui sont nés sans aucune médication (Kraemer *et al.*, 1985). Cela s'explique probablement par le fait qu'on a réussi à trouver des façons efficaces de soulager la douleur avec des doses minimes de médicaments. Il en résulte pour la mère, soulagée de la douleur, moins de stress, une meilleure participation à son accouchement et une récupération plus rapide ; par conséquent, le bébé en profite aussi (Hawkins, 1999).

Même si les progrès des dernières années, en matière de soulagement de la douleur liée à l'accouchement, ont amené de plus en plus de mères à choisir ces différentes possibilités, cette question demeure controversée. Si une femme se sent capable d'accoucher naturellement, elle doit avoir le choix, mais, par ailleurs, une femme ne devrait pas se culpabiliser de recourir à la médication. Les résultats d'un sondage effectué dans 23 hôpitaux québécois révèlent que près de la moitié des mères souhaiteraient, si c'était à refaire, bénéficier d'une analgésie quelconque au moment de l'accouchement (Corporation professionnelle des médecins du Québec, 1989).

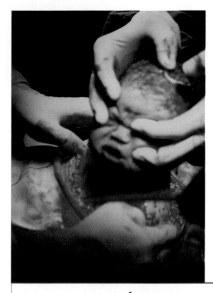

FIGURE 2.12 **UNE CÉSARIENNE**

Parfois la sécurité de la mère ou du bébé exige un accouchement par césarienne, une intervention chirurgicale qui consiste à extraire l'enfant de l'utérus en pratiquant une incision horizontale d'environ 10 centimètres, juste au-dessus du pubis.

Analgésie péridurale
Diminution de l'influx nerveux produite par l'administration d'une substance appropriée dans l'espace péridural.

Anesthésie péridurale
Abolition de la sensibilité, produite par l'administration d'une substance appropriée dans l'espage péridural.

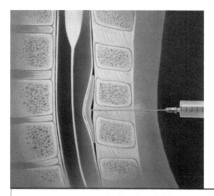

FIGURE 2.13 **L'ADMINISTRATION D'UNE INJECTION PÉRIDURALE**

L'administration d'une injection péridurale consiste à introduire de façon progressive et continue une substance permettant de soulager les douleurs de l'accouchement.

2.3.2 LE CONTEXTE DE LA NAISSANCE

La façon de se préparer à un accouchement et le cadre dans lequel il se déroule reflètent les valeurs d'une culture. Une femme maya donne naissance à son enfant dans le hamac dans lequel elle dort chaque nuit, en présence du père et de la sage-femme. Pour éviter les mauvais esprits, elle reste à la maison pendant une semaine. Dans une petite société d'Afrique de l'Est, les hommes sont exclus de cet événement. Dans les régions rurales de la Thaïlande, la nouvelle mère reprend ses activités normales quelques heures seulement après la naissance de son enfant. Chez nous, qu'en est-il?

• LA PRÉPARATION À L'ACCOUCHEMENT

La peur de l'inconnu est souvent une cause de stress et de douleur pour une femme qui se prépare à donner la vie. C'est pourquoi la plupart des institutions ont mis sur pied des cours ou des séances d'information pour les futurs parents. On y explique ce qui se passe lors de l'accouchement, on enseigne des techniques de respiration, de relaxation et d'assouplissement physique, on donne des conseils préventifs concernant la grossesse et on prépare l'arrivée du bébé. On insiste beaucoup sur les façons de contrer la douleur. Par exemple, on enseigne certaines techniques de massage des régions douloureuses afin de diminuer la sensibilité. On apprend aux futures mères à varier leur respiration en fonction de la force des contractions et on leur explique comment stimuler certains points sensibles qui induisent une douleur supportable et détournent l'attention des contractions douloureuses.

De plus en plus de couples choisissent une accompagnatrice (pas nécessairement une sage-femme) et préparent leur «projet de naissance». Ensemble, ils discutent des choix possibles concernant tout le contexte de la naissance : l'endroit de l'accouchement, les personnes présentes, le recours à la médication ou non, la position pour l'accouchement, la musique qu'on écoutera, la personne qui coupera le cordon et le moment de le faire, et plusieurs autres points considérés importants pour les parents. Il s'établit une relation de confiance entre la mère (ou les parents) et cette personne expérimentée, ce qui diminue l'insécurité et le stress, et contribue à faire de l'accouchement une expérience positive.

• LES SAGES-FEMMES

En juin 1999, l'Assemblée nationale du Québec votait un projet de loi sur la pratique des **sages-femmes** et leur intégration au réseau de la santé et des services sociaux. L'évaluation de quelques projets-pilotes avec des sages-femmes avait permis de constater une diminution importante de l'utilisation des techniques médicales (césarienne, **forceps**, injection péridurale, **épisiotomie**), de la durée moyenne de la phase de travail, de naissances prématurées et d'accouchements jugés difficiles. De plus, les mères qui avaient pu bénéficier de ces projets-pilotes, comparativement à celles qui avaient accouché à l'hôpital, se disaient plus satisfaites de leur expérience, plus à l'aise avec leur bébé et elles étaient plus nombreuses à allaiter (Gouvernement du Québec, 1998). Toutefois les femmes ne peuvent légalement accoucher à domicile avec l'aide d'une sage-femme que depuis mai 2004.

Les sages-femmes prônent le retour à l'humanisation des naissances, sans médicament. Elles établissent une relation personnalisée avec la mère tout au long de la grossesse, supervisent le déroulement de l'accouchement et assurent un suivi post-natal. Une formation universitaire de quatre ans, qui comprend de nombreux stages cliniques, les préparent à devenir des intervenantes de première ligne dans tout ce qui concerne le processus normal de la naissance et à pouvoir détecter les grossesses à risque. Elles œuvrent principalement auprès des femmes qui accouchent dans une **maison de naissance**, c'est-à-dire un petit établissement de quelques chambres qui ressemble à une maison privée et qui comprend toute l'infrastructure d'un service de santé. Il en existe actuellement sept à travers le Québec, mais ce nombre devrait augmenter d'ici quelques années.

FIGURE 2.14 DES PARENTS ASSISTENT À UN COURS PRÉNATAL

La plupart des institutions ont mis sur pied des cours ou des séances d'information pour les futurs parents.

Sage-femme
Personne formée pour exercer une profession qui consiste à assister les femmes durant la grossesse et l'accouchement et à donner des soins au nouveau-né.

Forceps
Instrument en forme de deux cuillères croisées, utilisé pendant l'accouchement et destiné à saisir la tête du bébé et à l'extraire.

Épisiotomie
Incision du périnée entre la vulve et l'anus, destinée à agrandir l'orifice afin de faciliter la sortie du bébé.

Maison de naissance
Établissement où l'on pratique des accouchements et où l'on apporte des soins à la mère et au nouveau-né.

Même si les médecins affirment que les soins médicaux prodigués à l'hôpital constituent encore le meilleur moyen de limiter le taux de mortalité périnatale, en l'absence de complications, les accouchements « démédicalisés » se déroulent très bien. Comme il est souvent impossible de prédire les risques de complications durant l'accouchement, les maisons de naissance ont une entente avec un service ambulancier et un hôpital situé à proximité, et elles possèdent du matériel d'urgence sur les lieux. À peu près tous les hôpitaux disposent maintenant de chambres de naissance, où les pères et d'autres personnes peuvent rester avec la mère durant le travail et l'accouchement. De plus, dans plusieurs hôpitaux, des pratiques de cohabitation permettent au nouveau-né de rester dans la chambre de la mère toute la journée.

Compte tenu de l'importance de se sentir maître de sa propre vie, la possibilité de choisir entre différentes méthodes et différents contextes d'accouchement se révèle une tendance très saine.

2.4 LE NOUVEAU-NÉ

La naissance est une transition physiologique unique. Le nouveau-né doit apprendre à fonctionner dans un tout nouvel environnement. C'est un défi de taille pour un être qui ne pèse que quelques kilogrammes. Toutefois, comme nous le verrons, l'enfant arrive au monde avec des atouts lui permettant de relever ce défi.

2.4.1 L'ÉVALUATION DU NOUVEAU-NÉ

Avec son premier cri, Simon est passé d'un environnement sombre, chaud et feutré à un environnement comportant une lumière intense, une température fraîche et des sons stridents. De plus, avant la naissance de l'enfant, sa respiration, son alimentation, son élimination et le contrôle de la température de son corps étaient pris en charge par le corps de sa mère. Après la naissance, les systèmes physiologiques du bébé doivent fonctionner de manière autonome. Simon est-il prêt ?

• L'EXAMEN DU NOUVEAU-NÉ

Étant donné que les premières minutes qui suivent la naissance sont cruciales pour le développement futur de l'enfant, il importe de savoir le plus rapidement possible si le nouveau-né souffre d'un problème nécessitant des soins particuliers. Une minute après la naissance de Simon, puis cinq minutes plus tard, on a procédé à une évaluation au moyen de l'**indice d'Apgar**. Nommé d'après la docteure Virginia Apgar, cet indice sert à évaluer la vitalité du nouveau-né par la vérification de cinq points : la coloration de la peau, la fréquence cardiaque, la réactivité aux stimuli, le tonus musculaire et la respiration. Chaque critère reçoit une note de zéro à deux, pour un total possible de dix. Quatre-vingt-dix pour cent des nouveau-nés obtiennent sept et plus. Un résultat inférieur à sept indique généralement qu'une aide est nécessaire pour déclencher la respiration. Un résultat inférieur à quatre signale que l'enfant est en danger et qu'il a besoin de soins intensifs immédiats. Dans un tel cas, le test est repris à des intervalles de cinq minutes pour déterminer l'efficacité du travail de réanimation.

Indice d'Apgar
Évaluation standardisée de la condition du nouveau-né ; elle consiste à mesurer la coloration, la fréquence cardiaque, la réactivité, le tonus musculaire et la respiration.

La plupart des bébés commencent à respirer dès qu'ils sont exposés à l'air. Si un bébé ne respire pas encore après cinq minutes, il risque de souffrir de dommages permanents au cerveau à cause de l'**anoxie**, c'est-à-dire un manque d'oxygène.

Anoxie
Privation d'oxygène susceptible de causer des lésions cérébrales.

L'indice d'Apgar a récemment été critiqué, en partie à cause de son manque de précision par comparaison avec des mesures physiologiques plus récentes (par exemple, un nouveau test permet de déterminer la quantité d'oxygène dans le sang du nouveau-né). Néanmoins, comme ce test est simple et peu coûteux, on choisit de le conserver ; il aide les intervenants à réagir plus rapidement quand les résultats le requièrent.

Par ailleurs, des prélèvements sanguins de tous les bébés nés dans les hôpitaux du Québec sont acheminés au laboratoire de dépistage des maladies congénitales et héréditaires, au

Centre hospitalier de l'Université Laval. Un échantillon d'urine de l'enfant est aussi prélevé à 21 jours et envoyé au Centre hospitalier universitaire de Sherbrooke pour identifier les enfants atteints de certains autres types de désordres métaboliques héréditaires.

Échelle d'évaluation du comportement néo-natal
Test neurologique et comportemental mesurant les réactions du nouveau-né à l'environnement ; elle permet d'évaluer les comportements interactifs, moteurs et physiologiques ainsi que la réaction au stress.

L'**échelle d'évaluation du comportement néo-natal** est un examen neurologique et comportemental qui évalue les réactions du nouveau-né à son environnement : vivacité, coordination, aptitude à se calmer après une contrariété, réaction au stress, etc. Plutôt que de mesurer le rendement moyen, le test, qui dure une trentaine de minutes, mesure la meilleure performance du bébé en répétant parfois les manipulations au cours de l'examen et en demandant à la mère de stimuler l'attention de son enfant (Brazelton, 1973).

• LES RÉFLEXES

Réflexe
Réponse innée et automatique à certaines stimulations spécifiques.

Dès que Simon a été placé près du sein de sa mère, il a tourné la tête du côté où le mamelon touchait sa joue. C'est ce qu'on appelle le réflexe des points cardinaux. Réactions involontaires à des stimuli externes spécifiques, de nombreux **réflexes** font partie du bagage du nouveau-né. Certains réflexes sont même présents chez le fœtus.

Réflexes primitifs
Types de réflexes propres aux nouveau-nés ; leur présence ou leur disparition permet d'évaluer la croissance neurologique de l'enfant.

Les êtres humains disposent de tout un arsenal de réflexes, dont plusieurs jouent un rôle de protection et d'adaptation, comme le clignement des yeux, le bâillement, la toux, la nausée, l'éternuement et le réflexe pupillaire (dilatation des pupilles dans le noir). D'autres réflexes fournissent les premiers indices du développement cérébral et neurologique du bébé. On les appelle des **réflexes primitifs**, car ils sont présents dès la naissance mais disparaissent au bout de quelques mois. Puisque la perte de ces réflexes obéit à une séquence prévisible, leur présence ou leur absence dans les premiers mois de la vie sert à évaluer le développement neurologique de l'enfant. Le réflexe de succion, par exemple, apparaît dès le développement prénatal et il permet à Simon de s'alimenter. En effet, tout objet introduit dans la bouche d'un bébé déclenchera les mouvements rythmiques de

TABLEAU 2.3 **LES RÉFLEXES DU NOUVEAU-NÉ**

RÉFLEXE	STIMULATION	COMPORTEMENT	ÂGE MOYEN DE DISPARITION	
Réflexe de succion	Mettre un objet (sein, tétine, doigt...) dans la bouche de l'enfant.	Mouvements rythmiques de la langue et des lèvres.	6 mois	
Réflexe des points cardinaux	Frotter la joue avec le doigt ou le mamelon.	Bouche ouverte, le bébé tourne la tête.	9 mois	
Réflexe de Darwin (préhension)	Frotter la paume de la main.	Le bébé ferme le poing.	4 mois	
Réflexe de nage	Placer l'enfant dans l'eau, la tête vers le bas.	Le bébé exécute des mouvements de nage bien synchronisés.	4 mois	
Réflexe tonique du cou	Coucher l'enfant sur le dos.	Le bébé tourne la tête d'un côté, prend la pose de l'«escrimeur», étend les bras et les jambes de son côté préféré et fléchit les membres opposés.	5 mois	
Réflexe de Moro (sursaut)	Soulever le siège du bébé ou lui faire entendre un gros bruit.	Le bébé étend les jambes, les bras et les doigts, cambre le dos et rejette la tête en arrière.	3 mois	
Réflexe de Babinski	Frotter la plante du pied.	Le pied tourné vers l'intérieur, le bébé déploie les orteils.	4 mois	
Réflexe de marche	Soutenir le bébé sous les bras, les pieds nus sur une surface plane.	Le bébé exécute des pas qui ressemblent à la marche bien synchronisée.	4 mois	

Source : Adaptation partielle de Gabbard, 1996

succion, que ce soit le mamelon, une tétine ou même le doigt de papa... Au bout de quelques mois, parce que le développement du cerveau suit son cours, le réflexe disparaît pour faire place à des réponses volontaires ; la succion sera réservée au biberon et le doigt de papa sera mordillé. Le tableau 2.3 présente les principaux réflexes primitifs en précisant ce qui les déclenche et vers quel âge ils devraient normalement disparaître.

• LES BÉBÉS DE FAIBLE POIDS

L'examen de Simon a permis de constater qu'il était dans un état excellent. De plus, avec ses 3,2 kilogrammes, il a le poids moyen des bébés naissants. Les très petits bébés souffrent de nombreuses complications, potentiellement mortelles. Comme leur système immunitaire n'est pas entièrement développé, ils sont vulnérables aux infections. Ayant moins de tissus adipeux que les autres bébés pour se protéger et générer de la chaleur, il leur est plus difficile de maintenir leur température corporelle régulière et il faut les garder au chaud. L'incidence d'hypoglycémie, de jaunisse et d'hémorragie cérébrale est aussi plus élevée chez les bébés dont le poids est insuffisant. Enfin, il se peut que leurs poumons ne soient pas suffisamment vigoureux pour assurer la respiration.

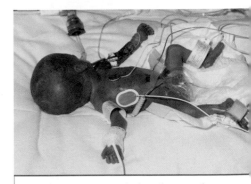

FIGURE 2.15 UN BÉBÉ PRÉMATURÉ
Les très petits bébés souffrent de nombreuses complications, potentiellement mortelles.

Il faut faire la distinction entre un **bébé prématuré** et un **bébé de faible poids par rapport à son âge de gestation**. Un bébé est dit prématuré lorsqu'il naît avant la 37e semaine de gestation, calculée à partir du début de la dernière menstruation (la gestation normale, comme nous l'avons vu un peu plus tôt, est de 40 semaines). Les enfants de cette catégorie pèsent habituellement moins de 2,5 kilogrammes alors qu'un bébé moyen pèse environ 3,2 kilogrammes. Des progrès médicaux visant à pallier l'insuffisance de la maturation pulmonaire du prématuré permettent actuellement la survie de bébés d'un peu moins de 24 semaines de gestation, mais des séquelles sur leur santé et un retard intellectuel demeurent fréquents.

Bébé prématuré
Bébé né avant la 37e semaine de gestation.

Bébé de faible poids par rapport à son âge de gestation
Bébé qui pèse moins de 90 % du poids moyen des bébés de même âge gestationnel, qu'il soit né à terme ou non.

Un nouveau-né qui présente un faible poids à la naissance par rapport à son âge gestationnel est un bébé qui pèse moins de 90 % du poids moyen des bébés de même âge et il peut être né ou non avant terme. Chez les bébés de cette catégorie, un poids insuffisant est attribuable à un ralentissement de la croissance fœtale.

Le faible poids à la naissance, tout comme les malformations congénitales (responsables d'environ 40 % des décès de jeunes enfants), est souvent associé à la mortalité infantile. Au Canada, la mortalité infantile (décès avant l'âge de un an) a diminué jusqu'à 5,2 décès pour 1 000 naissances en 2001, comparativement à 7,3 décès pour 1 000 naissances en 1987 (Statistique Canada, 2004). Au Québec, ce taux se situe à 4,7 décès pour 1 000 naissances.

L'amélioration globale du taux de survie des nouveau-nés semble attribuable, entre autres, à l'implantation de centres de soins prénatals et néo-natals et au dépistage précoce des grossesses à risque. Par exemple, le programme québécois « OLO » (œufs, lait, oranges), qui offre gratuitement des aliments aux jeunes mères de milieux défavorisés, en plus de les soutenir sur le plan psychosocial, contribue à diminuer le nombre d'enfants nés avant terme ou présentant un poids insuffisant à la naissance. Puisque la prématurité touche davantage de femmes économiquement défavorisées, des programmes d'information publique et des services de consultation précédant la grossesse sont actuellement offerts aux mères.

Néanmoins, les bébés dont le poids est insuffisant à la naissance sont plus susceptibles, à l'âge scolaire, de présenter des problèmes académiques et des problèmes de comportement. (Taylor *et al.*, 2001). Sur le plan affectif, les parents ont tendance à s'inquiéter davantage de la santé de leur enfant de faible poids et cette inquiétude peut avoir des conséquences négatives sur le processus d'attachement. Angoissés à l'idée que leur bébé puisse mourir, les parents évitent de trop s'y attacher. Ce phénomène les pousse à traiter l'enfant différemment : ils le touchent moins et sont mal à l'aise en sa présence, ce qui le prive de stimulations importantes pour son développement.

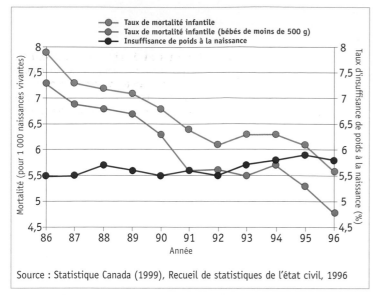

Source : Statistique Canada (1999), Recueil de statistiques de l'état civil, 1996

Au Canada, la mortalité infantile diminue graduellement, alors que le nombre de bébés qui naissent avec un poids insuffisant a tendance à augmenter légèrement. Cette légère hausse pourrait être reliée à une augmentation du taux de césariennes et à une augmentation des naissances multiples.

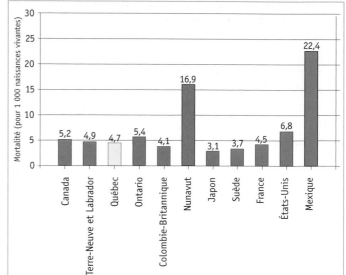

Taux de mortalité infantile pour 1 000 naissances d'enfants vivants. Les données pour le Canada proviennent de Statistique Canada, tableau 102-0030, et les données des autres pays proviennent de l'OCDE (Eco-Santé OCDE, 2004, tableau 2).

2.4.2 L'ASPECT PHYSIQUE DU NOUVEAU-NÉ

Les dimensions corporelles à la naissance dépendent de plusieurs facteurs, dont la taille et le poids des parents, leur origine ethnique, le sexe de l'enfant, l'alimentation et l'état de santé de la mère. Les garçons ont tendance à être un peu plus grands et plus lourds que les filles, et le premier-né d'une famille pèse généralement moins que ses cadets.

Comme tous les nouveau-nés, Simon est arrivé enduit d'une substance graisseuse, appelée **vernix caseosa**, qui le protège contre les infections et qui a facilité son passage pendant l'accouchement. Certains bébés sont très velus, car le **lanugo**, fin duvet qui recouvre le fœtus dans le ventre maternel, n'est pas encore tombé. Ce duvet disparaîtra au cours des jours suivants.

La tête de Simon est un peu allongée et déformée par le «moulage» qu'elle a subi au cours du passage dans le pelvis de sa mère. Cette déformation, assez fréquente chez les bébés qui naissent par les voies naturelles, n'est que temporaire. En effet, les os du crâne, les **fontanelles**, ne se soudent qu'à 18 mois, laissant ainsi le temps à la tête de retrouver son aspect normal.

2.4.3 L'ALLAITEMENT

Vernix caseosa
Substance graisseuse qui recouvre le fœtus et le protège contre l'infection. Il est absorbé par la peau dans les deux ou trois jours qui suivent la naissance.

Lanugo
Duvet qui couvre le nouveau-né et qui disparaît quelques jours après la naissance.

Fontanelles
Espaces membraneux entre les os du crâne du nouveau-né qui s'ossifieront graduellement dans les premiers mois de sa croissance.

Depuis les débuts de l'humanité, les enfants ont été nourris au sein. Les femmes qui ne pouvaient pas ou ne voulaient pas allaiter leur bébé trouvaient habituellement une autre femme pour allaiter l'enfant à leur place, une nourrice, c'est-à-dire une femme qui avait eu un enfant récemment. Vers la fin de la Première Guerre mondiale, dans les années 1940, les progrès quant à la conservation et à la pasteurisation du lait ont rendu l'allaitement artificiel intéressant pour les mères. À cette époque, dans la plupart des pays industrialisés, même les médecins déconseillaient l'allaitement maternel et la grande majorité des femmes nourrissaient leurs enfants au biberon.

Après avoir connu un déclin de popularité, l'allaitement retrouve la faveur des femmes vers la fin des années 1970, surtout auprès de celles dont les niveaux d'instruction et de revenu sont supérieurs à la moyenne. En 2002, 72 % des bébés québécois ont été nourris au sein à la naissance (47 % le sont pendant au moins trois mois), ce qui constitue une progression considérable (ÉLDEQ, 1998-2002).

Comme la plupart des enfants de sa génération, Valérie n'avait pas été allaitée, mais ses lectures et ses discussions avec la sage-femme lui ont permis de se rendre compte que le lait maternel est ce qui convient le mieux aux besoins du nourrisson. Il est plus facile à digérer que le lait de vache et moins susceptible d'entraîner des réactions allergiques. Le **colostrum**, qui a une texture différente du lait maternel et qui est produit durant les trois premiers jours de l'allaitement, immunise le bébé grâce à son taux élevé d'immunoglobulines et d'autres facteurs de protection. Le lait maternel contient aussi des composantes complexes qui réduiront l'incidence ou la gravité de plusieurs problèmes ou maladies. Quelques-uns de ces avantages physiques sont présentés au tableau 2.6. L'allaitement constitue aussi un acte affectif. Le contact chaleureux avec le corps de la mère favorise le développement du lien entre la mère et le bébé, quoique ce lien se développe aussi avec l'alimentation au biberon.

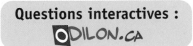
Colostrum

Liquide sécrété par le sein juste avant la montée laiteuse, moins riche en graisses que le lait, mais adapté aux besoins du nouveau-né. Il contient, entre autres, des anticorps qui contribuent à immuniser le bébé.

TABLEAU 2.6 **LES AVANTAGES DE L'ALLAITEMENT MATERNEL**

VOICI QUELQUES-UNS DES AVANTAGES DE L'ALLAITEMENT MATERNEL :

- Il diminue la diarrhée, les infections respiratoires et les otites (Wright, L.W. *et al.*, 1998).

- Les enfants dont le poids à la naissance est insuffisant digèrent et absorbent mieux le lait maternel que le lait maternisé. Ces enfants rattraperont leur poids normal plus rapidement.

- Il diminue l'incidence de la maladie de Crohn et de la maladie de Hodgkin (Koletzko, S. *et al.*, 1989 ; Davis, M.K., 1998).

- Il a des effets à long terme, puisque les enfants nourris au sein souffrent moins d'infections des voies respiratoires, au moins jusqu'à 7 ans (Wilson, A.C. *et al.*, 1998).

- Il diminue les risques du syndrome de mort subite (Mitchell, E.A. *et al.*, 1992).

- L'allaitement exclusif réduit l'asthme (Oddy, W., 1999).

- Il favorise le développement cognitif, possiblement parce qu'on trouve dans le lait maternel des acides gras essentiels au développement du cerveau et de la vision (San Giovanni, J. P. *et al.*, 2000).

- Il a des effets sur la santé de la mère : il favorise la contraction de l'utérus et réduit les risques de cancer du sein (Enger, S. M. *et al.*, 1997).

- Il facilitera ensuite l'acceptation des autres aliments : comme le lait change de goût selon l'alimentation de la mère, le bébé aura déjà goûté à différentes saveurs.

- Il est gratuit, toujours disponible et toujours à la bonne température.

Devant la multitude d'études démontrant les bienfaits de l'allaitement, le Comité de nutrition de la Société canadienne de pédiatrie, les diététistes du Canada et Santé Canada recommandent l'allaitement maternel exclusif au moins durant les quatre premiers mois (idéalement jusqu'à six mois) et sa poursuite jusqu'à l'âge de deux ans. Le ministère de la Santé et des services sociaux s'est fixé comme objectif pour 2007 que 85 % des mères allaitent leur enfant au sein à la naissance et que 50 % poursuivent jusqu'à l'âge de six mois. Afin de promouvoir l'allaitement partout dans le monde, un organisme a été mis sur pied : 'Initiative amis de bébés (IAB). Pour être reconnu amis des bébés, un hôpital ou une maison de naissance doit satisfaire à certaines conditions. Il en existe un peu partout à travers le monde, mais seulement trois au Canada, dont deux au Québec.

Cependant il faudra encore combattre certaines normes culturelles ou des attitudes négatives de la société face à l'allaitement. Les modèles de mères qui allaitent sont peu présents dans les médias, l'allaitement en public est rare, certains éprouvent de la difficulté à accorder une connotation autre que sexuelle aux seins et plusieurs pères croient que l'allaitement les empêche de jouer leur rôle auprès de leur bébé. Tous les futurs parents, de même que tous les intervenants en périnatalité devraient être mieux informés sur l'allaitement.

Une infime proportion de femmes s'avèrent physiologiquement incapables d'allaiter ; d'autres, qui souffrent de certaines maladies ou qui consomment des drogues, doivent y renoncer. Les enfants nourris au biberon et entourés d'amour se développent, eux aussi, de manière saine et équilibrée. La qualité de la relation entre la mère et l'enfant reste sans contredit l'élément central du développement d'un enfant.

FIGURE 2.16 **L'ALLAITEMENT AU SEIN**

L'allaitement au sein comporte de nombreux avantages pour le bébé et pour sa mère.

Chapitre 3

NICOLE LAQUERRE

Le développement physique et cognitif de l'enfant, de la naissance à 2-3 ans

PLAN DU CHAPITRE

Voir, entendre, toucher, sucer, bouger... le bébé entre dans le monde avec ces quelques outils encore imparfaits, mais suffisants pour lui permettre d'établir les premières interactions avec son environnement. En deux ou trois ans, il passera de l'état de totale dépendance à celui de petit explorateur déjà capable d'agir sur ce qui l'entoure à l'aide de ses sens et de sa motricité. Trottineur infatigable, il multiplie les expériences et les découvertes, et développe ainsi un sentiment de maîtrise indispensable à l'établissement de sa confiance en lui. Au terme de cette période de croissance remarquable, il disposera de ses premières représentations mentales, signe manifeste du développement de son intelligence, et il commencera à communiquer avec son entourage au moyen du langage, instrument par excellence de son insertion sociale et culturelle. A.B.

Bien calée dans sa poussette, Camille se laisse trimballer sur les pistes cyclables par sa mère qui fait du patin. Sur leur trajet, elles rencontrent parfois madame Dupuis, qui promène son petit chien, nommé Microbe.

Lors de leur première rencontre, Camille n'avait que six mois. Microbe s'était approché de la poussette afin de sentir Camille de plus près. À peine avait-elle touché le poil soyeux de Microbe que celui-ci s'éclipsait par derrière. Maman avait cru que Camille réagirait en pleurant, mais l'enfant avait commencé immédiatement à s'intéresser aux clochettes suspendues à sa poussette. Aujourd'hui, à 16 mois, même si Microbe disparaît derrière la poussette, Camille continue sans cesse de le chercher. Elle a aussi compris que, si en tenant un biscuit elle place sa main sur le côté de la poussette, Microbe s'approche pour la sentir. Elle refait donc, sans se lasser, le même mouvement de la main, parfois à gauche, parfois à droite, et prend un grand plaisir à voir que cela fonctionne chaque fois.

Camille est aussi capable de dire le nom du chien «obe» et quand elle regarde un livre dans lequel apparaît l'image d'un chien, elle le pointe en disant «obe». Son père aime bien regarder des livres avec elle. En regardant les images, Papa pose des questions du genre : «Que fait le petit chien?», «Qui lui apporte un biscuit?», «Où est caché le canard?» C'est surtout lui qui répond, mais Camille répète des mots ici et là.

Quelques mois plus tard, les parents de Camille s'émerveillent devant les progrès de leur fille. Elle n'a pas tout à fait trois ans et elle prononce des phrases de plus en plus longues. Elle peut maintenant raconter elle-même l'histoire : «Les petits chiens sontaient tout mouillés, parce que y'avait pleuvu.» Et même si papa corrige ses erreurs de conjugaison de verbes, elle les répète le lendemain.

? QUESTIONS À SE POSER

· *Pourquoi Camille ne se lasse-t-elle pas de refaire le même jeu avec le petit chien?*

· *Son père s'y prend-il de la bonne façon pour regarder des livres avec sa fille?*

· *Est-ce fréquent chez les enfants d'utiliser un même mot pour désigner tout ce qui ressemble à un chien?*

· *Les parents de Camille devraient-ils s'inquiéter des erreurs de langage de leur fille?*

3.1 LE DÉVELOPPEMENT PHYSIQUE

Dans cette première partie, nous parlerons du développement des sens et de la motricité du bébé. Toutefois, dans les premiers mois de la vie d'un enfant, il est difficile de faire la distinction entre le développement physique et le développement cognitif tellement tout est lié. Prenons l'exemple de l'apprentissage. À la base, il s'agit d'une fonction cognitive, mais les enfants, eux, apprennent beaucoup par l'action, c'est-à-dire par le biais des fonctions motrices et sensorielles. Le bébé ne peut faire d'apprentissages tant qu'il n'a pas commencé à explorer son environnement à l'aide de ses sens et par ses propres mouvements, car c'est cette exploration qui lui permet de savoir où finit son corps et où commence le reste du monde. Le poil du chien qu'il touche ou les clochettes qu'il fait tinter lui apprennent comment son corps peut transformer son environnement. Il en va de même pour les gestes qui accompagnent ses premières tentatives de parole. Quand un enfant dit «bye bye», il ouvre et ferme la main, en plus de montrer qu'il est socialement en relation avec une personne. Quand un autre enfant dit «haut», il lève les bras, montrant à l'adulte où il veut aller. Notre cerveau ne traite pas de façon séparée les fonctions sensorielles et motrices, les fonctions cognitives et les fonctions sociales : il les intègre. Ainsi, quand nous étudions le développement de la personne, nous devons garder en tête l'importance de faire des liens entre tous les aspects de l'évolution, qu'ils soient physiques, cognitifs, sociaux ou affectifs.

𝟹.𝟷.𝟷 LE DÉVELOPPEMENT DU CERVEAU

La croissance du système nerveux central est prodigieuse durant les périodes prénatale et néo-natale. Les cellules cérébrales prolifèrent juste avant la naissance et après celle-ci. Elles opèrent elles-mêmes le tri, cheminant vers le lieu de leurs fonctions principales, soit dans le **cortex cérébral**, le niveau supérieur du cerveau qui régit les fonctions intellectuelles supérieures, soit dans les couches sub-corticales situées sous le cortex et responsables des fonctions biologiques élémentaires comme la respiration et la digestion. Un problème à ce niveau pourrait expliquer la mort subite de jeunes bébés (voir l'encadré 3.1). Chez le nouveau-né, les structures sub-corticales sont bien développées, alors que le cortex est inachevé puisque les neurones ne sont pas encore entièrement connectés.

Le cerveau, qui ne possède à la naissance que 25 % de sa masse adulte, atteint près des deux tiers de sa masse future durant la première année et près de 80 % à la fin de la deuxième année. La croissance rapide du cerveau est due en grande partie à la formation des **dendrites** ainsi qu'à l'extension des corps cellulaires et des **synapses** qui les relient. Au départ, le cerveau produit plus de neurones que nécessaire, et ceux qui ne sont pas utilisés ou qui ne fonctionnent pas correctement sont éliminés. La figure 3.1 illustre ce processus

Cortex cérébral
Couche supérieure du cerveau ; siège des processus mentaux tels que la mémoire, l'apprentissage, l'intelligence et la capacité de résoudre des problèmes.

Dendrite
Un prolongement de la cellule nerveuse ; partie qui capte l'information.

Synapse
Zone de rencontre entre deux neurones.

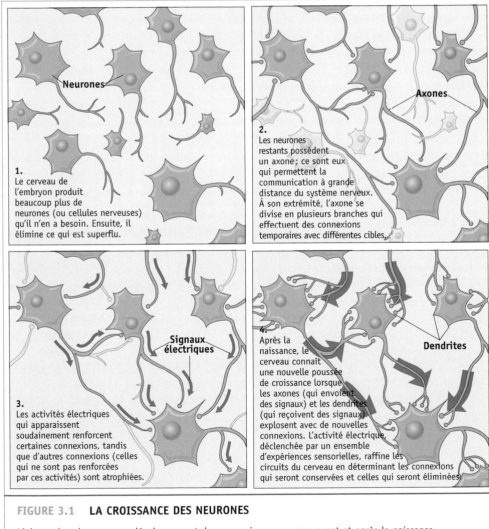

FIGURE 3.1   LA CROISSANCE DES NEURONES

Liaisons dans le cerveau : développement des connexions nerveuses avant et après la naissance.
Source : Nash, 1997, p. 51.

d'élagage des cellules, qui débute pendant le développement prénatal et se poursuit après la naissance. À la suite des stimulations de l'environnement, ce réseau de communication des neurones s'étend et il est responsable des progrès impressionnants dans tous les domaines du développement.

Myélinisation

Processus de recouvrement des neurones par une substance graisseuse appelée myéline. Elle permet une communication plus rapide entre les cellules nerveuses.

Le développement sensoriel, moteur et cognitif de l'enfant se fera non seulement grâce à la multiplication extrêmement rapide des connexions nerveuses, mais aussi grâce au processus de **myélinisation**. Ce processus de recouvrement des neurones par une gaine de substance graisseuse, appelée myéline, permet une conduction plus rapide des influx nerveux. Les voies associées au toucher et à l'audition sont myélinisées dès la naissance, alors que celles qui sont associées à la vision commencent à être myélinisées à la naissance et continuent de l'être durant les cinq premiers mois de la vie. Les parties du cortex qui contrôlent l'attention et la mémoire se développent plus lentement et ne seront pas complètement myélinisées avant le début de l'âge adulte.

Plasticité du cerveau

Capacité de modification du cerveau à la suite de l'expérience.

On ne croit plus aujourd'hui que le développement du cerveau à partir de la naissance dépende uniquement de la programmation génétique. Ce développement serait marqué par les expériences du nouveau-né, particulièrement durant les premiers mois de sa vie. La **plasticité du cerveau** désigne sa capacité à se modifier en fonction de l'expérience. Les premières stimulations sensorielles, mais aussi d'autres facteurs comme la malnutrition ou les mauvais traitements, peuvent en effet avoir un impact durable, positif ou négatif, sur l'aptitude du cerveau à assimiler de l'information et à la stocker.

Il est éthiquement impossible d'appauvrir l'environnement d'un nourrisson afin d'en vérifier les effets à long terme, mais la découverte de milliers de jeunes enfants ayant passé la quasi-totalité de leur vie dans des orphelinats roumains surpeuplés a cependant fourni l'occasion de procéder à une étude naturelle. Ces enfants abandonnés ont été découverts après la chute du dictateur Nicolae Ceausescu en décembre 1989. Ils étaient littéralement affamés, passifs et ne démontraient aucune émotion. Ils avaient passé le plus clair de leur temps couchés, inactifs dans leur berceau, presque sans contacts entre eux ou avec le personnel soignant. La plupart des enfants âgés de deux ou trois ans ne marchaient pas et ne parlaient pas, tandis que les plus âgés jouaient dans le plus grand silence. Des tests d'imagerie par résonance magnétique du cerveau ont permis de déceler une inactivité extrême dans les lobes temporaux, sièges des émotions et des perceptions sensorielles.

Plusieurs de ces enfants ont été adoptés par des familles canadiennes. Au moment de leur adoption, tous ces enfants présentaient des retards de fonctionnement sur le plan moteur, langagier ou psychosocial. Trois ans plus tard, les enfants adoptés ont été comparés à ceux qui étaient restés dans les institutions roumaines, et on a pu noter des progrès significatifs chez la plupart d'entre eux. Environ un tiers des enfants n'éprouvaient aucun problème majeur et se portaient bien alors qu'un autre tiers des enfants – en général, ceux qui étaient restés le plus longtemps en institution – présentaient toujours de sérieux problèmes de développement (Ames, 1997).

À l'âge de quatre ans et demi, les enfants qui avaient fréquenté l'orphelinat accusaient un retard par rapport au groupe d'enfants canadiens et par rapport au groupe de contrôle d'enfants roumains qui n'avaient jamais fréquenté l'orphelinat. À la garderie, ils présentaient des problèmes en ce qui concerne les contacts sociaux et lorsqu'ils atteignaient l'âge de huit ans, on observait toujours un manque d'activité persistant dans certaines régions de leur cerveau (Chugani *et al.*, 2001).

3.1.2 LES CAPACITÉS SENSORIELLES DU BÉBÉ

Dès la naissance du bébé, tous ses sens fonctionnent, du moins jusqu'à un certain point, et ses capacités sensorielles se développent rapidement.

Le syndrome de mort subite du nourrisson

D'un cas à l'autre, le scénario, infiniment triste, est toujours le même. Le bébé s'endort calmement, mais quand un parent vient le chercher, il trouve son enfant mort. Le *syndrome de mort subite du nourrisson (SMSN)* réfère à la mort d'un enfant de moins de un an, apparemment en santé. Le phénomène reste inexpliqué, même après une autopsie complète.

On en connaît très peu sur ce phénomène et sur la façon de le prévenir. La mort n'est causée ni par la suffocation, ni par les vomissements, ni par l'étouffement. On pense que le syndrome de mort subite résulte d'une anomalie neurologique, possiblement une difficulté dans le contrôle de la respiration ou de la transition entre le sommeil et l'éveil (Schechtman *et al.*, 1992). On ne connaît aucun moyen de le prédire ni de le prévenir. Les parents ne peuvent donc ni ne doivent être tenus responsables de la mort du nourrisson. La preuve en est que des bébés meurent de ce syndrome même sous haute surveillance à l'hôpital.

Le syndrome de mort subite du nourrisson survient généralement entre le deuxième et le quatrième mois, souvent vers la douzième semaine après la naissance, même si des enfants plus jeunes ou plus vieux peuvent aussi en être victimes. Le risque de SMSN est plus élevé chez les garçons que chez les filles ainsi que chez les nourrissons issus de familles défavorisées. Il se produit moins souvent chez les bébés allaités.

Ce type de décès est une grande épreuve pour une famille. Les parents qui ont vécu cette pénible expérience la considèrent souvent comme la pire crise familiale qu'ils aient connue. Les parents se sentent coupables et sont parfois critiqués par leur entourage. Les frères et sœurs peuvent réagir par des cauchemars et des difficultés scolaires. Il faut habituellement environ un an pour se remettre de cette épreuve.

Les seules informations dont on dispose pour mieux connaître ce syndrome sont les facteurs de risque qui y sont associés, c'est-à-dire les facteurs présents dans des cas de bébés décédés. Il faut cependant user de prudence, puisqu'il est impossible d'établir un véritable lien de cause à effet entre ces facteurs et le SMSN. Les principaux facteurs de risque sont les suivants :

- Le risque de SMSN est plus élevé lorsque les nourrissons dorment sur le ventre ou sur le côté. Il se produit plus souvent chez les bébés dont la tête n'est pas dégagée pendant le sommeil.
- Le tabagisme maternel durant la grossesse et la présence de fumée dans la maison du bébé sont associés à une augmentation du risque de SMSN.
- Une chaleur excessive dans la pièce où dort l'enfant et le partage du lit des parents, en particulier si la mère fume, pourraient être associés au SMSN.

L'identification de ces facteurs est cependant fondamentale, puisque la diminution du taux de SMSN au cours des 15 dernières années coïncide avec le développement de campagnes d'éducation populaire visant à faire connaître ces facteurs.

Ces campagnes de sensibilisation donnent quatre conseils aux parents de nouveau-nés :

- toujours coucher l'enfant sur le dos ;
- éviter l'utilisation d'édredons, de couettes, d'oreillers, de jouets mous et de contours de lit de manière à ce que la tête de l'enfant soit toujours dégagée durant son sommeil ;
- garder la température de la chambre de l'enfant entre 17 et 19 °C ;
- éviter de fumer pendant la grossesse et dans la maison où dort l'enfant.

Selon les statistiques canadiennes concernant le SMSN, le taux de décès au Canada est légèrement inférieur à celui d'autres pays industrialisés (États-Unis, Angleterre, Australie). En 1996, 8,2 % des décès chez les nourrissons ont été attribués au SMSN. C'est quand même une nette amélioration par rapport aux chiffres de 1980 (Statistique Canada, 1999). Il reste toutefois que le taux du SMSN chez les autochtones canadiens est trois fois plus élevé que la moyenne canadienne.

• LE TOUCHER ET LA SENSIBILITÉ À LA DOULEUR

La peau d'un nourrisson est déjà sensible aux stimulations : le bébé pleurera au contact d'une couche mouillée ou se calmera si on le caresse. Nous avons vu avec l'allaitement l'importance de ce contact réconfortant. Contrairement à ce que l'on croyait à une certaine époque, où l'on pratiquait la circoncision sans anesthésie, le bébé peut aussi ressentir de la douleur, et ce, même dès le premier jour.

• LE GOÛT ET L'ODORAT

Comme le sens tactile, le goût et l'odorat semblent aussi se développer avant la naissance. La saveur et les odeurs des aliments consommés par la mère pourraient être transmis au fœtus par le liquide amniotique, ainsi que lors de l'allaitement. Le nouveau-né peut distinguer plusieurs goûts. Il repousse des aliments qui ont mauvais goût et semble préférer les goûts sucrés aux saveurs amères et sures. Des mères utilisent parfois de l'eau sucrée pour calmer leur nouveau-né. Cette prédisposition pour le sucré est souvent renforcée par la culture, dans laquelle les mets sucrés servent souvent de récompense.

Le nouveau-né peut aussi reconnaître la provenance d'une odeur. De très jeunes enfants peuvent différencier des odeurs très semblables, et cette sensibilité augmente durant les premiers jours de la vie. Des enfants de six jours nourris au sein préfèrent le coussinet de leur mère à celui d'une autre femme qui allaite (Macfarlane, 1975).

• L'OUÏE

L'audition est, elle aussi, fonctionnelle avant la naissance, le système auditif étant presque à maturité au septième mois de vie prénatale. Les capacités auditives du nourrisson sont souvent étudiées à l'aide du phénomène d'**habituation**, un type d'apprentissage simple par lequel un bébé s'habitue à un stimulus quelconque et cesse ensuite d'y réagir. Quand on lui présente un nouveau stimulus, la réaction (comme téter avidement une sucette) reprend, montrant que l'enfant a perçu la différence entre les deux stimuli. Des expériences sur l'habituation ont permis de démontrer que dès l'âge de trois jours, des bébés peuvent distinguer des sons différents de ceux qu'ils ont déjà entendus, même s'ils sont très semblables. Cette capacité permettrait à un bébé de reconnaître la voix de sa mère, de même que sa langue maternelle, comme nous le verrons un peu plus loin lorsque nous aborderons le développement du langage.

• LA VUE

La vision est un outil de développement particulièrement important et qui a été beaucoup étudié. Même si c'est le sens le moins développé à la naissance, dès ses premiers jours un bébé peut voir, mais la rétine et le nerf optique ne sont pas complètement développés, et les circuits de neurones du cerveau sont encore immatures. Le bébé pourra quand même suivre des yeux un objet qui se déplace, et c'est à une distance d'environ 20 centimètres que sa vision sera la meilleure, distance qui correspond justement à celle qui existe entre le bébé et le visage de sa mère lorsqu'elle le nourrit.

C'est seulement vers quatre ou cinq mois que la convergence des deux yeux permettra au bébé de percevoir la distance et la profondeur. L'acuité visuelle atteindra un niveau de 20/20 vers le sixième mois.

Si les capacités sensorielles sont relativement fonctionnelles dès la naissance, le développement des capacités perceptuelles (comme la compréhension de la signification des sons et des images) se fera graduellement dans les mois suivants.

Habituation

Forme d'apprentissage simple par laquelle l'enfant, une fois habitué à un son, à une sensation visuelle ou à tout autre stimulus, réagit de manière moins intense ou cesse complètement de réagir.

FIGURE 3.2   LA VISION DU NOUVEAU-NÉ

Ce bébé peut suivre des yeux un objet qui se déplace, mais c'est à une distance d'environ 20 centimètres que sa vision est la meilleure.

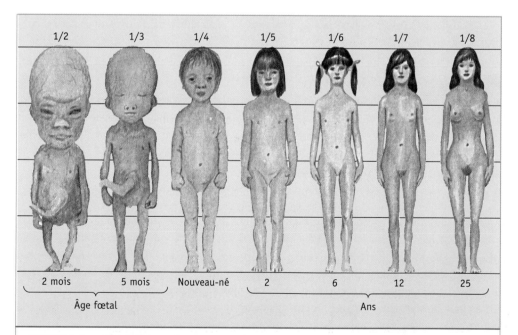

| 1/2 | 1/3 | 1/4 | 1/5 | 1/6 | 1/7 | 1/8 |

| 2 mois | 5 mois | Nouveau-né | 2 | 6 | 12 | 25 |

Âge fœtal   Ans

FIGURE 3.3   L'ÉVOLUTION DES PROPORTIONS DU CORPS HUMAIN AU COURS DE LA CROISSANCE

La transformation la plus frappante est la diminution de la proportion de la tête par rapport au reste du corps. Les fractions indiquent la proportion que représente la tête par rapport à la longueur totale du corps à différents âges.

3.1.3 LA CROISSANCE

La croissance n'est jamais aussi rapide que dans les trois premières années de vie, principalement dans les premiers mois.

La tête du bébé, qui semble énorme à cause de la croissance rapide du cerveau avant la naissance, devient proportionnellement plus petite à mesure que l'enfant grandit et que les parties inférieures se développent (voir la figure 3.3).

Le poids du bébé moyen double de la naissance à cinq mois et, à un an, il aura triplé. La taille suit une courbe comparable (voir la figure 3.4).

La silhouette générale du corps dépend principalement des gènes : ceux-ci déterminent, par exemple, que nous serons grands et minces ou courts et trapus. Les garçons sont légèrement plus grands et plus lourds que les filles à la naissance et ils le demeurent généralement tout au long de la vie adulte, à l'exception de la courte période de la puberté, pendant laquelle la poussée de croissance est plus précoce chez les filles.

Cependant la taille et le poids sont également influencés par des facteurs environnementaux comme l'alimentation, les conditions de vie et l'état de santé général. Les enfants de milieux favorisés, peu importe l'origine ethnique des parents, deviennent plus grands et plus gros, et ils atteignent leur maturité sexuelle plus tôt que ceux qui vivent dans des milieux pauvres. Ainsi, l'environnement et l'hérédité entrent constamment en interaction dans le processus de la croissance physiologique.

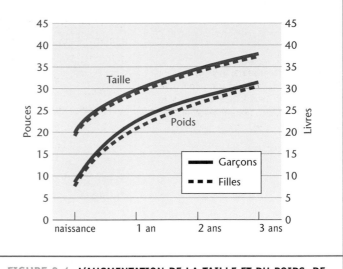

FIGURE 3.4   L'AUGMENTATION DE LA TAILLE ET DU POIDS, DE LA NAISSANCE À TROIS ANS

La croissance la plus rapide, en taille comme en poids, se produit dans les premiers mois de la vie, puis elle ralentit progressivement jusqu'à l'âge de trois ans.

3.1.4 LES CYCLES PHYSIOLOGIQUES

Notre organisme est en grande partie réglé par des «horloges» internes qui cadencent nos cycles d'alimentation, de sommeil et d'élimination. Le sommeil constitue la principale activité des nouveau-nés. Jusque vers trois mois, le nourrisson se réveille habituellement toutes les deux ou trois heures, la nuit comme le jour. Quand il commence à dormir pendant cinq ou six heures de suite, sans boire ni pleurer, on dit qu'il «fait ses nuits».

L'éveil, l'activité et la vivacité qui augmentent le jour s'accompagnent d'un rapide développement physique, cognitif et affectif. Les réactions des parents devant un bébé qui sommeille presque toujours ou qui, au contraire, est souvent éveillé sont très différentes, tout comme celles qui sont provoquées par un bébé plutôt calme ou souvent en pleurs. Les états du nourrisson agissent donc sur le comportement des parents, celui-ci agissant en retour sur le type de personne que deviendra le nourrisson. Quand ils prennent leur bébé dans leurs bras, qu'ils le nourrissent ou qu'ils l'apaisent pour qu'il s'endorme, les parents essaient de modifier son état. Un bébé facile à calmer rehausse le sentiment de compétence et d'estime de soi des personnes qui s'en occupent, ce qui contribue à établir un cycle de renforcement mutuel. Il arrive aussi que des parents soient exaspérés parce qu'ils sont incapables de calmer leur enfant et certains vont jusqu'à secouer leur bébé pour faire cesser ses pleurs. Ces gestes, même de courte durée, peuvent provoquer des lésions au cerveau et avoir des conséquences dramatiques. Selon Santé Canada, 19 % des enfants qui ont été hospitalisés et pour lesquels on a diagnostiqué le syndrome du bébé secoué sont morts, et 59 % présentaient des problèmes neurologiques ou visuels, ou d'autres troubles de la santé. Seulement 22 % semblaient guéris, mais des données récentes laissent croire que ces enfants pourraient présenter, quelques années plus tard, des troubles comportementaux ou cognitifs (Santé Canada, 2001).

TABLEAU 3.1 LES JALONS DU DÉVELOPPEMENT DE LA MOTRICITÉ

HABILETÉ	50 %	90 %	
Roule sur lui-même	3,2 mois	5,4 mois	
S'assoit sans soutien	5,9 mois	6,8 mois	
Se tient debout avec un appui	7,2 mois	8,5 mois	
Rampe ou marche à quatre pattes	7,5 mois	9,4 mois	
Saisit un objet avec le pouce et l'index	8,2 mois	10,2 mois	
Se tient debout sans appui	11,5 mois	13,7 mois	
Marche bien	12,3 mois	14,9 mois	
Construit une tour de deux blocs	14,8 mois	20,6 mois	
Monte un escalier debout	16,6 mois	21,6 mois	
Saute sur place	23,8 mois	2,4 ans	
Reproduit un cercle	3,4 ans	4 ans	

Note : Ce tableau montre vers quel âge 50 % ou 90 % des enfants maîtrisent chaque habileté.

Source : Adaptation de Frankenburg *et al.*, 1992.

3.1.5 LE DÉVELOPPEMENT DE LA MOTRICITÉ

Les nouveau-nés sont très actifs. Ils tournent la tête, donnent des coups de pied, battent l'air de leurs bras et manifestent toute une gamme de réflexes. Vers le quatrième mois, les mouvements volontaires, gérés par le cortex, prennent le dessus. Le contrôle moteur, par exemple la capacité de se déplacer délibérément et de manipuler les objets avec de plus en plus de précision, se développe rapidement et sans relâche durant les trois premières années, à mesure que l'enfant commence à utiliser consciemment certaines parties de son corps.

Le développement de la coordination vision-mouvement est au centre de ces progrès. L'ordre dans lequel le contrôle s'acquiert respecte les principes du développement définis au premier chapitre. Par exemple, le bébé peut tourner la tête avant d'être capable de se retourner du ventre au dos (progression céphalo-caudale) et il commence par prendre des objets avec toute la main, les doigts se refermant sur la paume avant de pouvoir perfectionner sa technique par des mouvements de pince, en prenant de petits objets entre le pouce et l'index (progression proximo-distale).

FIGURE 3.5 **LA PRÉHENSION EN PINCE**

Cette enfant utilise sa préhension en pince pour saisir les petits morceaux de nourriture.

• LES JALONS DU DÉVELOPPEMENT DE LA MOTRICITÉ

Il n'est pas nécessaire d'enseigner les aptitudes motrices de base aux bébés. Tout ce dont ils ont besoin, c'est d'avoir la voie libre. Lorsque le système nerveux central, les muscles et les os de l'enfant sont prêts, ce dernier n'a besoin que d'espace et de liberté pour se déplacer et démontrer ses nouvelles habiletés. De plus, ces habiletés sont persistantes : dès que l'enfant acquiert une nouvelle habileté, il continue de l'exercer et il la perfectionne. Le bébé qui devient capable de se mettre debout en se tenant aux barreaux de son lit recommence sans cesse, même s'il est incapable de redescendre tout seul, jusqu'à ce qu'il maîtrise très bien cette nouvelle capacité. Chaque nouvelle habileté maîtrisée donne à l'enfant encore plus d'occasions d'explorer et d'expérimenter peu à peu la maîtrise de son environnement, et d'en retirer une stimulation sensorielle et intellectuelle.

Si la maturation suit un cours apparemment déterminé, le moment précis où les enfants acquièrent leurs habiletés de base varie par contre beaucoup. Il n'y a pas de « bon » âge pour se tenir debout ou pour marcher. Toutefois presque tous les enfants se développent selon un ordre spécifique : le tableau 3.1 décrit les grandes lignes de ce développement.

À partir de trois mois, l'enfant moyen commence à rouler délibérément sur lui-même, d'abord sur le dos, puis sur le ventre. Avant cet âge, cependant, les bébés se retournent parfois accidentellement. Le bébé moyen peut rester assis sans appui à l'âge de cinq ou six mois et, deux mois plus tard, il arrive à se mettre seul en position assise.

À six mois environ, la plupart des bébés peuvent se mouvoir sans aide, de plusieurs façons assez rudimentaires, et à l'âge de neuf ou dix mois, ils se déplacent assez bien, généralement à quatre pattes.

Le fait de pouvoir se déplacer par lui-même semble être un point tournant du développement du jeune enfant. Cette nouvelle capacité a des répercussions sur de nombreux aspects physiques, cognitifs et affectifs.

1. Elle apporte des perspectives nouvelles sur le monde. Les enfants deviennent plus sensibles à la position des objets, à leur grosseur et à la façon de les déplacer. Marcher à quatre pattes aide les bébés à évaluer les distances et la profondeur. En se déplaçant, ils se rendent compte que les personnes et les objets paraissent différents selon qu'ils sont proches ou éloignés.

2. Lorsqu'ils commencent à se déplacer, les enfants entendent plus souvent des mises en garde comme « Reviens ! » et « Ne touche pas ! », et ils apprennent à prendre en considération les consignes données par les parents pour déterminer si une situation est dangereuse ou non.

3. Un enfant qui veut se rapprocher de sa mère ou s'éloigner d'un étranger peut maintenant le faire. Cette étape importante lui donne un sentiment de maîtrise sur le monde et contribue grandement à développer sa confiance et son estime de soi.

Le jalon suivant est posé lorsque l'enfant arrive à se soulever et à se tenir debout. Une fois qu'ils sont capables de se tenir debout seuls, la plupart des enfants réussissent leurs premiers pas sans aide. Ils tombent, recommencent à ramper, puis tentent leur chance de nouveau. Le bébé moyen marche régulièrement, quoique ce soit d'un pas mal assuré, peu après son premier anniversaire.

Dans l'année qui suit le début de la marche, le bébé raffinera ses habiletés motrices. Il pourra courir, sauter, faire des roulades... et ses progrès, tant sur le plan de la coordination que sur celui de l'équilibre, seront remarquables.

• LES INFLUENCES DU MILIEU SUR LE DÉVELOPPEMENT DE LA MOTRICITÉ

L'être humain semble programmé pour s'asseoir, se tenir debout et marcher, cela fait partie de son hérédité spécifique. Avant de pouvoir exercer chacune de ces aptitudes, l'enfant doit cependant atteindre un certain niveau de maturation physiologique. En général, lorsqu'on assure aux enfants une bonne alimentation, de bons soins, la liberté de mouvement et l'occasion de pratiquer leurs aptitudes motrices, leur motricité se développe normalement. Cependant, si le milieu présente de graves lacunes dans l'un ou l'autre de ces domaines, le développement moteur de l'enfant en souffrira, comme nous l'avons vu avec les enfants des orphelinats roumains.

Cependant la maturation ne constitue pas le seul élément. Il faut aussi tenir compte de la motivation de l'enfant à agir (par exemple prendre un jouet ou aller dans une autre pièce) et de l'aménagement physique de son environnement (l'enfant est couché dans son berceau ou placé par terre). Dans la routine d'une journée, plusieurs situations se présentent qui peuvent être favorables ou non au développement de certaines habiletés. L'enfant essaiera différents comportements avant de retenir celui qui lui permet le mieux d'atteindre son but.

La culture influence aussi le développement de la motricité. En Ouganda, par exemple, la plupart des bébés marchent en moyenne à 10 mois, comparativement à 12 mois aux États-Unis et à 15 mois en France (Gardiner *et al.*, 1998). De telles variations peuvent s'expliquer par des différences culturelles dans les pratiques éducatives. Certaines cultures encouragent le développement hâtif des habiletés motrices par des exercices qui renforcent les muscles du bébé. D'autres, par contre, veulent le ralentir, comme les Aches du Paraguay qui ne commencent à marcher que vers 18 à 20 mois. Peut-être est-ce dû au fait que dans cette population nomade, par crainte du danger, les mères ont tendance à empêcher les enfants de s'éloigner lorsqu'ils commencent à ramper. Par contre, vers l'âge de 8 ou 10 ans, ces enfants grimpent haut dans les arbres, coupent des branches et manifestent plusieurs habiletés physiques normales pour leur âge (Kaplan et Dove, 1987). Cela démontre que le développement normal n'a pas besoin de suivre la même chronologie pour arriver aux mêmes objectifs.

3.2 LE DÉVELOPPEMENT COGNITIF

Comme nous venons de le voir, quand le nouveau-né vient au monde, tous ses sens sont en éveil. Utilisant sa capacité d'apprendre, il peut non seulement réagir à son milieu, mais aussi le transformer activement. Voyons comment.

3.2.1 L'APPRENTISSAGE CHEZ LE NOURRISSON

Le bébé apprend-il à téter? Certainement pas : ce réflexe est présent avant même la naissance. Cependant le bébé apprend rapidement que le fait de téter lui procure le lait qui satisfait sa faim. De la même manière, le premier cri d'un enfant n'est pas un comportement appris. Toutefois le bébé découvre vite que ses pleurs l'aident à obtenir ce qu'il désire. Il apprend la fonction du cri.

L'**apprentissage** est une adaptation relativement durable du comportement, qui résulte habituellement de l'expérience. Si l'être humain possède la capacité d'apprendre dès la naissance, l'apprentissage comme tel ne se produit qu'avec l'expérience. L'enfant apprend d'abord par ses sens : par ce qu'il voit, entend, sent, goûte et touche. Il utilise ensuite son intelligence et sa mémoire pour distinguer les informations sensorielles. Par exemple, Camille est attirée par une petite boule de poils qui bouge. Ce n'est que plus tard qu'elle pourra en faire une analyse plus rationnelle qui l'amènera à distinguer les caractéristiques d'un chien et à les reconnaître sur une image.

Apprentissage
Changement durable d'un comportement, résultant de l'expérience.

• L'HABITUATION

Un enfant qui entend le son qui provient d'une boîte à musique sera très intéressé par lui au début, puis n'y portera plus attention après un certain temps. Il s'y est habitué. L'habituation permet à l'individu d'économiser son énergie; il peut se concentrer sur les éléments nouveaux de l'environnement qui attirent son attention. Du fait qu'elle est associée au développement normal, l'habituation peut, par sa présence ou son absence, ainsi que par la vitesse à laquelle elle se produit, nous fournir de précieux renseignements sur le développement d'un enfant, particulièrement sur le plan cognitif. Nous le verrons un peu plus loin dans ce chapitre. Puisque la capacité d'habituation augmente dans les dix premières semaines de vie, on la considère comme un signe de maturation. La capacité de s'habituer est déficiente chez les bébés qui ont un faible indice d'Apgar, chez ceux qui naissent avec des lésions cérébrales, chez ceux qui souffrent de détresse à la naissance ou qui sont atteints du syndrome de Down, de même que chez les nouveau-nés dont la mère a été fortement anesthésiée durant l'accouchement. La rapidité d'habituation semble être un indicateur prometteur de l'intelligence et surtout des aptitudes verbales futures. Un enfant qui ne manifeste aucune habituation durant la période néo-natale risque d'éprouver des difficultés d'apprentissage ultérieures (Colombo, 1993).

• LE CONDITIONNEMENT RÉPONDANT

Très fier, un père prenait souvent des photos de sa fille. À chaque éclair du flash, elle clignait des yeux de façon réflexe. Un jour, alors que l'enfant avait 11 mois, son père s'installa de nouveau pour prendre une photo. Quelle ne fut pas sa surprise de voir sa fille cligner des yeux avant même d'être éblouie par le flash. L'enfant avait appris à associer l'appareil photo à une lumière aveuglante et, désormais, la seule vue de la caméra déclenchait le réflexe de clignement des yeux.

Le comportement de cette enfant illustre bien le conditionnement répondant, présenté au chapitre 1. Dans cet apprentissage de base, une personne ou un animal apprend à réagir de façon réflexe ou involontaire à un stimulus qui est neutre au départ, c'est-à-dire qui ne provoque pas cette réponse habituellement. Avec cette forme de conditionnement, qui repose sur l'association répétée de stimuli, une personne ou un animal apprend à prévoir un événement avant même qu'il ne se produise.

• LE CONDITIONNEMENT OPÉRANT

Un bébé qui crie pour attirer l'attention de ses parents offre un exemple de conditionnement opérant, un apprentissage basé sur le renforcement (ou la punition), au cours duquel l'apprenant agit sur son environnement. L'enfant apprend à manifester un comportement particulier (crier) pour obtenir une réaction spécifique (attirer l'attention de ses parents). S'il l'obtient, le comportement de l'enfant est renforcé. Le conditionnement opérant permet aux enfants d'apprendre des comportements volontaires comme crier ou sourire.

FIGURE 3.6 UN OBJET DE PLUS À PORTER À SA BOUCHE

Pour cet enfant de huit mois, le livre n'est qu'un objet de plus à porter à sa bouche. Il ne comprend pas qu'il sert de support pour représenter d'autres objets de la vie réelle.

3.2.2 LA THÉORIE DE PIAGET : LE STADE SENSORIMOTEUR

Pour découvrir la nature de la pensée des enfants, Piaget leur posait des questions inhabituelles : « Une pierre est-elle vivante ? », « D'où viennent les rêves ? » Puis, il demandait aux enfants d'expliquer leurs réponses, dans l'espoir de trouver des indices sur leur façon de penser. Il en vint ainsi à la conclusion que leur pensée n'était pas simplement une pensée adulte à un stade moins développé, mais bien une pensée dont la nature même différait de celle des adultes. À mesure que les enfants grandissent, disait-il, leur pensée passe par une succession de stades. L'approche piagétienne décrit par conséquent les stades qualitativement différents du développement cognitif qui caractérisent la compréhension que les enfants ont de leur environnement. Les principes de base du développement cognitif émis par Piaget ont été énoncés dans le premier chapitre.

Selon Piaget le **stade sensorimoteur** est le premier stade du développement cognitif : il s'étend de la naissance à environ deux ans. Ne pouvant questionner les bébés, Piaget élabora plutôt sa théorie par l'observation méticuleuse de leurs comportements. Il remarqua que les enfants se découvrent et découvrent le monde à travers leur activité sensorielle et motrice. Au cours de leurs deux premières années, les enfants qui, au départ, réagissent principalement par des réflexes et des comportements aléatoires, parviennent à coordonner les informations sensorielles et motrices et à les utiliser pour résoudre des problèmes simples.

• LES SOUS-STADES DU STADE SENSORIMOTEUR

Si l'on examine de plus près la progression que suit le développement cognitif au cours du stade sensorimoteur, on s'aperçoit que cette progression est phénoménale, avant même que l'enfant ne puisse parler. Celle-ci se fait graduellement selon six sous-stades (voir le tableau 3.2). La transition de l'un à l'autre se fait à mesure que les **schèmes** de l'enfant s'élaborent. Piaget a utilisé le concept de schème pour désigner des actions de base, qu'elles soient physiques (sucer, prendre, regarder...) ou mentales (se représenter quelque chose, faire des catégories, utiliser des symboles...). Au début de sa vie, l'enfant ne possède que quelques schèmes innés, sensoriels et moteurs, qu'il exercera et modifiera par le biais de l'assimilation et de l'accommodation.

Sous-stade 1 : l'exercice des réflexes (de la naissance à un mois). Le nouveau-né exerce ses réflexes et, avec la pratique, en acquiert une certaine maîtrise (rôle de l'accommodation). Il commence à produire certains comportements réflexes, même en l'absence du stimulus qui les déclenche. Par exemple, le nouveau-né a le réflexe de téter lorsqu'on lui touche les lèvres. Au cours du premier mois, il tète même si on ne le touche pas et commence ainsi à s'exercer à téter même s'il n'a pas faim (assimilation). L'enfant, loin d'être un récepteur passif, est actif dans les comportements qu'il développe.

Sous-stade 2 : les réactions circulaires primaires (de 1 à 4). Le bébé couché dans son berceau, en train de sucer son pouce avec bonheur, illustre ce que Piaget a appelé les **réactions circulaires primaires** : des gestes simples, répétitifs, centrés sur le corps de l'enfant, destinés à reproduire une sensation agréable découverte par hasard. Un jour, un bébé exerce son schème de succion alors que son pouce se trouve dans sa bouche. Il aime la sensation et essaie de la reproduire par tâtonnements. Une fois qu'il y parvient, il s'efforce délibérément de se mettre le pouce dans la bouche, de l'y laisser et de continuer à le sucer. Ce faisant, il réalise ses premières **adaptations acquises** : il apprend à adapter ou à accommoder ses actions en suçant son pouce d'une manière différente de celle qu'il utilise pour téter le sein. Cet apprentissage modifie ainsi son schème de succion.

Vers cette époque, l'enfant commence aussi à coordonner et à organiser différents types d'informations sensorielles, par exemple, la vue et l'ouïe. Quand un bébé entend la voix de sa mère, il tourne la tête vers le son et finit par découvrir que celui-ci provient de la bouche de sa mère. Son monde commence à prendre un sens.

Sous-stade 3 : les réactions circulaires secondaires (de 4 à 8 mois). Le troisième sous-stade coïncide avec un intérêt nouveau : l'enfant cherche à manipuler les objets de son environnement. C'est le début des **réactions circulaires secondaires** : des gestes intentionnels sont répétés, non pas pour le plaisir corporel qu'ils procurent, comme dans le sous-stade précédent, mais dans le but d'obtenir des résultats extérieurs au corps. Un bébé aime agiter un hochet pour entendre le bruit qu'il fait ou encore il découvre que lorsqu'il émet un son doux à l'apparition d'une personne au visage amical, celle-ci a tendance à rester plus longtemps en sa présence.

Stade sensorimoteur
Premier stade piagétien du développement cognitif (de la naissance à deux ans) ; à ce stade, l'enfant apprend par ses sens et par ses activités motrices.

Schème
Dans la terminologie piagétienne, structure cognitive élémentaire dont se sert l'enfant pour interagir avec l'environnement ; modèle organisé de pensée et de comportement.

Réactions circulaires primaires
Actes simples et répétitifs centrés sur le corps de l'enfant et destinés à reproduire une sensation agréable découverte par hasard ; ils sont caractéristiques du deuxième sous-stade du stade sensorimoteur de Piaget.

Adaptations acquises
Expression piagétienne désignant les schèmes restructurés pour tenir compte de comportements donnés, appris par accommodation.

Réactions circulaires secondaires
Expression piagétienne désignant des gestes intentionnels, répétés pour obtenir des résultats extérieurs au corps de l'enfant ; ces réactions sont caractéristiques du troisième sous-stade du stade sensorimoteur décrit par Piaget.

FIGURE 3.7 **L'IMITATION DIFFÉRÉE**

Cet enfant qui fait semblant d'arroser les plantes reproduit ici des actions qu'il a enregistrées en mémoire. C'est ce qu'on appelle l'imitation différée.

TABLEAU 3.2 LES SIX SOUS-STADES DU STADE SENSORIMOTEUR DU DÉVELOPPEMENT COGNITIF DE PIAGET

SOUS-STADE	ÂGE	DESCRIPTION	EXEMPLE DE COMPORTEMENT
Sous-stade 1 L'exercice des réflexes	De la naissance à un mois	Le bébé répète ses réflexes et parvient à les maîtriser jusqu'à un certain point. Il ne coordonne pas l'information provenant de ses sens. (Il ne saisit pas l'objet qu'il regarde.) Il n'a pas acquis le schème de la permanence de l'objet.	Noémie commence à téter quand le sein de sa mère est dans sa bouche.
Sous-stade 2 Les réactions circulaires primaires	de 1 à 4 mois	Le bébé reproduit des comportements, d'abord survenus par hasard, qui lui donnent des sensations agréables. Ses activités sont centrées sur son corps plutôt que sur l'environnement. Il manifeste ses premières adaptations acquises, c'est-à-dire qu'il varie par exemple sa manière de sucer selon l'objet. Il commence à coordonner l'information sensorielle. Il n'a pas acquis le schème de la permanence de l'objet.	Quand on la nourrit au biberon, Justine, qui est habituellement nourrie au sein, est capable d'ajuster sa succion à la tétine.
Sous-stade 3 Les réactions circulaires secondaires	de 4 à 8 mois	Le bébé s'intéresse davantage à l'environnement, il répète les actions qui produisent des résultats intéressants. Quoique intentionnelles, ses actions ne sont pas orientées vers un but. Le bébé peut chercher un objet s'il en voit une partie.	Benjamin agite les jambes afin de faire bouger le mobile suspendu au-dessus de son lit.
Sous-stade 4 La coordination des schèmes secondaires	de 8 à 12 mois	Le comportement devient plus délibéré et orienté vers un but. Le bébé peut prévoir des événements. Le schème de la permanence de l'objet se développe, mais le bébé cherchera encore un objet dans sa première cachette, même si on le déplace, sous ses yeux, vers une autre cachette.	Sur la boîte à musique de Mégane, il y a cinq manettes qui demandent des mouvements différents. Elle sait maintenant très bien comment manipuler chacune des manettes.
Sous-stade 5 Les réactions circulaires tertiaires	de 12 à 18 mois	Le bébé manifeste de la curiosité et varie intentionnellement ses actions pour en voir les effets. Il explore activement son univers dans le but de découvrir comment un objet ou une situation peut offrir de la nouveauté. Il essaie des activités nouvelles et résout des problèmes simples par essais et erreurs. Le bébé peut suivre les déplacements d'objets, mais comme il est incapable d'imaginer un mouvement qu'il ne voit pas, il ne cherchera pas un objet ailleurs que là où il l'a vu disparaître.	Dans son bain, Charles s'amuse avec des contenants de différentes grosseurs. Il s'est aperçu qu'il peut faire des éclaboussures lorsqu'il renverse l'eau sur le rebord du bain. Il essaie d'obtenir des éclaboussures en changeant de contenant et ensuite en renversant l'eau sur d'autres objets.
Sous-stade 6 Les combinaisons mentales	de 18 à 24 mois	Le bébé peut maintenant se représenter mentalement certains comportements. Il a élaboré un premier système de symboles qui lui permet de prévoir des événements sans avoir besoin de poser un geste concret. Il n'a donc plus besoin de recourir à l'apprentissage par essais et erreurs pour résoudre des problèmes simples. Le schème de l'objet permanent est complètement formé.	Sarah empile des blocs et regarde chaque fois si sa tour tient ou si elle va tomber.

Sous-stade 4 : la coordination des schèmes secondaires (de 8 à 12 mois). Parvenu au quatrième sous-stade, l'enfant a enrichi le petit nombre de schèmes qu'il possédait à la naissance, en les adaptant en fonction de son environnement. Il commence à utiliser des réactions déjà maîtrisées et à les combiner pour résoudre de nouveaux problèmes : nous voyons maintenant clairement le développement de l'intentionnalité et un début de compréhension des liens de causalité. Supposons qu'un bébé joue avec sa mère et que celle-ci mette sa main sur l'objet qu'il veut prendre. Devant un tel obstacle, il peut repousser la main de sa mère, la mettre dans sa bouche ou la frapper. Il essaie des schèmes déjà acquis et les coordonne dans l'espoir d'en trouver un qui convienne à la nouvelle situation.

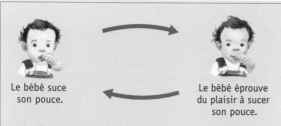

Le bébé suce
son pouce.

Le bébé éprouve
du plaisir à sucer
son pouce.

Réaction circulaire primaire : l'action et la réaction
se rapportent au corps de l'enfant (un à quatre mois).

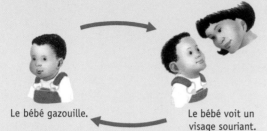

Le bébé gazouille.

Le bébé voit un
visage souriant.

Réaction circulaire secondaire : l'action produit
une réaction émanant d'une personne ou d'un objet ;
cette réaction amène l'enfant à répéter l'action originale
(quatre à huit mois).

Le bébé marche
sur un canard
en caoutchouc.

Le bébé presse
le canard.

Le canard
émet un son.

Réaction circulaire tertiaire : l'action produit un résultat
agréable, amenant le bébé à expérimenter d'autres actions
pour obtenir des résultats semblables (12 à 18 mois).

FIGURE 3.8 **LES RÉACTIONS CIRCULAIRES PRIMAIRES, SECONDAIRES ET TERTIAIRES**

Selon Piaget, les bébés apprennent à reproduire des événements agréables qu'ils ont découverts par hasard.

Réactions circulaires tertiaires

Expression piagétienne désignant des variations intentionnelles du comportement, destinées à explorer de nouvelles façons de produire un résultat désirable ; ces réactions sont caractéristiques du cinquième sous-stade du stade sensorimoteur décrit par Piaget.

Imitation différée

Reproduction d'un comportement observé, après un certain laps de temps et grâce à la récupération de sa représentation en mémoire.

Permanence de l'objet (ou schème de l'objet permanent)

Dans la terminologie piagétienne, le fait pour un enfant de comprendre qu'un objet ou une personne continuent d'exister même s'ils ne sont pas dans son champ de perception.

Sous-stade 5 : les réactions circulaires tertiaires (de 12 à 18 mois). Au cours du cinquième sous-stade, l'enfant devient un véritable explorateur. Lorsqu'il commence à marcher, sa curiosité est attirée par un grand nombre d'objets nouveaux, qu'il découvre en explorant son milieu. Il manifeste des **réactions circulaires tertiaires**, c'est-à-dire qu'il varie ses actions originales pour voir ce qui se produira, plutôt que de simplement répéter, comme avant, des comportements agréables découverts par hasard. C'est le cas de Camille lorsqu'elle déplace dans plusieurs directions sa main qui tient un biscuit pour voir le petit chien s'approcher. Elle répète un comportement, mais en le modifiant un peu. À ce stade de l'expérimentation, un jeune enfant pourra ramper pour entrer dans une grande boîte, se coucher dedans et y placer des objets. Il sera capable de résoudre des problèmes simples par la méthode d'essais et erreurs.

Sous-stade 6 : les combinaisons mentales et le début de la représentation symbolique (de 18 à 24 mois). Selon Piaget, vers 18 mois, l'enfant devient capable de représentations mentales. Il forme des images d'événements dans son esprit et peut, par conséquent, réfléchir aux actions avant de les réaliser. Puisqu'il possède maintenant une certaine notion du lien de causalité, il n'a plus besoin de passer par de laborieux essais et erreurs pour résoudre de nouveaux problèmes. Il fait plutôt appel à la représentation mentale pour imaginer des solutions et abandonner celles qu'il estime inefficaces. Il peut aussi imiter des actions, même si l'objet ou la personne qu'il imite n'est plus devant lui : c'est ce qu'on appelle de l'**imitation différée**. Le jeu du «faire semblant» apparaît, comme le fait un petit garçon de 20 mois quand il joue à faire manger son toutou en mettant un bloc sur sa bouche. Cette capacité de représentation mentale, qui se manifeste particulièrement par la permanence de l'objet, annonce le stade suivant, le stade préopératoire, que nous verrons au chapitre 5.

• LA PERMANENCE DE L'OBJET

La principale acquisition du stade sensorimoteur est la **permanence de l'objet**, aussi appelée schème de l'objet permanent.

Définition du schème de l'objet permanent. Le schème de l'objet permanent, c'est la compréhension du fait que les objets et les personnes continuent d'exister même si on ne les perçoit plus. Au début, le nourrisson ne fait pas la distinction entre lui-même et le monde environnant, qu'il perçoit d'abord comme une extension de sa propre personne. Puis, peu à peu, il se rend compte que les objets et les autres personnes possèdent une existence distincte de la sienne, mais ceux-ci n'existent plus, pour lui, quand il ne les perçoit plus. C'est à force de vivre diverses expériences reliées à ces objets et aux personnes qui l'entourent qu'il acquiert graduellement la conscience que ces objets et ces personnes existent toujours, même hors de sa perception : il s'en fait maintenant une représentation mentale. Cette permanence de l'objet permettra à l'enfant dont les parents se sont absentés de se sentir rassuré, sachant qu'ils existent toujours et qu'ils reviendront. Elle est essentielle à l'enfant pour comprendre le temps, l'espace et un monde en perpétuel changement. Selon Piaget, le schème de l'objet permanent ne se développe pas avant huit mois.

L'évolution de la permanence de l'objet. Vers l'âge de quatre mois, le bébé peut chercher l'objet qu'il a laissé échapper ou qui est partiellement caché, mais si cet objet est entièrement caché, l'enfant se comporte comme si l'objet n'existait plus. Par exemple, si sa mère recouvre de sa main les clés qu'il veut prendre, il s'intéressera tout simplement à autre chose, comme le fait Camille, à six mois, lorsque le petit chien s'éclipse derrière la poussette.

Le jeu du coucou

Au cœur de l'Afrique, une maman bantoue sourit à son petit garçon âgé de neuf mois, pose ses mains devant ses yeux et l'interroge «Uphi ?» (Où ça ?). Quelques secondes plus tard, elle enchaîne «Ici !», en ôtant ses mains, provoquant ainsi une explosion de joie chez le bébé. À Tokyo, une maman japonaise se prête au même jeu avec sa fille de 12 mois qui exprime le même bonheur. Dans une banlieue de Montréal, un petit garçon de 15 mois revoit son grand-père après deux mois d'absence, il relève son t-shirt pour s'en couvrir les yeux, comme grand-papa l'avait fait lors de sa dernière visite.

Partout dans le monde, le jeu du «coucou» est connu. Dans toutes les cultures, il provoque le rire au moment où la personne qui joue avec l'enfant réapparaît. Il est accompagné de gestes et de cris d'enthousiasme exagérés. Le plaisir que les nourrissons tirent de la stimulation sensorielle immédiate du jeu est augmenté par la fascination qu'ils éprouvent pour les visages et les voix.

Ce jeu si simple remplit plusieurs objectifs importants. Les psychologues cognitifs y voient un moyen pour le bébé de développer des idées sur la permanence des objets. Selon les psychanalystes, il permet au bébé de surmonter son anxiété lorsque la maman s'absente. On peut également le considérer comme une routine sociale qui initie le bébé aux règles de la conversation, notamment celle de parler à tour de rôle. On peut encore y voir une manière de fixer l'attention, ce qui est un préalable pour tout apprentissage.

Au fur et à mesure que se développe la compétence cognitive qui permet de prévoir les événements qui s'annoncent, le jeu prend une nouvelle dimension. Entre trois et cinq mois, les sourires et les rires du bébé qui suivent les mouvements du visage de l'adulte indiquent que le nourrisson développe sa représentation de ce qui se prépare. Vers cinq à huit mois, le nourrisson anticipe en regardant et en souriant lorsque la voix de l'adulte lui indique que ce dernier réapparaîtra bientôt. Aux environs de un an, le bébé n'est plus simplement un observateur mais un acteur : il démarre lui-même le jeu en invitant activement l'adulte à y participer. C'est alors généralement l'adulte qui répond aux invitations physiques ou vocales du bébé, qui peuvent d'ailleurs devenir très insistantes si l'adulte refuse de se prêter au jeu.

Ce n'est que vers huit mois que l'enfant commence à comprendre qu'un objet existe toujours même s'il ne le voit plus. C'est pourquoi, même si sa mère recouvre les clés de sa main, il cherchera à la soulever, parce qu'il sait maintenant que les clés sont dessous. Toutefois, si l'on cache, devant le bébé de 8 à 12 mois, un objet que l'on déplace par la suite, il ira le chercher dans la première cachette, même si le déplacement s'est effectué sous ses yeux. Selon Piaget, le nourrisson croit que l'existence de l'objet est reliée à un endroit précis (celui où l'objet a été trouvé la première fois) et à ses propres actions pour le récupérer à cet endroit. Une explication plus récente révèle que les nourrissons, et même les enfants d'âge préscolaire, trouvent tout simplement difficile de retenir l'impulsion qui les pousse à répéter un comportement qui a été couronné de succès auparavant (Zelazo et al., 1998).

Autour de un an, l'enfant ne commet plus cette erreur et cherche un objet au dernier endroit où il a vu qu'on le cachait. Néanmoins il ne peut pas comprendre qu'un objet se déplace s'il ne le voit pas se déplacer. Si sa mère referme la main sur les clés avant de les placer sous une couverture, l'enfant cherchera encore les clés dans la main de sa mère, parce que c'est là qu'il les a vues disparaître. À la fin du stade sensorimoteur, entre 18 et 24 mois, la permanence de l'objet est complètement acquise. L'enfant peut comprendre que si la main se déplace, les clés, qu'il ne voit pas, se déplacent aussi. Il peut maintenant se représenter mentalement le déplacement d'un objet. Ainsi, un enfant peut, sans même avoir vu son toutou, se mettre à le chercher dans différents endroits de la maison, simplement parce qu'il y a pensé : il peut s'en faire une image mentale.

FIGURE 3.9   LE JEU DU COUCOU

Le jeu du coucou favorise le développement de la permanence de l'objet. Lorsque la mère disparaît, le bébé commence à se douter qu'elle se trouve quelque part, mais il n'en est pas tout à fait certain. En réapparaissant, elle confirme les prévisions de son bébé, qui s'en réjouit fortement.

• LES LIENS DE CAUSALITÉ

La **causalité** est une autre notion importante qui est acquise durant le stade sensorimoteur. C'est le terme qu'emploie Piaget pour désigner le fait que l'enfant comprendra peu à peu que certains événements en causent d'autres.

Causalité
Principe selon lequel certains événements sont la cause d'autres événements.

Piaget croyait que cette compréhension se développe lentement pendant la première année de vie. Vers quatre à six mois environ, lorsque le bébé acquiert la capacité de saisir les objets, il commence à réaliser qu'il possède un pouvoir sur son environnement. Cependant, d'après Piaget, jusque vers un an, le nourrisson ignore encore que les causes doivent précéder les effets et il ne réalise pas que d'autres éléments peuvent agir sur les choses et les événements.

FIGURE 3.10 LA DÉCOUVERTE DE LA CAUSALITÉ

Ce bébé de cinq mois est en train de découvrir qu'en tirant sur la chaînette qui se trouve au-dessus de lui, il peut la faire bouger et faire du bruit. Selon Piaget, étant donné que les enfants de cet âge commencent à être capables de saisir les objets, ils prennent conscience du pouvoir de leurs propres agissements – une première étape vers la compréhension de la causalité.

Capacité de représentation
Capacité de se rappeler (se représenter mentalement) des objets et des expériences sans l'aide de stimuli, principalement par le recours à des symboles.

Imitation invisible
Imitation réalisée avec des parties du corps que l'on ne peut voir, comme la bouche.

Imitation visible
Imitation réalisée avec des parties du corps que l'on peut voir, comme les mains et les pieds.

Certains chercheurs croient qu'un mécanisme de reconnaissance de la causalité existe beaucoup plus tôt, dans un endroit bien déterminé du cerveau. Au cours d'expériences également basées sur l'habituation, des enfants de six mois et demi semblent avoir discerné une différence entre les événements provoqués par des causes immédiates (par exemple lorsqu'une brique pousse une autre brique et que cette dernière change de position) et les événements qui se produisent sans cause apparente (par exemple lorsqu'une brique s'éloigne d'une autre brique sans que la première l'ait touchée). Ainsi, très jeune déjà, le nourrisson semble conscient de la continuité des relations dans le temps et l'espace, ce qui est peut-être la première étape vers la compréhension de la causalité (L. B. Cohen et Amsel, 1998).

Vers 10 mois, le bébé est plus en mesure de faire ses propres expériences : dans sa chaise haute, il tape sur la flaque de lait pour voir les éclaboussures ; il joue avec des commutateurs, s'amusant follement à allumer et à éteindre la lumière ; il sourit pour qu'on lui réponde. Ses jouets préférés sont ceux qu'il peut manipuler en les faisant rouler, en les laissant tomber ou en faisant du bruit. Les actions des enfants de cet âge montrent qu'ils comprennent leur pouvoir de causer certains événements.

Bien qu'à cet âge des notions aussi importantes que la causalité et la permanence de l'objet prennent racine, les enfants ne les saisissent pas pleinement. Selon Piaget, c'est parce que leur **capacité de représentation**, c'est-à-dire leur capacité d'imaginer et de se rappeler mentalement des objets ou des actions, est limitée, du moins tant que le stade sensorimoteur n'est pas achevé.

• DE NOUVELLES AVENUES SUR LA THÉORIE DE PIAGET

Divers chercheurs, qui ont étudié les concepts cognitifs décrits pour la première fois par Piaget, ont découvert que ceux-ci apparaissaient plus tôt que ne l'avait observé le psychologue suisse. Il semble que Piaget ait sous-estimé les capacités cognitives des enfants, à cause de la façon dont il les évaluait. Il faudrait apporter des précisions provenant de résultats obtenus par les récentes recherches.

Concernant la permanence de l'objet, Piaget soutenait qu'avant huit mois le bébé ne cherche pas un objet qu'il ne voit pas, même si l'on a caché l'objet devant lui. Si l'objet est complètement caché, le bébé agit comme s'il n'existait pas. Cependant un jeune enfant peut ne pas chercher un objet caché pour la simple raison qu'il est incapable d'effectuer les gestes nécessaires, comme déplacer un coussin pour voir s'il cache quelque chose. Cela ne signifie pas nécessairement que l'enfant ignore que l'objet s'y trouve, mais peut-être qu'il renonce à le chercher. Des recherches basées sur ce que les enfants regardent, sans qu'ils aient besoin de recourir à aucune activité motrice, démontrent que de jeunes enfants de quatre à huit mois sont capables de comprendre qu'un objet continue d'exister même s'ils ne le voient plus (Goubet et Clifton, 1998).

Concernant l'imitation, Piaget affirmait que l'**imitation invisible**, soit l'imitation à l'aide de parties de son corps que le bébé ne peut voir (comme la bouche), commence vers l'âge de huit mois et succède à une période d'**imitation visible** où le bébé peut voir les mouvements de ses mains ou de ses pieds.

Par contre, certaines études ont révélé que des bébés âgés de deux à trois semaines imitaient des adultes en tirant la langue, en ouvrant la bouche et en avançant les lèvres, gestes qu'ils étaient, bien sûr, incapables de voir (Meltzoff et Moore, 1983). Les chercheurs en ont conclu que la capacité d'imiter est présente dès la naissance et qu'elle ne requiert aucun apprentissage. Les nouveau-nés peuvent, jusqu'à un certain point, comprendre que les changements d'expression qu'ils voient chez les autres sont semblables aux changements qu'ils peuvent produire eux-mêmes.

Toutefois d'autres chercheurs, qui ont étudié des enfants âgés de 2 à 21 semaines, n'ont pas observé d'imitation invisible (Abravanel et Sigafoos, 1984). Seuls les plus jeunes tiraient la langue, et encore, pas complètement. Il se peut que le fait de tirer la langue soit un réflexe qui disparaît chez les enfants plus âgés ou que le fait d'avoir déjà eu une tétine dans la bouche amène les bébés à produire un mouvement que l'on peut confondre avec une imitation. Meltzoff et Moore (1983) ont répliqué que la méthodologie utilisée par d'autres chercheurs peut avoir masqué les capacités d'imitation des nouveau-nés. Malgré ce désaccord, on possède suffisamment de données pour croire que les nouveau-nés pourraient avoir la capacité d'imitation invisible.

Concernant l'imitation différée, selon Piaget, elle ne se développerait pas avant 18 mois. Cette aptitude suppose que l'enfant possède, dans sa mémoire à long terme, le souvenir d'un événement et que, par conséquent, il s'en est fait une représentation, une «image mentale».

Des recherches récentes rapportent le phénomène d'imitation différée chez des enfants de moins de un an (Meltzoff, 1988). Dans ces recherches, des adultes accomplissaient des gestes précis devant les bébés (comme démonter un jouet en bois composé de deux morceaux ou agiter un hochet en plastique). Puisqu'ils ne pouvaient pas toucher aux jouets, il était impossible aux bébés d'imiter l'action immédiatement. De retour au laboratoire, 24 heures plus tard, les bébés qui avaient vu les adultes accomplir les gestes, comparativement aux bébés d'un groupe témoin qui n'avaient pas vu les adultes démonter le jouet en bois ou agiter le hochet, étaient plus nombreux à manipuler correctement les jouets. Ces résultats laissent croire que l'imitation différée se produit plus tôt que Piaget ne l'avait supposé. D'autres expériences permettront peut-être d'établir l'âge à partir duquel se produit l'imitation différée et de préciser si elle peut s'étendre à des comportements plus complexes.

Même si les travaux d'autres psychologues viennent nuancer la théorie de Piaget, sa contribution au domaine de la psychologie du développement lui assure une place importante dans l'histoire de la science. Piaget a fait œuvre de pionnier en jetant une lumière nouvelle sur le fonctionnement de la pensée des enfants et en faisant ressortir des différences précises entre l'intelligence des enfants et celle des adultes. Il se peut que Piaget ait accordé trop d'importance aux expériences motrices comme agents de croissance cognitive. Les habiletés perceptives des nouveau-nés sont plus développées que leurs habiletés motrices et les méthodes de recherche actuelles permettent maintenant d'explorer ces habiletés.

3.2.3 LA THÉORIE DU TRAITEMENT DE L'INFORMATION

Tout souriant, un bébé de six semaines commence à faire des mouvements de succion à l'approche de sa mère. De toute évidence, il la reconnaît et il est content de la voir. Mais comment la reconnaît-il au juste? Que se passe-t-il dans sa tête?

La **théorie du traitement de l'information** apporte une nouvelle explication du fonctionnement de l'intelligence. Les tenants de cette théorie considèrent l'individu comme un manipulateur de perceptions et de symboles. Leur but est de découvrir ce que les enfants et les adultes font de l'information entre le moment où ils la perçoivent et le moment où ils l'utilisent. Ces chercheurs examinent des aspects spécifiques du processus de la pensée (attention, mémoire, catégorisation, etc.) plutôt que son développement global à différents stades, comme le faisait Piaget.

Les chercheurs évaluent l'efficacité du traitement de l'information chez les bébés en mesurant la variation de leur attention. On mesure, par exemple, le temps d'habituation à un stimulus familier ou le temps nécessaire pour capter leur attention par un nouveau stimulus.

La **mémoire de reconnaissance visuelle** est l'habileté à distinguer un stimulus familier d'un nouveau stimulus lorsque ces stimuli sont présentés en même temps. Si un enfant accorde

Théorie du traitement de l'information
Théorie qui considère l'individu comme un manipulateur de perceptions et de symboles.

Mémoire de reconnaissance visuelle
Habileté à distinguer un stimulus familier d'un nouveau stimulus lorsqu'ils sont présentés en même temps.

plus d'attention au nouveau stimulus qu'à l'autre, ce qu'on appelle la préférence pour la nouveauté, il manifeste qu'il peut distinguer le nouveau de l'ancien. Selon les tenants de la théorie du traitement de l'information, cela signifie que l'enfant a mémorisé l'ancien stimulus, c'est-à-dire qu'il en a une représentation mentale. L'efficacité du traitement de l'information repose sur la vitesse à laquelle les bébés peuvent former de telles images mentales et s'y référer. Les études sur l'habituation et la préférence pour la nouveauté laissent croire, contrairement à ce qui ressort du point de vue de Piaget, que cette capacité de représentation mentale existe à la naissance ou peu après et qu'elle devient rapidement de plus en plus efficace (Zelazo *et al.*, 1995).

La façon dont les enfants accordent leur attention est un indice de l'efficacité du traitement de l'information. Si on montre à des bébés deux nouveaux stimuli en même temps, ceux qui regardent un court moment le premier et transfèrent ensuite leur attention à l'autre possèdent une meilleure mémoire de reconnaissance visuelle que les bébés qui accordent un long regard à un seul stimulus. Il serait même possible d'entraîner des bébés de cinq mois à distribuer leur attention plus efficacement et à améliorer ainsi le processus de traitement de l'information (Jankowski *et al.*, 2001).

3.2.4 L'ÉTUDE DES STRUCTURES COGNITIVES DU CERVEAU

La position de Piaget, selon laquelle la maturation neurologique du cerveau constitue le facteur principal du développement cognitif, a été confirmée par les récentes recherches sur le cerveau. Grâce à ces recherches, on a remarqué des changements dans le cerveau associés au traitement des informations et on a tenté de déterminer quelles structures du cerveau affectent les différents aspects du développement cognitif, en particulier celui de la mémoire. On a constaté que les structures du cerveau impliquées dans la **mémoire explicite**, celle qui intervient dans le rappel volontaire, différaient de celles qui se rapportent à la **mémoire implicite**, celle qui se produit sans effort conscient. De plus, la mémoire implicite se développerait la première, au cours des premiers mois de la vie.

Durant la deuxième moitié de la première année, le cortex préfrontal et les circuits qui y sont associés développent la **mémoire de travail**, celle qui correspond à l'information qui est en cours de traitement. Le cortex préfrontal (partie du cerveau située directement sous le front) est reconnu pour contrôler plusieurs aspects de la cognition. C'est donc là que les représentations mentales seraient traitées avant d'être enregistrées ou rappelées. Cette partie du cerveau se développant plus lentement que toute autre, l'apparition relativement tardive de la mémoire de travail pourrait être en grande partie responsable du lent développement de la permanence de l'objet (Johnson, 1998).

Même si la mémoire explicite et la mémoire de travail continuent de se développer au-delà de l'enfance, l'émergence rapide des structures de mémoire du cerveau souligne l'importance de la stimulation par l'environnement durant les premiers mois de la vie.

3.2.5 L'INFLUENCE DES PARENTS SUR LE DÉVELOPPEMENT COGNITIF

La façon dont les parents se comportent avec leur enfant représente l'un des principaux facteurs qui influencent le développement cognitif. Des programmes ont déjà été mis sur pied pour aider les mères à développer des attitudes et des comportements susceptibles de stimuler le développement cognitif de leurs enfants. Les mères ainsi «formées» donnaient à leur enfant plus d'instructions, d'informations et d'encouragements que les mères d'un groupe témoin. Elles posaient plus de questions, encourageaient leur enfant à penser et à parler, mettaient des jeux plus adéquats à sa disposition et permettaient une routine plus souple. De plus, sur le plan émotif, elles réagissaient davantage et se montraient plus sensibles et plus tolérantes; elles s'interposaient moins et critiquaient moins. À l'âge de trois ans, les

Mémoire explicite
Mémoire qui utilise le rappel conscient des souvenirs.

Mémoire implicite
Mémoire latente, qui ne fait pas appel aux processus conscients, souvent associée au conditionnement.

Mémoire de travail
Mémoire qui correspond à l'information qu'on est en train de traiter.

enfants de ces mères obtinrent de meilleurs résultats aux tests que les autres enfants (Ramey et Ramey, 1998).

Ces résultats montrent que les soins accordés aux bébés et le comportement de leur mère à leur égard peuvent avoir des effets positifs sur leur développement intellectuel. Le tableau 3.3 offre quelques conseils pour favoriser ce développement. Cette influence des parents est confirmée par plusieurs expériences dans plus d'une culture. Il existerait une période critique, située dans les premières années de la vie, au cours de laquelle les personnes responsables de l'enfant peuvent avoir un impact décisif sur sa croissance intellectuelle.

Plusieurs de ces recherches ont porté sur la réceptivité des mères américaines et japonaises à l'égard de leur bébé. Des chercheurs ont procédé à une première évaluation des bébés alors que ces derniers étaient âgés de deux à cinq mois, puis ils les ont évalués à quelques reprises dans les années suivantes. La réceptivité maternelle était définie comme la capacité à répondre promptement et adéquatement à un comportement du bébé. Autrement dit, lorsque le bébé gazouillait, regardait sa mère (activité sans détresse) ou pleurait (signe de détresse), on observait la mère. Souriait-elle à l'enfant ? Lui parlait-elle ? Est-ce qu'elle le prenait, le caressait, le nourrissait ou lui accordait une quelconque attention ?

FIGURE 3.11 LE DÉVELOPPEMENT COGNITIF

Ce parent qui aide son bébé à placer le bloc au bon endroit l'aide aussi à développer des compétences (reconnaître des formes, procéder dans un certain ordre, coordonner plusieurs informations) qui constituent la base du développement cognitif.

Presque toutes les mères réagissaient promptement à la détresse de leur enfant, mais leur réceptivité aux comportements sans détresse variait beaucoup et cette variation n'avait aucun lien avec la scolarisation de la mère, pas plus qu'avec son niveau socio-économique. Les réactions des mères aux comportements de l'enfant de deux mois n'avaient apparemment pas eu d'incidence sur le développement ultérieur de l'enfant, mais les réactions aux comportements de l'enfant de quatre ou cinq mois semblaient par contre l'avoir influencé. Vers l'âge de un an, les enfants des mères les plus réceptives étaient plus avancés sur le plan des aptitudes de représentation et, à l'âge de quatre ans, ils ont obtenu de meilleurs résultats à un test d'intelligence et dans d'autres tâches d'apprentissage (Bornstein et Tamis-LeMonda, 1989).

En quoi la réceptivité des adultes favorise-t-elle le développement intellectuel des enfants ? D'abord, elle peut rehausser leur estime de soi et leur donner l'impression d'une certaine maîtrise de leur vie. Ensuite, elle peut leur procurer un sentiment de sécurité qui les poussera à explorer le monde extérieur et les encouragera à poursuivre cette exploration. Elle peut également les aider à organiser leur pensée de manière à développer leur faculté de concentration, ce qui favorise l'apprentissage. Quoique la plupart de ces études aient porté sur le comportement de la mère, leurs conclusions s'appliquent sans doute au père et aux autres personnes proches de l'enfant.

3.3 LE DÉVELOPPEMENT DU LANGAGE

Lorsque Camille dit « obe » en pointant l'image d'un chien dans un livre, elle nous fournit un exemple du lien qui existe entre le langage, un système de communication basé sur les mots et la grammaire, et le développement cognitif. Camille a fait le lien entre l'image du chien et les sons qui peuvent symboliser cet animal qu'elle connaît.

Les capacités linguistiques de Camille sont non seulement une source d'amusement, de joie et de fierté pour ses parents, mais elles s'avèrent aussi un élément essentiel de son

TABLEAU 3.3 COMMENT DÉVELOPPER LES COMPÉTENCES COGNITIVES

PLUSIEURS RECHERCHES PROPOSENT LES LIGNES DIRECTRICES SUIVANTES POUR FAVORISER LE DÉVELOPPEMENT COGNITIF DES NOURRISSONS ET DES TOUT-PETITS :

- *Offrir des stimulations sensorielles* dès les premiers mois de vie, mais éviter les stimulations excessives et les bruits qui dérangent.

- *Créer un environnement qui favorise l'apprentissage*, c'est-à-dire un environnement comprenant des livres, des objets intéressants (qui ne sont pas spécialement des jouets chers) et un endroit pour jouer, au fur et à mesure que le bébé grandit.

- *Répondre aux signaux du bébé*, afin de créer un sentiment de confiance dans le monde en tant qu'environnement accueillant, et pour donner au bébé l'impression qu'il contrôle sa vie.

- *Donner au bébé le pouvoir de modifier les choses* à l'aide de jouets qui peuvent être secoués, façonnés ou déplacés. Aider le bébé à découvrir que tourner la poignée d'une porte lui permet d'ouvrir cette dernière, qu'appuyer sur un interrupteur lui permet d'allumer une lampe et qu'ouvrir un robinet fait couler de l'eau dans la baignoire.

- *Donner au bébé la liberté d'explorer*. Pendant la journée, ne pas confiner le bébé trop souvent dans un lit d'enfant ou une petite pièce et ne le laisser dans un parc que pour de brèves périodes. Veiller à ce que l'environnement soit sécuritaire et laisser agir le bébé.

- *Parler au bébé*. Ce n'est pas en écoutant la radio ou la télévision que le bébé apprendra à parler ; il a besoin d'une interaction avec des adultes.

- *S'intéresser à ce qui intéresse le bébé*, et ce, au moment précis choisi par ce dernier, en parlant ou en jouant avec lui, et ne pas essayer de rediriger son attention vers autre chose.

- *Lui donner l'occasion d'acquérir des compétences de base*, comme nommer, comparer et trier des objets (par exemple, par taille ou par couleur), mettre des objets dans un ordre précis et observer les conséquences de ses actes.

- *Féliciter le bébé pour ses nouvelles compétences et l'aider à les développer et à les améliorer*. Rester à proximité mais sans s'imposer.

- *Faire la lecture au bébé dès son plus jeune âge dans une atmosphère chaude et aimante*. Lire une histoire à haute voix et en discuter par la suite prépare le développement des compétences en lecture.

- *Utiliser la punition avec modération*. Ne pas punir l'enfant ou le ridiculiser pour les résultats obtenus à la suite d'une exploration par essais-erreurs normale.

Source : R. R. Bradley et Caldwell, 1982 ; R. Bradley, Caldwell et Rock, 1989 ; R. H. Bradley *et al.*, 1989 ; C. T. Ramey et Ramey, 1998a, 1998b ; S. L. Ramey et Ramey, 1992 ; J. H. Stevens et Bakeman, 1985 ; B. L. White, 1971 ; B. L. White, Kaban et Attanucci, 1979.

développement cognitif. Une fois qu'un enfant connaît les mots, il possède un système de symboles qu'il peut utiliser pour se représenter des actions, pour évoquer les objets et les personnes qui l'entourent. Il peut réfléchir sur ces objets et ces personnes et communiquer ses besoins, ses sentiments ou ses opinions. Il développe ainsi une maîtrise de plus en plus grande sur sa vie.

Au fur et à mesure que les structures physiques nécessaires à la production des sons deviennent matures et que les connexions nerveuses nécessaires à l'association des sons et du sens des mots deviennent actives, l'interaction sociale avec les adultes amène l'enfant à développer un système de communication. Nous verrons maintenant les étapes du développement du langage et la manière dont les parents et les autres personnes de l'entourage peuvent aider l'enfant dans ce processus d'acquisition qui le rendra plus tard capable de lire et d'écrire.

3.3.1 LES ÉTAPES DU DÉVELOPPEMENT DU LANGAGE

Le développement du langage ne commence pas seulement lorsque l'enfant dit son premier mot. Le bébé doit d'abord être capable de différencier les sons les uns des autres. Ensuite, avant de pouvoir utiliser des mots pour manifester ses besoins, le bébé se fait comprendre par une variété de sons, dont la progression, à peu près la même pour tous, va des pleurs à l'imitation accidentelle, en passant par le gazouillis et le babillage, pour aboutir enfin à l'imitation délibérée. On appelle ces étapes le **langage prélinguistique**.

• LA RECONNAISSANCE DES SONS

La capacité de différencier les sons est essentielle au développement du langage. Comme nous l'avons déjà vu, cette capacité est présente dès la naissance et même avant. Dans une recherche, deux groupes de femmes de langue française, à leur trente et unième semaine de grossesse, ont récité chacune une comptine différente trois fois par jour. Après quatre semaines, les chercheurs ont fait jouer un enregistrement des deux comptines près de l'abdomen des mères. Le cœur des fœtus ralentissait quand ils entendaient la comptine que la mère avait récitée, mais non quand c'était l'autre comptine. Comme la voix de l'enregistrement n'était pas celle de la mère, les fœtus semblaient réagir aux sons que la mère avait utilisés. Cela laisse croire que le fait d'entendre la « langue maternelle » avant la naissance peut « préparer » l'oreille du bébé à repérer par la suite ces phonèmes de base propres à sa langue (De Casper *et al.*, 1994).

Cette aptitude à différencier les sons se perd à mesure que l'enfant entend la langue parlée dans son entourage et, vers dix mois, il ne peut plus distinguer les phonèmes qui ne font pas partie de sa langue. Par exemple, les enfants japonais ne sont plus capables de différencier les sons « ra » et « la », puisque la distinction entre ces sons n'est jamais utilisée dans leur langue (Lalonde et Werker, 1995).

• LE LANGAGE PRÉLINGUISTIQUE

Les pleurs constituent le premier et l'unique mode de communication du nouveau-né. Les pleurs d'un bébé peuvent sembler tous identiques pour une oreille étrangère, mais l'oreille exercée des parents distingue les pleurs provoqués par la faim des pleurs provoqués par la douleur. Les différences de ton, de modulation et d'intensité signalent la faim, la fatigue ou la colère.

Entre six semaines et trois mois, le bébé commence à rire et à **gazouiller** lorsqu'il est content ; il crie, glousse et prononce des voyelles comme « a ». Vers l'âge de trois mois commence un genre de « tennis verbal » : l'enfant s'amuse à émettre une variété de sons qui semblent reproduire ceux qu'il entend autour de lui. Souvenez-vous que c'est vers quatre mois que l'enfant passe des réactions circulaires primaires aux réactions circulaires secondaires. Ainsi, il gazouille d'abord pour le simple plaisir de produire des sons et ensuite, au stade des réactions circulaires secondaires, il pourra gazouiller pour attirer ou soutenir l'attention.

Le **babillage**, soit la répétition de chaînes composées d'une consonne et d'une voyelle comme « ma ma ma ma », se produit entre six et dix mois ; on les confond souvent avec les premiers mots de l'enfant. Au départ, le bébé imite par hasard les sons entendus. Puis il imite ses propres sons. Vers neuf ou dix mois, il imite délibérément d'autres sons, sans les comprendre pour autant. Le babillage n'est pas un langage à proprement parler, mais il se rapproche peu à peu des mots et conduit aux premières paroles.

L'**expression gestuelle** commence généralement entre 9 et 12 mois. Les enfants apprennent des gestes sociaux conventionnels : agiter la main pour dire *au revoir*, hocher la tête pour dire *oui* ou secouer la tête pour dire *non*, taper dans les mains pour manifester sa joie, etc. Peu à peu, les gestes se rapporteront à des significations plus élaborées : lever les bras pour se faire prendre ou porter un verre vide à sa bouche pour exprimer *le désir de lait*. Les gestes symboliques, comme souffler pour signifier *chaud* ou renifler pour dire *fleur* apparaissent

Langage prélinguistique
Mode d'expression orale qui précède le langage véritable. Il se compose de pleurs, de gazouillis, de babillages, d'imitations accidentelles puis délibérées de sons que l'enfant ne comprend pas.

Gazouiller
Émettre des gazouillis, premiers sons simples émis par les bébés.

Babillage
Répétition de sons composés d'une consonne et d'une voyelle.

Expression gestuelle
Gestes servant à communiquer.

FIGURE 3.12 **L'EXPRESSION GESTUELLE**

Cet enfant communique avec sa mère en pointant le doigt vers l'objet qui l'intéresse. Les gestes semblent venir naturellement aux jeunes enfants et ces gestes constituent un aspect important du développement du langage.

Holophrase

Mot qui exprime une pensée complète.

Langage réceptif

Capacité de comprendre la signification des mots.

Langage expressif

Capacité de s'exprimer avec des mots.

souvent en même temps que les premiers mots et ils fonctionnent comme eux. Ces gestes symboliques sont habituellement utilisés avant que le vocabulaire de l'enfant n'atteigne 25 mots et ils disparaissent lorsque l'enfant a appris les mots correspondant aux idées qu'il exprimait jusque-là par des gestes.

L'expression gestuelle semble se produire spontanément. On a remarqué que les enfants aveugles produisent des gestes en parlant, comme les voyants, même s'ils parlent à un auditeur aveugle. L'utilisation de gestes ne dépend donc pas seulement de la présence d'un modèle ou d'un observateur, mais semble faire partie du processus même du langage.

Bien que les enfants construisent presque tous leurs gestes, le rôle des parents demeure important. Il faut être deux pour communiquer, et si les parents n'interprètent pas les gestes de l'enfant et n'y réagissent pas, celui-ci les délaissera fort probablement ou il essaiera d'attirer l'attention de l'adulte par d'autres moyens, soit en s'accrochant à lui ou en émettant des sons.

Ces gestes montrent qu'avant de pouvoir parler l'enfant comprend que les objets et les concepts ont des noms et qu'il peut utiliser des symboles pour désigner les objets et les événements de sa vie quotidienne.

• L'UTILISATION DES MOTS ET DES PHRASES

L'enfant moyen prononce son premier mot entre 10 et 14 mois, inaugurant par là son emploi du langage véritable, c'est-à-dire parler pour communiquer un sens. Bientôt l'enfant utilisera beaucoup de mots et il manifestera une certaine compréhension de la grammaire, de la prononciation, de l'intonation et du rythme.

Les premiers mots. Le « ma-ma-ma » que l'enfant de huit ou neuf mois prononce à l'étape du babillage est souvent considéré par les parents comme le premier mot de l'enfant pour dire « maman ». C'est rarement exact. Le babillage n'a pas de signification, mais il conduit au langage verbal. Quand le son « ma-ma » servira vraiment à désigner ou à appeler maman, alors, on pourra affirmer que l'enfant a prononcé son premier mot. À ce stade-ci cependant, le répertoire de l'enfant risque de se limiter à « maman » ou « papa », ou encore l'enfant pourra prononcer une seule syllabe qui aura plusieurs significations, selon les circonstances. Par exemple, le « da » d'un enfant peut signifier « je veux ceci », s'il désigne en même temps un objet précis ; « je veux sortir », s'il pointe vers la porte ; « où est papa ? », s'il prend un air interrogateur ; et ainsi de suite. On appelle ce genre de mot une **holophrase**, car, à lui seul, il exprime une pensée complète, souvent accompagnée d'une composante émotive. Tout au long du stade du mot unique, qui dure jusqu'à l'âge de 18 mois environ, le vocabulaire s'enrichit. Les sons et les rythmes de la parole évoluent et, même si une grande partie du discours de l'enfant en reste au stade du babillage (beaucoup d'enfants de plus de un an babillent presque constamment), ce babillage est plutôt expressif.

Le développement du vocabulaire. À 13 mois, l'enfant semble généralement saisir la fonction symbolique de la désignation, c'est-à-dire qu'il se rend compte qu'un mot désigne un objet ou un événement précis. À cet âge, et même toute la vie, le **langage réceptif**, c'est-à-dire la compréhension des mots, est beaucoup plus étendu que le **langage expressif**, c'est-à-dire la capacité de s'exprimer avec des mots. Généralement l'enfant comprend d'abord soit son propre nom, soit « non », ce qui n'est pas étonnant si l'on considère que ce sont les deux mots qu'un enfant actif risque d'entendre le plus. Il a aussi tendance à généraliser les concepts : le mot *balle* pourra désigner une orange, et une vache pourrait être appelée *chien*. Pour Camille, tout ce qui ressemble à un petit chien s'appelle « obe ». Au fur et à mesure que les concepts se définissent, le vocabulaire se précise.

Au début, l'augmentation du vocabulaire se fait assez graduellement, mais vers la fin de la deuxième année (entre 16 et 24 mois), on assiste soudainement à une « explosion » de mots.

En quelques semaines, le vocabulaire de l'enfant passe d'environ 50 mots à un répertoire de quelque 400 mots. Cette croissance rapide du vocabulaire est due à l'augmentation de la vitesse de reconnaissance des mots durant la deuxième année (Fernald *et al.*, 1998). Vers trois ans, un enfant moyen peut utiliser près de 1 000 mots et il en comprend au moins dix fois plus. Jusqu'à l'âge de six ans, il aura appris (langage réceptif) en moyenne neuf nouveaux mots pas jour (Rice, 1982).

Les premières phrases. L'âge auquel les enfants commencent à combiner les mots varie, quoique l'écart soit le même chez les enfants qui apprennent un langage parlé et chez les enfants de parents malentendants qui apprennent un langage par signes. En général, les enfants agencent deux ou plusieurs mots lorsqu'ils ont entre 18 et 24 mois, mais cela demeure très variable. Bien que le langage prélinguistique soit relativement lié à l'âge chronologique, le langage verbal, lui, ne l'est pas. Certains enfants qui commencent à parler relativement tard rattraperont rapidement le temps perdu.

Les premières phrases ne comportent d'abord que des mots essentiels à la compréhension de l'idée générale, c'est un **langage télégraphique.** L'utilisation du langage télégraphique, et la forme qu'il prend, peuvent varier selon la langue (Slobin, 1983). Comme dans le cas des holophrases, les phrases de deux mots peuvent présenter des significations différentes selon leur contexte de production. Un enfant qui dit «auto maman» peut vouloir dire que maman est partie en auto, que l'auto qu'il désigne appartient à maman, qu'il entend l'auto de maman ou qu'il désire se promener en auto avec maman.

L'apparition de la syntaxe. Le langage des enfants se complexifie peu à peu. Au début, les articles et les prépositions manquent (*tombé soulier*), tout comme les sujets et les attributs (*boit lait*). L'enfant peut ensuite agencer deux relations élémentaires (*Vincent frappe* et *Frappe balle*) pour aboutir à une relation plus complexe (*Vincent frappe balle*).

Entre 20 et 30 mois, l'enfant acquiert des rudiments de la **syntaxe**. Il commence à utiliser des articles, des mots au pluriel et des terminaisons de verbes. À trois ans, il peut répondre et poser des questions qui commencent par *Qu'est-ce que?* et *Où?*, mais il éprouve plus de difficulté avec les *Pourquoi?* et les *Comment?*

Bien que le petit enfant parle couramment, de façon intelligible et passablement correcte d'un point de vue grammatical, son discours est encore truffé d'erreurs parce qu'il ignore les exceptions aux règles. Une erreur comme *il tiennait* au lieu de *il tenait* dénote en fait un signe de progrès dans l'apprentissage d'une langue. Le jeune enfant qui dit correctement «*je tenais le bébé*» ne fait que répéter des phrases déjà entendues. Lorsque l'enfant découvre les règles, il a tendance à les appliquer sans distinction. C'est ce qu'on appelle la **surgénéralisation des règles.** Le résultat est correct la plupart du temps, sauf pour les exceptions. Ayant appris les règles du pluriel et de l'imparfait, il pourra dire que *les chats pleuraient* ou que *les poupées mangeaient des fraises*, mais la surgénéralisation des règles l'amènera aussi à dire que *les oiseaux sontaient petits* au lieu de *étaient*. C'est aussi parce qu'elle généralise l'accord du participe passé des verbes comme couru, connu, reconnu, aperçu… que Camille dit qu'il avait *pleuvu*. À mesure que l'enfant entend les gens parler et qu'il participe lui-même aux conversations, il remarque que la conjugaison des verbes irréguliers diffère notablement de celle du modèle régulier. On pourrait penser que de telles «erreurs» constituent un pas en arrière, mais, en réalité, elles indiquent un progrès considérable dans l'apprentissage d'une langue.

Bien entendu, le langage continue à se développer et, à la fin de l'enfance, l'enfant a acquis la pleine maîtrise de la grammaire, même si son vocabulaire et la complexité de ses phrases continuent de s'accroître. Le tableau 3.4 présente quelques-unes des caractéristiques du langage des jeunes enfants.

Langage télégraphique
Phrases ne comportant que quelques mots essentiels.

Syntaxe
Règles qui président à l'organisation des mots et des phrases.

Surgénéralisation des règles
Emploi généralisé de règles grammaticales ou de règles de syntaxe sans tenir compte des exceptions.

TABLEAU 3.4 LES CARACTÉRISTIQUES DU LANGAGE DES ENFANTS

> **LE LANGAGE DES ENFANTS N'EST PAS SIMPLEMENT UNE VERSION SIMPLIFIÉE DU LANGAGE DES ADULTES. IL PRÉSENTE SES TRAITS DISTINCTIFS.**
>
> - *L'enfant simplifie*, c'est-à-dire qu'il en dit juste assez pour être compris (comme dans «pas bon lait»).
>
> - *Il généralise les concepts.*
>
> - *Il généralise les règles*, sans discernement et sans tenir compte des exceptions.
>
> - *Il comprend les relations grammaticales avant de pouvoir les exprimer.* L'enfant peut comprendre qu'un chien chasse un chat, mais il ne peut enchaîner suffisamment de mots pour exprimer l'action complète. Ainsi, il dira «chien chasse» plutôt que «chien chasse chat».

3.3.2 LES THÉORIES DE L'ACQUISITION DU LANGAGE

Bien que la maturation et l'environnement jouent tous les deux un rôle important dans l'acquisition du langage, les linguistes ne s'entendent pas sur l'importance relative de ces deux facteurs. La **théorie de l'apprentissage** soutient que l'apprentissage, y compris celui du langage, est fondé sur l'expérience ; la **théorie innéiste**, pour sa part, maintient que l'acquisition du langage résulte d'une capacité innée.

Théorie de l'apprentissage
Théorie stipulant que le comportement s'acquiert par l'expérience.

Théorie innéiste
Théorie selon laquelle le comportement relève d'une capacité innée.

• LES THÉORIES DE L'APPRENTISSAGE

Selon les béhavioristes, et en particulier Skinner, les enfants apprennent la langue comme ils apprennent d'autres comportements, c'est-à-dire de façon opérante par renforcement. Les enfants émettent des sons au hasard et ceux qui ressemblent au discours adulte reçoivent un sourire, de l'attention ou des louanges de la part des parents.

Phonème
Son de voyelle ou de consonne.

Selon les théoriciens de l'apprentissage social, les enfants imitent les **phonèmes** qu'ils entendent prononcer dans leur entourage et les adultes y réagissent. Puisque les parents encouragent les enfants lorsqu'ils émettent des sons qui imitent le langage adulte, les enfants émettent alors plus de sons et, avec le temps, ils finissent par être capable de généralisation et d'abstraction.

Les théoriciens de l'apprentissage soulignent le fait que les enfants qui reçoivent beaucoup d'attention et à qui on parle abondamment gazouillent davantage que ceux qui grandissent dans des institutions où ils ne reçoivent qu'un minimum d'attention (Brodbeck et Irwin, 1946). Si l'observation, l'imitation et le renforcement contribuent probablement au développement du langage, la théorie de l'apprentissage ne peut cependant expliquer les tournures originales auxquelles les enfants ont recours pour exprimer des choses inédites, comme l'enfant qui disait d'un avion au loin qu'il était *très là-bas*.

• LA THÉORIE INNÉISTE

Selon la théorie innéiste de Noam Chomsky, l'être humain naît avec la capacité d'apprendre à parler aussi naturellement qu'il apprend à marcher. Le nouveau-né posséderait un **dispositif d'acquisition du langage** qui le prédispose à donner une signification aux sons qu'il entend et à comprendre les règles sous-jacentes à sa langue (Chomsky, 1972). Plusieurs faits semblent confirmer ce point de vue.

Dispositif d'acquisition du langage
Selon la théorie innéiste de Noam Chomsky, ensemble des structures mentales innées permettant à l'enfant de déduire les règles grammaticales par l'analyse du langage qu'il entend dans son entourage.

- Quelle que soit la complexité de leur langue maternelle, presque tous les enfants l'apprennent et ils en acquièrent les principes de base sans enseignement formel, selon une séquence déterminée par l'âge.

- L'enfant qui commence à parler ne se limite pas à répéter des phrases toutes faites. Il crée des mots nouveaux et structure continuellement de nouvelles phrases, même sans jamais les avoir entendues auparavant.

- L'être humain, le seul animal doué de la parole, est aussi le seul dont le cerveau est plus volumineux d'un côté que de l'autre ; d'autre part, cet hémisphère (généralement le gauche) possède des structures spécialisées pour le langage (Gannon *et al.*, 1998).

Par ailleurs, la perspective innéiste n'explique pas les différences individuelles dans les aptitudes grammaticales et la facilité d'élocution. Elle n'explique pas, non plus, les mécanismes par lesquels les enfants parviennent à comprendre le sens des mots, ni pourquoi l'acquisition du langage dépend de la présence d'un interlocuteur et pas simplement de l'écoute de la langue.

Aujourd'hui la plupart des spécialistes du langage s'inspirent à la fois de l'innéisme et des théories de l'apprentissage ; ils sont d'avis que, dès la naissance, les enfants sont dotés de la capacité d'acquérir une langue, capacité qui est activée puis développée par l'apprentissage découlant de l'expérience.

3.3.3 LES FACTEURS D'INFLUENCE DE L'ACQUISITION DU LANGAGE

Qu'est-ce qui détermine le rythme et la facilité avec lesquels un enfant apprend à parler ? Encore ici, nous constatons les influences de l'hérédité et du milieu.

• LA MATURATION DU CERVEAU

L'incroyable croissance et la réorganisation du cerveau durant les premiers mois et les premières années de vie sont étroitement liées au développement du langage. Le processus linguistique du cerveau semble provenir de la coordination de diverses structures cérébrales. En étudiant les membres d'une famille qui a connu de graves problèmes d'élocution et de langage pendant trois générations, les chercheurs ont découvert un gène qui semble être à la base du développement de la parole et du langage. Ce gène pourrait activer d'autres gènes impliqués dans différents aspects du langage dans le cerveau du fœtus en développement (Lai *et al.*, 2001).

Les régions corticales associées au langage n'atteignent leur complète maturité qu'à la fin de l'âge préscolaire ou au-delà, certaines ne les atteignant même pas avant l'âge adulte. Les pleurs du nouveau-né sont contrôlés par le tronc cérébral, une des parties les plus primitives du cerveau et les premières à se développer. Le babillage répétitif commence peut-être avec la maturation de certaines parties de la zone motrice qui contrôle les mouvements du visage et du larynx. Toutefois ce n'est qu'au cours de la deuxième année, lorsque la plupart des enfants commencent à parler, que les voies qui relient les activités auditives et motrices commencent à prendre forme (Owens, 1996).

La façon dont le processus linguistique s'organise dans le cerveau peut dépendre fortement de l'expérience. Dans 98 % des cas, même si l'hémisphère droit participe, l'hémisphère gauche domine en ce qui concerne le langage. L'équilibre entre les deux hémisphères peut être déterminé génétiquement, mais il semble aussi être influencé par l'environnement. Selon des études réalisées sur des enfants dont le cerveau était endommagé, la plasticité du cerveau du nourrisson permettrait le transfert de fonctions des zones endommagées vers d'autres régions. Alors qu'un adulte dont l'hémisphère gauche est blessé souffrira de sévères pertes au niveau du langage, un jeune enfant qui subirait le même problème pourrait connaître une élocution et une compréhension à peu près normales (Nobre et Plunkett, 1997).

D'autres preuves de la plasticité cérébrale ont été apportées lorsqu'on a découvert que les régions supérieures du lobe temporal, qui sont impliquées dans la compréhension de la parole, peuvent être activées chez une personne sourde depuis sa naissance si elle utilise le langage des signes (Nishimura *et al.*, 1999). De telles découvertes suggèrent que l'attribution des fonctions langagières aux structures cérébrales est un processus graduel relié à l'expérience verbale et au développement cognitif.

Langage de bébé
Langage souvent utilisé pour se mettre à la portée des bébés. Ce langage est simplifié et comprend beaucoup d'intonations, des phrases courtes, des répétitions et un registre plus aigu.

• LES INTERACTIONS SOCIALES ET LE RÔLE DES PARENTS

Le langage est un comportement social. Les parents, ainsi que toutes les personnes qui s'occupent d'un enfant, jouent un rôle important à chaque étape du développement du langage.

Souvent les adultes parlent d'« une bien drôle de façon » lorsqu'ils s'adressent à des enfants qui apprennent à parler. Comparativement au langage ordinaire, le **langage de bébé** est un langage simplifié, qui possède plus d'intonations et présente souvent un registre plus élevé, tout en étant plus lent et plus mélodique. Jusqu'à récemment, on croyait généralement que cela stimulait l'enfant et l'aidait à apprendre sa langue maternelle.

Les défenseurs du « langage de bébé » avancent que, en parlant simplement à un enfant, les adultes approuvent le langage enfantin et encouragent l'enfant à parler. Comme ce langage se résume à des sujets simples et terre à terre, les bébés peuvent faire appel à leurs propres connaissances pour comprendre ce qui leur est dit.

Les parents ne commencent habituellement pas à utiliser ce langage avant que le bébé ne manifeste par ses expressions, ses actions et ses sons qu'il a une vague idée de ce qu'on lui dit. Le bébé s'avère donc un partenaire actif dans les échanges avec sa mère. Selon une étude du comportement de 14 mères avec leur nourrisson de 4 mois conduite par Pomerleau, Malcuit et Desjardins (1993), lorsque le bébé manifeste un engagement par son regard, qu'il soit expressif ou neutre, la mère verbalise davantage en produisant ce type de langage.

Certains chercheurs ont remis en question la valeur du « langage de bébé », disant qu'un langage complexe favorise le développement rapide et précis de la langue. Ils soutiennent que c'est ce que l'enfant sélectionne dans ce qu'il entend, plutôt que ce que les adultes présélectionnent pour lui, qui importe le plus dans l'acquisition d'une langue (Gleitman, Newport et Gleitman, 1984).

Quoi qu'il en soit, les enfants eux-mêmes préfèrent le langage de bébé et cette préférence n'est pas limitée au langage parlé. Des mères sourdes ont été filmées en récitant des phrases de la vie de tous les jours dans le langage des signes. Elles s'adressaient d'abord à leur enfant de six mois qui souffrait de surdité, puis ensuite à des amis adultes sourds. Les mères parlaient plus lentement, avec plus de répétitions et de mouvements quand elles s'adressaient aux enfants. Lorsqu'on présentait ces vidéo à d'autres enfants du même âge, ceux-ci se montraient plus attentifs et répondaient mieux aux enregistrements qui utilisaient le langage de bébé qu'à ceux qui étaient destinés aux adultes. De plus, des enfants entendants de six mois, qui n'avaient jamais été exposés au langage des signes, montraient aussi une préférence pour le langage de bébé (Masataka, 1998).

Pour pouvoir parler et communiquer, l'enfant doit pratiquer le langage et interagir. Il ne lui suffit pas d'entendre parler à la télévision ou d'écouter des conversations entre adultes; le bébé doit entendre des paroles qui lui sont directement adressées. En parlant au bébé, les parents et les responsables lui montrent à utiliser de nouveaux mots, à structurer des phrases et à s'exprimer par la parole; de même, ils lui communiquent un sens élémentaire du déroulement d'une conversation : comment introduire un sujet, le commenter, le développer et parler à son tour. On comprend donc qu'il est primordial de converser avec un bébé. L'encadré 3.3 donne des suggestions pratiques pour favoriser le développement du langage.

Comment favoriser le développement du langage

Parler à leur bébé est naturel pour la plupart des parents : ils le saluent dès son réveil, ils roucoulent en lui changeant sa couche et ainsi de suite. Cette communication naissante se développe au fil des ans, surtout à mesure que l'enfant adopte un rôle plus actif, d'abord en imitant, puis en réagissant et, finalement, en prenant l'initiative. Lorsque nous parlons, lisons et chantons à un bébé, nous lui apprenons à parler, à interagir avec les autres et nous lui donnons le sentiment d'être apprécié.

Voici quelques suggestions sur la façon de parler aux bébés à différents stades de leur développement.

Le langage prélinguistique. Quand le bébé babille, répétez les syllabes qu'il émet. Faites-en un jeu et l'enfant commencera sous peu à répéter les sons. Ce type de jeu initie le bébé à l'idée que la conversation se fait à tour de rôle, ce qu'il semble saisir vers l'âge de sept mois et demi ou huit mois.

Les premiers mots. Quand l'enfant commence à prononcer ses premiers mots, vers un an, ne vous contentez pas de répéter les sons émis, que ce soit « ma-ma » ou « pa-pa ». Prononcez plutôt le mot correctement ou, si vous n'arrivez pas à comprendre ce qu'il dit,

souriez en signe d'approbation et dites quelque chose. Les bébés peuvent comprendre beaucoup plus de mots qu'ils n'en prononcent. Nommez les objets qui entourent l'enfant ou dites ce que vous faites en lui donnant les soins de base : « Maman va laver les jambes, les pieds... »

Les premières phrases. Bien qu'il ne soit pas nécessaire d'enseigner à parler à un enfant, il importe de lui parler naturellement. Nous pouvons aider un enfant qui a commencé à agencer des mots pour en faire des phrases en précisant ce qu'il dit. Par exemple, si votre enfant dit « chaussettes maman », vous pouvez lui répondre : « Oui, ce sont les chaussettes de maman. » À la valeur linguistique de ce type d'échange s'ajoute une importante valeur sociale. Il importe de parler de ce qui intéresse l'enfant et de faire des pauses qui lui permettent de contribuer à la conversation.

La lecture. Encouragez la participation de l'enfant lors de séances de lecture à voix haute, en lui posant des questions ouvertes (réponses à développement) plutôt que des questions fermées (réponses par *oui* ou par *non*). Ne demandez pas « Est-ce que le chat dort ? », mais plutôt « Qu'est-ce que fait le

chat ? » Commencez par des questions faciles (« Où est la balle ? »), puis augmentez la difficulté (« De quelle couleur est la balle ? » ou « Qu'arrive-t-il au garçon dans le coin ? »). Étoffez la réponse de l'enfant, corrigez les mauvaises réponses, suggérez-en d'autres et n'oubliez pas de le féliciter !

Une étude comparant des méthodes comme celles-ci et la méthode traditionnelle de lecture à voix haute a révélé que des enfants entre 21 et 35 mois qui participaient à ce type de séances de lecture active avaient, en ce qui concerne les habiletés de vocabulaire et d'expression, une avance de six mois sur les enfants d'un groupe témoin (Whitehurst *et al.*, 1988).

Par-dessus tout, vous devez prendre plaisir à parler et à lire avec l'enfant. Évitez surtout de faire de chaque conversation une leçon ou un test. De plus, l'enfant doit avoir le choix de décliner le jeu à l'occasion, car comme les gens de tout âge, il peut parfois avoir envie de se taire.

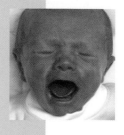

Le développement affectif et social de l'enfant, de la naissance à 2-3 ans

PLAN DU CHAPITRE

Prisonnier de ses besoins de base, ne pouvant les exprimer que par ses pleurs, dépendant des autres pour leur satisfaction, le nourrisson s'ouvre peu à peu au monde en prenant conscience de son existence et de celle des autres. Bébé au tempérament facile ou difficile, ses premières émotions apparaissent; elles représentent son premier moyen de communiquer avec les autres. Souvent aimé et choyé par sa famille, parfois négligé ou maltraité, le bébé percevra le monde comme une source d'amour et de bien-être ou comme un lieu hostile dont il doit se méfier et se protéger. La qualité des soins, les marques d'affection prodiguées par sa mère et par le reste de son entourage détermineront sa confiance en ce monde et lui permettront de développer un attachement sécurisant. Sûr d'être aimé, le jeune enfant pourra se lancer, sans crainte, à la découverte de son environnement. A.B.

Charlotte a deux ans et demi. C'est une fillette enjouée et sociable. Comme c'est souvent le cas, Charlotte va passer quelques heures en compagnie de sa mère au parc, qui se trouve près de leur domicile et où elle aime bien jouer dans le carré de sable. Cependant, aujourd'hui, le sable est mouillé, et Sylvie suggère à sa fille de jouer plutôt sur les structures. Charlotte se laisse entraîner à contrecœur vers celles-ci, mais sa mère a à peine le temps de s'asseoir que Charlotte est déjà retournée dans le carré de sable. Sylvie la sort de là tandis que Charlotte se débat, crie et pleure. Sa mère la ramène aux structures, retourne s'asseoir... et le même scénario se répète. Finalement, à bout de patience et d'arguments, Sylvie se dit que ce n'est pas si grave si Charlotte se salit : elle lui donnera un bain en rentrant. Soudain elle entend un enfant pleurer un peu plus loin, elle se lève pour aller voir ce qui se passe. Au même moment, Charlotte se retourne pour montrer à sa maman son magnifique château de sable : elle ne voit personne, sa mère a disparu ! Elle se met à pleurer à chaudes larmes, perdant tout intérêt pour son jeu. Sylvie revient alors à la course pour consoler Charlotte. Lorsqu'elle la voit, Charlotte court se blottir dans les bras de sa mère. Celle-ci la serre très fort en lui expliquant la raison de son éloignement. Charlotte est consolée et retourne jouer, non sans jeter un coup d'œil de temps à autre pour s'assurer de la présence de sa mère. Lorsque vient le temps de rentrer, Sylvie se dit qu'un autre affrontement se prépare... Tiens, voilà le papa de Charlotte ! Sylvie lui suggère d'essayer de sortir sa fille du carré de sable. Lorsqu'elle voit son père, Charlotte lui adresse un très grand sourire. Cependant lorsqu'il lui dit, en lui prenant la main, qu'il est temps de rentrer à la maison, Charlotte se remet à pleurer de plus belle. Son père la prend dans ses bras et l'amène à l'arbre le plus près en lui montrant un nœud de forme bizarre. Il prend un bâton et le tend à Charlotte, qui se met à fouiller l'intérieur du nœud de l'arbre. Ils se sont éloignés du carré de sable, mais la partie n'est pas gagnée ! Lorsque son père lui répète qu'il faut maintenant rentrer, Charlotte se fâche. En lui permettant de conduire sa poussette, Sylvie réussit à convaincre Charlotte qu'une marche jusqu'à la maison peut aussi être un jeu amusant !

QUESTIONS À SE POSER

· *Le comportement de Charlotte est-il normal ou est-il représentatif d'une enfant trop gâtée par ses parents ?*

· *À quel type d'attachement le comportement de Charlotte peut-il être relié ?*

· *Que pouvez-vous dire du comportement de Sylvie à l'égard de sa fille ?*

· *Décelez-vous une différence d'attitude entre le père et la mère de Charlotte ?*

4.1 LES FONDEMENTS DU DÉVELOPPEMENT AFFECTIF ET SOCIAL

Les fondements du développement affectif et social sont multiples et complexes, et ils résultent, dès la naissance, de l'interaction entre l'enfant et son environnement. Toutefois, même si chaque bébé est unique, les chercheurs ont identifié les principales caractéristiques du développement psychosocial des enfants de 0 à 36 mois (voir le tableau 4.1).

Dans cette section, nous examinerons les premiers jalons des interactions du bébé avec son environnement par le biais de l'apparition de la conscience de soi, l'expression des premières émotions et le tempérament.

4.1.1 L'APPARITION DE LA CONSCIENCE DE SOI

Conscience de soi
Reconnaissance de sa différence par rapport aux autres personnes et aux objets. Cette reconnaissance permet de réfléchir à ses propres comportements par rapport aux normes sociales.

Le bébé naissant n'est pas conscient de son existence et il ne différencie pas son propre corps de l'environnement. Il n'a pas acquis la **conscience de soi**, c'est-à-dire la compréhension d'avoir une identité propre, séparée et différente de celle de son entourage. Cette conscience de soi se développera graduellement (Harter, 1998).

TABLEAU 4.1 JALONS DU DÉVELOPPEMENT PSYCHOSOCIAL DES ENFANTS DE LA NAISSANCE À 36 MOIS

ÂGE APPROXIMATIF EN MOIS	CARACTÉRISTIQUES
0-3	Les nourrissons sont ouverts à la stimulation. Ils commencent à manifester de l'intérêt et de la curiosité, et ils sourient volontiers aux gens.
3-6	Les nourrissons peuvent anticiper ce qui se passera et sont déçus si cela ne se produit pas. Ils l'expriment en se fâchant et en devenant méfiants. Ils sourient, gazouillent et rient souvent. C'est la période de l'éveil social et des premiers échanges réciproques entre l'enfant et la personne qui s'occupe de lui.
6-9	Les nourrissons se prêtent à des « jeux sociaux » et cherchent à susciter l'intérêt des gens. Ils « parlent », touchent et cajolent les autres bébés pour provoquer une réaction de la part de ceux-ci. Ils expriment des émotions plus différenciées, comme la joie, la peur, la colère et la surprise.
9-12	Les nourrissons sont extrêmement préoccupés par la personne qui s'occupe d'eux au quotidien, ils peuvent devenir craintifs envers les étrangers et se montrer craintifs dans des situations nouvelles. Vers 1 an, ils communiquent leurs émotions plus clairement. Ils expriment leur humeur, leur ambivalence et des émotions d'intensités différentes.
12-18	Les enfants explorent leur environnement en utilisant les personnes auxquelles ils sont le plus attachés comme base de sécurité. Au fur et à mesure qu'ils maîtrisent l'environnement, ils gagnent en confiance et s'affirment davantage.
18-36	Les enfants peuvent parfois éprouver de l'anxiété, parce qu'ils réalisent maintenant combien ils peuvent s'éloigner de la personne qui s'occupe d'eux. Ils s'amusent à tester leurs limites par l'imaginaire et le jeu ainsi qu'en s'identifiant aux adultes.

Source : Adaptation de Sroufe, 1979.

Elle émerge, dans un premier temps, lorsque le bébé apprend qu'il est un être « séparé » et entier, soit dans la période qui va de la naissance à 15 mois. Cette première étape surgit des interactions de l'enfant avec les objets et les personnes qui l'entourent, comme Piaget l'a bien démontré dans son explication du développement de l'intelligence. Quand le bébé devient plus mobile, ses mouvements font apparaître dans son champ de vision des parties de son corps : une main, un pied, qu'il portera volontiers à sa bouche. C'est la première façon dont un bébé apprend à se connaître.

En faisant bouger par hasard des objets présents autour de lui, par exemple un mobile, il tentera de les faire bouger de nouveau et, graduellement, réalisera que c'est lui qui les fait bouger. Par ce processus, l'enfant se différenciera des objets qui l'entourent. Le même phénomène s'applique aux réactions que peuvent avoir les adultes autour de l'enfant. S'il émet un cri et que les adultes y portent attention, il réalisera qu'il peut avoir une influence sur son entourage.

Toutefois, c'est lors de la seconde étape, entre 15 et 24 mois, que la conscience de soi se réalise pleinement. L'enfant devient alors conscient qu'il est différent des autres. Cela correspond, selon Piaget, au moment où l'enfant est capable de se former une représentation mentale de soi et où il a acquis la permanence de l'objet. La permanence de l'objet implique que l'enfant se différencie de l'autre, puisqu'il réagit à son absence. La capacité de se représenter soi-même est bien illustrée par l'expérience du miroir. Pour vérifier l'existence de la conscience de soi chez les enfants, le chercheur Michael Lewis et ses collaborateurs (1997) ont mis en place l'expérimentation suivante. Ils ont dessiné un point rouge sur le nez d'enfants de 6 à 24 mois à leur insu et les ont placés devant un miroir. On pouvait inférer la présence de la conscience de soi si l'enfant se touchait le nez plutôt que de toucher son reflet dans le miroir. Les résultats indiquent que la plupart des bébés de 18 mois et tous les bébés de 24 mois ont touché leur nez plus souvent pendant l'expérimentation qu'en temps normal. Par contre, aucun des bébés de 15 mois et moins ne l'a fait. Lors de cette expérience, le comportement des enfants plus âgés démontre avec éloquence qu'ils ont conscience de leur visage, qu'ils savent qu'ils n'ont habituellement pas de point rouge sur le nez et qu'ils peuvent reconnaître leur reflet dans le miroir.

FIGURE 4.1   LE DÉVELOPPEMENT DE LA CONSCIENCE DE SOI

Cette petite trottineuse démontre sa conscience de soi en touchant sur son visage l'endroit exact où elle le voit dans le miroir le dessin d'un point rouge. Si l'on se base sur cette recherche, on peut affirmer que les enfants commencent à reconnaître leur propre visage entre 18 et 24 mois.

L'utilisation des mots *je* ou *moi* qui survient vers 24 mois est une autre manifestation de la présence de la conscience de soi.

Le développement de l'**identité de genre** constitue une autre étape de la conscience de soi. Il s'agit du processus par lequel l'enfant prend conscience qu'il fait partie de l'un des groupes, «filles» ou «garçons». Autrement dit, l'identité de genre constitue la représentation qu'une personne se fait d'elle-même en fonction de son appartenance à un sexe. Elle commence à se développer à partir de deux ans, mais n'est pleinement acquise qu'autour de 5-6 ans. Nous examinerons donc ce processus dans le chapitre 6.

4.1.2 LES PREMIÈRES MANIFESTATIONS ÉMOTIVES

Identité de genre
Représentation que se fait une personne d'elle-même en fonction de son appartenance à un sexe.

Émotion
Sentiment subjectif, comme la tristesse, la joie et la peur, qui survient en réponse à des situations et à des expériences.

Les **émotions** comme la joie, la tristesse, la colère et la peur constituent des réactions subjectives qui sont associées à des changements physiologiques et comportementaux (Sroufe, 1997). Tous les humains éprouvent normalement des émotions, mais des différences existent dans la façon particulière de les ressentir, dans les types d'événements qui les déclenchent et dans les comportements qui en résultent. La culture joue un rôle fondamental dans l'expression des émotions. À titre d'exemple, les cultures asiatiques, dans lesquelles on prône l'harmonie interpersonnelle, l'expression de la colère est découragée et l'accent est mis davantage sur l'expression de la honte. Dans notre culture, plus individualiste, on encourage l'affirmation de soi et l'expression de soi, parfois aux dépens du bien commun (Cole, Bruschi et Tamang, 2002).

Les émotions ont de nombreuses fonctions. Premièrement, elles servent à communiquer un besoin, une intention ou un désir. Elles appellent une réponse de l'entourage et jouent donc un rôle prépondérant dans le développement social de l'enfant. Deuxièmement, dans les cas d'émotions négatives comme la peur, elles peuvent servir à mobiliser l'énergie nécessaire pour réagir en cas d'urgence. Troisièmement, des émotions comme l'enthousiasme ou l'intérêt favorisent l'exploration de l'environnement et, par le fait même, permettent une meilleure connaissance du monde.

Nous avons vu, au chapitre 1, que le développement suit le principe du simple au complexe: ce principe s'applique au développement des émotions. La plupart des chercheurs s'entendent aujourd'hui pour affirmer que le développement émotionnel procède selon une séquence ordonnée, dans laquelle les émotions complexes découlent de réactions émotionnelles plus simples. Les réactions émotionnelles commencent à se développer dès la naissance et constituent l'un des éléments de base de la personnalité.

• LES PLEURS

Tous les parents souhaiteraient que leur bébé ne pleure jamais. Pourtant il s'agit de la seule forme d'expression émotionnelle dont dispose le bébé naissant. Au début de sa vie, l'enfant exprime par les pleurs qu'il a faim ou qu'il ressent de l'inconfort. Plus tard, les pleurs peuvent signaler une détresse psychologique. Une réponse adaptée aux besoins de l'enfant contribuera, au fil des mois, à diminuer graduellement la fréquence de ces pleurs et leur intensité. Le bébé dont les pleurs sont soulagés constatera que ses actions produisent un résultat. Conséquemment il apprendra graduellement à avoir confiance en son entourage et, éventuellement, en lui-même.

• LE SOURIRE ET LE RIRE

Quand un nourrisson s'endort en souriant, on dit qu'«il sourit aux anges». C'est un sourire qui ne s'adresse à personne. Il résulte de l'activité nerveuse subcorticale. Il faut attendre environ deux semaines pour voir apparaître un sourire qui survient en réaction à une stimulation de l'extérieur, comme une légère caresse sur la joue de bébé. Le sourire social, c'est-à-dire celui qui apparaît lorsque l'enfant sourit à une personne qui lui parle ou s'occupe de lui, survient vers trois semaines. À partir d'un mois, le bébé sourit plus fréquemment et

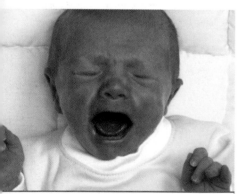

FIGURE 4.2   **LES PLEURS, PREMIER MOYEN DE COMMUNICATION**

Pleurer est le moyen le plus puissant, et parfois le seul, dont le bébé dispose pour communiquer ses besoins. Les parents apprennent vite à différencier les pleurs dus à la faim de ceux qui sont dus à la colère, à la frustration ou à la douleur.

ses sourires sont plus sociaux. Vers deux mois, alors que la reconnaissance visuelle se développe, le bébé sourira davantage à la vue de visages connus (Sroufe, 1997).

Les premiers éclats de rires se produisent autour de quatre mois. Le bébé, alors plus enjoué, peut manifester ainsi son plaisir d'être chatouillé ou de jouer à « coucou ». Dès six mois, un bébé peut s'esclaffer en entendant son père émettre des sons bizarres ou en voyant sa mère apparaître en cachant son visage avec un mouchoir. À 10 mois, les bébés peuvent même tenter de remettre le mouchoir sur le visage de leur mère, probablement pour faire durer le plaisir En réalité, ces réactions sont le reflet du développement cognitif du bébé. En riant à des situations inattendues, les bébés montrent qu'ils savent à quoi s'attendre et qu'ils reconnaissent les situations bizarres (Sroufe, 1997). Ces comportements sont également le reflet des premières manifestations de la permanence de l'objet, puisque le bébé montre qu'il a gardé en mémoire les caractéristiques habituelles de ses parents.

À partir de six mois, les premières manifestations émotives se complexifient et se transforment en émotions de base, telles que la joie, la surprise, la tristesse, le dégoût et la colère. Toutefois leur étude demeure difficile, puisque les enfants de cet âge ne peuvent exprimer verbalement ce qu'ils ressentent. Les connaissances scientifiques sur l'apparition des émotions chez les bébés résultent de recherches comme celles d'Izard et de ses collègues. Elles indiquent que le bébé semble développer un vaste répertoire d'émotions. Les chercheurs ont enregistré sur vidéocassettes les expressions faciales de bébés de cinq, sept et neuf mois, placés dans différentes situations. Lorsqu'on a ensuite demandé à des individus d'identifier les expressions des bébés uniquement en regardant les vidéocassettes, ils ont dit distinguer des expressions de joie, de tristesse, d'intérêt, de peur et, à un degré moindre, des expressions de colère, de surprise et de dégoût (Izard *et al.*, 1980). Ces émotions de base se complexifient encore plus lorsque apparaît la conscience de soi et, par conséquent, la reconnaissance des personnes de l'entourage.

• LA PEUR DE L'ÉTRANGER ET L'ANXIÉTÉ DE SÉPARATION

Comme son nom l'indique, la peur de l'étranger est une réaction négative de la part du bébé face à une personne qu'il voit pour la première fois. L'**anxiété de séparation** correspond à la détresse ressentie par l'enfant lorsque les adultes qui s'occupent de lui le quittent.

La **peur des étrangers** est quasi absente chez des bébés de six mois. Elle apparaît autour de huit ou neuf mois et peut durer jusqu'à un an (Sroufe, 1997). L'apparition de cette réaction reflète l'évolution du développement cognitif. Il est intéressant de souligner le lien existant entre la peur des étrangers et la permanence de l'objet tel que décrite par Piaget. La peur des étrangers implique que le bébé est capable de garder en mémoire les caractéristiques du visage de son parent et de le comparer à un autre. De la même manière, la permanence de l'objet suppose que l'enfant a gardé en mémoire l'objet disparu et qu'il est capable de se mettre à sa recherche (Golse, 2001). Si, dans le passé, on attribuait ces réactions à tous les enfants, il n'en est rien aujourd'hui, car on sait que ces réactions varient beaucoup. Un enfant qui possède un tempérament facile, que nous décrirons dans la section 4.1.3, réagira moins qu'un enfant au tempérament plus difficile. De plus, la peur des étrangers est assez facilement surmontable pour la plupart des bébés. Si on laisse à l'enfant la chance de se trouver en présence d'un étranger, il pourra graduellement réagir plus positivement (Sroufe, 1997). De son côté, l'anxiété de séparation n'est peut-être pas attribuable à la séparation elle-même mais plutôt à la qualité des soins prodigués par la personne qui garde l'enfant. Quand les personnes qui s'occupent de l'enfant sont chaleureuses et jouent avec l'enfant de neuf mois avant qu'il ne se mette à pleurer, le bébé pleure moins lorsque son parent le quitte (Gunnar *et al.*, 1992).

• LES ÉMOTIONS AUTOÉVALUATIVES

Les émotions comme l'embarras, l'empathie et l'envie n'apparaissent que lorsque l'enfant a développé la conscience de soi. Cette compréhension permet à l'enfant de savoir à quel moment il est le centre de l'attention, d'identifier ce que d'autres personnes ressentent et de

FIGURE 4.3 **L'APPARITION DU RIRE**

À six mois, Olivier rit en se cognant la tête contre celle de son grand-père. Rire pour des choses inhabituelles ou inattendues montre que la compréhension cognitive se développe.

Anxiété de séparation

Sentiment de détresse ressenti par un enfant quand la personne qui s'occupe habituellement de lui le quitte.

Peur des étrangers

Méfiance qu'éprouve un enfant à l'égard de personnes inconnues. Phénomène apparaissant généralement entre l'âge de six mois et de un an.

FIGURE 4.4 **L'ANXIÉTÉ DE SÉPARATION**

Ce bébé démontre des signes d'anxiété de séparation lorsque ses parents le laissent entre les mains de sa gardienne. L'anxiété de séparation est un phénomène courant de huit mois à un an.

Émotions autoévaluatives
Émotions comme la fierté, la honte et la culpabilité, qui dépendent de la conscience de soi et de la connaissance des normes sociales au sujet des comportements acceptables.

desirer ce qu'une autre personne possède. Vers l'âge de trois ans, l'enfant, en plus d'avoir acquis la conscience de soi, a aussi intégré plusieurs règles sociales. Cette évolution favorisera l'apparition des **émotions autoévaluatives** telles que la fierté, la honte et la culpabilité. Toutes ces émotions impliquent que l'enfant porte un jugement sur lui-même. Lewis (1998) conclut que les enfants de cet âge peuvent évaluer leurs propres pensées, leurs désirs et leurs comportements en fonction des attentes de la société. La culpabilité et la honte constituent deux émotions distinctes. La culpabilité implique qu'un enfant regrette un comportement inadéquat, par exemple casser un jouet. L'émotion est alors centrée sur son comportement. Par contre, lorsqu'il a honte, l'enfant centre son émotion sur lui-même : il se sent inadéquat comme personne parce qu'il a cassé un jouet. L'enfant qui se sent coupable essaiera de réparer le jouet ; l'enfant qui se sent honteux aura davantage tendance à cacher sa faute, peut-être parce qu'il est plus difficile de devenir une autre personne (Eisenberg, 2000).

• LES ÉMOTIONS RELIÉES AUX AUTRES : L'EMPATHIE

Empathie
Habileté de se mettre à la place d'une autre personne et de ressentir ce qu'elle ressent.

L'**empathie**, c'est-à-dire la capacité de se mettre à la place de l'autre et de ressentir ce que l'autre ressent (ou ce que l'on croit qu'il ressent) apparaît au cours de la deuxième année. L'enfant est de plus en plus apte à différencier ce qu'il ressent de ce que les autres ressentent ; il peut donc répondre à la détresse émotionnelle d'un autre enfant comme s'il la ressentait lui-même. Par exemple, s'il prend le jouet d'un autre enfant et fait pleurer ce dernier, il peut décider de lui rendre son jouet ; on peut alors penser qu'il est capable de reconnaître ce que l'autre ressent (Hoffman, 1998). Piaget croyait que l'enfant restait égocentrique (c'est-à-dire incapable de comprendre le point de vue de l'autre) jusqu'au stade des opérations concrètes, soit autour de sept ans. Des recherches plus récentes suggèrent que la capacité d'empathie commencerait beaucoup plus tôt, certains émettant l'hypothèse que l'empathie serait innée, comme la capacité d'apprendre (Lillard et Curenton, 1999).

• LA CROISSANCE DU CERVEAU ET LE DÉVELOPPEMENT ÉMOTIONNEL

La croissance du cerveau est étroitement reliée au développement émotionnel. Un nouveau-né est facilement dérangé par les bruits ou la lumière. Au fur et à mesure que se développe le système nerveux central et que les cellules nerveuses sont myélinisées, les processus sensoriels sont moins affectés et les réactions du bébé deviennent plus tempérées. Les émotions sont aussi reliées au développement physiologique plus large. Un enfant négligé, qui n'est pas pris, qui n'est pas caressé et à qui on ne parle pas peut développer le **syndrome d'arrêt de croissance non organique**. Ce syndrome est caractérisé par l'absence de croissance et de prise de poids, et ce, malgré une alimentation adéquate. Lorsqu'on s'occupe de ces bébés, qu'on les transporte à l'hôpital et qu'on leur offre le soutien émotionnel requis, ils ont de bonnes chances de reprendre leur rythme de croissance normal et de contrer les effets de ce type de négligence. L'encadré 4.1 examine la question plus large de l'abus, de la maltraitance et de la négligence envers les enfants ainsi que les effets sur leur développement. Nous verrons que d'autres facteurs peuvent affecter le développement émotionnel de l'enfant, comme le tempérament.

Syndrome d'arrêt de croissance non organique
Arrêt de croissance physique d'un bébé, malgré une alimentation adéquate.

4.1.3 LE TEMPÉRAMENT

Reprenons le cas de Charlotte présenté au début du chapitre. Pourquoi réagit-elle de cette façon aux demandes de ses parents ? Un des facteurs susceptibles d'expliquer ce phénomène est son **tempérament**. Un autre enfant du même âge aurait pu se comporter très différemment dans la même situation et ne pas réagir aussi fortement. Le tempérament correspondrait à une manière spécifique de réagir aux personnes et aux situations qui caractérise l'enfant dès les débuts de sa vie (Royer, 2004).

Tempérament
Ensemble des dispositions fondamentales et relativement stables qui modulent le style d'approche et de réaction à une situation donnée.

• LES TYPES DE TEMPÉRAMENT

L'Étude Longitudinale de New York (NYLS) fournit des informations précieuses sur les types de tempérament. Dans cette recherche, 133 personnes ont été observées et testées, de la petite

Les mauvais traitements envers les enfants

L'Étude sur l'incidence et les caractéristiques des situations d'abus, de négligence, d'abandon et de troubles de comportement sérieux signalés à la Direction de la protection de la jeunesse au Québec (ÉIQ) (Tourigny *et al.*, 2002) constitue une première. Les chercheurs participant à l'EIQ se sont donné pour mandat d'évaluer l'ensemble des dossiers signalés à la Direction de la protection de la jeunesse DPJ. Plus spécifiquement, l'étude visait entre autres à : 1. estimer les taux annuels d'enfants signalés à la DPJ selon les diverses formes de mauvais traitements ; 2. documenter la nature et la gravité des situations signalées ; 3. décrire les caractéristiques des enfants et des familles signalées. Les résultats démontrent que la majorité des signalements proviennent de cas de négligence (43 %). La négligence est « l'échec chronique du parent à répondre aux divers besoins de son enfant sur les plans de la santé, de l'hygiène, de la protection, de l'éducation ou des émotions » (Éthier, Gagnier et Lacharité, 1994, p. 67, dans Tourigny *et al.*, 2002). Viennent par la suite les troubles sérieux de comportement (39 %), les abus physiques (17 %), les mauvais traitements psychologiques (16 %), les abus sexuels (10 %) et l'abandon (4 %). Les troubles de comportement prennent la forme de comportements autodestructeurs, de violence envers les autres, de problèmes relationnels entre les parents et les enfants, de fugues ou de problèmes scolaires. Cette catégorie diffère des autres, puisque c'est l'enfant, en fait le plus souvent l'adolescent, qui est signalé à cause de ses propres comportements et non pas parce qu'il est victime d'abus. L'abus physique est caractérisé par une discipline physique abusive, de la brutalité ou une restriction physique (par exemple enfermer l'enfant). Les mauvais traitements psychologiques se manifestent par des menaces, du dénigrement ou de l'indifférence affective. L'abus sexuel désigne tout type de contact à connotation sexuelle entre un enfant et une personne plus âgée. Il peut prendre la forme de relation sexuelle complète, d'attouchements, de harcèlement ou d'exploitation sexuelle. L'abandon peut survenir à la suite du décès des parents quand aucun des membres de la famille ne se manifeste pour prendre l'enfant. Il peut s'agir également de l'expulsion du foyer par les parents qui ne veulent plus s'occuper de leur enfant. Triste constatation, dans 20 % des cas (un enfant sur quatre), les enfants avaient déjà été signalés à la DPJ au cours de la dernière année.

Les familles le plus souvent signalées à la DPJ sont des familles monoparentales. Cependant les signalements en provenance de ce type de famille ne sont pas nécessairement plus retenus que les signalements qui proviennent d'autres types de famille, c'est-à-dire que l'étude de la situation signalée n'est pas jugée menaçante pour le bien-être de l'enfant. En d'autres mots, les familles monoparentales suscitent peut-être plus d'inquiétude, mais, dans les faits, elles ne sont pas plus abusives que les autres. Certaines caractéristiques communes aux familles d'enfants signalées ressortent de cette étude : un faible revenu, un faible niveau de scolarité des parents, des déménagements fréquents et des antécédents de mauvais traitements chez les parents. En réalité, le tiers des enfants victimes de mauvais traitements vivent avec au moins un parent qui a lui-même été victime de mauvais traitements durant son enfance. Comme les auteurs de l'étude le mentionnent : « Ce constat soulève le problème de la reproduction intergénérationnelle des mauvais traitements et l'importance de procurer un soutien et des services adéquats, non seulement aux enfants signalés, mais aussi à leurs parents » (ÉIQ, 2002, p. 90). Tout en ne voulant pas minimiser la transmission intergénérationnelle, nous pourrions affirmer que les deux tiers des parents qui abusent de leurs enfants ne l'ont pas été durant leur enfance.

L'ÉIQ a aussi évalué la présence de facteurs de protection dans l'environnement des enfants signalés à la DPJ. Les facteurs de protection identifiés prennent le plus souvent la forme de la présence d'un parent qui donne un soutien émotionnel à l'enfant, qui croit ce que l'enfant lui dit et qui pose des gestes pour le protéger. Les victimes d'abus sexuels sont les enfants qui bénéficient du plus grand nombre de facteurs de protection (3,5 facteurs en moyenne) et les enfants victimes de négligence sont ceux qui en ont le moins (2,2 facteurs).

Une des conclusions de l'étude concerne justement la gravité du phénomène de la négligence au Québec. La négligence est le type de mauvais traitements le plus fréquent, elle est plus souvent associée au phénomène de transmission intergénérationnelle des mauvais traitements et elle est plus fréquemment associée à une autre forme d'abus. La proportion d'enfants victimes de négligence pour une durée de plus de six mois est de 65 % et, comme nous venons de le souligner, les enfants négligés sont ceux qui bénéficient le moins de facteurs de protection dans leur entourage. Enfin, les conditions de vie de ces enfants s'avèrent difficiles : on retrouve des problèmes familiaux et parentaux, et une pauvreté économique et sociale constante (ÉIQ, 2002).

Les conséquences de la négligence chez les enfants sont nombreuses et elles doivent être prises en considération dans le soutien offert aux familles (Faugeras, Moisan et Laquerre, 2000) :

- troubles de l'attachement dans la relation parent-enfant ;
- problèmes de santé et retards de croissance ;
- retards de développement ;
- troubles de comportement sérieux, délinquance, toxicomanie à plus long terme ;
- transmission intergénérationnelle des comportements de négligence.

Étant donné l'ampleur des problèmes identifiés, il importe de mettre en place des mécanismes de soutien pour ces familles. Il existe au Québec de plus en plus de programmes d'intervention précoce offerts à des familles qui présentent certains facteurs de risque (faible statut socioéconomique, faible niveau de scolarité, famille monoparentale, isolement social, jeune âge de la mère). Ces programmes débutent à la naissance de l'enfant et assurent un suivi auprès de la famille, souvent jusqu'à ce que l'enfant atteigne deux ans. Les résultats d'une intervention précoce auprès de cette clientèle ont montré des comportements d'interaction plus positifs entre les mères et leurs nourrissons. Des rencontres avec les mères étaient animées par des intervenants. Le but de ces rencontres visait à offrir des modèles et des encouragements, à développer les habiletés parentales et à établir une bonne communication mère-enfant, tout cela dans le but de favoriser l'attachement parent-enfant. Le programme visait également à modifier la perception négative qu'ont ces mères de leur isolement (Cloutier et Moreau, 1990).

Un autre projet de prévention précoce de la violence, le Projet de La Visite, a démontré la pertinence et l'efficacité d'une intervention non professionnelle dans le cadre de visites à domicile. Des mères, qui habitaient l'un des 3 quartiers défavorisés montréalais identifiés dans l'étude, offraient pendant 12 semaines leur soutien à de nouveaux parents dont certains étaient considérés à risque. Des améliorations ont été notées sur le plan des habiletés parentales, du bien-être psychologique de la mère et dans le processus de recherche d'aide par les parents. Du fait que ces mères aidantes n'étaient pas professionnelles, les nouvelles familles leur opposaient moins de résistance et les utilisaient souvent comme intermédiaires pour recevoir des ressources de soutien disponibles dans le réseau (Cloutier et Moreau, 1990).

enfance à l'âge adulte. Les chercheurs ont examiné le degré d'activité des enfants, la régularité de leurs fonctions biologiques (faim, sommeil, élimination), leurs réactions à une situation nouvelle ou à un étranger, leurs capacités d'adaptation aux changements de routine; leur sensibilité au bruit, à la lumière ou à d'autres stimuli; l'intensité de leurs réactions, leur humeur (si l'enfant tend à être joyeux et amical ou malheureux et peu ouvert aux autres), leur tendance à la distraction, leur capacité d'attention et leur persistance dans l'effort. Les auteurs de l'étude ont constaté que les deux tiers des enfants pouvaient être classés en trois catégories : les enfants faciles, les enfants difficiles et les enfants plus lents à réagir (voir le tableau 4.2). Ils ont également découvert que l'appartenance à une catégorie demeurait relativement stable jusqu'à l'âge adulte (Thomas et Chess, 1984).

Quarante pour cent (40 %) des enfants entraient dans la catégorie des **enfants faciles** : ils faisaient preuve de gaieté, de régularité biologique et d'ouverture à l'égard des nouvelles expériences. Dix pour cent (10 %) étaient des **enfants difficiles** : ils étaient plus irritables et difficiles à satisfaire, irréguliers dans leurs rythmes biologiques et plus intenses dans l'expression de leurs émotions. Enfin, 15 % des **enfants** étaient **plus lents à réagir** : leurs réactions (positives ou négatives) étaient de faible intensité, mais ils mettaient plus de temps à s'adapter à des situations nouvelles ou à des personnes inconnues (Thomas et Chess, 1984).

Il importe de noter que plusieurs enfants (incluant 35 % des enfants de l'échantillon de la NYLS) n'entrent dans aucune de ces trois catégories de tempérament. Par exemple, un enfant peut manger et dormir avec régularité mais craindre les étrangers. Un autre peut s'adapter lentement à un nouvel aliment mais s'attacher très vite à une nouvelle gardienne. Toutes ces variantes sont normales.

Par ailleurs, les enfants « difficiles » ne sont pas nécessairement destinés à une mauvaise adaptation. Selon la NYLS, la clé d'un développement sain réside dans le degré d'**adéquation** entre le tempérament de l'enfant et les exigences de son environnement. Par exemple, si nous attendons d'un enfant très actif qu'il reste tranquille pendant de longues périodes ou que nous plaçons constamment un enfant « plus lent à réagir » face à de nouvelles situations, nous ne favorisons pas l'adéquation. Il est important pour les parents et les éducateurs de reconnaître le tempérament de l'enfant et d'ajuster leurs demandes en fonction de celui-ci. Le changement de comportement de Sylvie, la mère de Charlotte, constitue un bon exemple d'adaptation à l'enfant. Lorsqu'elle a vu que Charlotte tenait à jouer dans le sable et qu'elle l'a laissée faire, elle a probablement reconnu que le besoin de propreté lui appartenait. Le fait d'accepter le tempérament inné de leur enfant libère les parents d'une lourde charge émotive. Ils comprennent alors que leur enfant n'agit ni par entêtement ni par malveillance. Ils acceptent ainsi l'enfant tel qu'il est et risquent moins de devenir impatients et sévères. Ils peuvent aider l'enfant à utiliser son tempérament comme une force plutôt que de le considérer comme un obstacle.

• LA STABILITÉ DU TEMPÉRAMENT

Le tempérament semble inné, probablement héréditaire (Thomas et Chess, 1984) et relativement sable. Comme nous l'avons vu, les nouveau-nés affichent des tempéraments différents qui semblent persister dans le temps. Cependant il semble que seul un faible pourcentage (10 %) d'enfants très difficiles maintienne ce tempérament jusqu'à l'entrée à l'école (Rubin *et al.*, 1997). Le tempérament n'est pas complètement formé à la naissance et continue de se développer dans l'enfance. Il peut changer en fonction de l'attitude des parents. Dans l'échantillon de la NYLS, une fille « difficile » qui éprouvait des problèmes durant l'enfance s'est soudainement découvert des talents pour la musique et le théâtre vers l'âge de 10 ans, ce qui a amené ses parents à la considérer sous un jour nouveau et à interagir différemment avec elle : elle était parfaitement bien adaptée à 22 ans. La culture influence aussi la stabilité du tempérament. En effet, selon la culture d'appartenance, les parents encourageront les enfants à maintenir un type de tempérament plutôt qu'un autre. Par exemple, une étude comparative Canada-Chine a montré que les mères canadiennes d'enfants timides se montraient plutôt punitives ou surprotectrices. En revanche, les mères

Enfant facile
Enfant démontrant un tempérament généralement joyeux, une ouverture aux nouvelles expériences et ayant des rythmes biologiques réguliers.

Enfant difficile
Enfants au tempérament irritable, ayant un rythme biologique irrégulier et des réactions émotionnelles intenses.

Enfant plus lent à réagir
Enfant dont le tempérament est généralement calme, mais qui se montre hésitant devant de nouvelles situations.

Adéquation
Concordance entre le tempérament d'un enfant et les caractéristiques de son environnement.

FIGURE 4.5 **UN BÉBÉ AU TEMPÉRAMENT FACILE**

Le petit Daniel, âgé de sept mois, sourit et accepte volontiers de goûter à de nouveaux aliments. Ces signes démontrent un tempérament facile.

TABLEAU 4.2 LES TROIS TYPES DE TEMPÉRAMENT

ENFANT FACILE	ENFANT DIFFICILE	ENFANT PLUS LENT À RÉAGIR
Réagit bien à la nouveauté et au changement.	Réagit mal à la nouveauté et au changement.	Réagit lentement à la nouveauté et au changement.
Développe rapidement des horaires réguliers de sommeil et d'alimentation.	A des horaires de sommeil et d'alimentation irréguliers.	Dort et mange plus régulièrement que l'enfant difficile, mais moins régulièrement que l'enfant facile.
S'habitue facilement à de nouveaux aliments.	S'adapte lentement à de nouveaux aliments.	Devant un nouveau stimulus (le premier bain, un nouvel aliment, une nouvelle personne, un nouvel endroit, le premier jour d'école, etc.), il a une réponse initiale négative de faible intensité.
Sourit aux étrangers.	Se méfie des étrangers.	S'habitue graduellement à un nouveau stimulus au terme d'expositions répétées, sans subir de pression.
S'adapte facilement à des situations nouvelles.	S'adapte lentement aux situations nouvelles.	Ses réactions, positives ou négatives, sont de faible intensité.
Accepte bien la plupart des frustrations.	Réagit à la frustration par des manifestations de colère.	
S'adapte rapidement à une nouvelle routine et aux règles de jeux nouveaux.	S'adapte lentement à une nouvelle routine.	
Affiche une humeur, habituellement positive, d'intensité faible à moyenne.	Pleure souvent fort, rit fort, manifeste une humeur intense et souvent maussade.	

Source : Adaptation de A. Thomas et Chess, 1984.

chinoises étaient chaleureuses et acceptaient leur enfant. Autour de deux ans, les enfants chinois étaient plus timides et inhibés que les enfants canadiens. Il est possible que la timidité, caractéristique moins valorisée dans notre pays, entraîne des comportements parentaux qui encouragent l'enfant à sortir de sa coquille, ce qui n'est pas le cas en Chine, où ce comportement est plus accepté (Chen *et al.*, 1998).

Les théories du développement de la personnalité aident aussi à comprendre comment l'interaction parent-enfant marque l'évolution de l'enfant.

4.2 LES THÉORIES DU DÉVELOPPEMENT DE LA PERSONNALITÉ

Comme nous l'avons vu dans le chapitre 1, les théoriciens d'orientation psychanalytique que sont Freud et Erikson se sont tous deux attardés à comprendre le développement affectif à travers des stades de développement (voir le chapitre 1). Nous présentons ici les caractéristiques des stades de la théorie psychosexuelle et de la théorie psychosociale qui correspondent à la période d'âges étudiée dans ce chapitre.

4.2.1 LA THÉORIE PSYCHOSEXUELLE DE FREUD

Rappelons que Freud a élaboré sa théorie des stades du développement psychosexuel à partir de l'idée générale selon laquelle, à chaque période de son développement, l'enfant investit une partie de son corps, que l'on appelle une zone érogène. Le degré ou la qualité du plaisir sexuel procuré par cette zone érogène ainsi que la façon dont ces stades seront franchis auront un impact sur la personnalité ultérieure de cet enfant. Pour Freud, la mère joue un rôle fondamental au cours de ces périodes. Elle constitue le premier objet d'amour chez l'enfant, et la nature de cette relation teintera les relations de l'enfant avec son entourage pour le reste de sa vie. Deux de ces stades surviennent durant les trois premières années de la vie : le stade oral et le stade anal.

• LE STADE ORAL (DE LA NAISSANCE À 18 MOIS)

Stade oral

Premier stade du développement psychosexuel, durant lequel la satisfaction est obtenue principalement par la bouche, l'incorporation et la relation à la mère.

La zone érogène investie au **stade oral** est la bouche. L'enfant tire du plaisir à téter et à sucer tout ce qui lui tombe sous la main. Durant cette période, selon Freud, la façon dont la mère répondra à ce besoin aura un impact fondamental sur la personnalité de l'enfant. Le développement d'une personnalité saine résulte d'un équilibre entre la satisfaction adéquate des besoins oraux de l'enfant et la présence d'un espace pour le développement de la force du Moi. Par exemple, une mère qui cesserait brusquement l'allaitement ou qui empêcherait son bébé de porter des objets à sa bouche créerait une frustration trop grande chez l'enfant. À l'opposé, une mère qui irait toujours au-devant des besoins de son bébé ne lui permettrait pas de les exprimer lui-même. Cet apprentissage s'avère pourtant nécessaire à la construction de la personnalité. Selon Freud, dans les deux cas, on assiste à l'apparition d'un conflit psychique, c'est-à-dire un déséquilibre entre les besoins du *ça* (celui qui ne veut que téter) et les exigences extérieures, qui ne permettent pas toujours la satisfaction immédiate de ces besoins. Un tel déséquilibre au stade oral créera une personnalité dépendante, caractérisée par la difficulté de ressentir une sécurité émotionnelle et de devenir autonome dans ses relations interpersonnelles.

• LE STADE ANAL (DE 18 MOIS À 3 ANS)

Stade anal

Deuxième stade du développement psychosexuel, durant lequel la satisfaction est obtenue grâce à la rétention et à l'expulsion des selles et, d'une manière plus large, au contrôle de soi et des autres.

L'anus et le rectum deviennent sources de plaisir pour l'enfant au **stade anal**. Dans un premier temps, la défécation procure du plaisir. Lorsque l'enfant aura acquis le contrôle de ses sphincters, le fait de retenir ou au contraire de relâcher les sphincters sera à la base de la gratification. L'apprentissage de la propreté, toujours sous la supervision de la mère, représente, selon Freud, un moment critique de cette période. Encore une fois, le rôle de la mère est de laisser l'enfant jouir de son plaisir tout en l'encadrant dans le contrôle que l'enfant doit désormais exercer sur ses sphincters. Il faut se souvenir que l'enfant de cet âge est beaucoup plus évolué physiquement et cognitivement. Pendant cette période, il apprend qu'il peut non seulement exercer un contrôle sur lui-même, mais également sur ses parents. Selon Freud, une attitude trop contrôlante de la part de la mère ou, à l'inverse, trop laxiste affectera le développement de la personnalité. Un déséquilibre au stade anal créera une personnalité marquée par l'obsession du contrôle de soi et des autres ou, au contraire, par l'absence totale de structure.

4.2.2 LA THÉORIE PSYCHOSOCIALE D'ERIKSON

Vous vous souvenez qu'à chaque stade du développement psychosocial proposé par Erikson survient une crise qui doit se résoudre par l'atteinte d'un équilibre satisfaisant entre des forces qui s'opposent, faute de quoi le développement du Moi risque d'être compromis. Deux crises se produisent au cours des trois premières années : la crise de la confiance et de la méfiance, et celle de l'autonomie versus la honte et le doute.

• LA PREMIÈRE CRISE : CONFIANCE VERSUS MÉFIANCE FONDAMENTALES (DE LA NAISSANCE À 18 MOIS)

Confiance versus méfiance fondamentales

Selon Erikson, première crise du développement psychosocial (0 à 18 mois), au cours de laquelle le nourrisson investit le monde sur la base d'un sentiment de confiance ou de méfiance. La qualité de l'interaction avec la mère joue un rôle important dans l'établissement de la confiance.

Lors de la première crise, **confiance et méfiance fondamentales** s'opposent. L'enfant est alors totalement dépendant des autres pour la satisfaction de ses besoins. Le développement sain de la personnalité sera atteint par un juste équilibre entre la confiance fondamentale, nécessaire à l'établissement de relations interpersonnelles authentiques, et la méfiance, nécessaire à la protection de soi. L'acquisition de la confiance fondamentale est primordiale dans la capacité d'établir des relations sociales saines. L'enfant qui l'acquiert aura la certitude que le monde qui l'entoure est un endroit sécuritaire dans lequel ses besoins peuvent être comblés, ce qui favorisera son ouverture au monde. Dans le cas inverse, un enfant chez qui la méfiance prédomine percevra le monde comme un lieu menaçant, ce qui engendrera la peur de s'ouvrir aux autres. Selon Erikson, cet équilibre entre la confiance et la méfiance s'instaure à travers la satisfaction des besoins de l'enfant par la mère. Contrairement à Freud, pour qui l'alimentation était source de gratification orale, pour Erikson, c'est l'interaction de nature affective entre la mère et l'enfant qui influera sur l'établissement du sentiment de confiance fondamentale de l'enfant. La mère qui réagit favorablement aux besoins de l'enfant, qui tantôt le rassure, tantôt le laisse explorer son univers, facilitera la transition vers le stade suivant, puisque l'enfant aura intériorisé l'idée que sa mère est disponible même si elle n'est pas constamment présente. Bien qu'il ne l'ait pas formulé en ces termes, nous pouvons dire qu'Erikson prônait l'établissement d'un processus d'adéquation entre les besoins de l'enfant et les comportements de la mère.

FIGURE 4.6 **L'ENTRAÎNEMENT À LA PROPRETÉ**

D'après Erikson, l'entraînement à la propreté est une étape importante vers l'autonomie et la maîtrise de soi.

• LA SECONDE CRISE : L'AUTONOMIE VERSUS LA HONTE ET LE DOUTE (DE 18 MOIS À 3 ANS)

L'opposition entre, d'une part, l'**autonomie** et, d'autre part, la **honte** et le **doute** constitue la deuxième crise traversée par l'enfant. Le sentiment de confiance développé lors de la première crise engendrera chez l'enfant le désir de s'ouvrir au monde extérieur sans trop de crainte. Il veut maintenant explorer et agir de manière autonome. La poussée vers l'autonomie dépend en partie de la maturation de ses nouvelles capacités motrices. Comme nous l'avons vu au chapitre 3, l'enfant peut maintenant agir davantage par lui-même. Bientôt, grâce au langage, il sera en mesure d'exprimer davantage ses désirs. Le **négativisme**, qui apparaît autour de deux ans, constitue une manifestation normale d'autonomie. Dans la mise en situation du début de ce chapitre, nous avons une belle illustration de cette manifestation d'autonomie. Charlotte veut faire ce qu'elle désire et manifeste ouvertement son mécontentement lorsque ses parents l'en empêchent. L'enfant de cet âge veut exprimer ses propres idées et expérimenter selon ses préférences. Si l'autonomie est l'issue souhaitable de cette seconde crise, l'enfant doit cependant évaluer de façon réaliste ses propres limites; c'est une composante essentielle d'une personnalité équilibrée. Les parents doivent être conscients de cette période particulière du développement et mettre sur pied des stratégies qui aideront l'enfant à devenir autonome de manière équilibrée (voir le tableau 4.3).

Autonomie, honte et doute
D'après Erikson, deuxième crise du développement psychosocial (18 mois à 3 ans), au cours de laquelle l'enfant trouve un équilibre entre, d'une part, l'autonomie (indépendance, autodétermination) et, d'autre part, la honte et le doute.

Négativisme
Comportement caractéristique du jeune enfant (autour de deux ans) qui l'amène à exprimer son désir d'indépendance en s'opposant fermement à ce qu'on lui demande de faire.

4.2.3 L'ÉVALUATION DES THÉORIES DU DÉVELOPPEMENT DE LA PERSONNALITÉ

Les théories de Freud et d'Erikson nous aident à mieux comprendre le développement de la personnalité des enfants. Toutefois ces deux théories possèdent des limites, qui sont surtout dues à la difficulté de mesurer objectivement les concepts qu'elles mettent de l'avant. Qu'est-ce exactement que la confiance fondamentale et comment la mesurer objectivement? Comment évaluer avec certitude que c'est une insatisfaction orale qui crée une personnalité dépendante? D'une part, les recherches qui ont tenté de confirmer les postulats de ces théories n'ont pas abouti à des résultats concluants. D'autre part, ces théories considèrent la mère comme seule responsable du développement de la personnalité de son enfant. Elles laissent peu de place aux pères, aux autres adultes significatifs et au contexte de vie de l'enfant. Quoiqu'il en soit, ces théories nous renseignent sur l'importance des premières relations affectives de l'enfant, comme le font d'ailleurs les théories de l'attachement.

FIGURE 4.7 **LA CONFIANCE FONDAMENTALE**

D'après Erikson, ce nouveau-né développera sa confiance dans le monde extérieur grâce aux soins sensibles, attentifs et réguliers de sa mère.

TABLEAU 4.3 **LE NÉGATIVISME OU « LE TERRIBLE 2 ANS »**

VOICI QUELQUES LIGNES DIRECTRICES QUE LA RECHERCHE A PERMIS DE FORMULER POUR AIDER LES PARENTS À ENCOURAGER UN COMPORTEMENT ACCEPTABLE SOCIALEMENT.

- *Soyez flexible.* Étudiez les rythmes naturels de l'enfant, ce qu'il aime et ce qu'il n'aime pas.

- *Percevez-vous comme un havre rassurant*, avec des limites sécuritaires. Vous êtes le point de référence de l'enfant, le havre rassurant à partir duquel il peut s'éloigner et découvrir le monde, et vers lequel il peut revenir pour trouver soutien et réconfort.

- *Adaptez votre demeure à l'enfant.* Mettez-y des objets incassables qu'il peut manipuler et explorer sans risque.

- *Évitez les punitions corporelles.* Elles ne donnent rien et peuvent même pousser l'enfant à s'opposer davantage.

- *Offrez des choix.* Même un choix limité permet à l'enfant d'exercer sa volonté. Par exemple : « Veux-tu prendre ton bain maintenant ou après que nous ayons lu le livre ? »

- *Faites preuve de constance* et faites respecter les consignes.

- *N'interrompez pas une activité à moins que ce soit absolument nécessaire.* Essayez d'attendre que l'enfant ait porté son attention sur autre chose.

- *Si vous devez absolument interrompre une activité, avertissez l'enfant.* « Nous allons bientôt devoir quitter le terrain de jeux. »

- *Proposez des activités de remplacement* lorsqu'un comportement devient inacceptable. Par exemple, lorsque Camille jette du sable dans les yeux de Jade, dites : « Regarde ! Il n'y a personne à la balançoire pour le moment. Allons-y ! Je vais te pousser très très fort ! »

- *Utilisez la suggestion plutôt que le commandement.* Formulez vos demandes avec le sourire et accompagnez-les de caresses et non de critiques, de menaces ou de contraintes physiques.

- *Associez vos demandes à des activités agréables :* « Il est temps que tu t'arrêtes de jouer, comme ça, tu pourras venir faire des courses avec moi. »

- *Rappelez à l'enfant ce que vous attendez de lui :* « Lorsque nous allons à ce terrain de jeux, il ne faut jamais dépasser la barrière. »

- *Accordez un délai* avant de répéter. Si l'enfant ne réagit pas immédiatement, laissez-lui quelques minutes avant de répéter une demande.

- *Recourez au « temps d'arrêt »* pour mettre fin à un conflit. Sans faire appel à la punition, soustrayez-vous ou soustrayez l'enfant à la situation conflictuelle.

- *Faites preuve d'indulgence durant les périodes de stress,* comme une maladie, un divorce, la naissance d'un petit frère ou d'une petite sœur ou un déménagement.

- *Comprenez que l'enfant éprouve plus de difficultés avec ce qu'il « faut » faire qu'avec ce qu'il « ne faut pas » faire :* « Range tes jouets » lui demande plus d'efforts que « N'écris pas sur les meubles ».

- *Maintenez l'atmosphère aussi positive que possible.* Faites en sorte que votre enfant *ait envie* de coopérer.

Source : Haswell, Hock et Wenar, 1981 ; Kochanska et Aksan, 1995 ; Kopp, 1982 ; Kuczynski et Kochanska, 1995 ; Power et Chapieski, 1986.

4.3 LES THÉORIES DE L'ATTACHEMENT

L'**attachement** représente le lien affectif, durable et réciproque entre un enfant et celui qui en prend soin. L'attachement a une fonction adaptative pour l'enfant. Il lui assure le bien-être physique et affectif dont il a besoin. Trois grands courants théoriques ont tenté d'expliquer l'attachement : la théorie éthologique, la théorie éthologico-psychanalytique et la théorie béhavioriste.

4.3.1 LES THÉORIES ÉTHOLOGIQUES DE L'ATTACHEMENT

Konrad Lorenz, un **éthologiste** célèbre, a mis en évidence le processus de l'**empreinte** chez les animaux. Il a montré que des poussins frais éclos suivent le premier objet mobile qu'ils perçoivent, habituellement la mère. L'empreinte, un processus génétiquement programmé, démontre que les petits émettent donc des comportements visant à les maintenir à proximité de la mère. Ce comportement, que l'on peut qualifier « de survie », est-il relié au besoin de nourriture ?

Attachement
Relation affective réciproque et dynamique qui s'établit entre deux individus (habituellement le nouveau-né et son parent). L'interaction entre ces deux personnes contribue à renforcer et à raffermir ce lien.

Éthologiste
Scientifique qui étudie les comportements caractéristiques des différentes espèces.

Empreinte
Processus se produisant durant une période critique du développement d'un organisme et par lequel l'organisme réagit à un stimulus d'une manière difficilement modifiable par la suite.

Comme nous venons de le voir, Freud explique que la mère devient un objet d'amour parce qu'elle satisfait un besoin primaire : l'alimentation. Cependant d'autres éthologistes, comme Harlow, ont démontré que d'autres facteurs engendrent l'établissement d'un lien d'attachement chez les animaux. Lors d'une expérience classique, Harlow a voulu vérifier les facteurs responsables de l'établissement de l'attachement de singes rhésus de 6 à 12 semaines à partir des dimensions suivantes : l'apport de nourriture, le réconfort fourni par le contact d'un tissu peluchéux, la température et le mouvement. Il a séparé les jeunes singes de leurs mères biologiques 6 à 12 heures après leur naissance et les a élevés avec des mères de substitution : une « mère » en fil métallique à laquelle était accroché un biberon et une « mère » sans biberon, mais recouverte d'un doux tissu en peluche. Les jeunes singes étaient libres de choisir leur mère de substitution. Tous, sans exception, ont choisi le contact et le réconfort fourni par la mère en tissu peluchéux. Ils allaient se nourrir auprès de la mère métallique pour ensuite se réfugier auprès de l'autre mère. Lorsqu'ils étaient soumis à un stimulus effrayant, ils se tournaient vers les mères de peluche. Harlow en a conclu que le facteur de réconfort est le plus puissant de ceux qu'il a vérifiés (nourriture, mouvement, température). Bien que les petits élevés par des mères en peluche aient démontré un intérêt plus grand pour l'exploration et un certain attachement à leur mère, les mères en peluche n'ont pas réussi à remplacer les vraies mères. Aucun des animaux des deux groupes n'a connu un développement normal (Harlow et Harlow, 1962) et aucun n'a pu, par la suite, materner ses propres petits (Suomi et Harlow, 1972).

Néanmoins, cette expérience débouche sur une conclusion irréfutable : ce n'est pas l'apport de nourriture qui favorise l'établissement d'un lien d'attachement, mais plutôt la satisfaction du besoin de contact physique, doux et réconfortant (Parent et Saucier, 1999).

4.3.2 LA THÉORIE ÉTHOLOGICO-PSYCHANALYTIQUE

John Bowlby (1969) s'est beaucoup intéressé aux travaux des éthologistes. Il était convaincu que cette théorie pouvait expliquer la construction du lien affectif entre la mère et l'enfant humains. Son postulat de base repose d'ailleurs sur l'idée que l'être humain, tout comme l'animal, cherche à établir des liens d'intimité forts avec ses parents, de manière à protéger sa survie et celle de son espèce. Puisqu'un bébé ne peut assurer seul sa survie, il est génétiquement programmé à maintenir une proximité avec une personne capable de le protéger en émettant des signes comme les pleurs, la succion, les cris, le sourire... (Parent et Saucier, 1999). Pour Bowlby, l'attachement est un lien affectif positif qui s'accompagne d'un sentiment de sécurité et qui ne peut être observé directement. Ce que nous pouvons observer, ce sont des **comportements d'attachement**, tels que des regards, des sourires, des contacts, des pleurs. De tels comportements apparaissent surtout lorsque l'enfant a besoin d'être soigné, réconforté ou sécurisé.

Mary Ainsworth a d'abord étudié le phénomène de l'attachement au début des années 1950, alors qu'elle était une jeune collaboratrice de John Bowlby. Ainsworth a d'abord étudié l'attachement chez des bébés ougandais (1967), dans des contextes d'observation naturelle. Par la suite, elle a conçu la célèbre expérience de la **situation étrange**, une technique standardisée d'observation en laboratoire visant à mesurer les types d'attachement entre un bébé et un adulte. L'expérience de la situation étrange se déroule en huit épisodes, qui durent au total moins de 30 minutes. Durant cette expérience, la mère laisse l'enfant seul à deux reprises dans un environnement nouveau pour l'enfant : la première fois, elle le laisse avec un étranger et la deuxième fois, elle le laisse seul. Lors de ce dernier épisode, l'étranger revient dans la pièce avant la mère. Lorsque la mère revient, l'étranger quitte la pièce et la mère encourage ensuite le bébé à poursuivre son exploration et ses jeux, et elle le réconforte au besoin. Ce qui intéressait le plus Ainsworth dans cette expérience était d'observer les réactions du bébé au retour de la mère. Elle a constaté que les bébés ne réagissent pas tous de la même façon. Certains sont contents et sautent dans les bras de leur mère en la voyant apparaître; d'autres enfants semblent ne pas être affectés par son retour; et d'autres enfin montrent de la colère et de l'anxiété, et ne se calment pas à la vue de leur mère.

FIGURE 4.8 **LE BESOIN DE CONTACT RÉCONFORTANT**

Dans une série d'expériences classiques, Harry Harlow et Margret Harlow ont montré que la nourriture n'est pas ce qui compte le plus pour un bébé. Lorsque des bébés singes rhésus pouvaient choisir entre une « mère nourricière » en fil de fer ou une « maman » douce et chaude en tissu-éponge, ils passaient plus de temps accrochés à leur mère en tissu, même s'ils étaient nourris par des bouteilles attachées à leur « mère métallique ».

Comportement d'attachement
Signe émis par l'enfant, qui appellent des réponses de l'adulte qui s'en occupe : regards, sourires, contacts, pleurs...

Situation étrange
Expérience de laboratoire élaborée par Mary Ainsworth visant à évaluer l'attachement entre une mère et son enfant.

Attachement sécurisant
Type d'attachement dans lequel l'enfant manifeste de la confiance en présence de sa mère, de la détresse lors de son absence et un retour à la confiance lors de la réunion avec la mère.

Attachement insécurisant de type évitant
Type d'attachement perturbé, dans lequel l'enfant manifeste une distance à l'égard de sa mère lorsqu'elle est présente, une indifférence lors de son départ et une absence de réconfort lors du retour.

Attachement insécurisant de type ambivalent
Type d'attachement perturbé, dans lequel l'enfant affiche une anxiété en présence et en l'absence de sa mère. Lors de la réunion avec cette dernière, l'enfant démontre tout à la fois une recherche de réconfort et des comportements de rejet et de résistance à la mère.

Base de sécurité
Utilisation par l'enfant de son parent comme point de référence qui lui permet d'explorer et de revenir au besoin pour recevoir un réconfort émotionnel.

Attachement désorganisé et désorienté
Type d'attachement perturbé, dans lequel l'enfant démontre de multiples contradictions dans son comportement à l'égard de sa mère et manifeste de la confusion et de la peur.

FIGURE 4.9   L'ATTACHEMENT SÉCURISANT

Les enfants qui ont connu un attachement sécurisant lorsqu'ils étaient nourrissons ont tendance à bien s'entendre avec les autres enfants et à former des amitiés fortes.

• LES FORMES D'ATTACHEMENT

Ces observations auprès d'un nombre significatif d'enfants de un an ont permis à la chercheure et à ses collègues (Ainsworth, Blehar, Waters et Wall, 1978) de décrire trois formes d'attachement : une forme d'**attachement sécurisant** (la forme la plus courante, 66 % des bébés) ; et deux formes d'attachement insécurisant, l'**attachement insécurisant de type évitant** (20 % des bébés) et l'**attachement insécurisant de type ambivalent** (12 % des bébés), ces deux dernières formes étant anxiogènes.

Le bébé qui fait preuve d'un attachement sécurisant pleure ou proteste quand sa mère quitte la pièce et il l'accueille avec joie quand elle revient. Quand elle est présente, le bébé se sert de sa mère comme **base de sécurité** à partir de laquelle il explore. Il s'éloigne pour explorer son environnement et revient de temps à autre auprès d'elle pour trouver du réconfort.

Le bébé qui manifeste un attachement insécurisant de type évitant réagit peu au départ de sa mère. Quand elle revient, il n'accourt pas vers elle et reste distant, même s'il exprime de la colère.

Le bébé qui vit un attachement insécurisant de type ambivalent est anxieux, même en présence de sa mère. Il est extrêmement bouleversé lorsqu'elle part et, à son retour, il manifeste son ambivalence en cherchant un contact avec elle tout en lui résistant par des coups de pied et des contorsions. Fait remarquable, ces trois types d'attachement sont présents dans toutes les cultures dans lesquelles ils ont été étudiés, soit l'Afrique, la Chine et Israël. On note toutefois que la proportion d'enfants dans chaque catégorie diffère de celles qui sont identifiées dans les études d'Ainsworth (van Ijzendoorn et Sagi, 1999). Êtes-vous maintenant en mesure de définir quel type d'attachement affiche Charlotte ?

On a récemment décrit une quatrième forme d'attachement, l'**attachement désorganisé et désorienté** (Main et Solomon, 1986). Le bébé qui présente cette forme d'attachement manifeste souvent des comportements contradictoires. Au retour de la mère, il présente un comportement erratique. Il semble joyeux, mais il peut en même temps se détourner ou s'approcher sans regarder sa mère. Il semble confus et apeuré. Il s'agit probablement du type d'attachement le plus insécurisant et il apparaît le plus souvent chez des enfants dont les mères sont insensibles, intrusives ou abusives (Carlson, 1998). Le tableau 4.4 décrit les comportements types associés à chacune des formes d'attachement.

Presque toute la recherche sur l'attachement repose sur l'étude de la « situation étrange ». Cette recherche a produit des résultats qui nous aident à comprendre l'attachement, mais plusieurs chercheurs remettent en question ces conclusions. La « situation étrange » est, en effet, étrange, en plus d'être artificielle. On demande aux mères de ne pas initier d'interactions avec l'enfant, on expose les bébés aux allées et venues répétées d'adultes et on s'attend à ce que l'enfant leur prête attention. Puisque l'attachement se manifeste habituellement à travers une variété beaucoup plus grande de comportements que ceux qui sont observés dans la situation étrange, certains chercheurs croient qu'on devrait utiliser une méthode d'évaluation plus complexe et plus précise pour mesurer l'attachement. Cette méthode devrait permettre d'observer la mère et l'enfant dans une situation plus naturelle et moins stressante (Field, 1987). De plus, la « situation étrange » peut constituer une bien piètre évaluation de l'attachement d'enfants habitués à de fréquentes séparations et à la présence d'adultes autres que leurs parents (Hoffman, 1989). Cette critique s'applique aussi dans le cas d'enfants de mères qui travaillent à l'extérieur. Dans ces deux cas, la « situation étrange » perd de son étrangeté. Néanmoins, la contribution de Mary Ainsworth est importante pour au moins deux raisons : son étude minutieuse des interactions mère-enfant a permis d'établir que le système d'attachement se caractérise par deux besoins importants chez l'enfant, celui de la proximité et celui de l'exploration. Son autre contribution majeure a été l'identification de différents types d'attachement (Parent et Saucier, 1999).

• LA CRÉATION DU LIEN D'ATTACHEMENT

Dès la huitième semaine, le bébé se met à orienter certains comportements vers sa mère plus que vers quiconque. Ses avances portent fruit quand la mère répond chaleureusement et avec plaisir, lui offrant de fréquents contacts physiques et la liberté d'explorer (Ainsworth, 1969). Le bébé se rend compte de l'effet de ses actions et il acquiert progressivement un sentiment d'emprise sur le monde et un sentiment de confiance en lui relié à sa capacité d'obtenir des résultats. Cependant l'attachement véritable n'apparaîtrait pas avant six ou huit mois (Bowlby, 1969).

Selon Bowlby (1969), l'enfant est actif dans la création d'un lien d'attachement. Pour ce faire, il se construit un «modèle opérationnel interne» (M.O.I), c'est-à-dire une représentation des comportements et attitudes de la mère. Tant qu'elle agit conformément à ce modèle interne, le bébé ne change pas. Si la mère modifie sa manière d'agir avec l'enfant de manière consistante, le bébé doit modifier son modèle interne, et le type d'attachement peut en être affecté. L'enfant se construit par ailleurs plusieurs modèles internes d'attachement au contact des personnes qui sont significatives pour lui.

Contrairement à ce que l'on a longtemps cru, il semble que les bébés développent des liens d'attachement avec leurs deux parents à peu près au même moment. La plupart du temps, le type d'attachement au père et à la mère est similaire. Il arrive cependant qu'un attachement insécurisant avec l'un des parents soit compensé par un attachement sécurisant avec l'autre (Verschueren et Marcoen, 1999).

FIGURE 4.10 LE DÉVELOPPEMENT DE L'ATTACHEMENT

Par la façon dont elles interagissent ensemble, Anna et Diane contribuent toutes les deux au lien d'attachement qui est en train de se créer entre elles. La façon dont le bébé Anna se moule sur le corps de sa mère montre qu'elle lui fait confiance et renforce les sentiments qu'éprouve Diane pour son enfant, ce qu'elle confirme en répondant aux besoins d'Anna.

4.3.3 LES THÉORIES BÉHAVIORISTES

Ces théories reposent sur les notions de conditionnement et de renforcement que nous avons étudiées au chapitre 1. Elles postulent que l'attachement se créera essentiellement par le biais des interactions entre les parents et l'enfant, interactions qui permettront à celui-ci de faire des apprentissages de type répondant ou opérant. Par exemple, le bébé aura un conditionnement de type répondant lorsqu'il établira une association entre la personne qui lui donne le biberon et l'assouvissement de sa faim. Le renforcement est aussi présent dans la relation bébé-adulte. Si, lorsque l'enfant gazouille, le parent lui répond en souriant, ce comportement renforcera celui du bébé et favorisera la proximité entre l'adulte et l'enfant. Les théories béhavioristes ont insisté depuis longtemps sur le fait que les parents façonnent le comportement de leurs enfants selon des processus de conditionnement (Rubin *et al.*, 1996) et considèrent que ces conditionnements sont réciproques. Enfin, la théorie de l'apprentissage social peut également servir à la compréhension des processus d'attachement. L'enfant apprendra comment se créent les interactions intimes en observant des comportements modèles qui font appel à la proximité, par exemple en voyant son grand frère qui pleure se faire consoler par sa mère. Les théories béhavioristes suggèrent que l'attachement ne se crée pas seulement avec la mère, mais avec toutes les personnes qui s'occupent régulièrement de l'enfant, y compris le père et l'éducatrice de la garderie.

TABLEAU 4.4 COMPORTEMENTS D'ATTACHEMENT DANS LA SITUATION ÉTRANGE

FORMES D'ATTACHEMENT	COMPORTEMENT
Attachement sécurisant	Noémie joue et explore à volonté en présence de sa mère. Elle l'accueille avec joie quand elle revient.
Attachement insécurisant de type évitant	Lorsque la maman d'Émile revient, celui-ci ne la regarde pas et ne l'accueille pas. C'est presque comme s'il n'avait pas remarqué son retour.
Attachement insécurisant de type ambivalent	Michel erre près de sa mère pendant la plus grande partie de la situation étrange, mais il ne l'accueille pas positivement ni avec enthousiasme lorsqu'il la retrouve. Au contraire, il est fâché et contrarié.
Attachement insécurisant de type désorganisé et désorienté	Catherine répond à la situation étrange par un comportement inconsistant et contradictoire. Elle semble s'effondrer, écrasée par le stress.

Source : Adaptation de Thompson, 1998, p. 37-39.

4.4 LES FACTEURS D'INFLUENCE ET LES CONSÉQUENCES DE L'ATTACHEMENT

Pourquoi certains bébés développent-ils un attachement sécurisant et d'autres, un attachement insécurisant? L'attachement ne semble pas d'ordre génétique. Les jumeaux homozygotes, qui possèdent le même bagage génétique, ne développent pas plus un mode d'attachement semblable entre eux que les jumeaux dizygotes (qui possèdent un bagage génétique différent). Il apparaît donc que les parents ont davantage d'influence que les gènes! Le processus d'attachement est le résultat de l'interaction entre l'état émotionnel de l'enfant et la qualité de la relation parent-enfant.

Ainsworth et ses collaborateurs (1978) ont relevé des différences marquées dans les modes de maternage, différences qui se répercutaient sur l'attachement du bébé. Ainsi, les mères de bébés qui manifestaient un attachement sécurisant étaient les plus à l'écoute de leur nourrisson durant la première année de la vie. Elles respectaient vraiment les «demandes» de boire de l'enfant et tenaient compte des signes du bébé leur indiquant à quel moment arrêter et à quel rythme (rapide ou lent) le nourrir (Ainsworth, 1979). Plus récemment, des chercheurs ont découvert que la mère d'un bébé sécurisé se montrait plus à l'écoute de son bébé à un, trois et neuf mois; qu'elle était plus portée à le calmer lorsqu'il pleurait, à répondre aux sons qu'il émettait à son égard et à lui parler lorsqu'il regardait son visage (Isabella, Belsky et von Eye, 1989).

Les facteurs contextuels comme le travail de la mère et, surtout, son attitude envers le fait qu'elle travaille peuvent avoir un impact sur l'attachement. Une étude a démontré que l'inquiétude des mères, éloignées de leur bébé de huit mois durant leur travail, contribuait à créer chez leur enfant de l'attachement insécurisant de type évitant, tel que mesuré par la situation étrange (Stifter, Coulehan et Fish, 1993).

4.4.1 LE RÔLE DU TEMPÉRAMENT

Le tempérament de l'enfant a-t-il une influence sur l'attachement? La réponse à cette question varie selon les chercheurs (Susman-Stillman, Kaldoske, Egeland et Waldman, 1996). Certaines études révèlent que le degré de frustration, la quantité de pleurs, l'irritabilité et la peur des bébés représentent des facteurs de prédiction de l'attachement (Kochanska, 1998). Le tempérament du bébé pourrait avoir un impact sur l'attachement par le biais de l'effet de ce tempérament sur les comportements des parents. Une série d'études menées aux Pays-Bas a démontré que des bébés ayant des tempéraments difficiles risquaient davantage de développer un attachement insécurisant (van den Boom, 1994). Toutefois les enfants difficiles dont la mère avait été soutenue par des visites à domicile d'une professionnelle, qui donnait des conseils sur les façons de calmer un bébé, avaient tout autant de chance que les autres enfants de développer un attachement sécurisant. Ainsi, le tempérament difficile peut affecter négativement le processus d'attachement, sauf si la mère développe des manières spécifiques de s'adapter au tempérament de son enfant et obtient du soutien dans ce sens (Rothbart *et al.*, 2000).

4.4.2 LES CONSÉQUENCES DE L'ATTACHEMENT

Comme la théorie de l'attachement le prédit, l'attachement affecte les compétences émotionnelle, cognitive et sociale d'un individu (van Ijzendoorn et Sagi, 1997). Plus l'enfant est attaché de façon sécurisante à l'adulte qui s'occupe de lui, plus il lui sera facile de s'en détacher et de devenir indépendant. Les enfants qui vivent un attachement sécurisant n'ont pas besoin de rester accrochés à leur mère. Ils veulent faire des nouvelles expériences et résoudre à leur façon les problèmes rencontrés. Globalement ils entretiennent une attitude plus positive face à l'inconnu.

Des observations faites auprès d'enfants de tout âge concluent que ceux qui vivent un attachement sécurisant, comparés à ceux qui vivent un attachement insécurisant (de type évitant ou ambivalent) sont plus sociables, plus populaires auprès de leurs pairs, bref ils s'adaptent plus facilement à la vie en société (Goldberg, 2000). On a aussi démontré que les enfants qui vivent un attachement sécurisant possèdent un vocabulaire plus varié que les enfants qui vivent un attachement insécurisant (Meins, 1998); ils se montrent plus curieux, plus compétents, plus empathiques et plus confiants en eux-mêmes (Elicker et al., 1992). Dans un laboratoire québécois, des chercheurs ont démontré qu'un attachement sécurisant, couplé à une interaction de qualité entre une mère et son enfant de six mois, comporte un effet prédictif sur les habiletés de communication, les capacités cognitives et la motivation de l'enfant à l'âge de 8 ans (Moss et St-Laurent, 2001).

Les enfants qui ont développé un attachement insécurisant connaissent plus souvent des problèmes à long terme : ils sont inhibés, éprouvent plus d'émotions négatives, sont plus hostiles envers d'autres enfants à cinq ans et sont plus dépendants à l'âge scolaire (Kochanska, 2001). Les enfants qui vivent un attachement désorganisé risquent davantage de présenter des problèmes de comportement à l'école et de développer des troubles psychiatriques vers l'âge de 17 ans (Carlson, 1998). Il semble même que le type d'attachement développé dans l'enfance ait un impact sur la nature des relations amoureuses vécues par les jeunes adultes. Nous y reviendrons au chapitre portant sur cette période.

4.5 LA FAMILLE : PREMIER CONTEXTE DU DÉVELOPPEMENT AFFECTIF ET SOCIAL DE L'ENFANT

La famille constitue le terrain par excellence des expériences précoces de l'enfant avec le monde extérieur. Comment est constituée la famille? Est-ce une famille nucléaire, monoparentale ou reconstituée? Quelle est la compatibilité entre le tempérament d'un enfant et les membres de sa famille? Nous pouvons dire, selon le modèle écologique, que l'ontosystème « enfant » se développe à la base dans le microsystème « famille », mais il ne faut pas oublier que la famille se situe elle-même dans un contexte plus large. Le travail des parents, leur revenu, le service de garde, les normes qui régissent la société influencent aussi le développement de l'enfant. Les croyances qu'entretiennent les adultes à l'égard des enfants et de la façon de les éduquer influent également sur leurs façons d'interagir avec eux. Par exemple, à Bali, les bébés sont perçus comme étant des ancêtres revenus à la vie dans le corps de l'enfant et ils doivent donc être traités avec le plus grand respect (DeLoache et Gottlieb, 2000). En Afrique centrale, dans la tribu des Efe, les enfants reçoivent des soins d'au moins cinq adultes et sont allaités par plusieurs femmes, puisque l'on croit qu'il est sain pour l'enfant de développer des attachements multiples (Tronic, Morelle et Ivey, 1992).

L'époque dans laquelle l'enfant grandit influence également les processus familiaux. Il y a de fortes chances que vous ayez grandi dans une famille différente de celle de vos grands-parents. Un enfant qui naît aujourd'hui au Québec n'aura sans doute qu'un frère ou une sœur ou sera enfant unique. Sa mère travaillera probablement à l'extérieur et son père participera davantage à la vie de famille que ne le faisait le père de ce dernier ou son grand-père. Au Québec, en 1998, on estime que 69 % des familles ayant au moins un enfant sont « intactes », c'est-à-dire qu'elles sont composées de deux personnes qui n'ont pas eu d'enfants d'unions précédentes et qui sont toujours ensemble. Environ 20 % des familles sont monoparentales à la suite d'un divorce ou d'une séparation. Ces familles sont principalement dirigées par une mère seule (dans 83 % des cas). Les pères monoparentaux représentent 17 % des familles monoparentales. Enfin, sur l'ensemble des familles, 10 % représentent des familles recomposées (Saint-Jacques et Parent, 2002). L'encadré 4. 2 résume la réalité des familles recomposées.

Avant de considérer le rôles des parents et de la fratrie, examinons quatre phénomènes importants qui caractérisent le processus du développement de l'enfant au sein de sa famille, soit la régulation mutuelle, la référence sociale, la socialisation et enfin, l'autorégulation.

4.5.1 LA RÉGULATION MUTUELLE

Régulation mutuelle
Accord entre les rythmes émotionnels et les réponses mutuelles de deux personnes en interaction.

Nous l'avons vu, dès sa naissance, le bébé exprime des émotions, il apprend graduellement à se distinguer de son entourage par la conscience de soi et développe déjà, à deux ans, une autonomie bien à lui. Ces progrès sont dus en partie à la **régulation mutuelle**. La régulation mutuelle ou synchronie réfère à la capacité du parent (ou de l'adulte qui prend soin de l'enfant) d'être attentif aux signaux émis par le bébé et d'y ajuster ses réponses. C'est une sorte de processus d'adéquation mais à plus petite échelle. Donnons un exemple concret. Bébé tend les bras à son père en gazouillant, celui-ci le prend et lui parle. Puis, il lui présente un jouet en peluche très coloré, le bébé se retire en faisant la moue. Le père laisse alors le jouet de côté pour respecter le besoin de l'enfant de ne plus être stimulé. Il est intéressant d'examiner la part active de l'enfant dans la régulation mutuelle. Des bébés à peine âgés de trois mois sont capables de « dire » à leur façon ce qu'ils veulent (Tronick et Gianino, 1986). Plus un parent se mettra à l'écoute de ces signaux, plus l'enfant deviendra compétent à communiquer ce qu'il veut et à se respecter lui-même. Cependant si un adulte insiste pour jouer avec un bébé qui a besoin de tranquillité ou à l'inverse ignore régulièrement l'invitation du bébé à jouer, la régulation mutuelle ne s'établira pas et le bébé recevra le message qu'il ne peut pas avoir de contrôle sur son entourage et que, peut-être, il n'en vaut pas la peine.

Paradigme du visage inexpressif
Méthode de recherche utilisée pour mesurer la régulation mutuelle chez des bébés de deux à neuf mois.

Le **paradigme du visage inexpressif** (Tronick, Als, Adamson, Wise et Brazelton, 1978) est une méthode de recherche servant à mesurer la régulation mutuelle chez les bébés de deux à neuf mois. Dans cette expérimentation, la mère et l'enfant interagissent normalement lorsque, tout à coup, le visage de la mère devient inexpressif, elle devient silencieuse et ne répond plus à l'enfant. Si l'on observe alors les réactions des bébés, ceux-ci cessent de sourire et de regarder leur mère. Ils grimacent, émettent des sons ou gesticulent. Ils se touchent ou touchent leurs vêtements, vraisemblablement pour se rassurer ou pour diminuer le stress induit par un changement si soudain du comportement maternel (Weinberg et Tronick, 1996). Une analyse plus fine des comportements de l'enfant de six mois révèle qu'il a une double réaction. D'une part, lorsque la mère redevient « normale », l'enfant adopte des comportements de rapprochement avec la mère : il gazouille et tend les bras. D'autre part cependant, ses expressions faciales restent tendues, tristes ou fâchées. Cette étude suggère que l'enfant est capable d'être actif dans ses tentatives de rétablir la régulation mutuelle. Elle sous-entend également que l'enfant est affecté par ce bris de la régulation mutuelle, même lorsque le visage de sa mère revient à la normale.

La façon dont le parent répond à son enfant affecte la réaction de l'enfant au paradigme du visage inexpressif. On a observé que les enfants dont les parents sont sensibles et ouverts à leurs besoins émotionnels réagissent moins négativement au paradigme du visage inexpressif. Ils semblent plus en mesure de se réconforter eux-mêmes. Ceci est important, parce que la capacité d'un enfant de quatre mois de se réconforter lui-même prédit la formation d'un attachement sécurisant à 12 mois (Rosenblum *et al.*, 2002). Nous devons donc retenir de ces études que le comportement de l'adulte à l'égard de l'enfant est primordial.

4.5.2 LA RÉFÉRENCE SOCIALE

Référence sociale
Le fait de se baser sur les comportements d'une autre personne pour ajuster son propre comportement dans une situation ambiguë.

Vers la fin de sa première année, le bébé fait plus que reconnaître les visages familiers. Il peut désormais se servir des adultes qui l'entourent comme source de référence pour ajuster ses réactions à des situations nouvelles. Par exemple, en présence d'un nouveau jouet ou d'une nouvelle personne, l'enfant observera ses parents pour obtenir des indications sur la façon dont il doit réagir. Si ses parents semblent contents de se retrouver en présence de cette personne, l'enfant a plus tendance à bien réagir. Par la **référence sociale**, une personne

ENCADRÉ 4. 2

Les familles recomposées fonctionnent-t-elles ?

Selon Marie-Christine Saint-Jacques, professeure à l'Université Laval, l'un des problèmes que vivent les familles recomposées est le fait qu'elles sont victimes d'une étiquette péjorative. Elles ne correspondent pas à la famille nucléaire traditionnelle, ce qui représente un idéal de la société, et les gens de l'extérieur trouvent la vie de ces familles compliquée. Avec la multiplication des formes familiales, ces préjugés tendent cependant à s'amenuiser. On réalise que ce qui importe n'est pas le type de famille mais ce qui se passe dans la famille.

Toutefois on peut se demander comment s'en tirent les enfants des familles recomposées. On considère que la majorité des jeunes qui vivent en familles recomposées fonctionnent normalement. Cependant leur degré d'adaptation est généralement plus faible, en particulier dans les premières années suivant la recomposition. Au moment de la recomposition, plusieurs enfants se remettront à espérer que leurs parents biologiques reforment un couple. C'est une réaction normale, puisque l'arrivée d'un nouveau conjoint dans la vie du parent rend

encore plus certaine la séparation définitive des parents biologiques. Il est alors nécessaire de rappeler à l'enfant les raisons de la séparation et le fait qu'il n'est pas responsable de cette séparation. Certains enfants perçoivent le nouveau conjoint comme une menace. Etant donné que la séparation a été pénible pour eux et leur parent, ils peuvent craindre l'avènement d'une autre séparation et le nouveau conjoint peut être perçu comme volant du temps « en solo » avec le parent biologique. Continuer à maintenir avec l'enfant des activités sans le nouveau conjoint peut aider à diminuer ce sentiment de menace. Il importe aussi de laisser à l'enfant le temps de s'habituer à un nouvel adulte dans sa vie quotidienne, de maintenir un espace dans la maison qui lui soit propre et surtout de faire sentir à l'enfant qu'il n'est pas obligé d'aimer le nouveau conjoint aux dépens de son parent biologique. Les réactions des enfants à la recomposition varient en fonction de l'âge. En particulier, il semble que la présence d'adolescents rende la vie de famille recomposée plus difficile. Par contre, ce sont les enfants qui seront le plus

influencés par la recomposition, puisqu'ils sont plus « captifs » et dépendants de la vie de la famille. Saint-Jacques (2002) fournit quelques conditions favorables à la réussite de la recomposition familiale :

- présenter graduellement le nouveau conjoint ;
- s'adonner à des activités familiales partagées avec le nouveau conjoint avant la cohabitation ;
- s'adonner à des activités exclusives entre l'enfant et le beau-parent ;
- vivre dans un nouveau lieu d'habitation pour tous, plutôt que d'habiter dans l'ancienne maison de l'un ou de l'autre adulte ;
- prendre le temps de connaître les enfants du nouveau conjoint s'il en a.

En somme, la recomposition familiale est un projet qui demande de la planification et du temps. « Un projet pour lequel on prend son temps ; pour lequel on donne du temps ; vis-à-vis duquel on se donne du temps » (Saint-Jacques, 2002, p. 79).

se fait une idée de la façon de se comporter dans une situation ambiguë en observant comment une autre personne réagit. Une expérimentation menée auprès de 31 sujets montréalais a montré que des enfants de 13 mois regardaient beaucoup plus leur mère en présence d'objets bizarres jamais observés que ne le faisaient les enfants de huit mois (Poulin-Dubois et Shultz, 1990). Par ces regards, les enfants plus âgés cherchaient chez leur mère des indices leur permettant d'ajuster leurs propres réactions.

4.5.3 LA SOCIALISATION

La **socialisation** est le processus par lequel les enfants développent des habitudes, des habiletés, des valeurs et des motivations qui les rendent responsables et, par conséquent, en mesure de devenir membres d'une société. La socialisation se base sur l'intériorisation des règles de la société. L'obéissance aux attentes des parents représente la première étape de l'intériorisation de normes extérieures, puisque les parents sont les premiers agents de socialisation de l'enfant, une sorte de courroie de transmission entre la société et l'enfant. Certaines règles ont trait à la sécurité, par exemple éviter de toucher aux couteaux. D'autres règles concernent les rapport avec les autres, par exemple remercier, respecter son tour de parole. Les enfants les apprennent dès leur plus jeune âge dans leur famille. Ceux qui sont bien socialisés obéissent aux règles établies non pas pour éviter une punition ou pour avoir une récompense, mais parce qu'ils ont intégré ces règles comme étant les leurs (Kochanska, Tjebkes et Forman, 1998). Certains enfants sont plus faciles à socialiser que d'autres. Le tempérament de l'enfant et la qualité du lien parent-enfant peuvent faciliter la socialisation ou lui nuire. On identifie la sécurité de l'attachement, la possibilité d'apprendre en observant les parents et l'ouverture mutuelle entre les parents et les enfants comme étant des déterminants importants d'une socialisation saine.

Socialisation
Processus d'apprentissage des comportements considérés comme appropriés dans une culture donnée.

4.5.4 L'AUTORÉGULATION

Autorégulation
Contrôle interne sur ses comportements dont fait preuve l'enfant en fonction des attentes sociales.

Catherine a deux ans. Elle est sur le point de mettre ses doigts dans une prise de courant lorsque son père crie : Non ! Elle retire sa main en vitesse. Quelques jours plus tard, Catherine repasse devant la prise de courant. Elle pointe son doigt, puis dit « non ». Elle a fait preuve d'autorégulation en s'empêchant elle-même, sans la présence d'un contrôle extérieur, de commettre un geste non souhaité. L'**autorégulation** constitue la base de la socialisation et implique plusieurs dimensions du développement : physique, cognitive, affective et sociale. Catherine est maintenant capable physiquement de marcher jusqu'à la prise électrique. Pour ne pas y mettre les doigts, elle doit comprendre clairement ce que son père lui a dit et elle doit s'en souvenir. Cependant ces processus cognitifs ne sont pas suffisants. Catherine doit aussi faire preuve de contrôle émotionnel pour restreindre ses envies. En prenant conscience de la réponse émotionnelle de leurs parents à leurs comportements, les enfants apprennent ce que leurs parents approuvent ou désapprouvent. Le désir intense des enfants de plaire à leurs parents les fait choisir des comportements souhaités par ceux-là, même en leur absence. La régulation mutuelle dans la petite enfance aide les enfants, en particulier les enfants au tempérament difficile, à faire preuve d'autorégulation (Feldman, Greenbaum et Yirmiya, 1999). Un attachement sécurisant et des interactions chaleureuses entre l'enfant et le parent contribuent aussi au développement de l'autorégulation (Eisenberg, 2000). Les enfants sont plus motivés à obéir aux demandes parentales quand le parent est par ailleurs ouvert à l'autonomie de l'enfant, par exemple en le laissant diriger durant une période de jeu (Kochanska, 1997b). L'ensemble des phénomènes que nous venons de voir exprime bien l'importance du rôle des parents dans le développement des enfants.

4.5.5 LE RÔLE DE LA MÈRE ET DU PÈRE

Freud affirmait que la conduite future d'un enfant, bonne ou mauvaise, dépendait exclusivement de sa mère. Sans nécessairement souscrire à une telle affirmation, de nombreuses études ont tout de même porté sur les interactions mères-enfants, possiblement à cause d'une plus grande disponibilité des mères ayant de jeunes enfants à participer aux recherches. Bien que la mère demeure un personnage central dans l'histoire du développement de son enfant, nous reconnaissons maintenant que la mère n'est pas la seule personne importante dans la vie de celui-ci. Depuis les années 1970, la présence plus grande des femmes sur le marché du travail, la remise en question des rôles sexuels traditionnels et le désir des pères de s'investir davantage dans la vie de leurs enfants ont contribué à un plus grand engagement des pères dans les jeux et les soins aux enfants. Les recherches sur l'engagement paternel confirment d'ailleurs qu'une présence positive et stable du père dans la vie de l'enfant aura des effets positifs sur son bien-être et sur son développement cognitif et social (Cabrera *et al.*, 2000). Toutefois, aujourd'hui encore, les mères assument majoritairement la responsabilité de l'éducation des enfants (Dubeau, Coutu et Moss, 2000).

Les différences entre hommes et femmes, sur le plan biologique comme sur les plans social et culturel, font que chacun joue un rôle unique au sein de la famille et apporte sa contribution particulière. Contrairement à ce que véhiculent certains préjugés, les pères possèdent, tout comme les mères, les compétences nécessaires pour élever un enfant (Lanoue et Cloutier, 1996). On remarque cependant des différences entre les pères et les mères quant à leurs façons d'interagir avec leurs enfants. Les études portant sur les interactions père-enfant indiquent que les pères sont généralement plus présents dans les jeux avec l'enfant que dans les soins corporels, ces derniers étant plus souvent assumés par la mère. Les mères seraient plus sécurisantes et plus verbales dans leurs interactions avec l'enfant, alors que les pères seraient plus orientés vers l'action (Lamb, 2004). Dans la mise en situation du début du chapitre, rappelez-vous comment les deux parents réagissent au comportement de Charlotte : Sylvie utilise davantage le langage alors que le père propose un jeu. Plusieurs facteurs déterminent le degré de participation du père : sa motivation, son

FIGURE 4.11 UN PÈRE QUI S'IMPLIQUE

Cette petite fille adore dessiner avec son papa. L'implication active de son père contribue à son développement cognitif et émotionnel.

engagement, l'impression qu'il peut faire une différence dans la vie de l'enfant et qu'il possède les habiletés pour le faire, sa relation avec la mère de l'enfant et le degré d'ouverture de cette dernière à la participation du père à la vie des enfants (Coley, 2001).

4.5.6 LES RELATIONS AVEC LES FRÈRES ET SŒURS

Les relations avec la **fratrie** jouent un rôle unique dans la socialisation, différent de celui des parents ou des pairs (Vandell, 2000). Les bébés s'attachent à leur grand frère ou leur grande sœur. Plus l'attachement parent-enfant est sécurisant, plus les enfants s'entendent bien entre eux (Teti et Ablard, 1989). Cependant les conflits entre frères et sœurs peuvent aussi devenir un moyen de comprendre les relations sociales (Ram et Ross, 2001). Plus les enfants se développent sur les plans cognitif et social, plus les conflits deviendront constructifs. Il ne faut pas minimiser l'importance des conflits, puisqu'ils font partie des relations humaines. Les conflits entre frères et sœurs aident les enfants à reconnaître les besoins, les désirs et les points de vue de l'autre. Ils permettent ainsi à l'enfant d'apprendre à tolérer la présence de désaccords et favorisent la recherche de compromis dans un contexte stable et sécurisant. Puisque le nombre d'enfants dans les familles diminue, l'apprentissage de la gestion des conflits ainsi que d'autres formes d'apprentissage se feront davantage avec les pairs de la garderie. Le chapitre 6 abordera cette question.

Fratrie
Ensemble des frères et des sœurs d'une famille.

4.6 LES PERTURBATIONS DES RELATIONS FAMILIALES

Nous avons vu combien les parents jouent un rôle fondamental dans la vie de leurs enfants. Lorsque les relations parents-enfants sont perturbées, les conséquences peuvent s'avérer importantes pour la famille entière et pour l'enfant en particulier, comme vous avez pu le constater dans l'encadré sur les mauvais traitements infligés aux enfants. Toutefois il est important de garder à l'esprit la capacité d'adaptation des enfants et des adultes. Cela leur permet de trouver les moyens de faire face à des perturbations très sérieuses et ainsi d'être qualifiés de résilients. Reportez-vous à l'encadré 4.3, qui explique la notion de **résilience**.

Résilience
Capacité d'une personne, d'un groupe de bien se développer; de continuer à se projeter dans l'avenir en présence d'événements déstabilisants, de traumatismes sérieux, graves, de conditions de vie difficiles.

4.6.1 LE DIVORCE DES PARENTS

Même si la majorité des enfants québécois habitent avec leurs deux parents, les divorces sont beaucoup plus nombreux aujourd'hui qu'ils ne l'étaient il y a 50 ans. Cette situation a attiré l'attention des chercheurs, qui se sont attardés à comprendre l'effet du divorce sur les enfants et les parents. Les résultats de nombreuses études sur le sujet tracent un portrait plutôt sombre des conséquences du divorce. On avance que les adultes divorcés connaissent des difficultés de plusieurs ordres : surconsommation, dépression, problèmes psychosomatiques. Les difficultés émotionnelles des adultes reliées au divorce affecteraient leur façon de s'occuper de leurs enfants. Surtout durant les deux années suivant le divorce, les mères, qui le plus souvent obtiennent la garde des enfants, se montrent plus «préoccupées, irritables, moins soutenantes et punissent souvent les enfants de façon erratique» (Jutras, 1999). Une enquête menée auprès d'enfants québécois en 1994 révèle que le divorce augmente le risque pour les enfants d'afficher des troubles externalisés (agitation, comportements de défis, agressivité). La séparation menacerait la sécurité émotionnelle des enfants, non seulement du fait de la mise à distance d'un parent, mais également à cause des conflits parentaux et de la perturbation de la routine. Les difficultés vécues seraient plus grandes chez les enfants qui présentent un tempérament difficile. Dans le cas des divorces, comme dans tout événement stressant, il est important de prendre en considération la multiplicité des facteurs en jeu. Le divorce implique souvent une perte de revenu pour les deux parents, la diminution ou même la perte de contact avec l'un des parents, parfois un déménagement et un changement d'école. Ces dimensions peuvent aussi être à l'origine des difficultés. L'acceptation du divorce par la société (d'ordre macrosystémique) joue aussi son rôle. Plus les divorces sont nombreux, moins l'enfant se sent « à part ».

Dans un ouvrage récent, Hetherington et Kelly (2002) apportent des nuances intéressantes aux résultats que nous venons de présenter. Ils affirment que le portrait négatif du divorce provient du fait que la plupart des études ont été menées un an ou deux après la séparation, ce qui ne donne pas la possibilité d'examiner comment les membres de la famille s'adaptent à moyen et à long terme. Un autre problème provient du fait que les études ne comparent pas les familles divorcées avec des familles intactes. Elles ne sont donc pas en mesure de distinguer les problèmes qui appartiennent aux familles en général des problèmes spécifiquement reliés au divorce. L'étude longitudinale d'une durée de 20 ans, menée par ces chercheurs auprès de 72 enfants d'âge préscolaire comparés à un groupe d'enfants de familles intactes, remet en cause certains mythes reliés au divorce.

- **Mythe 1 :** Les adultes sont toujours négativement affectés par le divorce.

Les chercheurs ont observé une variété de situations chez les adultes divorcés. Certaines correspondaient à la description que nous en avons faite (dépression, surconsommation...), cependant les conséquences ne sont pas toujours négatives. Un adulte sur quatre, non seulement s'en sortirait bien, mais le divorce, dans la réalité, augmenterait la qualité de vie. Ces personnes maintiennent de bonnes relations avec leurs enfants, se sont remariées et sont heureuses.

- **Mythe 2 :** Les hommes sont les grands gagnants du divorce.

La croyance populaire veut qu'après un divorce les hommes se retrouvent avec des femmes plus jeunes, plus minces et plus jolies que leur ex-conjointe. Dans la vraie vie, ce sont surtout les femmes qui demandent le divorce. Qui plus est, sur le plan émotionnel, les femmes s'en tirent généralement mieux que les hommes après un divorce. Elles se construisent un réseau de soutien social et y obtiennent l'aide nécessaire. Cependant, sur le plan économique, les femmes perdent souvent davantage que les hommes.

- **Mythe 3 :** Les enfants sont toujours perdants.

Les chercheurs reconnaissent que la plupart des enfants vivent, à court terme, des problèmes d'adaptation. Cependant, à moyen et à long terme, les jeunes adultes dont les parents ont divorcé lorsqu'ils étaient enfants sont tout à fait comparables à leurs pairs dont les parents n'ont pas divorcé. La recherche a même découvert que certains enfants sortent « grandis » du divorce de leurs parents. Ils sont matures, responsables et sainement engagés dans la vie (Hetherington et Kelly, 2002). En effet, certains facteurs de protection viendraient atténuer le stress vécu par les enfants durant ces périodes : la compréhension par les enfants du fait qu'ils ne sont pas responsables de la séparation des parents, leur capacité à affronter des situations difficiles, la présence de soutien social.

4.6.2 L'HOSPITALISATION DE L'ENFANT

La séparation d'avec les parents peut également survenir à cause d'une maladie de l'enfant. Dès les années 1960, John Bowlby a observé les effets délétères de l'hospitalisation sur l'enfant. Des bébés âgés entre 6 et 36 mois qui sont hospitalisés passent par trois stades d'angoisse liée à la séparation. Les bébés réagissent d'abord par la protestation. Ils pleurent, se débattent et communiquent leur besoin de retrouver le contact avec le parent. Dans un deuxième temps, les bébés deviennent plus calmes, non pas parce qu'ils s'habituent à cette situation, mais parce que ces premières réactions n'ont pas donné de résultats fructueux. En fait, ils deviennent plus passifs. La troisième phase est caractérisée par le détachement. Le bébé reprend ses habitudes, il mange, s'amuse avec ses jouets, sourit et se montre sociable. Toutefois, lorsque le bébé reçoit la visite de sa mère, on peut voir qu'il n'est pas tout à fait rétabli. Il reste alors apathique et peut même se détourner, ce qui suggère que les mécanismes de l'attachement sont perturbés, du moins momentanément.

Il existe des moyens d'aider l'enfant à traverser cette épreuve. Les parents peuvent séjourner avec l'enfant à l'hôpital ou, à la limite, le visiter tous les jours. Des ententes avec le personnel hospitalier peuvent faciliter l'adaptation de l'enfant (Simmonot, 1993). Le personnel soignant doit également s'informer auprès des parents de la routine de l'enfant et tenter de la maintenir. Si l'enfant a une «doudou», il est important qu'il puisse la garder près de lui. Cela compensera, du moins en partie, l'absence des parents. Idéalement un nombre limité de personnes devraient prendre soin de l'enfant, de manière qu'il puisse développer une relation de confiance avec ces personnes et ainsi être moins affecté par la situation. Durant l'absence des parents, le personnel soignant remplace en quelque sorte les parents. Les interactions chaleureuses et affectueuses de l'enfant avec l'infirmière peuvent faire toute la différence dans le rétablissement affectif de l'enfant une fois de retour à la maison.

Questions interactives :
ODILON.CA

ENCADRÉ 4.3

La résilience : l'espoir au bout du tunnel

Boris Cyrulnik (2003) raconte dans un ouvrage récent les origines du concept de résilience. Celui-ci remonte à Londres, après la Seconde Guerre mondiale. Anna Freud, la fille du psychanalyste, et ses collègues recueillirent des centaines d'enfants dont les parents avaient été massacrés lors des bombardements allemands. Plusieurs personnes croyaient que ces enfants étaient condamnés parce qu'ils affichaient de multiples problèmes : mutisme, encoprésie, énurésie, balancements continuels. Anna Freud ne pensait pas que ces enfants étaient «finis». L'idée qu'elle entretenait était que tous les enfants avaient quelque chose à dire. Selon elle, ces enfants qui, pour la plupart, n'avaient pas acquis le langage, s'exprimaient par ces symptômes. Plusieurs années plus tard, Emmy Werner, une psychologue américaine, travailla auprès d'un grand nombre d'enfants ayant subi les pires traumatismes : agressions physiques, sexuelles, grande pauvreté, absence de structure familiale, abandon... Elle suivit ces enfants pendant 30 ans. Quand les enfants atteignirent l'âge de 18 ans, une partie d'entre eux avaient commencé à «se réparer», selon les termes de Cyrulnik. Rendus à 30 ans, 30 % des enfants avaient appris à lire et à écrire, sans aller à l'école. Ils avaient appris un métier et fondé une famille. La question centrale que posait Cyrulnik était la suivante : «Par quel mystère 30 % de ces enfants avaient-ils réussi à se développer malgré des troubles importants, des privations affectives, des troubles organiques, une absence de structure familiale et sociale?» La question fondamentale de la résilience fut alors posée.

Nul autre que John Bowlby (1958) utilisa le premier le terme «résilience». Il la définissait alors comme un ressort moral, la qualité d'une personne qui ne se décourage pas et qui ne se laisse pas abattre par les épreuves de la vie. Des auteurs plus récents, tels que Boris Cyrulnik et Michel Manciaux, la définissent comme suit : la capacité d'une personne, d'un groupe, de bien se développer; de continuer à se projeter dans l'avenir en présence d'événements déstabilisants, de traumatismes sérieux, graves, de conditions de vie difficiles. Autrement dit, on parle de résilience lorsqu'une personne, bien qu'elle se soit trouvée dans des situations très difficiles (guerre, génocide, situations d'abus, abandon...), semble s'en sortir pratiquement indemne, sans paraître affectée par ces situations. La résilience, c'est résilier (cesser) son contrat avec l'adversité et décider de se reconstruire.

Comment se développe la résilience? La résilience survient à la suite d'un trauma, c'est-à-dire un événement qui crée une souffrance personnelle. Puis survient le traumatisme, c'est-à-dire la représentation qu'une personne se fait du trauma, sa façon de se remémorer l'événement ou de le raconter à d'autres. Disons d'emblée que le trauma ne peut être modifié. C'est un événement passé sur lequel il est impossible de revenir. Cependant le traumatisme, lui, peut évoluer avec le temps. C'est par ce processus que la résilience se réalisera.

Parmi les caractéristiques observées chez les personnes résilientes, on retrouve : un attachement sécurisant, la capacité de développer des stratégies de résistance et une propension à l'épanouissement (sociabilité, don d'éveiller la sympathie, sens de l'humour, créativité). L'entourage des enfants résilients compte souvent une personne qui aime l'enfant, qui l'écoute et croit ce qu'il dit; un adulte qui éveille la conscience de l'enfant. Cyrulnik parle de «tuteur de résilience». Parfois les tuteurs de résilience ne sont même pas conscients de l'être. Un enseignant peut dire à un élève : tu es capable de faire cela. Si c'est la première fois que

l'enfant entend ces paroles, elles peuvent le marquer pour le reste de sa vie et lui donner l'énergie nécessaire pour aller de l'avant.

La base du processus de résilience est la capacité d'une personne de remanier le récit de l'expérience traumatique, de manière à en transformer le sens et le vécu émotionnel qui y est rattaché. L'idée qu'une personne nourrit à son égard à la suite d'un traumatisme constitue l'une des conséquences des traumatismes : «Je suis moins que les autres parce que j'ai été abandonné par mon père. Je suis bon à rien» (Cyrulnik, 2003, p. 30). Une autre conséquence, contre laquelle Cyrulnik nous met en garde, concerne les préjugés que nous entretenons envers les enfants blessés et nos propres blessures, la tendance à croire que tout est «fixé dans le béton». Or, l'idée que se fait une personne de cet événement et d'elle-même peut changer avec l'expérience, la psychothérapie, le travail artistique ou la présence d'un «tuteur de résilience». Tous ces moyens permettent aux traumatisés de se comprendre eux-mêmes, d'exprimer leur souffrance, d'être entendus et, éventuellement, de cesser de se concevoir uniquement comme des victimes et ainsi de poursuivre leur développement.

«Cela signifie donc que toute notre vie, on peut avoir des tuteurs de résilience, que la culture et la langue jouent un rôle majeur et que la résilience est un processus de combat auquel on est contraint pendant toute notre vie. Les enfants qui n'ont pas été traumatisés peuvent aller à la plage de temps en temps, alors que ceux qui ont été traumatisés sont contraints à la bagarre toute leur vie. Donc, c'est une vie qui peut devenir intéressante, qui peut devenir amusante parce qu'il y a des processus de construction» (Cyrulnik, 2003, p. 42).

Chapitre 5

NICOLE LAQUERRE

Le développement physique et cognitif de l'enfant de 3 à 6 ans

PLAN DU CHAPITRE

Courir, sauter, grimper, s'habiller dessiner…notre petit explorateur maladroit est devenu aventureux et intrépide. Il utilise ses nouvelles habiletés motrices pour élargir ses horizons, ce qui ne va pas sans plaies et bosses. Centré sur lui-même et sur sa façon de se représenter le monde, il peut difficilement adopter un autre point de vue que le sien. Il possède néanmoins une pensée symbolique qui lui permet d'imiter son entourage, de faire les premiers liens logiques, de développer une certaine compréhension des nombres et surtout d'acquérir une maîtrise du langage déjà remarquable. Cet outil fantastique favorise les inter-actions avec ses proches, dont le rôle socialisateur s'accentue. Tandis que sa mémoire se développe, il prend peu à peu conscience de ses propres processus mentaux. Déjà, il fait ses premiers pas hors de sa famille et découvre à la garderie un monde nouveau, dans lequel son autonomie progresse. A.B.

En arrivant au centre de la petite enfance « Les puces sauteuses », les enfants font un gros câlin à Louise, leur éducatrice, qu'ils retrouvent toujours avec grand plaisir. Certains se dirigent ensuite vers le coin des marionnettes, tandis que Alexis et Juliette choisissent les bacs dans lesquels se trouvent les blocs.

Ces derniers sont bien rangés dans deux contenants identiques. Juliette renverse l'un d'eux sur le plancher. Alexis, croyant alors que Juliette a plus de blocs que lui, cherche à lui en enlever. Juliette réplique en cachant ses blocs dans une boîte. Comme les enfants semblent pouvoir régler seuls leur conflit, Louise n'intervient pas, mais garde un œil sur ce qui se passe tout en aidant Carlos à faire un casse-tête. « Qu'est-ce qu'on voit dans ce coin de l'image ? Y a-t-il un autre morceau où il y a du bleu ? Est-ce que tu vois un bout de patte de chien quelque part ? » Carlos réussit à finir le casse-tête avec les indices de Louise, mais c'est lui seul qui a posé tous les morceaux. Il en est très fier et décide de recommencer : cette fois, il le fera sans aide ! De son côté, Marilou dessine un petit cochon près d'une maison. Même si personne ne lui répond, on l'entend parler à voix haute : « Je fais la tête du petit cochon, maintenant je prends le crayon rouge, je dois bien faire sa bouche, … »

Le soir, à la maison, Marilou veut regarder son livre des trois petits cochons en se mouillant les doigts pour tourner les pages, comme sa mère l'avait fait, la veille, pour lire le journal. « Maman, pourquoi le méchant loup s'est caché ? Pourquoi il veut détruire la maison du petit cochon ? », demande-t-elle en pointant les images de son livre. Sa mère répond en intégrant d'autres éléments de l'histoire et en échangeant avec Marilou. Avant de se coucher, Marilou attrape l'un de ses animaux en peluche et l'appelle le méchant loup. Elle prend une grosse voix, comme sa maman le fait quand elle lit l'histoire, et menace les petits cochons, représentés par trois blocs, qui se cachent sous l'oreiller. Elle les rejoint et s'endort pour la nuit.

QUESTIONS À SE POSER

- *Malgré le fait qu'il ait pris un bac de blocs identique à celui de Juliette, pourquoi Alexis croit-il que Juliette a plus de blocs que lui ?*
- *Doit-on s'inquiéter du fait que Marilou se parle à elle-même à voix haute ?*
- *Pourquoi l'attitude de Louise rend-elle Carlos si fier de lui ?*
- *La mère de Marilou s'y prend-elle de la bonne façon pour faire la lecture à sa fille ?*

L'enfant qui a franchi sa troisième année n'est plus un bébé. Comme Alexis, Juliette, Carlos et Marilou, il est capable de faire plus et mieux qu'auparavant, tant sur le plan physique qu'intellectuel. De trois à six ans, l'enfant grandit moins rapidement qu'au cours des trois années précédentes, mais sa coordination et sa musculature se développent de manière telle que ses possibilités d'action sont augmentées. L'enfant de trois ans est un explorateur vigoureux, très à l'aise dans son univers, pressé d'en découvrir les possibilités et de développer les nouvelles capacités de son corps. Ce faisant, il fait de nouvelles expériences qui ont aussi un impact sur son développement cognitif. Celui-ci se poursuit également à un rythme renversant. L'enfant de cet âge fait des pas de géant sur le plan de la mémorisation, du raisonnement, du langage et de la pensée.

Dans le présent chapitre, nous nous penchons sur ces habiletés cognitives et nous abordons plusieurs questions importantes, comme la conservation des souvenirs ou le rôle du jeu dans le développement. Nous examinons également les mécanismes d'adaptation du jeune enfant qui cherche à comprendre le monde et qui s'ouvre à un environnement extérieur à sa famille, plus vaste, qui comprend les centres de la petite enfance et la maternelle.

5.1 LE DÉVELOPPEMENT PHYSIQUE

Les changements physiques qui se produisent entre trois et six ans sont peut-être moins spectaculaires que ceux des trois années précédentes, mais ils n'en sont pas moins considérables. La maturation du cerveau et du système nerveux permet un développement impressionnant des habiletés sensori-motrices et des aptitudes intellectuelles de l'enfant.

5.1.1 LA CROISSANCE ET LES TRANSFORMATIONS PHYSIQUES

Vers l'âge de trois ans, les rondeurs potelées des filles et des garçons cèdent la place aux formes plus allongées de l'enfance. Avec le raffermissement des muscles abdominaux, le petit ventre rebondi s'efface. Le tronc, les bras et les jambes allongent. La tête est encore relativement volumineuse, mais les autres parties du corps continuant de se développer, les proportions du corps ressembleront de plus en plus à celles de l'adulte, ce qui modifie le centre de gravité et permet un meilleur équilibre.

Ces modifications dans l'apparence de l'enfant résultent d'importantes transformations internes. En effet, la croissance musculaire et osseuse progresse et fortifie l'enfant. Le cartilage se transforme en masse osseuse à un rythme plus rapide qu'auparavant et les os durcissent, ce qui rend l'enfant plus solide et constitue une protection pour les organes internes. De plus, les capacités accrues des systèmes respiratoire et circulatoire

FIGURE 5.1 LA CROISSANCE PHYSIQUE

On voit bien sur ces photos de Zachary prises à trois ans d'intervalle (18 mois et 4 1/2 ans) les changements de proportions de son corps. Les proportions de la tête diminuent alors que celles des membres allongent.

améliorent la vigueur physique et, combinées à un système immunitaire en plein développement, elles gardent l'enfant en santé. Ces changements, liés à la maturation du cerveau et du système nerveux, favorisent le développement d'une foule d'habiletés motrices qui font appel aux grands comme aux petits muscles.

5.1.2 LES HABILETÉS MOTRICES

Quand nous voyons ce que peut accomplir un enfant de trois ans, nous imaginons difficilement qu'il ne marche que depuis deux ans. Entre trois et six ans, l'enfant continue de progresser de façon importante sur le plan du développement moteur. Le tableau 5.1 donne un aperçu de quelques-unes des habiletés qui se développent à cet âge.

• LA MOTRICITÉ GLOBALE

Entre trois et six ans, les enfants progressent considérablement sur le plan de la **motricité globale.** Le développement des aires sensorielles et motrices du cortex, et la poursuite de la myélinisation permettent une meilleure coordination entre ce que l'enfant veut faire et ce qu'il est capable de faire. De plus en plus, grâce à l'amélioration de la coordination entre ses sens, ses membres et son système nerveux central, il peut courir, sauter, pédaler et grimper plus vite, plus loin et mieux. Les performances des enfants varient beaucoup selon leur potentiel génétique et selon les occasions qu'ils ont d'apprendre et de pratiquer certaines habiletés. Par exemple, seulement 20 % des enfants de quatre ans peuvent lancer une balle correctement et 30 % peuvent bien l'attraper (APP Committee on Sports Medicine and Fitness, 1992). Avant six ans, les enfants sont rarement prêts à pratiquer un sport organisé, non seulement en fonction de leurs capacités motrices, mais aussi parce qu'ils ne sont pas encore en mesure de comprendre les règles du jeu, comme nous le verrons un peu plus loin dans ce chapitre. Pour l'enfant de cet âge, le développement physique progresse mieux à travers des jeux actifs et non structurés, puisque ces jeux lui permettent de se concentrer sur les habiletés qu'il désire maîtriser.

Motricité globale
Motricité des muscles longs qui permet de coordonner des mouvements comme courir, sauter, pédaler, etc.

• LA MOTRICITÉ FINE

La **motricité fine,** qui permet de dessiner ou de boutonner une chemise, implique les muscles courts et la coordination œil-main. À partir du moment où l'enfant maîtrise mieux ses petits

Motricité fine
Motricité des muscles courts qui permet une meilleure dextérité et une meilleure coordination œil-main.

TABLEAU 5.1 QUELQUES ÉLÉMENTS DE LA MOTRICITÉ GLOBALE ENTRE TROIS ET CINQ ANS

3 ANS	4 ANS	5 ANS
Ne peut tourner rapidement ni arrêter soudainement.	Maîtrise mieux l'arrêt, le départ et les tournants.	Dans les jeux, maîtrise pleinement le départ, les tournants et les arrêts.
Peut sauter sur une distance de 38 à 60 cm.	Peut sauter sur une distance de 60 à 84 cm.	Peut, en prenant son élan, sauter sur une distance de 70 à 90 cm.
Monte l'escalier sans aide, en alternant les pieds. Il ne peut pas descendre l'escalier de la même façon.	Peut, si on le soutient, descendre un long escalier en alternant les pieds.	Peut descendre un long escalier sans appui, en alternant les pieds.
Peut sauter sur place avec ses deux pieds; les sauts sont irréguliers, avec des variations.	Peut sauter quatre à six fois sur un pied.	Peut facilement sautiller sur une distance légèrement inférieure à 5 m.

Source : Corbin, 1973.

FIGURE 5.2 LES HABILETÉS MOTRICES

Les enfants d'âge préscolaire progressent de façon significative dans leurs habiletés motrices et sont plus en mesure de faire ce qu'ils veulent avec leur corps. La motricité globale leur permet par exemple de courir et de frapper un ballon alors que la motricité fine les rend aptes à découper avec des ciseaux.

muscles, il est en mesure de satisfaire davantage ses besoins personnels, ce qui lui donne un sentiment de compétence et d'autonomie, et augmente son estime de soi, comme nous le verrons dans le prochain chapitre. À trois ans, par exemple, il peut manger avec une cuillère, verser le lait dans ses céréales, s'habiller et se déshabiller, se brosser les dents presque sans aide. Il peut aller aux toilettes seul et se laver les mains (si on le lui rappelle !). Au moment où il entrera en maternelle, il pourra s'habiller sans l'intervention d'un adulte.

Les changements observés dans les dessins des jeunes enfants semblent refléter autant la maturation de la motricité fine que celle du cerveau. À deux ans, un enfant gribouille ; il ne le fait pas au hasard, mais selon certaines structures, telles que des lignes verticales ou en zigzag. À trois ans, un enfant dessinera des formes – cercles, carrés, rectangles, triangles, croix –, ensuite, il commencera à combiner ces formes dans des motifs plus complexes. Le stade pictural commence généralement entre quatre et cinq ans.

Le passage des formes abstraites à la représentation d'objets réels indique un changement majeur dans les objectifs du dessin et traduit un progrès cognitif dans les habiletés de représentation. Ainsi, par l'intermédiaire des dessins de bonhomme, nous pouvons observer les progrès réalisés par l'enfant dans la construction de

Schéma corporel
Image qu'on se fait de son propre corps.

son **schéma corporel**, c'est-à-dire dans la représentation qu'il se fait de son propre corps, des éléments qui le composent et de leurs proportions. Cependant les exigences des adultes concernant la fidélité de la représentation peuvent parfois nuire à la créativité des enfants.

Dominance de la main
Préférence pour l'utilisation d'une main plutôt que de l'autre.

La **dominance de la main**, c'est-à-dire la préférence pour l'utilisation d'une main plutôt que de l'autre, est habituellement évidente vers l'âge de trois ans. L'hémisphère gauche du cerveau, qui contrôle le côté droit du corps, étant généralement dominant, la plupart des gens utilisent leur main droite. Chez ceux dont le cerveau est plus symétrique, l'hémisphère droit tend à dominer, ce qui rend les gens gauchers. La dominance n'apparaît pas toujours aussi évidente ; plusieurs personnes utiliseront indifféremment une main ou l'autre. Les garçons sont plus souvent gauchers que les filles.

La dominance de la main relève-t-elle de la génétique ou de l'apprentissage ? Cette question a souvent été l'objet de controverse. Une nouvelle théorie explique la dominance de la main droite par l'existence d'un seul gène. Selon cette théorie, les personnes qui héritent de ce gène – environ 82 % de la population – sont droitières. Ceux qui ne reçoivent pas ce gène

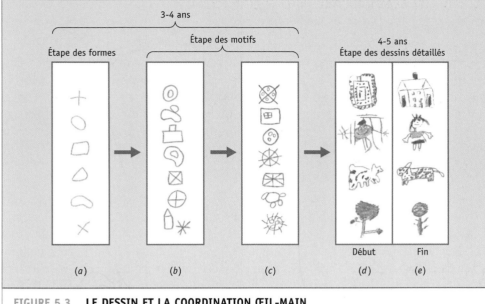

FIGURE 5.3 LE DESSIN ET LA COORDINATION ŒIL-MAIN

Une grande différence existe entre les simples formes présentées en (a) et les dessins détaillés en (e). Ces progrès sont possibles grâce à une meilleure coordination œil-main.

ont quand même 50 % des chances d'être droitiers ; sinon, ils seront gauchers ou ambidextres. Le fait que la dominance de la main relève du hasard chez ceux qui ne reçoivent pas le gène pourrait expliquer pourquoi des jumeaux homozygotes peuvent avoir des mains dominantes différentes et pourquoi 8 % des enfants de deux parents droitiers sont gauchers. Cette théorie prédit avec précision la proportion d'enfants gauchers dans un échantillon de familles sur trois générations (Klar, 1996). Précisons que la **latéralisation** affecte tout le côté du corps, non seulement l'utilisation de la main. Ainsi, le droitier frappera sur un ballon avec son pied droit.

Latéralisation
Localisation de certaines fonctions dans le côté droit ou gauche du cerveau.

FIGURE 5.4 L'ÉVOLUTION ARTISTIQUE ENTRE 2 ET 6 ANS

Les dessins de Louis-Mathieu illustrent l'évolution artistique d'un enfant. Il passe des simples gribouillages aux dessins représentatifs beaucoup plus raffinés.

5.1.3 LE SOMMEIL

L'enfant de cet âge dort moins qu'au stade précédent, mais il développe un rythme de sommeil bien à lui. En général, il dort toute la nuit d'un sommeil profond, plus profond qu'à n'importe quelle autre période de sa vie.

Les enfants de différentes cultures ont sensiblement le même nombre d'heures de sommeil dans une journée, mais leur distribution peut varier. Dans plusieurs cultures traditionnelles, comme les Gusii du Kenya ou les Javanais d'Indonésie, les jeunes enfants n'ont pas d'heure précise de coucher. Ailleurs, des enfants ne font plus la sieste à partir de trois ans, mais sont couchés tout de suite après le repas du soir. Quant aux enfants canadiens, la plupart font une sieste jusqu'à environ cinq ans.

Entre 20 % et 30 % des enfants de moins de quatre ans opposent une résistance lorsque vient le temps d'aller se coucher (ce problème semble culminer entre deux et quatre ans) (Lozoff, Wolf et Davis, 1985). Ils ne veulent pas quitter un univers stimulant et plein de gens pour se retrouver seuls dans leur lit. Il semble que la façon la plus efficace d'éliminer les colères durant cette période de la journée est d'établir une routine simple et stable, qui comprend une heure fixe pour le coucher et des rituels de mise au lit qui s'effectuent dans le calme et qui ne s'éternisent pas.

• LES TROUBLES DU SOMMEIL

Cauchemar
Rêve terrifiant qui survient souvent vers la fin de la nuit. L'enfant en garde généralement un vif souvenir.

Plusieurs enfants âgés entre trois et huit ans souffrent de cauchemars ou de terreurs nocturnes. Le **cauchemar** est un rêve terrifiant qui se produit souvent lorsque l'enfant reste éveillé trop longtemps, qu'il est surexcité ou qu'il mange un repas copieux avant de se coucher. Il survient souvent vers la fin de la nuit et, à son réveil, l'enfant garde un vif souvenir de son cauchemar. Les cauchemars sont assez répandus chez les jeunes enfants, surtout chez les filles. Un mauvais rêve de temps en temps n'a rien d'inquiétant, mais des cauchemars fréquents, surtout s'ils rendent l'enfant craintif et anxieux durant les périodes d'éveil, peuvent signaler un stress excessif. Les **terreurs nocturnes** n'ont aucun lien avec les rêves. L'enfant semble sortir brusquement d'un sommeil profond et il se réveille dans un état de panique. Il peut crier et s'asseoir dans son lit en respirant rapidement et en regardant devant lui sans vraiment voir, mais il n'a pas conscience d'avoir fait un mauvais rêve ou d'avoir pensé à une chose terrifiante. Il se rendort rapidement et, au matin, il ne se souviendra pas de s'être réveillé au cours de la nuit. Contrairement aux cauchemars, les terreurs nocturnes ont tendance à se produire peu de temps – moins d'une heure – après que l'enfant s'est endormi et elles sont plus fréquentes chez les garçons (Hobson et Silvestri, 1999).

Terreurs nocturnes
Manifestation d'un état de panique, pendant le sommeil profond, qui survient habituellement au début de la nuit. L'enfant n'en garde habituellement aucun souvenir.

Somnambulisme
Le fait de marcher en dormant. La personne n'en garde habituellement aucun souvenir.

Somniloquie
Le fait de parler en dormant. La personne n'en garde habituellement aucun souvenir.

Le **somnambulisme** (le fait de marcher en dormant) et la **somniloquie** (le fait de parler en dormant) sont aussi des manifestations assez répandues chez les enfants. Ces problèmes sans danger disparaissent généralement d'eux-mêmes. Ces troubles du sommeil, comme les cauchemars et les terreurs nocturnes, sont dus à une activation accidentelle du système de contrôle moteur du cerveau (Hobson et Silvestri, 1999). Ils alarment davantage les parents que l'enfant et constituent rarement un problème grave. Toutefois, s'ils persistent, ils pourraient être le symptôme de troubles affectifs et nécessiteraient la consultation d'un spécialiste.

• L'ÉNURÉSIE

Énurésie
Émission involontaire d'urine ; souvent associée au sommeil nocturne des enfants.

L'**énurésie** constitue un autre problème, assez répandu, associé au sommeil des enfants. Cette habitude qu'ont certains enfants d'uriner au lit durant la nuit survient chez environ 7 % des garçons de cinq ans et chez 3 % des filles du même âge. Même s'il se peut que leur vessie soit plus petite, moins de 1 % des enfants qui souffrent d'incontinence nocturne présentent un problème physique. L'énurésie persistante ne provient pas non plus d'un problème émotionnel, mental ou de comportement, bien que ce genre de problème puisse se développer selon la façon dont l'enfant énurétique sera traité par ses camarades de jeu et sa famille (Schmitt, 1997). La découverte de l'emplacement approximatif d'un gène relié à l'énurésie (Eiberg *et al.*, 1995) indique que l'hérédité en est un facteur majeur, qui peut être combiné à d'autres facteurs, par exemple un développement moteur lent, des allergies et un mauvais contrôle du comportement (Goleman, 1995b).

Les enfants et leurs parents doivent être rassurés : l'énurésie est un phénomène fréquent et bénin qui finit par disparaître de lui-même. Il est donc préférable de se montrer patient avec l'enfant et, surtout, d'éviter de le blâmer ou de le punir. Les traitements les plus efficaces semblent être de récompenser l'enfant lorsqu'il est propre, de lui enseigner comment contrôler ses sphincters et d'utiliser un avertisseur automatique la nuit. Cependant, jusqu'à ce que l'enfant considère lui-même son énurésie comme un problème, on recommande avant tout la non-intervention.

5.1.4 LA SANTÉ

Au cours de la petite enfance, les enfants sont généralement en bonne santé, surtout depuis que les principales maladies qui les frappaient autrefois sont devenues relativement rares en raison de la vaccination généralisée. Par contre, dans les pays en voie de développement, des maladies comme la rougeole, la coqueluche ou la poliomyélite sont encore assez répandues (Wegman, 1999).

• LES MALADIES

Comme les poumons des enfants ne sont pas pleinement développés, les problèmes respiratoires sont fréquents, mais moins qu'au cours des années précédentes. Cette amélioration s'explique par la maturation graduelle du système respiratoire et du système immunitaire. Cependant l'asthme demeure l'une des causes les plus courantes d'hospitalisation chez les enfants de cet âge.

Pour ce qui est du cancer, on constate une hausse progressive des taux d'incidence de cette maladie. Les pesticides seraient responsables de plusieurs cas de leucémie et de cancer du cerveau chez les enfants (Conseil canadien de développement social, 2002). Malgré cette hausse des taux de cancer, on note aussi une diminution de près de 40 % du taux de mortalité depuis 1970, due en grande partie aux percées réalisées dans le traitement de la leucémie (Institut national du cancer du Canada, 1999).

À la fin de 2002, le Canada comptait 210 cas déclarés d'enfants de moins de 15 ans souffrant du sida (Santé Canada, 2003). Outre les effets physiques dévastateurs de cette maladie mortelle, le sida entraîne des conséquences psychologiques graves. Beaucoup d'enfants sidéens présentent des retards dans leur développement et se comportent comme des enfants plus jeunes et moins compétents. De plus, la famille entière est parfois stigmatisée par la communauté, et l'enfant est rejeté par les voisins et expulsé de l'école, bien que ses camarades ne courent virtuellement aucun risque de contamination (Fédération canadienne des services de garde à l'enfance, 2003).

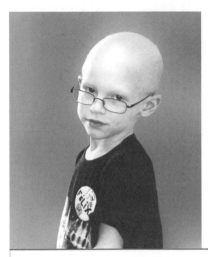

FIGURE 5.5 **UN ESPOIR POUR LES ENFANTS QUI SOUFFRENT DU CANCER**

De nos jours, près de 75 % des enfants atteints du cancer en guérissent. Leucan est un organisme sans but lucratif dont la mission est de favoriser le mieux-être et la guérison des enfants atteints de cancer, et d'assurer un soutien à leur famille. www.leucan.qc.ca

• LES BLESSURES ACCIDENTELLES

Les accidents tels que les traumatismes et les empoisonnements constituent la cause première des décès qui surviennent chez les enfants entre un et cinq ans (Statistique Canada, 1998). La plupart des blessures mortelles sont liées à des accidents qui se produisent sur la route, que l'enfant se trouve ou non dans une voiture.

La plupart des autres accidents mortels se produisent à la maison ou dans les environs (noyade, chute, empoisonnement, asphyxie, etc.). Les enfants sont naturellement aventureux et peu conscients des dangers qui les guettent. C'est pourquoi certaines mesures ont été mises en place afin d'assurer leur sécurité : le port de la ceinture de sécurité en voiture, les bouchons protecteurs sur les boîtes de médicaments et le port du casque à vélo.

Leur tempérament peut rendre certains enfants plus susceptibles de se blesser. Une étude longitudinale menée sur 59 enfants a démontré que les enfants les plus extravertis et qui avaient moins de contrôle inhibiteur durant leur tendre enfance avaient tendance à surestimer leurs capacités physiques. À six ans, ils avaient également subi beaucoup plus de blessures nécessitant un traitement médical (Schwebel et Plumert, 1999).

• LES INFLUENCES ENVIRONNEMENTALES SUR LA SANTÉ DES ENFANTS

Pourquoi certains enfants sont-ils plus malades que d'autres ? Pourquoi certains sont-ils plus vulnérables aux accidents ? L'hérédité joue un rôle dans certaines maladies en prédisposant des enfants à des affections précises. De plus, comme nous l'avons vu avec le modèle écologique de Bronfenbrenner, la qualité du milieu familial, les difficultés financières, l'accès aux soins de santé, l'environnement physique et social représentent des facteurs importants en ce qui concerne la vulnérabilité à la maladie et aux accidents.

L'exposition à la fumée secondaire. La fumée secondaire produite par les parents qui fument la cigarette est un facteur, évitable, de maladie chez les enfants. Au Québec, 25 % des enfants âgés de 0 à 11 ans sont régulièrement exposés à la fumée secondaire du tabac (ESUTC, 2003). Cette exposition passive augmente les risques de problèmes médicaux comme la bronchite, la pneumonie, les infections respiratoires, les otites et l'asthme (Aligne et Stoddard, 1997).

La pauvreté. Il existe une forte corrélation entre le niveau socioéconomique et la santé. Plus un enfant vit dans un milieu défavorisé, plus il risque de souffrir de maladies, d'être blessé ou de mourir prématurément. La pauvreté est un facteur déterminant dans les problèmes de santé de plusieurs dizaines de milliers de jeunes Canadiens, notamment au Québec, qui possède les taux de pauvreté les plus élevés de toutes les provinces (Conseil national du bien-être social, 2004). Souvent les enfants pauvres mangent mal, n'obtiennent pas le suivi médical nécessaire et ne grandissent pas normalement. Il arrive aussi que les parents soient trop préoccupés par la survie de la famille pour veiller comme il se doit sur leurs enfants.

Les problèmes commencent souvent bien avant la naissance. La mère ne mange pas convenablement et elle reçoit des soins prénataux inadéquats. Elle donne plus souvent naissance à un enfant prématuré et de faible poids, ou à un enfant mort-né ou qui meurt peu de temps après l'accouchement. De plus, comme l'enfant est souvent mal nourri, il est généralement plus faible et plus vulnérable à la maladie (cela vaut aussi pour sa mère). Il risque aussi de souffrir de troubles possiblement liés au stress (asthme, maux de tête, insomnie et troubles intestinaux).

Par ailleurs, plus la pauvreté persiste, plus le développement des enfants est compromis ; les troubles du comportement, les perturbations psychologiques et les problèmes d'apprentissage surviennent plus fréquemment chez les enfants qui ont connu la pauvreté avant l'âge de cinq ans et ces derniers sont aussi plus susceptibles d'être victimes de violence (Elder *et al.*, 1992 ; Conseil canadien de développement social, 2002).

5.2 LE DÉVELOPPEMENT COGNITIF

Entre trois et six ans, l'enfant fait preuve d'une maîtrise accrue des notions d'âge, de temps et d'espace, et il développe sa capacité d'utiliser des symboles. Voyons maintenant comment se traduisent ces progrès de l'enfant dans sa façon de réfléchir, de mémoriser et de s'exprimer.

5.2.1 LE STADE PRÉOPÉRATOIRE DE PIAGET

L'étape que traverse l'enfant entre deux et six ans a été appelée par Piaget **stade préopératoire**. Selon lui, les enfants de cet âge ne sont pas prêts à effectuer des **opérations mentales** qui exigent une pensée logique. La caractéristique principale de ce stade de développement cognitif est l'utilisation croissante de la **pensée symbolique** et des **capacités de représentation** qui avaient commencé à se manifester à la fin du stade sensorimoteur.

Le tableau 5.2 présente les progrès réalisés par l'enfant lorsqu'il parvient au stade préopératoire. Cependant sa pensée connaît encore de nombreuses limites, qui sont décrites au tableau 5.3. Voyons maintenant ces progrès et ces limites identifiés par Piaget ainsi que les nuances apportées par des recherches récentes sur ces aspects du développement.

• LA FONCTION SYMBOLIQUE

Lorsque Marilou réclame son livre des trois petits cochons, elle n'a pas besoin de l'avoir sous les yeux pour y penser. Elle s'en souvient et peut nommer ce qu'elle désire. Cette capacité de se représenter mentalement un objet, une personne, une situation sans qu'ils soient physiquement présents caractérise la fonction symbolique, c'est-à-dire la capacité d'utiliser un symbole (mot, chiffre, image) auquel la personne attache un sens, consciemment ou non. Selon Piaget, la pensée symbolique est présente vers la fin du stade sensorimoteur, mais elle

Stade préopératoire
Selon la théorie de Piaget, deuxième stade du développement cognitif, qui se situe entre deux et six ans, au cours duquel l'enfant peut se représenter mentalement des objets qui ne sont pas physiquement présents. Ces représentations, par contre, sont limitées du fait que l'enfant ne peut penser logiquement.

Opérations mentales
Réflexions mentales qui permettent de comparer, de mesurer, de transformer et de combiner des ensembles d'objets.

Pensée symbolique
Capacité d'utiliser des symboles pour représenter des objets ou des situations de la vie réelle.

Capacité de représentation
Capacité de se rappeler (se représenter mentalement) des objets et des expériences sans l'aide de stimuli, principalement par le recours à des symboles.

se développe pleinement entre deux et six ans. Le fait de disposer de symboles pour représenter diverses réalités nous permet d'y penser, d'en intégrer les qualités, de nous les rappeler et de communiquer avec d'autres à leur sujet. La pensée symbolique constitue par conséquent un progrès considérable dans le développement cognitif. Sans symboles, les gens seraient incapables de se parler, de lire une carte ou de chérir la photo d'une personne aimée qui se trouve au loin.

Le mot constitue le symbole le plus usuel et probablement le plus important pour la pensée, qu'il soit verbalisé ou, plus tard, écrit. C'est donc dans l'utilisation du langage que la fonction symbolique est la plus impressionnante. Comme nous l'avons vu au chapitre précédent, en parlant des bases du langage, un enfant qui utilise le mot *pommier* pour désigner un objet absent attribue à ces sons un caractère symbolique.

FIGURE 5.6 **LE JEU SYMBOLIQUE**

Faire semblant de servir du lait et de partager un repas avec son ourson est une manifestation du jeu symbolique. Cet enfant est capable d'utiliser des symboles (jouets, ourson) pour représenter des situations de la vie réelle.

La fonction symbolique se manifeste aussi à travers l'imitation différée et dans le jeu symbolique. L'imitation différée, comme nous l'avons vu aussi au chapitre précédent, consiste à reproduire une action observée, mais en l'absence du modèle. Par exemple, Marilou se mouille les doigts pour tourner les pages de son livre, après avoir vu sa mère faire la même chose la veille alors qu'elle lisait le journal et elle imite sa voix pour faire parler le

TABLEAU 5.2 **PROGRÈS COGNITIFS PENDANT LA PETITE ENFANCE**

PROGRÈS	DESCRIPTION	EXEMPLE
Fonction symbolique	Les enfants peuvent penser à une personne ou à un objet absent, ou à un événement qui ne se déroule pas dans le présent. Les enfants peuvent imaginer que les objets ou les personnes possèdent des qualités différentes de celles qu'ils ont en réalité.	Jérémie se souvient d'avoir mangé un cornet chez sa grand-mère la veille et il en réclame de nouveau aujourd'hui. Mathieu utilise un rouleau de carton provenant d'un papier d'emballage pour faire semblant qu'il pointe une épée.
Compréhension de l'identité	Les enfants savent que des modifications superficielles ne changent pas la nature des choses.	Alexis sait que, même si son grand frère est habillé en pirate, il demeure toujours son grand frère.
Compréhension des liens de causalité (causes et effets)	Les enfants réalisent que les événements ont des causes.	Jade voit un ballon rouler qui surgit de derrière un mur et elle regarde derrière le mur pour voir la personne qui a donné un coup de pied sur le ballon.
Capacité de classifier	Les enfants classent les objets, les personnes et les événements en catégories significatives.	Norma trie les cocottes qu'elle a ramassées lors de sa randonnée. Elle les place en deux piles, d'après leur taille : les «petites» et les «grandes».
Compréhension des nombres	Les enfants peuvent compter et gérer les quantités.	Laurence partage quelques bonbons avec ses amies en les comptant pour s'assurer que chacune en aura la même quantité.
Empathie	Les enfants deviennent plus à même d'imaginer comment les autres se sentent.	Pierre essaie de réconforter son ami lorsqu'il voit que ce dernier est bouleversé.
Théorie de l'esprit	Les enfants deviennent plus conscients de l'activité mentale et du fonctionnement de l'esprit.	Camille veut garder quelques biscuits pour elle, alors elle les cache dans la boîte à crayons pour que son petit frère ne les trouve pas. Elle sait qu'il ne regardera pas à un endroit où il ne s'attend pas à trouver les biscuits.

Jeu symbolique

Selon Piaget, le fait de représenter des objets ou des actions par des symboles (autres objets ou actions imaginaires).

Transduction

Selon Piaget, le fait d'établir un lien de causalité, logique ou non, entre deux événements sur la seule base de leur rapprochement dans le temps.

méchant loup. Selon Piaget, Marilou a d'abord stocké dans sa mémoire une action de sa mère; plus tard, elle l'a reproduite en rappelant l'image symbolique de cette action dans sa mémoire de travail. Lorsque Marilou utilise des blocs pour représenter les petits cochons qui se cachent, c'est un **jeu symbolique**; le bloc représente, ou symbolise, un petit cochon.

• LES LIENS DE CAUSALITÉ

Au début du stade préopératoire, l'enfant saisit de façon générale les relations fonctionnelles élémentaires qui existent entre les objets et les événements. Par exemple, un enfant de trois ans sait qu'en tirant sur un cordon le rideau s'ouvre et qu'en appuyant sur un interrupteur la lumière s'allume. Bien qu'il ne comprenne pas pourquoi une action en entraîne une autre, il perçoit le rapport qui existe entre ces deux actions. Même si Piaget admet que les jeunes enfants ont une certaine compréhension des relations de cause à effet, il croit que le raisonnement de l'enfant du stade préopératoire n'est pas logique; il est plutôt transductif. La **transduction** est le fait d'établir un lien de causalité, logique ou non, entre deux événements sur la seule base de leur rapprochement dans le temps. Dans ce type de raisonnement, l'enfant n'utilise ni la logique inductive (tirer une conclusion générale de données particulières) ni la logique déductive (partir de données générales pour tirer des conclusions particulières). Si deux événements surviennent en même temps ou sont perçus dans le même contexte, l'enfant croira que l'un est la cause de l'autre. C'est le cas de Julie, qui dit que le papillon vole parce qu'il fait chaud (le raisonnement est le suivant : je vois un papillon qui vole, je constate qu'il fait chaud, donc, le papillon vole parce qu'il fait chaud) ou celui de Julien, qui croit que ses parents divorcent parce qu'il a refusé de s'habiller tout seul.

Toutefois, lorsqu'ils sont testés sur des situations compréhensibles pour eux, les jeunes enfants relient correctement les causes aux effets. Une équipe de recherche a monté une série d'expériences à l'aide d'un détecteur qui était programmé pour s'allumer et jouer de la musique lorsqu'on plaçait certains objets (et non certains autres) dessus. Même les enfants de deux ans qui avaient observé cet appareil en état de fonctionnement ont démontré un raisonnement logique en décidant quels objets il fallait placer et quels objets il fallait enlever pour désactiver le détecteur. On a aussi montré que des enfants de moins de cinq ans semblaient comprendre que des facteurs biologiques sont responsables de la croissance ou de la maladie, et comment les désirs ou les émotions entraînent des réactions humaines (Gopnick *et al.*, 2001).

Le discours des enfants révèle souvent une meilleure compréhension des relations causales que ne l'avait cru Piaget. Il suffit de les écouter parler; même s'ils éprouvent parfois de la difficulté à répondre aux «pourquoi?» des adultes, ils utilisent spontanément des expressions comme «parce que» ou «alors»: «Le petit lapin pleurait parce qu'il était perdu.», «Maman a mis un pansement parce que j'avais un bobo.», «La fée a pris sa baguette magique, alors la petite souris est devenue grande.»

Par contre, les enfants de cet âge tendent à croire que tous les événements ont des relations causales prévisibles. Ainsi, un enfant de quatre ans pourra croire que si on ne se lave pas les mains avant de manger, on sera malade : pour lui, le lien de cause à effet est aussi prévisible que celui de voir retomber un ballon lancé dans les airs.

• LA MAÎTRISE DES NOMBRES

Entre trois et six ans, les enfants apprennent généralement à reconnaître les principes de la numération suivants (Sophian, 1988) :

- *Principe d'ordre stable* : dire les noms des nombres dans un ordre précis («Un, deux, trois...» et non «Trois, un, deux...»).

- *Principe de correspondance biunivoque* : utiliser un nom de nombre, et seulement un, pour chaque élément compté («un pour le premier élément, deux pour le deuxième élément, trois pour...»).

- *Principe de cardinalité* : le dernier nombre énoncé représente le total des éléments comptés. Si le dernier nombre énoncé est «cinq», cela signifie qu'il y a cinq éléments.

FIGURE 5.7   UNE EXPÉRIENCE DE CONSERVATION

Après avoir présenté à un enfant de 5 ans de l'eau dans des contenants identiques, on verse l'eau de l'un des contenants dans un verre de forme différente. Un enfant du stade préopératoire dira qu'il y a maintenant plus d'eau dans l'un des contenants parce que la centration l'empêche de considérer à la fois la hauteur et la largeur du verre.

- *Principe de non-pertinence de l'ordre de départ* : si l'on compte cinq éléments, que l'on commence à compter par le premier ou le troisième, le total restera le même.

- *Principe d'abstraction* : les précédents principes s'appliquent à tous les objets comptés.

On croyait auparavant que c'était la compréhension de ces principes qui permettait aux enfants d'apprendre à compter. Des recherches récentes affirment que c'est l'inverse ; c'est en comptant qu'ils parviennent à dégager les principes de numération (Siegler, 1998).

Si l'on demande à des enfants de trois ans et demi de compter cinq ou six objets, ils réciteront le nom des chiffres (de un à six et peut-être un peu plus...), mais ils seront incapables de préciser le nombre total d'objets. Cela signifie qu'ils ne comprennent pas la cardinalité. Vers cinq ans, la plupart des enfants sont capables de réciter dans l'ordre les chiffres jusqu'à 20 (si on leur a appris, en jouant la plupart du temps) et de compter un nombre d'objets jusqu'à un maximum de 10.

Vers quatre ou cinq ans, l'ordinalité, c'est-à-dire la capacité de comparer des quantités numériques, permet à l'enfant de comprendre les notions de *plus* et de *moins* (trois biscuits, c'est plus que deux !) et de résoudre des problèmes simples (Laurie a pris sept pommes et Bianca en a pris cinq. Laquelle en a le plus ?) sur des groupes d'objets allant jusqu'à neuf.

Bien sûr, même si l'acquisition des connaissances se rapportant à la numération est universelle, elle se développe à des rythmes différents selon l'importance que la famille ou que la culture y accorde.

• LES LIMITES DE LA PENSÉE PRÉOPÉRATOIRE

La pensée préopératoire est encore rudimentaire comparativement à ce que l'enfant pourra accomplir, une fois parvenu au stade des opérations concrètes. Selon Piaget, la principale limite du stade préopératoire est la **centration**, c'est-à-dire la tendance à se concentrer sur un

Centration
D'après Piaget, limite de la pensée préopératoire qui amène l'enfant à ne percevoir qu'un seul aspect d'une situation au détriment des autres.

TABLEAU 5.3 LES LIMITES DE LA PENSÉE PRÉOPÉRATOIRE (SELON PIAGET)

LIMITE	DESCRIPTION	EXEMPLE
La centration	L'enfant ne perçoit qu'un seul aspect d'une situation au détriment des autres ; il ne peut pas opérer la décentration.	Lorsque les blocs de Juliette sont répandus sur le plancher et que ceux de Maxime sont bien placés dans leur contenant, Maxime croit qu'elle en a plus que lui parce qu'ils occupent plus d'espace sur le plancher.
L'irréversibilité	L'enfant ne comprend pas que certaines actions ou opérations sur un objet peuvent être faites en sens inverse pour revenir à l'état initial de l'objet.	Maxime ne réalise pas que les blocs peuvent être replacés dans leur contenant d'origine, ce qui contredirait le fait que Juliette en a plus que lui.
Le primat de l'état sur la transformation	L'enfant ne comprend pas le sens de la transformation d'un état à un autre.	Sur le plan de la conservation, Maxime ne réalise pas que la transformation de la disposition des blocs (les répandre sur le plancher) ne change pas leur quantité.
Le raisonnement transductif	L'enfant tend à établir un lien de causalité, logique ou non, entre deux événements sur la seule base de leur rapprochement dans le temps.	Sarah a été méchante avec son frère et celui-ci est tombé malade. Sarah en conclut qu'elle a rendu son frère malade.
L'égocentrisme	L'enfant ne peut pas prendre en considération le point de vue d'une autre personne.	Clémence parle au téléphone avec sa grand-mère et montre du doigt les dessins dont elle parle.
L'animisme	L'enfant tend à donner vie à des objets inanimés.	Pierre dit que le soleil se couche parce qu'il est fatigué.

seul aspect d'une situation en négligeant tous les autres. La centration a des répercussions à la fois sur la compréhension du monde physique et sur celle des relations sociales.

La non-conservation. L'expérience la plus célèbre de Piaget illustre bien comment la centration vient limiter la pensée enfantine. Piaget l'a conçue pour évaluer la notion de **conservation**, soit le principe selon lequel deux choses égales restent égales même si leur apparence est changée, tant et aussi longtemps qu'on ne leur ajoute ou ne leur enlève rien. Il a découvert que les jeunes enfants ne comprennent pas pleinement ce principe avant le stade des opérations concrètes.

Examinons une expérience de conservation typique (voir la figure 5.7). On présente à un enfant deux verres identiques, bas et évasés, qui contiennent la même quantité d'eau. On verse ensuite l'eau d'un des verres dans un troisième verre, haut et étroit, puis on demande à l'enfant s'il y a un verre qui contient plus d'eau ou si les deux verres contiennent «la même quantité d'eau». Même après avoir vu l'expérimentateur verser l'eau du verre bas et évasé dans le verre haut et étroit, et même si l'enfant verse l'eau lui-même, il dira toujours que l'un des deux verres contient plus d'eau. Quand on lui demande pourquoi, il répond : «Celui-ci est plus grand ici», en montrant la hauteur (ou la largeur) du verre. Au stade préopératoire, l'enfant est incapable de considérer la hauteur et la largeur en même temps. Il centre sa pensée sur l'un ou l'autre de ces aspects, et sa réponse découle de l'évaluation d'une seule dimension du verre : la hauteur ou la largeur. Sa pensée est faussée parce qu'elle s'attache à ce qu'il «voit»; si un verre semble plus grand, c'est qu'il doit *être* plus grand. Cela explique aussi la méprise de Alexis. Lorsque les blocs de Juliette sont répandus sur le plancher, alors que les siens sont bien placés dans leur contenant, Alexis croit qu'elle en a plus que lui parce qu'ils occupent plus d'espace sur le plancher.

Conservation

Selon Piaget, capacité de comprendre que deux quantités égales (liquide, poids, nombre, surface...) restent égales malgré une transformation apparente, pourvu que rien ne soit enlevé ni ajouté aux deux quantités.

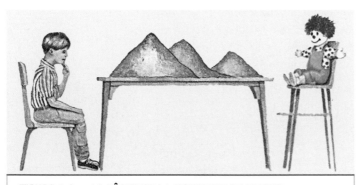

FIGURE 5.8 **LA TÂCHE DE LA MONTAGNE DE PIAGET**
Au stade préopératoire, l'enfant est incapable de décrire la «montagne de sable» du point de vue de la poupée. Piaget y voit un signe d'égocentrisme.

Irréversibilité

Limite de la pensée préopératoire qui empêche l'enfant de comprendre qu'une opération sur un objet peut être faite en sens inverse pour revenir à l'état initial de l'objet.

La compréhension de la conservation est également limitée par l'**irréversibilité**, c'est-à-dire l'incapacité de comprendre qu'une opération peut se faire dans les deux sens. L'enfant ne comprend pas qu'il suffirait de verser l'eau dans le premier verre pour démontrer que la quantité reste toujours la même. Au stade préopératoire, l'enfant pense comme s'il observait les images statiques d'une pellicule. Il s'arrête aux états successifs et ne peut comprendre le sens de la transformation d'un état à un autre. Il prend en considération l'eau qui se trouve dans chacun des verres séparément, plutôt que de considérer l'eau comme une substance, toujours la même, pouvant être transvasée d'un verre à l'autre. Le tableau 5.4 présente différentes façons d'évaluer la notion de conservation.

L'égocentrisme. Fascinée par le vacarme incessant des vagues, une fillette de quatre ans se tourne vers son père : « Mais quand est-ce que ça arrête ? » « Jamais », lui répond son père. « Même pas quand nous dormons ? », demande-t-elle, incrédule. Pour Piaget, cette remarque est due à l'**égocentrisme**, une forme de centration qui empêche l'enfant de cet âge d'adopter un autre point de vue que le sien. La fillette est tellement centrée sur son propre point de vue qu'elle est incapable d'imaginer que l'océan peut poursuivre son mouvement sans qu'elle soit là pour l'observer ou encore elle pense que l'océan doit aller dormir lui aussi...

Égocentrisme

Selon Piaget, caractéristique de la pensée préopératoire qui rend impossible la prise en compte du point de vue d'une autre personne.

Animisme

Tendance à concevoir les objets inanimés comme possédant des caractéristiques humaines.

On entend parfois un enfant dire que le soleil se couche parce qu'il est fatigué, attribuant au soleil des caractéristiques humaines. C'est ce que Piaget appelle l'**animisme**, une forme d'égocentrisme.

Une autre expérience classique de Piaget, celle de la montagne, illustre bien l'égocentrisme. L'expérimentateur assoit un enfant devant trois monticules (voir figure 5.8) et place une poupée sur une chaise, de l'autre côté de la table. Il demande à l'enfant de lui dire dans quel ordre la poupée voit les montagnes. Le jeune enfant ne peut répondre à cette question; chaque fois, il décrit les montagnes selon sa propre perspective. Pour Piaget, cela met en évidence l'incapacité de l'enfant à imaginer un point de vue différent du sien (Piaget et Inhelder, 1967).

TABLEAU 5.4 QUELQUES TESTS PERMETTANT DE VÉRIFIER LA NOTION DE CONSERVATION APPLIQUÉE À DIFFÉRENTES TÂCHES

TYPE DE CONSERVATION	1. ON FAIT RECONNAÎTRE L'ÉGALITÉ PAR L'ENFANT	2. ON TRANSFORME	3. ON DEMANDE À L'ENFANT	RÉPONSE HABITUELLE D'UN ENFANT DU STADE PRÉOPÉRATOIRE
Nombre	Deux rangées parallèles de bonbons	On augmente l'espace entre les bonbons de l'une des rangées.	Est-ce qu'il y a le même nombre de bonbons dans chaque rangée ou si l'une des deux en a plus?	La rangée plus espacée en a plus.
Longueur	Deux trains parallèles de même longueur	On déplace l'un des trains vers la droite.	Est-ce que les deux trains sont de la même longueur ou si l'un des deux est plus long?	Celui qui est plus avancé vers la droite est le plus long.
Liquide	Deux verres identiques, transparents, avec la même quantité de jus	On verse le liquide de l'un des verres dans un autre contenant transparent plus étroit.	Est-ce que les deux verres contiennent la même quantité de jus ou si l'un des deux en a plus?	Il y en a plus dans celui où le jus monte plus haut.
Substance	Deux boules identiques de pâte à modeler	On roule l'une des boules pour en faire un serpent.	Est-ce qu'il y a la même quantité de pâte à modeler dans la boule et le serpent ou si l'un des deux en a plus?	Il y en a plus dans le serpent.
Poids	Deux boules identiques de pâte à modeler	On roule l'une des boules pour en faire une saucisse.	Est-ce que la boule et la saucisse pèsent pareil ou s'il y en a une qui est plus lourde?	La saucisse (ou parfois la boule) est plus lourde.
Surface	On place des petits blocs (représentant des maisons) sur deux feuilles de papier vert (de l'herbe) et on y dépose deux chèvres qui mangent de l'herbe.	On replace les blocs de l'une des feuilles de papier en les collant les uns contre les autres.	Est-ce que les deux chèvres ont la même quantité d'herbe à manger ou si l'une en mange plus?	Celle où les blocs sont collés en mange plus.
Masse	On construit des maisons identiques avec des blocs (par exemple 3 étages de 9 blocs).	On transforme l'une des maisons en déplaçant les blocs (on fait 9 étages de 3 blocs).	Est-ce qu'il y a autant de place dans les deux maisons ou si l'une des deux en a plus?	La maison la plus haute en a plus.

Cette inaptitude à se décentrer permet de mieux comprendre pourquoi l'enfant ne différencie pas toujours la réalité de la fiction et pourquoi les liens de causalité ne sont pas clairs pour lui. Quand Julien se croit responsable du divorce de ses parents, sa pensée est égocentrique.

Toutefois des recherches récentes indiquent que les enfants sont moins égocentriques que ne le croyait Piaget. En interrogeant des enfants à propos du soleil, du vent et des nuages, Piaget a obtenu des réponses qui l'ont amené à conclure que les enfants éprouvent de la difficulté à distinguer ce qui est vivant de ce qui ne l'est pas, surtout lorsque les éléments non vivants sont en mouvement. Il attribuait cela à l'animisme. Par contre, d'autres recherches ont montré que des enfants de trois à quatre ans comprennent que les gens sont vivants et que les cailloux ne le sont pas. Ils n'ont attribué ni pensée ni émotions aux cailloux et ont mentionné que si les poupées ne peuvent se déplacer par elles-mêmes, c'est qu'elles ne sont pas vivantes.

La différence entre les réponses obtenues par Piaget et celles qui ont été obtenues par d'autres chercheurs s'explique peut-être par le fait que les objets présentés aux enfants par Piaget se déplaçaient d'eux-mêmes et n'offraient aucune possibilité de manipulation concrète. Comme les enfants connaissent très peu de choses au sujet du soleil, du vent et des nuages, ils sont moins certains de la nature de ces phénomènes que de celle d'objets plus familiers comme les cailloux et les poupées. Même un enfant de trois ans sait qu'un animal peut grimper une côte par lui-même, contrairement aux statues (même les statues d'animaux), aux véhicules sur roues et aux objets rigides. Il démontre ainsi qu'il sait distinguer entre un objet capable de mouvement autonome et un autre qui en est incapable (Massey et Gelman, 1988). Il en va de même pour l'expérience de la montagne. Des enfants confrontés à une situation similaire, mais dans un contexte moins abstrait et plus familier, ont pu tenir compte du point de vue d'une autre personne.

5.2.2 LE DÉVELOPPEMENT DE LA MÉMOIRE

À trois ans, Noémie est allée cueillir des pommes avec les enfants de sa garderie. Quelques mois plus tard, elle parle toujours du voyage en autobus, de la visite du verger, de la cueillette des pommes et des fruits qu'elle a mangés; elle a encore un vif souvenir de l'excursion. C'est à cet âge que les enfants commencent normalement à former des souvenirs à long terme.

• LE RÔLE DES CONNAISSANCES GÉNÉRALES

Même si la mémoire des jeunes enfants augmente, elle n'est pas aussi efficace qu'elle le sera dans quelques années. En effet, lors de l'encodage, les jeunes enfants ont tendance à considérer les détails d'un événement, détails qui seront facilement oubliés, tandis que les enfants plus âgés et les adultes se concentrent généralement sur l'essentiel. Par ailleurs, les jeunes enfants, dont les connaissances générales sur le monde sont limitées, ne remarqueront pas les aspects importants d'une situation qui pourraient les aider à s'en rappeler. Ainsi, à la suite de sa visite au zoo, un petit garçon de trois ans se souviendra des fourmis observées dans le premier sentier en arrivant, mais il n'aura aucun souvenir d'un koala, animal rare et particulier, qui attire normalement beaucoup plus les visiteurs. De façon générale, on suppose que plus les connaissances d'un enfant sont riches et structurées, plus ses capacités de mémorisation sont grandes.

• LA MÉMOIRE AUTOBIOGRAPHIQUE

Pour la plupart des gens, la **mémoire autobiographique** commence autour de quatre ans, rarement avant trois ans et elle s'accroît lentement entre cinq et huit ans. Dans la mémoire autobiographique, les souvenirs peuvent durer vingt, trente ans et même toute la vie. De grandes différences individuelles existent en ce qui concerne la mémoire autobiographique; quelques personnes gardent de vifs souvenirs d'événements survenus lorsqu'elles avaient trois ans, alors que d'autres n'ont aucun souvenir avant l'âge de sept ou huit ans (Nelson, 1992).

Cet écart laisse croire que la mémoire autobiographique est reliée au développement du langage; les habiletés verbales peuvent déterminer si le souvenir sera conservé longtemps et comment il

FIGURE 5.9 LA MÉMOIRE AUTOBIOGRAPHIQUE

«Tu te souviens quand on a pris l'avion pour aller visiter grand-papa et grand-maman?» Si les souvenirs sont entretenus, ils ont plus de chance d'être conservés dans la mémoire autobiographique.

Mémoire autobiographique
Mémoire qui réfère aux événements vécus par une personne.

le sera. Tant que l'enfant est incapable de transposer ses souvenirs en mots, il ne pourra pas les maintenir dans ses pensées, y réfléchir et les comparer aux souvenirs des autres (Fivush et Schwarzmueller, 1998).

Toutefois la plupart des recherches sur la mémoire ont été faites sur des enfants américains de classe moyenne ou des enfants de l'Europe de l'Ouest, qui parlaient depuis l'âge de deux ans. On en sait peu sur les liens qui existent entre la mémoire et le langage des enfants sourds ou de ceux qui ont commencé à parler plus tard à cause de pratiques sociales et culturelles différentes.

Pourquoi certains souvenirs de l'enfance durent-ils plus longtemps que d'autres ? Outre le caractère particulier de l'événement, deux autres facteurs peuvent entrer en jeu : la participation active des enfants, autant dans l'événement lui-même que dans son rappel ou sa reconstitution périodique, et la façon dont les parents parlent de cet événement avec l'enfant, c'est-à-dire s'ils font ou non des liens avec d'autres situations (Haden *et al.*, 2001).

5.2.3 LES JEUNES ENFANTS ET LES THÉORIES DE LA PENSÉE

Piaget a été le premier à étudier la **théorie de la pensée** chez les enfants, c'est-à-dire la prise de conscience de leurs propres processus mentaux et de ceux des autres. Il a posé aux enfants des questions comme « D'où viennent les rêves ? » et « Avec quoi penses-tu ? » Les réponses reçues l'ont amené à conclure que les enfants de moins de six ans sont incapables de faire la différence entre les pensées ou les rêves et la réalité physique, et qu'ils n'ont donc pas de théorie de la pensée. Cependant des recherches plus récentes indiquent qu'entre deux et cinq ans la connaissance que démontrent les enfants en matière de processus mentaux – les leurs et ceux des autres – augmente de façon spectaculaire (Cross et Watson, 2001).

Entre l'âge de trois et cinq ans, les enfants commencent à comprendre que les pensées se passent dans la tête et que nous pouvons penser à des choses réelles ou imaginaires, que quelqu'un peut penser à quelque chose en faisant autre chose, qu'une personne qui a les yeux fermés peut penser à des objets, et que penser constitue une action différente de celle de voir, parler ou toucher.

La **cognition sociale**, soit la capacité de reconnaître l'état émotionnel des autres, est une particularité humaine qui implique la disparition de l'égocentrisme et le développement de l'empathie (Povinelli et Giambrone, 2001). Déjà, entre 14 et 18 mois, les enfants peuvent être capables d'inférer les intentions des autres personnes à partir des expressions vocales (Non ! Bravo !). Vers l'âge de trois ans, les enfants comprennent qu'une personne sera contente si elle obtient ce qu'elle veut ou qu'elle sera triste si elle ne l'obtient pas. Ils ont également tendance à penser que tout le monde sait ce qu'ils savent et ils comprennent difficilement que leurs propres croyances peuvent être erronées (manifestation d'égocentrisme). Les enfants de quatre ans comprennent que des gens qui voient ou entendent différentes versions d'un même événement peuvent avoir des interprétations différentes, cependant, avant six ans, les enfants ne réalisent pas que deux personnes qui voient ou entendent la même chose peuvent l'interpréter de façon différente (Pillow et Henrichon, 1996).

La croyance selon laquelle il suffit de « vouloir quelque chose très fort pour que ça arrive » se rapproche peut-être plus de la « pensée magique » que d'un manque de compréhension de la réalité. Certains chercheurs suggèrent que la pensée magique ou rêveuse des enfants de trois ans et plus ne provient pas de la confusion entre imaginaire et réalité. La pensée magique sert souvent à expliquer des événements qui ne semblent pas avoir une explication réaliste évidente (due au fait que les enfants manquent de connaissances à ce sujet), ou simplement à céder aux plaisirs de l'invention, par exemple croire en la présence de compagnons imaginaires. Tout comme les adultes, les enfants sont généralement très conscients de la nature magique de personnages imaginaires tels que les sorcières et les dragons, mais ils se plaisent tout simplement à entretenir l'éventualité qu'ils peuvent bel et bien exister (Woolley, 1997).

Théorie de la pensée
Conscience et compréhension des processus mentaux.

Cognition sociale
Capacité de reconnaître l'état émotionnel des autres.

Le développement de la théorie de la pensée, qui implique la capacité croissante d'identifier l'état d'esprit d'un autre individu, semble aussi jouer un rôle dans l'apprentissage du langage. Dans une étude, des enfants d'âge préscolaire ont mieux appris des mots inventés de toute pièce, prononcés par un orateur qui semblait certain de leur signification, que ceux qui étaient prononcés par un orateur qui semblait incertain (Sabbagh et Baldwin, 2001). Si nous parlons, c'est parce que nous voulons que quelqu'un sache ce que nous pensons. « Il n'y a pas de langage sans théorie de l'esprit, sans une représentation de la pensée d'autrui. » (Thommen, 2001). Voyons maintenant la progression dans la maîtrise du langage chez l'enfant du stade préopératoire.

5.2.4 LA MAÎTRISE DU LANGAGE

Nous avons vu, au chapitre précédent, comment se développe le langage, qui passe du babillage aux premières phrases. Nous abordons maintenant la façon dont l'enfant parvient à maîtriser de mieux en mieux cette capacité de communication.

• L'AUGMENTATION DU VOCABULAIRE ET LES PROGRÈS EN SYNTAXE

À trois ans, un enfant moyen peut utiliser près de 1 000 mots et à six ans l'enfant utilisera un vocabulaire composé d'environ 2 600 mots (Owens, 1996). Comment les enfants étendent-ils leur vocabulaire si rapidement ? Apparemment, ils le font grâce à la **catégorisation rapide**, qui leur permet d'intégrer le sens d'un nouveau mot après l'avoir entendu seulement une ou deux fois dans la conversation. À partir du contexte, les enfants semblent former une hypothèse rapide sur le sens du mot, qu'ils stockent alors dans leur mémoire. Les mots désignant des objets (les noms communs) semblent plus faciles à catégoriser rapidement que ceux qui désignent des actions (les verbes), qui sont moins concrets (Golinkoff *et al.*, 1996). Les linguistes ne savent pas exactement comment fonctionne la catégorisation rapide, mais il semble que les enfants se basent sur ce qu'ils connaissent des règles de formation des mots, des mots similaires, du contexte immédiat et du thème abordé. Par exemple, on raconte une histoire à Louis et on lui dit « Le petit garçon a perdu ses chaussettes et il se promène pieds nus. » Louis ne connaît pas le mot *chaussette*, mais il connaît le mot *bas* et le mot *chaussures*. La catégorisation rapide lui permet de reconnaître que le mot *chaussette* ressemble à *chaussure*, qu'un lien existe probablement avec les pieds, que c'est quelque chose qui recouvre les pieds et que c'est peut-être une sorte de bas. Louis pourrait même utiliser le nouveau mot lorsque viendra le temps de se déshabiller. Ce processus de catégorisation rapide se fait souvent sans que les parents en soient conscients. Ils notent des progrès fulgurants, mais comment savoir qu'un mot nouveau est utilisé pour la première fois par leur enfant ? Ils ne le remarquent souvent que lorsque leur enfant fait des erreurs de surgénéralisation, comme nous l'avons vu dans le chapitre 3.

L'augmentation rapide du vocabulaire vient aussi du fait qu'un enfant de deux à trois ans commence à comprendre qu'un même objet peut faire partie de plusieurs catégories à la fois. Cette flexibilité dans l'utilisation des mots lui permet d'étiqueter son environnement ainsi que les situations qu'il vit ; le chat est un animal, mais un animal peut aussi être un chien ou un poisson. À cet âge, le défi consiste à comprendre qu'un objet peut appartenir à différentes catégories conceptuelles et que, parmi ces catégories, il y a différents niveaux hiérarchiques (Waxman et Senghas, 1992). Cette capacité de comprendre l'inclusion des classes pourrait être en lien avec l'apprentissage simultané de plus d'une langue, comme nous le voyons dans l'encadré 5.1.

• LE LANGAGE SOCIAL

À mesure que l'enfant maîtrise les mots et qu'il intègre la syntaxe, il communique de mieux en mieux. Avec le **langage social**, l'enfant cherche à être compris : il veut établir des liens avec autrui et il doit adapter son discours au comportement de son interlocuteur ; si quelqu'un ne le comprend pas, il essaiera de s'exprimer plus clairement. Ce langage social prend la forme de questions et réponses ou bien il sert à échanger de l'information, à critiquer, à ordonner, à demander ou à menacer.

Catégorisation rapide
Processus de traitement de l'information qui consiste à poser rapidement une hypothèse. Par extension, processus selon lequel un enfant absorbe le sens d'un nouveau mot après l'avoir entendu seulement une ou deux fois.

FIGURE 5.10 LE LANGAGE SOCIAL

S'il était possible d'entendre ce que disent ces deux enfants qui observent une chenille, on se rendrait compte qu'ils sont capables d'ajuster leur langage en fonction de leur interlocuteur.

Langage social
Langage destiné à un interlocuteur.

Le bilinguisme

Le bilinguisme – et aussi le plurilinguisme – est devenu une réalité culturelle de plus en plus évidente au Québec, ainsi que dans la plupart des régions du monde. Cela amène un nombre croissant d'enfants à grandir dans des environnements dans lesquels on parle plus d'une langue. De plus en plus de parents et d'institutions scolaires se questionnent sur la pertinence d'enseigner une deuxième langue le plus tôt possible.

Le bilinguisme précoce s'acquiert de deux façons. Si l'enfant grandit dans un milieu bilingue, il acquiert les deux langues simultanément. Il commence par mélanger les deux langues et ce n'est que vers l'âge de deux ans qu'il pourra les différencier. Un peu plus tard, il arrive à les séparer complètement et à les utiliser avec justesse. Dans le cas du bilinguisme successif, l'enfant acquiert d'abord une première langue avant de baigner dans un milieu bilingue lorsqu'il atteint environ l'âge de trois ans. C'est aussi une façon naturelle d'acquérir une autre langue et celle-ci pourrait même aller jusqu'à remplacer la première comme langue dominante (Ludi, 1998).

Le fait d'être exposé à plus d'une langue est-il bénéfique pour un enfant? Existe-t-il un danger de surcharge cognitive? Les recherches sur le sujet démontrent que, pour un enfant normal, l'apprentissage de deux langues ou plus peut se faire tout naturellement, sans limiter le reste de ses apprentissages. Si le bilinguisme est équilibré, c'est-à-dire s'il permet de réaliser des tâches cognitives exigeantes dans les deux langues et qu'il ne se limite pas à une utilisation fonctionnelle dans l'une des langues, il constitue un atout certain.

Pour un jeune enfant, le fait de devoir utiliser les deux langues en alternance l'aide à développer une capacité d'abstraction.

Cela suppose qu'il est capable d'utiliser deux catégories de symboles. Il est donc conscient du fait que le langage est quelque chose de relatif – c'est un système de communication accepté par une communauté (Diaz et Klingler, 1991).

Les capacités métalinguistiques (capacité de comprendre la structure du langage) sont meilleures chez les enfants bilingues que chez ceux qui ne maîtrisent qu'une langue. Cette compréhension rendrait les enfants bilingues plus aptes à maîtriser la littératie et à réussir leurs apprentissages scolaires (Bialystok, 1991).

Une plus grande sensibilité dans la communication permet aux enfants bilingues de réagir plus rapidement aux différences de situations. Ceci vient du fait qu'ils sont habitués de déterminer le choix d'une langue à partir d'indices situationnels particuliers (Baker, 1996).

Plusieurs systèmes scolaires ont tenté de mettre sur pied des programmes d'apprentissage de langues secondes, mais ces programmes mènent rarement à un bilinguisme équilibré et ils s'avèrent même souvent carrément insatisfaisants.

Les enfants possèdent une capacité naturelle à s'approprier la langue parlée dans leur entourage, mais cette capacité se perd avec l'âge. On considère que l'apprentissage d'une autre langue se fait naturellement lorsque certaines conditions sont réunies : la nécessité de développer un outil de communication si l'un des parents ou une éducatrice ne comprend qu'une seule langue, un contexte naturel qui amène à utiliser un langage fonctionnel et efficace dans la vie de tous les jours et la possibilité d'un apprentissage intensif. C'est pourquoi l'apprentissage d'une deuxième langue à l'école conduit rarement à une maîtrise parfaite :

l'enfant n'est pas «obligé» d'avoir recours à cette langue, le contexte est artificiel et l'apprentissage est trop dilué dans le temps (Perrenoud, 2000).

Ces échecs ont conduit plusieurs institutions à vouloir commencer l'apprentissage d'une deuxième langue à un âge de plus en plus jeune; plus on commence tôt, plus c'est efficace! En Europe, il existe plusieurs jardins d'enfants bilingues (il en existe aussi ailleurs dans le monde, mais c'est moins fréquent), dans lesquels des éducatrices de langue différente s'occupent en alternance des enfants. Cela signifie que les enfants sont plongés dans un bain langagier autre que leur langue maternelle à différents moments de la journée et qu'ils sont naturellement sensibilisés aux particularités de cette langue. On a noté que la maîtrise de l'autre langue par les enfants est excellente (Ludi, 1998).

Il faut cependant faire attention de ne pas envoyer aux enfants le message selon lequel leur langue maternelle serait une langue de deuxième ordre. S'ils ne l'entendent jamais parler dans leur milieu social, si l'enfant est dans un service de garde dans lequel il n'entend qu'une autre langue que sa langue maternelle, on peut arriver à un bilinguisme soustractif, c'est-à-dire à un bilinguisme dans lequel une autre langue remplace peu à peu la langue première (Wong-Fillmore, 1991). Pour cette raison, plusieurs communautés francophones, ailleurs au Canada, réclament des écoles dans leur langue. Elles considèrent que le fait d'être entouré d'anglophones permet une aussi bonne maîtrise de l'anglais que s'ils étudiaient dans cette langue, mais que la conservation de leur langue maternelle est aussi assurée.

On a observé un lien entre la capacité de communication d'un enfant et sa popularité auprès de ses camarades – c'est un autre exemple du rapport étroit qui existe entre les aspects cognitifs et émotifs du développement. Les enfants d'âge préscolaire qui se montrent plus habiles à engager et à soutenir une conversation sont plus aimés de leurs pairs que ceux, moins populaires, qui ne possèdent pas la même facilité à adapter leur discours selon les situations et les besoins de leurs interlocuteurs (Hazen et Black, 1989).

La recherche semble montrer, cependant, que lorsque les enfants ne communiquent pas avec d'autres personnes, c'est généralement par choix et non parce qu'ils en sont incapables.

• LE SOLILOQUE

Les enfants s'adonnent parfois au **soliloque** et ne cherchent pas à communiquer avec qui que ce soit. C'est le cas lorsque Marilou se parle à elle-même en même temps qu'elle dessine : «Je fais la tête du petit cochon, maintenant je prends le crayon rouge, je dois bien

Soliloque
Action de penser à haute voix sans intention de communiquer; courant chez les enfants d'âges préscolaire et scolaire.

faire sa bouche, ...» Le soliloque est normal et courant chez les enfants d'âge préscolaire et scolaire. Entre 20 % et 50 % des paroles prononcées par les enfants de trois à cinq ans sont des énoncés personnels qui vont de la répétition rythmique et ludique (semblable au babillage des bébés) aux pensées exprimées à haute voix, en passant par le marmonnement indistinct (Berk, 1992).

Piaget considère le soliloque comme un manque de maturité sur le plan cognitif; à cause de son égocentrisme, l'enfant est incapable d'ajuster son discours en fonction d'une autre personne.

En revanche, le psychologue russe Lev Vygotsky (1962) considère le soliloque comme une variante de la communication, soit la communication avec soi-même. Comme Piaget, il croit que le soliloque aide l'enfant à intégrer langage et pensée. Par contre, Vygotsky estime que l'enfant l'utilise de plus en plus pour guider et maîtriser ses actions. Cela expliquerait pourquoi les soliloques augmentent entre trois et cinq ans, puis qu'ils s'estompent ensuite au fur et à mesure que l'enfant établit un contrôle interne par la pensée silencieuse.

Plusieurs recherches ont renforcé la position de Vygotsky. Une étude portant sur 93 enfants d'un milieu défavorisé a permis de constater que 86 % des remarques des enfants de trois à cinq ans n'étaient pas égocentriques. Non seulement les soliloques avaient-ils augmenté puis diminué avec l'âge, mais les enfants les plus sociables monologuaient plus que les autres, confirmant du coup le postulat de Vygotsky voulant que le soliloque soit stimulé par l'expérience sociale. Le soliloque a aussi tendance à augmenter si les jeunes veulent résoudre des problèmes difficiles quand aucun adulte n'est présent. Ces données nous laissent croire que le soliloque guide le comportement de l'enfant et l'aide à formuler sa pensée. Si tel est le cas, le fait de penser tout haut en classe ne serait pas un comportement indiscipliné, et le limiter risquerait de ralentir l'apprentissage de l'enfant (Berk, 1986).

• LES RETARDS DE DÉVELOPPEMENT DU LANGAGE

Environ 3 % des enfants, surtout des garçons, présentent des retards dans le développement du langage. On ne sait trop comment l'expliquer, puisque ces enfants ne manquent pas nécessairement de stimulation linguistique dans leur milieu.

Des recherches récentes se sont penchées sur le processus de catégorisation rapide. Les enfants qui connaissent des retards de langage peuvent avoir besoin d'entendre un nouveau mot plus souvent que les autres enfants avant de pouvoir l'intégrer à leur vocabulaire (Rice *et al.*, 1994). L'hérédité semble aussi intervenir dans les cas les plus graves. L'étude de plus de 3 000 paires de jumeaux de deux ans a permis de constater que si l'un des jumeaux homozygotes se trouve dans les 5 % inférieurs pour le vocabulaire, l'autre jumeau a 80 % de risque de connaître un retard lui aussi. Chez les jumeaux dizygotes, ce pourcentage n'est que de 42 % (Plomin *et al.*, 1998).

Plusieurs enfants qui ont un lent développement du langage, surtout ceux chez qui la compréhension est normale, rattraperont leur retard, mais cette lenteur peut avoir des conséquences à long terme sur les plans cognitif, social et affectif. Les enfants qui prononcent incorrectement les mots à deux ans, qui utilisent un vocabulaire restreint à trois ans ou qui éprouvent des problèmes pour nommer les objets à cinq ans sont susceptibles de présenter des difficultés de lecture plus tard. De plus, les enfants qui ne parlent pas ou ne comprennent pas aussi bien que leurs pairs risquent davantage d'être jugés négativement par les adultes et les autres enfants, d'éprouver de la difficulté à se faire des amis et par conséquent de développer une faible estime de soi (Rice *et al.*, 1994).

Comme nous l'avons vu au chapitre 3, la **lecture dirigée** constitue un excellent moyen de stimuler le langage des enfants, tout particulièrement dans le cas des enfants qui présentent des retards de langage.

• LA LECTURE DIRIGÉE

La fréquence à laquelle les parents font la lecture à leurs enfants, et la manière dont ils le font, contribue à la qualité du langage des enfants et au développement de leurs habiletés

Lecture dirigée
Séance de lecture au cours de laquelle l'adulte interagit avec l'enfant; il décrit l'image, pose des questions et fait des liens avec d'autres connaissances.

FIGURE 5.11 LA LECTURE DIRIGÉE

Le développement du langage est favorisé si on regarde un livre avec l'enfant en lui posant des questions et en le faisant participer activement à la construction de l'histoire.

de lecture ultérieures. Les enfants qui apprennent à lire rapidement sont généralement ceux dont les parents lisaient fréquemment avec eux quand ils étaient plus jeunes (Whitehurst et Lonigan, 1998). L'activité qui consiste à regarder un livre avec l'enfant offre une occasion de donner des informations différentes de celles que fournit la routine quotidienne et, par conséquent, permet à l'enfant d'explorer de nouveaux domaines dans le développement du vocabulaire. La lecture dirigée aide aussi l'enfant à concentrer son attention sur un sujet et l'encourage à poser des questions ou à y répondre. C'est ce que fait la mère de Marilou lorsqu'elle intègre d'autres éléments à l'histoire des petits cochons. Les techniques les plus efficaces consistent à demander à l'enfant de décrire l'image, de faire des inférences sur ce qui arrivera ou de raconter l'histoire qu'on vient de lire. Les séances de lecture permettent également de créer un lien affectif tout en stimulant le développement cognitif.

5.2.5 L'INFLUENCE DES PARENTS ET DU MILIEU SUR LE DÉVELOPPEMENT COGNITIF

Le développement cognitif d'un enfant est influencé par de nombreux facteurs tels que son tempérament, le degré de correspondance entre son mode cognitif et les situations dans lesquelles il se trouve, sa maturité sociale et affective, son milieu socioéconomique et ses origines ethniques. L'une des grandes influences provient des parents et de leur façon de stimuler leurs enfants.

• L'ATTITUDE DES PARENTS

Les parents qui ont des enfants brillants agissent-ils de manière spéciale ? Les parents d'enfants brillants sont souvent sensibles, chaleureux et aimants. Ils se montrent très ouverts, relativement au comportement de leurs enfants, les laissant libres d'explorer et de s'exprimer. Lorsqu'ils veulent modifier certains aspects de leur comportement, ils font appel aux raisonnements ou aux sentiments plutôt qu'à des règles rigides. Ils utilisent un langage et des techniques d'enseignement qui encouragent l'autonomie et la créativité de leurs enfants et recourent à la lecture, à l'enseignement et au jeu pour favoriser leur développement. Les enfants réagissent à cette attention en faisant preuve de curiosité, de créativité et d'intérêt, et en réussissant bien à l'école. On peut affirmer, semble-t-il, que les parents qui offrent des occasions d'apprentissage stimulantes et agréables à l'enfant posent les jalons d'une croissance intellectuelle maximale (Clarke-Stewart, 1977).

• LA ZONE PROXIMALE DE DÉVELOPPEMENT

L'**échafaudage** (métaphore qui fait référence à la plate-forme temporaire sur laquelle travaillent des ouvriers) symbolise le soutien temporaire que les parents donnent à l'enfant pour qu'il puisse effectuer une tâche. Une relation inversement proportionnelle existe entre la capacité actuelle de l'enfant et l'aide dont il a besoin. Autrement dit, moins l'enfant est habile dans l'exécution d'une tâche, plus le parent doit le guider. Plus l'enfant maîtrise la tâche, moins le parent devrait l'aider. Une fois la tâche accomplie, le parent retire son soutien – l'échafaudage –, qui n'est plus nécessaire. C'est un peu ce que l'éducatrice fait avec Carlos lorsqu'elle l'aide à faire son casse-tête en lui donnant des indices et c'est ce qui permet à Carlos de pouvoir le recommencer ensuite sans aide.

Voilà pourquoi les adultes doivent d'abord diriger et organiser l'apprentissage d'un enfant, ce qu'ils parviennent à faire avec le maximum d'efficacité dans ce que Vygotsky appelle la zone proximale de développement. Cette zone est un contexte au sein duquel l'enfant peut presque, mais pas complètement, réussir une tâche par lui-même. S'il est bien guidé, l'enfant pourra l'accomplir avec succès. Un bon tuteur cherche à trouver cette zone et aide l'enfant dans les limites de celle-ci. Après quoi, il diminue graduellement son aide, jusqu'à ce que l'enfant puisse accomplir la tâche par lui-même.

Une étude a reconnu l'importance de l'échafaudage. On a demandé à des parents de travailler avec leur enfant de trois ans à l'exécution de trois tâches difficiles : reproduire un agencement

FIGURE 5.12 LA ZONE PROXIMALE DE DÉVELOPPEMENT

Les parents peuvent diriger l'apprentissage d'un enfant en l'amenant au point où il peut réussir une tâche avec un peu d'aide seulement, de façon à lui faire franchir cette zone appelée par Vygotsky *zone proximale de développement*.

Échafaudage
Selon Vygotsky, soutien temporaire que les parents donnent à l'enfant pour qu'il puisse effectuer une tâche.

de blocs ; classer des objets par taille, par couleur et par forme ; demander à l'enfant de répéter une histoire qu'il avait entendue. Il ressort de l'étude que les pères et les mères ont tendance à respecter le niveau de compétence de leurs enfants. Durant l'expérience, les parents aidaient plus leur enfant si ce dernier éprouvait des difficultés. De même, ils sont devenus plus sensibles aux besoins de leur enfant à mesure que l'expérience progressait. Cette sensibilité est importante, car plus l'aide du parent est adaptée aux besoins de l'enfant, plus l'enfant réussit dans sa tâche (Pratt *et al.*, 1988).

• LES RESSOURCES DU MILIEU

Comme nous l'avons vu avec l'approche de Bronfenbrenner (et le projet « 1, 2, 3 GO ! » présenté au chapitre 1), les parents ne représentent qu'un des facteurs d'influence sur le développement des enfants. La famille fait partie d'un environnement qui comporte ses difficultés et ses ressources. Les communautés participent également au sain développement de l'enfant. Les enfants qui vivent dans un quartier possédant de nombreuses ressources communautaires, comme des parcs, des aires de loisirs, des organismes sportifs et culturels, des bibliothèques, atteignent de meilleurs résultats dans des tests de développement physique, affectif, social et intellectuel que les enfants vivant dans un quartier qui offre moins de ressources civiques (Conseil canadien de développement social, 2002*)*. Aujourd'hui une majorité d'enfants passent plus de temps qu'auparavant en dehors du milieu familial, puisqu'ils sont pris en charge par des services de garde.

5.3 LES SERVICES DE GARDE ÉDUCATIFS

Aujourd'hui les parents sont de plus en plus nombreux à recourir aux services de garde pour leurs enfants d'âge préscolaire. Au Québec, les options qui s'offrent à eux sont les suivantes : les centres de la petite enfance (CPE), les garderies à but lucratif (la plupart sont conventionnées, c'est-à-dire qu'elles accueillent des enfants admissibles à la contribution réduite), les services de garde en milieu familial régis par les CPE et les services de garde en milieu familial non régis.

Les centres de la petite enfance (CPE) et les garderies sont considérés comme des services de garde éducatifs offrant des programmes de stimulation intellectuelle, motrice et sociale. Le tableau 5.5 présente les caractéristiques des différents services de garde. En juillet 2003, il y avait 168 046 places, financées ou non, dans les services de garde du Québec. La figure 5.13 illustre la répartition de ces places.

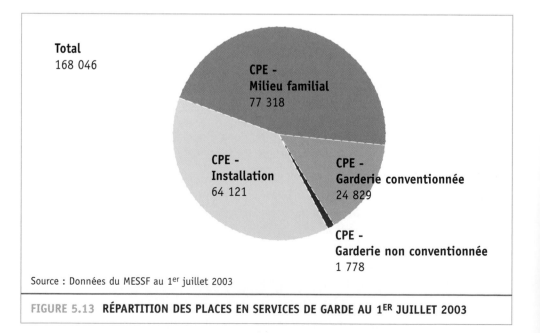

Source : Données du MESSF au 1er juillet 2003

FIGURE 5.13 RÉPARTITION DES PLACES EN SERVICES DE GARDE AU 1ER JUILLET 2003

TABLEAU 5.5 LES CARACTÉRISTIQUES DES SERVICES DE GARDE

| | SERVICES DE GARDE POUR LESQUELS UN PERMIS OU UNE RECONNAISSANCE EST REQUIS | | | SERVICES DE GARDE NON RÉGIS | | |
| | CENTRE DE LA PETITE ENFANCE | | GARDERIE CONVENTIONNÉE ET NON CONVENTIONNÉE | | | |
	INSTALLATION D'UN CPE	MILIEU FAMILIAL COORDONNÉ PAR UN CPE		MILIEU FAMILIAL	HALTE-GARDERIE	JARDIN D'ENFANTS
Lieu du service	Installation	Résidence privée	Installation	Résidence privée	Installation	Installation
Nombre d'enfants accueillis en même temps	De 7 à 80	Jusqu'à 6 si la responsable est seule ou jusqu'à 9 si elle est assistée.	De 7 à 80	Moins de 7	Au moins 7	Au moins 7
Âge des enfants	De la naissance à 5 ans	De la naissance à 5 ans	De la naissance à 5 ans			De 2 à 5 ans
Fréquentation	Régulière et occasionnelle	Régulière et occasionnelle	Régulière		Occasionnelle	Régulière
Période de garde maximale	48 heures consécutives	Aucune limite	24 heures consécutives		24 heures consécutives	4 heures par jour
Statut juridique du titulaire de permis	Le CPE est un organisme sans but lucratif.		Généralement, un organisme à but lucratif			
Capacité selon le permis	Le CPE peut avoir une capacité totale de 350 places, soit un maximum de 240 places en installation et de 250 places en milieu familial; chaque installation est limitée à 80 places.		Maximum de 80 places Une seule installation			
Participation des parents	Conseil d'administration formé majoritairement de parents		Comité consultatif ayant un pouvoir de recommandation			
Admissibilité à la contribution parentale réduite	Oui		Oui, seulement dans les garderies conventionnées			
Formation exigée par les règlements	2 éducatrices sur 3 doivent posséder la formation reconnue.	La responsable doit posséder une formation minimale.	1 éducatrice sur 3 doit posséder la formation reconnue.			

Source : Gouvernement du Québec, 2004.

- *Chaque enfant est un être unique* et les activités éducatives doivent respecter son rythme de développement et ses besoins individuels.

- *Le développement de l'enfant est un processus global et intégré* qui tient compte de ses habiletés et de toutes les dimensions de sa personne.

- *L'enfant est le premier agent de son développement*, il construit sa connaissance de lui-même, des autres et de son environnement.

- *L'enfant apprend par le jeu*, qui est la principale activité du centre de la petite enfance et la base de l'intervention éducative.

- *La collaboration entre le personnel éducateur ou la responsable d'un service de garde en milieu familial et les parents est essentielle*, elle contribue au développement harmonieux de l'enfant.

Source : Ministère de la famille et de l'enfance, 1997.

5.3.1 LES OBJECTIFS ÉDUCATIFS DES CENTRES DE LA PETITE ENFANCE

Le programme éducatif des centres de la petite enfance tire son origine de plusieurs études démontrant l'effet bénéfique de divers programmes de stimulation précoce destinés aux enfants. En effet, les enfants venant de milieux défavorisés qui ont bénéficié de ces programmes de stimulation précoce connaissent moins de problèmes d'apprentissage, de comportement et de marginalisation. De plus, les parents qui participent à ces programmes améliorent la qualité de leurs interactions et de leurs stratégies disciplinaires avec leurs enfants. Des recherches auprès de jeunes adultes américains ont démontré que ceux qui ont participé à de tels programmes lorsqu'ils avaient trois ou quatre ans sont mieux adaptés à la société : ils ont terminé leurs études, sont moins nombreux à dépendre de l'aide sociale et ils connaissent moins de démêlés avec la justice. Ces programmes semblent également être de bons moyens pour prévenir la perpétuation d'un scénario de pauvreté (Schweinhart et Weikart, 1993). En 1997, à la lumière de ces constatations, le Québec annonçait une série de mesures sans précédent en Amérique du Nord en matière de soutien à la famille et d'éducation à la petite enfance. Plusieurs services destinés aux enfants ont été mis sur pied et un programme éducatif a été élaboré. Les principes directeurs de ce programme éducatif sont présentés au tableau 5.6.

Le programme éducatif des services de garde vise le développement intégral de l'enfant. On cherche d'abord à développer son autonomie : s'habiller, se brosser les dents, ranger ses jouets, etc. On l'aide ensuite à développer sa motricité, son langage et à s'éveiller au monde qui l'entoure : bricoler, inventer des histoires, faire des liens entre différents événements, trouver ou imaginer des solutions à des problèmes, etc. On cherche enfin à l'aider dans son épanouissement personnel : l'amener à avoir confiance en lui-même, à partager, à respecter les règles, à résoudre des conflits et à développer son estime de soi. Certaines conditions favorisent l'atteinte des objectifs de ce programme : des petits groupes, un nombre suffisant d'adultes par groupe d'enfants et un personnel stable, compétent et très motivé. Les éducatrices et éducateurs jouent probablement le rôle le plus important dans la progression de l'enfant dans toutes les dimensions de son développement (Hohmann *et al.*, 2000). Ils doivent avoir reçu une formation en psychologie du développement de l'enfant, être sensibles aux besoins des enfants, savoir être autoritaires sans être restrictifs et se montrer stimulants et affectueux. Des recherches récentes confirment que des services de garde de qualité sont bénéfiques aux enfants dans tous les aspects de leur développement (Tremblay, 2003).

FIGURE 5.14 LE RÔLE D'UNE ÉDUCATRICE

Dans un centre de la petite enfance, les éducatrices jouent probablement le rôle le plus important quant à la progression de l'enfant dans toutes les dimensions de son développement.

5.3.2 L'ÉVALUATION DES CENTRES DE LA PETITE ENFANCE

En 2003, une vaste enquête sur la qualité des services de garde éducatifs au Québec a été menée. On a conclu que les services de garde sont de qualité moyenne, mais acceptable. Certains aspects ont été jugés médiocres, comme la qualité du matériel proposé aux enfants ainsi que les mesures d'hygiène et de sécurité. Toutefois les aspects qui concernent les relations des éducatrices avec les enfants, de même que la planification des activités, sont globalement très bien cotés. En effet, les éducatrices présentent en général des qualités fondamentales pour une bonne interaction avec les enfants et leurs parents ; elles sont chaleureuses, souriantes, enjouées, à l'écoute des besoins des enfants, tout en étant capables d'exprimer leurs limites (Ministère de la Famille et de l'Enfance, 2004).

L'éducation à la petite enfance est devenue une préoccupation incontournable dans le contexte social actuel. Différents programmes éducatifs sont régulièrement mis de l'avant, chacun s'inspirant d'approches théoriques différentes. L'encadré 5.2 présente une comparaison des grandes catégories de modèles qu'on trouve actuellement dans le domaine des services éducatifs.

Une revue des principales pratiques de l'éducation à la petite enfance révèle qu'aucun programme éducatif n'est supérieur aux autres et, tout en reconnaissant que l'éducation préscolaire présente des avantages certains, on constate qu'aucun programme ne garantit des résultats positifs à long terme : « De façon générale, rien n'indique que les enfants qui bénéficient d'interventions éducatives en bas âge soient assurés d'une réussite scolaire. » (Lalonde-Graton, 2003, p. 168). La plupart des programmes de développement préscolaires avaient d'abord été mis sur pied pour aider les enfants de milieux défavorisés. Cela les aide effectivement, mais on se rend compte actuellement que les enfants provenant de milieux aisés sont ceux qui profitent le plus de ce type de programmes. Il ne suffit pas de placer un enfant dans un contexte d'éducation préscolaire, il faut aussi s'assurer que le reste de son environnement est adéquat. On rejoint ici le modèle écologique de Bronfenbrenner quand on constate que, pour profiter d'un programme éducatif, un enfant issu d'un milieu défavorisé doit aussi profiter de ressources sur les plans de la santé et de l'alimentation, ainsi que d'un soutien familial appréciable.

5.3.3 LA PLACE DU JEU DANS LE DÉVELOPPEMENT DE L'ENFANT

Dans la plupart des programmes éducatifs, l'accent est mis sur l'importance du jeu dans la vie de l'enfant ; c'est l'outil principal de son développement. En jouant, l'enfant stimule ses sens, gagne la maîtrise de son corps et acquiert de nouvelles habiletés. C'est à travers le jeu que l'enfant s'exprime, qu'il apprivoise son milieu, qu'il expérimente, qu'il apprend et qu'il s'initie aux réalités sociales. L'un des principes directeurs du programme éducatif des centres de la petite enfance est que l'enfant apprend par le jeu.

« Le jeu constitue un moyen privilégié d'interaction et d'évolution pour l'enfant. Il est un puissant levier d'apprentissage avec lequel l'enfant acquiert des connaissances tout en développant ses capacités à raisonner, créer et résoudre des problèmes. C'est à travers le jeu que l'enfant arrive à recréer le monde afin de mieux le comprendre. [...] Tout est prétexte au jeu, tout devient spontanément un jeu et l'enfant en retire un immense plaisir. Jouer, c'est une expérience essentiellement agréable à travers laquelle l'enfant se développe globalement. » *(Jouer, c'est magique : programme favorisant le développement global de l'enfant*, 1998, tome 1, p. 6). Ainsi, loin d'être un simple passe-temps, le jeu s'avère donc essentiel au développement global.

Les enfants d'âge préscolaire s'engagent dans différents types de jeux. Les chercheurs classent les jeux des enfants selon le propos du jeu (ce qu'ils font quand ils jouent) et selon la dimension sociale du jeu (s'ils jouent seuls ou avec d'autres).

Les types de modèles éducatifs

Les approches et les modèles éducatifs sont construits à partir des théories du développement de l'enfant. Certains de ces modèles sont très structurés et fournissent un encadrement détaillé au personnel éducateur. D'autres permettent plus de souplesse dans la mise en application des principes à la base du programme d'activités. Ce qui différencie principalement les modèles ouverts des modèles fermés tient surtout à la valeur accordée à ce que le jeune enfant doit apprendre et au processus de développement (Lalonde-Graton, 2003). Le tableau ci-dessous compare un modèle ouvert et un modèle fermé, de même qu'un modèle intermédiaire selon différentes caractéristiques.

MODÈLE FERMÉ	MODÈLE INTERMÉDIAIRE	MODÈLE OUVERT
Le personnel éducateur contrôle les apprentissages. Il est perçu comme un transmetteur d'informations.	Le personnel éducateur est en charge du groupe. Il est perçu comme un facilitateur et propose des activités appropriées.	Le personnel éducateur représente un guide et un soutien. Il questionne et guide les découvertes et agit en tant que partenaire à l'intérieur d'un groupe démocratique.
L'enfant est un récepteur d'informations, transmises par le personnel éducateur.	L'enfant est un apprenant actif et un découvreur de connaissances.	L'enfant construit ses connaissances résultant des interactions avec l'environnement.
Les apprentissages équivalent à la maîtrise d'habiletés qui sont prédéterminées dans le programme.	On planifie les apprentissages en gardant en tête les stades de développement.	Les apprentissages ne sont pas une fin en soi, mais sont constamment appliqués dans le vécu et la réalité.
Le programme d'activités comprend des objectifs précis.	Le programme d'activités comprend des objectifs précis, mais accorde une flexibilité aux activités.	Le programme d'activités comprend des objectifs à long terme et des projets.
Le jeu est perçu comme une façon de se défouler et est restreint à des périodes de temps après que le travail est terminé.	Le jeu est utilisé avec des objets précis pour soutenir le processus d'apprentissage.	Le jeu est perçu comme un moyen essentiel d'apprentissage.
Les interactions sociales ont moins d'importance que le temps consacré à la tâche de travail.	On laisse la place aux interactions sociales, à des moments précis.	Les habiletés sociales sont perçues comme un aspect essentiel de la vie. Les interactions et la coopération sont fortement encouragées.
La compétition est encouragée pour motiver les enfants.	La compétition est minimisée et la coopération, encouragée.	La compétition se limite à l'individu lui-même. L'apprentissage est en soi une récompense.
La discipline est contrôlée par le personnel éducateur.	Les enfants assument une certaine responsabilité dans leur comportement.	Les enfants apprennent l'autodiscipline. Les règles sont clairement établies et respectées.
Les conflits sont réglés par le personnel éducateur.	Suivant le contexte, les conflits sont gérés par le personnel éducateur ou par les enfants.	Les habitudes de résolution de conflits sont acquises et mises en application par les enfants.

Source : Adaptation de Carol Ann Wein (1995), «Developmentally Appropriate Practice in "Real Life"», New York, Teachers College Press, Columbia University.

• LES TYPES DE JEUX

Selon Piaget, c'est le développement cognitif du petit enfant qui lui permet de s'adonner à des jeux de plus en plus complexes. Cependant la pratique de jeux plus complexes contribue aussi au développement cognitif. On identifie quatre catégories de jeux liées au développement cognitif.

La forme la plus simple, qui débute très tôt dans l'enfance, est le **jeu fonctionnel**. Ce type de jeu est constitué d'actions répétitives impliquant des mouvements musculaires : secouer des jouets bruyants, frapper sur des chevilles, rouler une balle, pousser un chariot, etc. À mesure que la motricité globale s'améliore, l'enfant devient capable de sauter, de lancer, de patiner et de viser avec de plus en plus d'adresse.

Le deuxième degré de complexité cognitive des jeux apparaît vers un an. C'est le **jeu constructif**, qui consiste à utiliser des objets pour construire ou créer autre chose (jeux de construction, bricolages, dessins, peinture). Les enfants qui fréquentent les garderies ou les centres de la petite enfance peuvent passer plus de la moitié du temps dans ce type de jeux, lesquels deviennent de plus en plus élaborés à mesure que les enfants avancent en âge (Johnson, 1998).

Le troisième degré de complexité, c'est le jeu symbolique, qui apparaît au cours de la deuxième année. On le désigne également par les termes **jeu dramatique** ou *jeu du faire semblant*. Comme nous l'avons déjà vu précédemment, ce type de jeu repose sur la fonction symbolique, qui apparaît à la fin du stade sensorimoteur. Le jeu du « faire semblant » atteint son apogée entre deux et six ans et, comme le jeu constructif, il occupe une place importante dans les jeux observés chez les enfants en garderie ou en CPE. Ce type de jeu détient un rôle important, non seulement dans le développement cognitif, mais aussi dans l'évolution de la personnalité globale de l'enfant (il fait face à des émotions complexes, il apprend à s'affirmer, à contrôler ses tendances agressives, à partager). En faisant semblant, l'enfant apprend à comprendre le point de vue d'une autre personne ; il développe sa capacité de résoudre des problèmes d'ordre social et devient plus créatif. Nous pouvons aussi affirmer que le jeu est un moyen d'expression : le jeu est le langage des émotions de l'enfant. En effet, à travers ses jeux, l'enfant exprime ses besoins et ses préoccupations. En l'observant et en l'écoutant, nous pouvons comprendre ce qu'il ressent ou comment il vit une situation difficile. La petite fille qui parle à sa poupée en lui disant qu'elle ne doit pas avoir peur ou qui la gronde parce qu'elle refuse de s'habiller ne fait pas que répéter des gestes ou des paroles de sa maman ; elle exprime sa peur ou sa culpabilité. Le jeu symbolique diminue à mesure que l'enfant d'âge scolaire s'engage dans des jeux du quatrième degré.

Le quatrième degré comprend les **jeux formels** ou les jeux de règles (marelle, ballon chasseur, serpents et échelles, jeu de loto). Ces jeux comprennent des procédures qui doivent être connues par tous les partenaires. Ce n'est que vers la fin du stade préopératoire que l'enfant pourra participer efficacement à ce type de jeux, puisque ces derniers nécessitent généralement la mise en relation de plusieurs aspects d'une situation (chacun son tour, compréhension des règles, stratégies). L'encadré 5.3 présente une classification des jeux basée justement sur ces aspects du développement cognitif

De plus, à travers tous ces types de jeux, l'enfant développe ses habiletés langagières et sa capacité à résoudre des problèmes. À son insu, il assimile des concepts qui seront à la base de ses apprentissages scolaires ultérieurs : repérer les détails d'un casse-tête, faire semblant de lire un message ou identifier les différences entre des images semblables sont toutes des activités qui le préparent pour la **littératie**, alors que la manipulation de briques Lego ou les jeux de classification l'aident à assimiler des notions mathématiques (Jarrell, 1998).

Il semble que les enfants qui s'engagent souvent dans des jeux imaginaires ont tendance à mieux coopérer avec les autres enfants, et à être plus populaires et plus enjoués que ceux qui le font moins. De plus, les enfants qui regardent beaucoup la télévision ont tendance à jouer d'une façon moins imaginative, peut-être parce qu'ils sont habitués à absorber passivement les images plutôt que de les inventer (Howes et Matheson, 1992).

Jeu fonctionnel
Jeu constitué d'actions répétitives avec ou sans objets, comme faire rouler une balle ou tirer un jouet sur roues.

Jeu constructif
Jeu qui consiste à utiliser des objets pour construire ou créer autre chose.

Jeu dramatique (ou symbolique)
Jeu dans lequel l'enfant invente une situation imaginaire ; faire semblant d'être quelque chose ou quelqu'un d'autre (médecin, infirmière, Batman) en s'adonnant à des activités d'abord relativement simples puis de plus en plus complexes.

Jeu formel
Jeu de règles ; toute activité comportant des règles, une structure et un objectif (la victoire), comme la marelle, les jeux de billes, etc.

Littératie
Habiletés de lecture et d'écriture.

Le système ESAR, un guide de classification des jeux et des jouets

Un guide de classification des jeux et des jouets, élaboré par Denise Garon de l'Université Laval, est en voie de devenir un système de référence international dans le monde de l'éducation par le jeu, de même que dans le domaine commercial. Ce guide a été élaboré à partir des quatre types de jeux définis par Piaget et le nom de ce guide, le système ESAR, provient de la première lettre de chacun de ces types de jeux : E pour jeux d'exercices (que Piaget nomme jeux fonctionnels), S pour jeux symboliques, A pour jeux d'assemblage (catégorie élargie des jeux constructifs de Piaget) et R pour jeux de règles. Le type de jeu constitue donc la première facette de classification. Les autres facettes analysent le jeu selon les habiletés cognitives, les habiletés fonctionnelles (qui se réfèrent surtout à la maîtrise du jeu) et le type d'habiletés sociales. Deux autres facettes ont aussi été ajoutées à la première version de ce système de classification : les habiletés langagières et les conduites affectives. La richesse de ce guide vient du fait qu'il repose sur des assises théoriques reconnues du développement de l'enfant. Le tableau ci-dessous vous donne un aperçu du système de classification et vous reconnaîtrez sûrement certaines notions théoriques dont nous avons déjà parlé.

LES QUATRE PREMIÈRES FACETTES DE LA CLASSIFICATION ESAR©, 2002

FACETTE A TYPES DE JEUX	FACETTE B HABILETÉS COGNITIVES	FACETTE C HABILETÉS FONCTIONNELLES	FACETTE D TYPES D'ACTIVITÉS SOCIALES
1. JEU D'EXERCICE 01 Jeu sensoriel sonore 02 Jeu sensoriel visuel 03 Jeu sensoriel tactile 06 Jeu moteur 07 Jeu de manipulation	**1. CONDUITE SENSORIMOTRICE** 01 Répétition par essais et erreurs 02 Causalité sensorimotrice 03 Permanence de l'objet	**1. EXPLORATION** 01 Perception auditive 02 Perception visuelle 06 Préhension 07 Déplacement	**1. ACTIVITÉ INDIVIDUELLE** 01 Jeu individuel 02 Jeu individuel et associatif 03 Jeu individuel et compétitif 04 Jeu individuel et coopératif
2. JEU SYMBOLIQUE 01 Jeu de rôle 03 Jeu de production graphique 04 Jeu de production à trois dimensions	**2. CONDUITE REPRÉSENTATIVE** 01 Imitation différée 02 Images mentales 03 Pensée représentative	**2. REPRODUCTION** 01 Reproduction de modèles 02 Reproduction de rôles 03 Reproduction d'événements 04 Créativité expressive	**2. ACTIVITÉ ASSOCIATIVE** 01 Jeu associatif 02 Jeu associatif et compétitif
3. JEU D'ASSEMBLAGE 01 Jeu de construction 02 Jeu d'agencement 03 Jeu de montage mécanique	**3. CONDUITE INTUITIVE** 01 Triage 02 Appariement 03 Différentiation de couleurs 09 Association d'idées 10 Raisonnement intuitif	**3. COMPÉTENCE** 01 Discrimination auditive 02 Discrimination visuelle 06 Mémoire auditive 07 Mémoire visuelle 11 Coordination œil-main 13 Latéralité 14 Orientation sonore 17 Créativité productive	**3. ACTIVITÉ COMPÉTITIVE** 01 Jeu compétitif 03 Jeu compétitif ou coopératif
4. JEU DE RÈGLES 01 Jeu d'association 02 Jeu de séquence 04 Jeu d'adresse 05 Jeu sportif 06 Jeu de stratégie 07 Jeu de hasard 08 Jeu questionnaire	**4. CONDUITE OPÉRATOIRE CONCRÈTE** 01 Classification 02 Sériation 05 Dénombrement 06 Opérations numériques 08 Relations spatiales 10 Coordonnées simples	**4. PERFORMANCE** 01 Acuité auditive 03 Dextérité 04 Souplesse 05 Agilité 10 Patience 11 Concentration 12 Mémoire logique 13 Équilibre	**4. ACTIVITÉ COOPÉRATIVE** 01 Jeu coopératif
	5. CONDUITE OPÉRATOIRE FORMELLE 01 Raisonnement hypothético-déductif 02 Raisonnement inductif 06 Système de coordonnées complexes		

Source : Reproduction partielle du tableau de Denise Garon, 2002, p. 31.

LES FACETTES LANGAGIÈRE ET AFFECTIVE DE LA CLASSIFICATION ESAR©, 1993.

FACETTE E HABILETÉS LANGAGIÈRES	FACETTE F CONDUITES AFFECTIVES
1. LANGAGE RÉCEPTIF ORAL 01 Discrimination verbale 02 Pairage verbal 03 Décodage verbal	**1. CONFIANCE** 01 Différentiation moi/non-moi 02 Sourire comme réponse sociale 03 Attachement à un objet transitionnel 04 Réaction face à l'étranger
2. LANGAGE PRODUCTIF ORAL 01 Expression préverbale 02 Reproduction verbale de sons 04 Séquence verbale 07 Mémoire sémantique	**2. AUTONOMIE** 01 Maîtrise du non 02 Maîtrise du corps 03 Reconnaissance de soi
3. LANGAGE RÉCEPTIF ÉCRIT 01 Discrimination de lettres 02 Correspondance lettres-sons 03 Décodage syllabique 06 Décodage de phrases	**3. INITIATIVE** 01 Identification sexuelle 02 Identification parentale 03 Identification sociale
4. LANGAGE PRODUCTIF ÉCRIT 01 Mémoire orthographique 02 Mémoire graphique 05 Expression écrite	**4. TRAVAIL** 01 Connaissance personnelle 02 Reconnaissance sociale
	5. IDENTITÉ 01 Recherche d'une personnalité 02 Apprentissage de modes d'organisation sociale

Source : Reproduction partielle du tableau de Denise Garon, 2002, p. 33.

• L'ASPECT SOCIAL DU JEU

Le **jeu social** reflète jusqu'à quel point l'enfant interagit avec d'autres enfants dans le jeu. Dans une étude classique, Mildred Parten a identifié six types de jeu, du moins social au plus social (voir le tableau 5.7) ; elle croit que plus les enfants grandissent, plus la dimension sociale et coopérative de leurs jeux se développe.

Par contre, les recherches récentes arrivent à des conclusions différentes. À tout âge, les enfants s'engagent dans toutes les catégories de jeux identifiées par Parten (Rubin *et al.,* 1998).

L'enfant qui joue seul fait-il preuve d'une moins grande maturité que celui qui joue en groupe ? Parten et d'autres observateurs étaient d'avis que oui et affirmaient que le jeune enfant qui joue seul risque de développer des problèmes sur les plans social et psychologique, et de connaître des troubles d'apprentissage. Cependant d'autres travaux laissent croire que le jeu non social est souvent fait d'activités constructives et éducatives. Une recherche effectuée avec des enfants de quatre ans a démontré que certains jeux non sociaux, comme le jeu de construction parallèle (par exemple faire un casse-tête à côté d'autres enfants qui font la même chose), est le plus souvent choisi par des enfants qui font preuve d'habileté dans la résolution de problèmes, qui sont très appréciés par les autres enfants et qui sont considérés comme socialement compétents par leurs éducatrices. De tels jeux peuvent être un signe d'indépendance et de maturité, et ne dénotent pas une mauvaise adaptation sociale (Coplan *et al.,* 2001).

Jeu social
Jeu dans lequel les enfants interagissent les uns avec les autres.

TABLEAU 5.7 LES TYPES DE JEUX SOCIAUX CHEZ LE PETIT ENFANT

TYPE	DESCRIPTION
Le comportement oisif	L'enfant ne joue pas, mais observe tout ce qui peut présenter un intérêt passager.
Le comportement de spectateur	L'enfant passe le plus clair de son temps à regarder les autres jouer. Il parle souvent aux enfants qu'il observe, leur posant des questions ou faisant des suggestions, mais il n'entre pas vraiment dans le jeu. Il s'intéresse particulièrement à certains groupes d'enfants plutôt qu'à quoi que ce soit d'autre.
Le jeu solitaire indépendant	L'enfant joue à proximité des autres, avec des jouets différents, et il ne fait aucun effort pour se rapprocher d'eux.
L'activité parallèle	L'enfant joue de façon indépendante, mais parmi d'autres enfants, avec des jouets semblables, mais pas nécessairement de la même façon. Il joue à côté des autres plutôt qu'avec eux. Il n'essaie pas d'influencer leurs jeux.
Le jeu associatif	L'enfant joue avec les autres. Tous parlent de leurs jeux, se prêtent des jouets, se suivent les uns les autres et cherchent à décider qui peut se joindre au groupe. Tous jouent de façon semblable, voire identique ; il n'y a pas de partage des tâches ni d'organisation en fonction d'un but commun. Chaque enfant se comporte comme il l'entend et s'intéresse davantage aux autres enfants qu'à l'activité comme telle.
Le jeu coopératif	L'enfant joue dans un groupe organisé en fonction d'un but, que ce soit la fabrication d'un produit, un jeu comportant des règles formelles ou la mise en scène d'une situation. Un ou deux enfants décident des jeux et déterminent qui fera partie du groupe. En vertu d'une certaine division du travail, les enfants assument différents rôles et leurs efforts se complètent.

Source : Adaptation de Parten, 1932, p. 249-251 ; Sroufe, 1979.

Quant aux jeux symboliques, ils deviennent de plus en plus sociaux durant les années préscolaires. Les enfants passent du « faire semblant » solitaire au jeu dramatique impliquant d'autres enfants. Ils suivent des règles tacites dans l'organisation du jeu dramatique, dans la définition et la distribution des rôles et dans les mises en scène. À mesure que la collaboration augmente, les intrigues deviennent plus complexes et plus créatives. Le jeu dramatique offre à l'enfant la chance de pratiquer ses habiletés verbales et interpersonnelles tout en lui permettant d'explorer des conventions et des rôles sociaux (Nourot, 1998).

Les jeux non sociaux ne sont donc pas synonymes d'immaturité. Les enfants ont besoin de périodes de solitude pour se concentrer sur certains types de tâches et de problèmes, et certains préfèrent tout simplement jouer seuls plutôt que de participer aux activités de groupe. Il ne suffit pas de considérer le fait qu'un enfant joue seul ou avec d'autres, il importe aussi de voir ce qu'il fait quand il joue seul.

5.3.4 LA MATERNELLE

L'enfant de cinq ans a un avant-goût de l'école lorsqu'il arrive en maternelle. Il fait alors son entrée dans le système d'éducation structuré. En effet, la maternelle se trouve souvent dans les locaux de l'école du quartier. Depuis septembre 1997, un nouveau programme d'éducation préscolaire, basé sur la pédagogie par le jeu, a été mis en œuvre dans toutes les maternelles des écoles publiques et privées du Québec. Ce programme s'inscrit dans la politique d'accès gratuit à la maternelle à temps plein pour tous les enfants québécois de cinq ans. En 1999, au Québec, 98,8 % des enfants de cinq ans fréquentaient la maternelle. De plus, des services éducatifs gratuits sont aussi offerts aux enfants de quatre ans handicapés ou provenant de milieux économiquement faibles (Ministère de la Famille et de l'Enfance, 1999).

Cependant certains enseignants et psychologues mettent en garde les parents contre l'inscription précoce des enfants à la maternelle, car ils considèrent que les plus jeunes enfants d'une classe réussissent généralement moins bien que les plus âgés (Sweetland et DeSimone, 1987). De nouvelles données québécoises nous mettent aussi en garde contre le désir grandissant des parents de vouloir faire entrer prématurément leur enfant dans le système scolaire par une mesure de **dérogation scolaire**. Cette mesure est en fait une procédure légale qui permet à des enfants qui n'ont pas encore atteint l'âge de cinq ans ou de six ans au 30 septembre d'être admis à la maternelle ou en première année. Il s'agit d'une mesure exceptionnelle, car il faut clairement démontrer que l'enfant sera pénalisé s'il ne commence pas l'école plus tôt que prévu. Il faut aussi qu'une évaluation démontre que le développement psychomoteur, intellectuel, affectif et social de l'enfant est supérieur à celui des enfants de son âge. La demande de dérogation par les parents doit être faite de façon éclairée, pour le bien-être de l'enfant. Il faut savoir que des recherches ont démontré que des enfants doués qui ont commencé leur scolarisation avec des enfants plus âgés semblaient manifester certains problèmes de rendement sur les plans de la motricité fine, de l'autonomie, de l'intérêt, de l'attention et de la concentration (Bradette et Delisle, 1989). Il est donc primordial pour les parents d'être conscients des conséquences possibles qui peuvent découler de leur volonté de hâter l'entrée de leur enfant à l'école primaire.

La période de préparation scolaire apparaît cruciale pour plusieurs enfants. En fréquentant la maternelle à temps plein, l'enfant peut multiplier ses apprentissages tout en respectant son rythme et, ainsi, se préparer progressivement à entamer sa première année. Toutefois, si la motivation d'apprendre ne provient pas de l'enfant lui-même et que l'apprentissage ne découle pas naturellement de ses expériences, il vaut mieux qu'il consacre son temps aux activités de jeux. Le jeune enfant a besoin d'activités sensorielles concrètes qui l'aident à donner un sens à son univers. Il a aussi besoin d'agrandir son réseau social, de manière à mieux définir son identité qui, comme nous l'avons vu, commence à émerger.

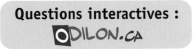
Dérogation scolaire
Permission spéciale de déroger à la loi stipulant que l'âge minimum pour entrer à la maternelle est cinq ans au 30 septembre.

FIGURE 5.15 **L'IMPORTANCE DU JEU**

Le jeu dramatique (ou jeu symbolique) devient de plus en plus complexe à mesure que l'enfant grandit. En faisant semblant, l'enfant apprend à comprendre le point de vue d'une autre personne ; il développe sa capacité de résoudre des problèmes d'ordre social et devient plus créatif. C'est aussi un moyen d'expression.

ANNIE DEVAULT

Chapitre **6**

Le développement affectif et social de l'enfant de 3 à 6 ans

Fier de ses nouvelles habiletés, le jeune enfant multiplie les initiatives pour montrer ce dont il est capable. Les encouragements de ses proches l'aident à construire une estime de soi élevée, indispensable au développement de ses compétences sociales. Garçon ou fille, l'enfant sait maintenant qu'il appartient à l'un des deux genres et il commence son apprentissage des rôles sexuels. En imitant les divers modèles proposés par son milieu, l'enfant développera des comportements plus ou moins stéréotypés sexuellement. Curieux du monde et des autres, il vit ses premières relations d'amitié, et découvre l'importance de l'échange et de l'entraide. Ses parents ont la responsabilité de lui inculquer des comportements socialement acceptables, en adoptant des méthodes éducatives fermes mais bienveillantes, qui font appel au raisonnement de l'enfant et qui sont dénuées de toute forme de violence. A.B.

Amélie a quatre ans. Elle va à la garderie depuis seulement deux mois, et son adaptation est difficile. Non seulement Amélie pleure chaque matin, mais elle s'amuse très peu avec les autres enfants et demande l'attention constante de l'éducatrice. Lorsque cette dernière essaie de favoriser une interaction avec un autre enfant, Amélie se fâche. Un jour, alors que l'éducatrice tentait à nouveau l'expérience, Amélie a pris un jouet et l'a lancé au visage de son compagnon. L'éducatrice a tenté à plusieurs reprises de comprendre les comportements d'Amélie en la questionnant sur ce qui la rendait triste ou la fâchait. Elle a joué avec Amélie pour l'aider à identifier ses propres émotions. Peu à peu, Amélie a commencé à parler de son père en se mettant à pleurer. Cependant ces moments de communication n'étaient que de courte durée, et Amélie redevenait rapidement agressive au contact des autres enfants. Devant la persistance de ces comportements, l'éducatrice a demandé à rencontrer les parents d'Amélie. La mère s'est présentée seule à la rencontre. Devant l'interrogation de l'éducatrice sur l'absence du père, Nathalie, la mère de Mélanie, a avoué que son conjoint, débordé par le travail, avait peu de temps à consacrer à la famille et à Amélie en particulier. Elle a ajouté que les comportements difficiles d'Amélie se retrouvaient aussi à la maison et qu'ils avaient débuté, selon elle, au moment où son conjoint s'était trouvé un emploi. Selon Nathalie, Amélie est la «fille à son papa» et elle croit que son absence lui est pénible. L'éducatrice lui a alors fait part des réactions d'Amélie lorsqu'elle lui a parlé de son père. L'éducatrice examine la mère et se dit que vraiment elle n'aimerait pas être à sa place : mal habillée, sans le sou. Elle pense au fond d'elle-même que cette mère est trop «molle» et incapable d'encadrer son enfant. Tant bien que mal, l'éducatrice essaie de dire à Nathalie ce qu'elle devrait faire avec Amélie, elle lui explique à quel niveau de développement se trouve sa fille. Nathalie affirme que, selon elle, il ne faut pas forcer les choses avec Amélie. Elle croit qu'un enfant se développe bien lorsqu'on le laisse libre et qu'on ne lui impose pas trop de règles. L'éducatrice comprend par ces propos pourquoi Amélie est si confuse et se dit qu'Amélie a définitivement besoin d'un meilleur encadrement. Elle rappelle à Nathalie qu'Amélie a besoin de son père. Elle insiste d'ailleurs sur la nécessité de la présence du père d'Amélie lors de la prochaine rencontre. Devant l'absence de réaction de la mère d'Amélie, l'éducatrice pense en son for intérieur qu'elle a devant elle «un autre enfant mal parti dans la vie qui n'a pas les parents qu'il lui faudrait».

QUESTIONS À SE POSER

· *Le comportement d'Amélie est-il commun aux enfants de 4 ans ?*

· *En quoi le manque de disponibilité de son père peut-il l'affecter dans cette période du développement ?*

· *Quel style parental semble avoir la mère d'Amélie ?*

· *Comment expliquez-vous la perception de l'éducatrice à l'égard de la mère d'Amélie ?*

La période de trois à six ans constitue une étape significative pour le développement affectif et social de l'enfant. Ainsi que nous l'avons vu dans les chapitres précédents, l'enfant possède maintenant une série d'habiletés cognitives et émotionnelles qui, idéalement, le prépare à affronter le monde plus vaste qu'il s'apprête à découvrir. L'enfant de cet âge développera une image de lui-même beaucoup plus complète qu'auparavant et sera aussi en mesure d'aimer ou de ne pas aimer ce qu'il est. Il découvrira également qu'il fait partie de la catégorie des garçons ou des filles, ce qui complétera la représentation qu'il se fait de lui-même.

6.1 L'ÉVOLUTION DE LA CONSCIENCE DE SOI

Nous avons vu, au chapitre 4, comment s'amorce l'ébauche d'une définition que l'enfant se fera de lui-même. Ce processus débute par la conscience de soi, qui permet au bébé de sentir qu'il est un être séparé et différent des personnes de son entourage. La conscience de soi, combinée aux messages que l'enfant recevra constamment sur lui-même, constitue véritablement la base à partir de laquelle l'enfant en viendra à développer un **concept de soi**.

Concept de soi
Ensemble des représentations qu'une personne possède au sujet d'elle-même.

6.1.1 LE CONCEPT DE SOI

Le concept de soi se définit comme étant la représentation que nous nous faisons de nous-mêmes, de nos caractéristiques et de nos traits. Cette construction, de type cognitif, détermine comment nous nous sentons et guide notre action (Harter, 1996). Le développement du concept de soi se fait par l'intermédiaire des expériences quotidiennes qui permettent à l'enfant de se représenter comme ayant des caractéristiques spécifiques, mais aussi, plus largement, par les informations reçues de son entourage à son sujet : « c'est une petite très débrouillarde » ou alors « il a tendance à abandonner facilement ». Le concept de soi évolue constamment. Il débute avec la conscience de soi et se complexifie durant la petite enfance, l'adolescence et l'âge adulte, parallèlement au développement cognitif. À l'âge de quatre ans, un enfant est déjà capable de se définir lui-même. Il peut nommer la couleur de ses cheveux et de ses yeux, énumérer les membres de sa famille, décrire la maison qu'il habite, affirmer ce qu'il aime ou n'aime pas manger, décrire ses habiletés. Cependant ces premières descriptions se centrent sur des aspects extérieurs et concrets, et peu sur ses propres émotions ou sa personnalité. Les enfants de cet âge ont aussi tendance à se décrire de manière très positive. Il faudra attendre l'âge de sept ans pour que l'enfant fasse preuve de plus de nuances et de réalisme dans sa description de lui-même. Il pourra alors décrire sa manière d'être de façon plus globale, par exemple en disant « je suis intelligent », « je suis apprécié de mes amis » et de façon plus nuancée en se prononçant sur ses forces et sur ses faiblesses.

FIGURE 6.1   L'IMAGE DE SOI

L'image de soi du jeune enfant est fondée principalement sur des caractéristiques extérieures comme les traits physiques.

6.1.2 L'ESTIME DE SOI

L'**estime de soi** représente la part évaluative du concept de soi, le jugement que l'enfant porte sur lui-même en fonction de ses caractéristiques. Une étude belge (Verschueren, Buyck et Marcoen, 2001) a évalué l'estime de soi chez des enfants de cinq ans. À partir d'une entrevue avec l'enfant et avec l'aide d'une marionnette, les chercheurs faisaient verbaliser l'enfant au sujet de ses perceptions de lui-même et des perceptions que les autres ont de lui. Les résultats montrent que l'estime de soi présente à cinq ans permet de prédire l'estime de soi et le fonctionnement émotionnel de l'enfant une fois qu'il aura atteint l'âge de huit ans. C'est donc dire l'importance des premières impressions de l'enfant sur lui-même. Un peu comme le concept de soi, l'estime de soi gagne en nuances avec l'âge. Vers cinq ans, l'enfant se définit globalement à la manière du « tout ou rien » : « je suis bon ou je suis méchant ». À mesure que l'enfant grandit, il sera davantage en mesure de se définir à partir de ses forces mais aussi de ses faiblesses : « Je suis bon en lecture mais moins bon en mathématiques ».

Estime de soi
Valeur qu'une personne accorde à elle-même.

L'estime de soi tient sa source dans les interactions précoces de l'enfant avec les adultes qui en prennent soin. Si les mécanismes que nous avons décrits au chapitre 4 sont présents dans la vie de l'enfant, notamment la régulation mutuelle et l'attachement sécurisant, il a de meilleures chances de ressentir au plus profond de lui-même qu'il a une place, qu'il est une bonne personne et qu'il est digne d'être aimé. L'estime de soi n'est donc pas innée, elle se façonne dans les relations significatives qu'a l'enfant. Un enfant ayant une estime de soi élevée part dans la vie avec une longueur d'avance. Cette force lui permettra de développer des compétences sociales qui, en retour, lui permettront de renforcer son estime de soi (Royer, 2004).

L'enfant qui a une estime de soi élevée est motivé à accomplir des choses et à réussir. Cependant si l'estime de soi est trop directement reliée à la réussite, il peut percevoir l'échec comme une indication de sa piètre valeur en tant que personne. Cette perception entraînera un sentiment d'impuissance à changer la situation. Environ un tiers des enfants de maternelle ou de première année montrent des signes de ce sentiment d'impuissance. Ainsi, plutôt que de persister dans une tâche difficile à réussir, ils abandonnent, se sentent honteux et choisissent une tâche qu'ils peuvent réussir facilement (Burhans et Dweck, 1995).

FIGURE 6.2 UNE MÈRE ADMIRATIVE

L'approbation de sa mère contribue beaucoup à l'estime de soi de ce petit garçon de trois ans qui lui montre son chef-d'œuvre. Ce n'est qu'au milieu de l'enfance que les enfants développeront des normes internes de valorisation personnelle.

Les différences individuelles dans l'estime de soi peuvent être influencées par la perception qu'a l'enfant de la permanence de ses caractéristiques (Harter, 1998). Les enfants qui perçoivent qu'ils ne peuvent pas changer leurs caractéristiques personnelles auront tendance à mal supporter l'échec, puisqu'ils croient leurs lacunes permanentes. Ces enfants peuvent aussi attribuer le rejet social à leurs caractéristiques personnelles. Ainsi, plutôt que de faire de nouvelles tentatives et de modifier certains de leurs comportements, ils abandonnent. Par exemple, un enfant qui tente de se joindre au jeu d'un petit groupe et qui se fait rejeter retournera jouer seul plutôt que d'analyser la situation et voir par quels moyens il pourrait intéresser ses amis. Par comparaison, les enfants qui ont une estime de soi élevée ont tendance à attribuer leurs échecs à des facteurs extérieurs ou à leur manque d'efforts. S'ils sont rejetés, ces enfants feront plusieurs tentatives pour essayer de changer la situation (Pomerantz et Saxon, 2001). Ils sont donc plus actifs et sont capables de trouver des alternatives devant l'échec. Les parents dont les enfants ont une estime de soi élevée donnent à l'enfant des rétroactions spécifiquement reliées à un comportement plutôt que de porter un jugement global sur l'enfant : « Lorsque tu ne ranges pas tes jouets, ça me dérange » plutôt que « Tu es vraiment désordonné ». Nous élaborerons davantage sur les conduites parentales dans la section 6.6.

6.2 LE DÉVELOPPEMENT DE L'IDENTITÉ DE GENRE

Être un garçon ou une fille a non seulement un impact sur l'apparence physique, les vêtements portés et la façon de bouger, mais cette appartenance à un sexe influence également la perception qu'une personne a d'elle-même, son concept de soi, ainsi que la perception des autres. L'identité de genre (Stoller, 1968) constitue la représentation qu'une personne se fait d'elle-même en fonction de son appartenance à un sexe, dans une société donnée.

6.2.1 LES ÉTAPES DE L'IDENTITÉ DE GENRE

L'identité de genre s'établit selon quatre phases successives :

* La conscience du genre, entre 18-24 mois, permet à l'enfant de comprendre que le monde animal et humain se partage en deux catégories, le genre masculin et le genre féminin.

* L'identification du genre, entre deux et trois ans, amène l'enfant à comprendre qu'il appartient lui aussi à l'un des deux genres. Il peut également différencier le genre des personnes qui l'entourent, mais en s'appuyant essentiellement sur des critères extérieurs tels que les vêtements.

* La stabilité du genre, entre trois et cinq ans, permet à l'enfant de concevoir l'appartenance à un genre comme une réalité permanente reliée au sexe anatomique.

* La consolidation du genre, entre cinq et six ans, amène l'enfant à concevoir un sentiment d'appartenance physique et psychologique à un sexe (Germain et Langis, 2003). L'identité de genre est alors établie.

6.2.2 LES DIFFÉRENCES SEXUELLES

Examinons à présent les différences qui existent entre les garçons et les filles durant l'enfance. Dans les faits, mise à part l'anatomie des organes génitaux, les différences mesurables entre les sexes sont peu nombreuses. Les garçons et les filles sont également sensibles au toucher, ils peuvent s'asseoir et marcher environ au même âge. Les bébés garçons sont généralement plus vulnérables physiquement que les filles (Keenan et Shaw, 1997). Les bébés filles se développent plus rapidement et sont moins sensibles au stress. Par contre, les garçons sont généralement plus grands, plus lourds et un peu plus forts que les filles. L'une des premières différences à apparaître sur le plan comportemental a lieu vers deux ans, au moment où les garçons et les filles choisiront différemment leurs jouets ou leurs compagnons de jeux (Turner et Gervai, 1995). Si certaines différences deviennent plus prononcées à partir de trois ans, on peut dire que les garçons et les filles sont généralement plus semblables que différents. Il n'existe aucune différence entre le quotient intellectuel moyen des garçons et des filles, mais les deux sexes diffèrent sur le plan de certaines activités spécifiques. Les filles seraient meilleures dans des tâches qui requièrent le langage, dans les habiletés perceptuelles et la motricité fine. Les garçons seraient plus habiles dans des tâches reliées aux habiletés spatiales, aux équations mathématiques abstraites et au raisonnement scientifique (Halpern, 1997). La différence sexuelle la plus marquée sur le plan comportemental concerne l'agressivité. Tout petits, tant les filles que les garçons peuvent frapper, mordre ou faire des crises. Cependant, à partir de l'âge préscolaire, ces comportements diminueront chez les filles tandis que les garçons se montreront plus agressifs verbalement et physiquement (Coie et Dodge, 1998). Nous reviendrons aux concepts de troubles de comportement et d'agressivité dans la section 6.5.

Les filles se montrent plus empathiques et plus sociables et ont tendance à se montrer plus obéissantes face aux consignes données par les parents ou les autres adultes (Keenan et Shaw, 1997 ; Eisenberg, Fabes, Schaller et Miller, 1989). Ces différences peuvent s'expliquer, biologiquement, par la plus grande résistance au stress dont les filles font preuve ainsi que, sur le plan cognitif, par leur plus grande habileté à s'exprimer verbalement, ce qui les aiderait peut-être à mieux contrôler les situations difficiles et à résoudre les conflits par la communication. Par ailleurs, nous pouvons trouver une autre explication dans la socialisation globalement différente des filles et des garçons. On encourage davantage les filles à se contrôler elles-mêmes, à partager leurs jouets et à réfléchir à l'impact de leurs agissements sur les autres (Keenan et Shaw, 1997). D'un autre côté, on encourage davantage les garçons à être affirmatifs et fonceurs, ce qui peut aussi constituer une force (Coutu *et al.*, 2004). Dans l'ensemble, il ne faut cependant pas oublier que les différences sexuelles sont mesurées à partir de très grands échantillons et qu'elles ne sont valides que pour de grands groupes et non pour chaque enfant pris individuellement. Par ailleurs, la similarité de plusieurs rôles sexuels dans de nombreuses cultures nous amène à penser que certaines différences sexuelles pourraient avoir un fondement biologique.

6.2.3 LES INFLUENCES BIOLOGIQUES

On sait aujourd'hui que la dimension du corps calleux, cet organe qui relie les deux hémisphères du cerveau, est corrélée aux habiletés verbales. Puisque les filles ont un corps calleux plus large que les garçons, elles pourraient bénéficier d'une meilleure coordination entre les deux hémisphères, ce qui expliquerait leurs plus grandes habiletés langagières (Halpern, 1997). Certaines recherches s'intéressent aux cas d'anormalité hormonale pour tenter d'expliquer l'influence respective de la biologie et de la culture sur les différences sexuelles. Certaines filles naissent avec une maladie qui produit un niveau beaucoup plus élevé que la normale de testostérone (hormone masculine). Même si elles sont élevées comme des filles, elles préfèrent les jouets de garçons et les jeux de bataille, elles choisissent des compagnons de jeu masculins et montrent de grandes habiletés spatiales (Ruble et Martin, 1998). Cependant, dans le cas d'études comme celle-ci, faite en milieu naturel, il est impossible de distinguer la cause de l'effet. Les préférences de ces enfants découlent-elles de l'effet des hormones ou des interactions précoces entre parent et enfant ? Cette étude ne nous permet pas de conclure dans un sens ou dans l'autre.

Dans le cas d'enfants qui naissent avec des organes génitaux anormaux (partiellement féminins et partiellement masculins), John Money et ses collègues (1955) ont suggéré d'assigner le plus tôt possible à l'enfant le genre qui lui permettra de fonctionner le plus normalement. Cette consigne a été appliquée à un petit garçon de sept mois à qui l'on avait accidentellement coupé le pénis durant la circoncision. À partir de 17 mois, il fut élevé comme une fille et quatre mois plus tard, on l'opéra pour faire une reconstruction de ses

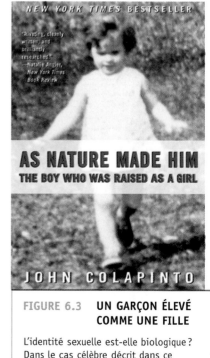

FIGURE 6.3 **UN GARÇON ÉLEVÉ COMME UNE FILLE**

L'identité sexuelle est-elle biologique ? Dans le cas célèbre décrit dans ce livre, un nourrisson dont le pénis a été coupé lors d'une circoncision a été élevé comme une fille, mais a rejeté plus tard son identité féminine pour vivre comme un homme.

FIGURE 6.4 UN « VRAI PETIT HOMME »

Ce garçon d'âge préscolaire déguisé en cow-boy a développé un important sens des rôles sexuels. La principale différence comportementale entre les petits garçons et les petites filles réside dans la plus grande agressivité des petits garçons.

Rôles sexuels
Les traits de personnalité, les comportements, les intérêts, les attitudes et les habiletés qu'une culture considère comme appartenant aux femmes ou aux hommes.

Double standard
Attentes de la société qui diffèrent en fonction du sexe de la personne.

Stéréotype sexuel
Généralisation portant sur la masculinité et la féminité.

organes génitaux. Quoique cet enfant ait semblé se développer comme une petite fille durant les premières années de sa vie, à la puberté, il a commencé à rejeter son identité féminine et à vivre comme un garçon. Après une deuxième reconstruction chirurgicale au début de l'âge adulte, il s'est marié à une femme et a adopté ses enfants. Nous voyons par cet exemple que l'identité de genre peut trouver ses racines dans la structure chromosomique ou le développement prénatal et ne peut être modifiée facilement (Diamond et Sigmundson, 1997). Une étude récente, menée à partir d'un échantillon de 27 garçons nés sans pénis, confirme cette conclusion. Quoique 25 de ces garçons aient été élevés comme des filles, ils affichaient des comportements plus typiquement masculins, s'adonnaient à des jeux de bataille et affirmaient se considérer comme des garçons. Ce cas suggère que les hormones jouent un rôle dans l'établissement de l'identité de genre (Reiner, 2000), rôle qui sera modulé par le milieu. En effet, l'explication la plus fréquente des différences sexuelles est reliée aux expériences des garçons et des filles ainsi qu'aux attentes de l'entourage à l'égard de leurs comportements (Halpern, 1997). Le processus d'acquisition de l'identité de genre va donc de pair avec l'acquisition des rôles sexuels et les stéréotypes sexuels.

6.2.4 LES RÔLES SEXUELS ET LES STÉRÉOTYPES SEXUELS

On entend par **rôles sexuels** les traits de personnalité, les comportements, les intérêts, les attitudes et les habiletés qu'une culture associe aux femmes ou aux hommes. Aujourd'hui encore, notre société nourrit des attentes différentes selon le sexe, même si le **double standard** est moins évident qu'autrefois. On attend toujours des femmes qu'elles soient plus orientées vers les soins et l'empathie, qu'elles soient plus accommodantes et aimantes et, des hommes, qu'ils soient actifs et pourvoyeurs, affirmatifs et compétitifs. Cependant, au cours des dernières décennies, on a assisté à un grand assouplissement des rôles sexuels, du moins en Occident. Cette situation est largement attribuable au féminisme, qui a favorisé la libération des femmes de leurs rôles traditionnels et leur entrée massive sur le marché du travail. Ce phénomène a entraîné un partage plus grand entre les hommes et les femmes des rôles de pourvoyeur économique et d'éducateur des enfants.

Les rôles sexuels sont eux-mêmes nettement influencés par les stéréotypes sexuels. Les **stéréotypes sexuels** correspondent à des généralisations en ce qui concerne la masculinité et la féminité : par exemple, toutes les femmes sont passives ou tous les hommes sont agressifs. Ces stéréotypes sont appris par les enfants dès leur plus jeune âge, en même temps que les rôles sexuels. Ainsi, des enfants d'âge préscolaire, aussi bien des filles que des garçons, diront des garçons qu'ils sont forts, rapides et cruels, et des filles qu'elles sont peureuses et ont besoin d'aide (Ruble et Martin, 1998). Cependant tous les enfants n'adoptent pas les stéréotypes sexuels au même degré. Il existe des garçons qui adoptent des caractéristiques plus «féminines» et des filles qui présentent des côtés plus «masculins». Le premier lieu d'apprentissage des rôles et des stéréotypes sexuels est certainement la famille.

• L'INFLUENCE DES PARENTS

L'influence des parents sur l'identité sexuelle a été étudiée par Maccoby et Jacklin (1974), qui ont conclu que les comportements des parents diffèrent en fonction du sexe de l'enfant. Le chercheur Frisch (1977) a présenté 24 enfants de 14 mois (12 garçons et 12 filles) à des femmes qui ne les connaissaient pas. Parfois on leur indiquait le sexe véritable de l'enfant et, parfois, le sexe contraire. Les enfants étaient vêtus de manière à ce qu'on ne puisse identifier leur sexe. Quand les chercheurs demandèrent à ces personnes de jouer avec les enfants, ils observèrent que les comportements de ces femmes variaient en fonction du sexe qu'elles attribuaient à l'enfant. Elles furent plus portées à proposer des jeux actifs aux garçons et à les laisser explorer la pièce. Elles parlèrent davantage aux filles et furent plus portées à choisir une poupée pour jouer avec elles, tout en les maintenant à proximité. D'autres études montrent qu'en général les parents, particulièrement les pères, n'aiment pas que leur garçon joue avec une poupée. Les parents laissent les filles plus libres que les garçons de choisir leurs vêtements, leurs jeux et leurs amis (Sandnabba et Ahlberg, 1999). Certains auteurs nous mettent en garde cependant contre de trop grandes généralisations. À l'examen de 172 études sur ce sujet, Lytton et Romney (1991) concluent que les différences de comportement des parents sont généralement trop minces pour pouvoir conclure à la variation de comportement des adultes en fonction du sexe de leurs enfants. Par ailleurs, les comportements des parents peuvent influencer l'adoption par les enfants de stéréotypes sexuels. Ainsi, dans une étude internationale menée en Angleterre et en Hongrie, des chercheurs ont observé que les enfants qui vivaient avec un père actif dans les tâches ménagères et les soins aux enfants étaient moins conscients des stéréotypes sexuels et s'engageaient autant dans des jeux «masculins» que «féminins» (Turner et Gervai, 1995). De même, le vécu d'une famille monoparentale dans laquelle le parent doit assumer les rôles dits féminins et masculins semble influencer le comportement des enfants. Ces derniers adoptent moins fréquemment des comportements traditionnellement associés à leur sexe (Leve et Fagot, 1997).

• L'INFLUENCE DE LA FRATRIE ET DES PAIRS

Les frères et sœurs ont-ils une plus grande influence que les parents sur le développement de l'identité de genre? La réponse à cette question dépend du rang de l'enfant dans la famille. Les aînés ont tendance à être plus influencés par leurs parents tandis que les cadets tenteraient d'adopter davantage les comportements et les attitudes de leurs aînés (McHale, Updegraff, Helms-Erikson et Crouter, 2001). De leur côté, les pairs commencent à exercer une influence sur l'identité de genre dès l'âge de trois ans et cette influence va en s'accroissant. Les enfants veulent porter des vêtements semblables à leurs pairs du même sexe et adopter des attitudes similaires (Ruble et Martin, 1998). Une étude auprès d'enfants de quatre ans montre que le choix des jeux, comparé à d'autres comportements de ces enfants, est davantage influencé par les pairs que par les parents. De manière générale toutefois, l'influence des amis et celle des parents se renforcent mutuellement. La théorie de l'apprentissage social, que nous verrons un peu plus loin, suggère que les pairs ne constituent pas une source de référence isolée. Ils s'imbriquent dans un système culturel complexe qui inclut non seulement les parents mais aussi d'autres influences, y compris les médias (Bussey et Bandura, 1999).

• L'INFLUENCE DES MÉDIAS

La littérature enfantine contient de moins en moins de personnages stéréotypés selon leur sexe. Cette avenue permet aux enfants de disposer de modèles diversifiés auxquels ils peuvent s'identifier, peu importe le sexe auquel ils appartiennent. Cependant, si nous examinons les caractéristiques des personnages féminins et masculins à la télévision, dans les films ou dans Internet, nous retrouvons généralement les stéréotypes masculins qui correspondent à la compétitivité, la performance et la force, et les stéréotypes féminins qui sont liés à des comportements de soins, et à une attitude empathique et chaleureuse. De fait, ces personnages médiatiques sont souvent plus stéréotypés que les hommes et les femmes que nous voyons dans la vie réelle (Ruble et Martin, 1998). Or, la télévision a un impact important sur la transmission de valeurs culturelles relatives aux rôles sexuels (Durkin et Bradley, 1998). Nous aurions tort de croire que les enfants demeurent passifs devant une émission de télévision. Ils sont particulièrement sensibles à ce qu'elle transmet : ils écoutent, enregistrent et interprètent les informations reçues (Deaudelin et Brodeur, 1985 ; dans Royer, 2004). Les parents ont donc un rôle à jouer auprès de l'enfant pour l'aider à développer une compréhension plus nuancée des stéréotypes sexuels présentés à la télévision.

FIGURE 6.5 **LA TRANSMISSION DES RÔLES SEXUELS**

Un père qui encourage son fils à effectuer des activités traditionnellement masculines, par exemple ajuster le siège d'un vélo, lui transmet un puissant message concernant les centres d'intérêts qui sont appropriés aux garçons.

6.3 LES THÉORIES DU DÉVELOPPEMENT DE L'IDENTITÉ DE GENRE

Parmi les théories qui tentent d'expliquer l'acquisition de l'identité de genre, nous présenterons d'abord la théorie de l'apprentissage social de Bandura, qui tient compte de l'influence des médias sur l'adoption des comportements stéréotypés selon le sexe.

6.3.1 LA THÉORIE DE L'APPRENTISSAGE SOCIAL : L'OBSERVATION ET L'IMITATION DE MODÈLES

La théorie de l'apprentissage social suggère que les enfants adoptent les rôles sexuels d'abord à travers le processus de socialisation qui les informe des normes acceptables par la société (Bussey et Bandura, 1999). Selon Bandura, l'identité de genre résulte de plusieurs facteurs personnels et sociaux qui interagissent entre eux. La façon dont un enfant donne un sens à ses expériences avec ses parents, ses enseignants, ses amis joue un rôle central. Nous avons vu au chapitre 1 que la théorie de l'apprentissage social sous-tend que l'enfant apprend en observant et en imitant des modèles. Cela s'applique aussi à l'apprentissage de l'identité de genre. Les enfants choisissent généralement des modèles qui ont du pouvoir, qui sont chaleureux ou qu'ils admirent. Le parent, surtout le parent du même sexe, sert souvent de modèle. Cependant il arrive aussi que l'enfant choisisse pour modèle un autre adulte ou un ami. Lorsque l'enfant imite son modèle, la réponse qu'il reçoit influence la fréquence avec laquelle il répétera ce comportement. Généralement les parents et les autres adultes renforceront les comportements masculins chez le garçon et les comportements féminins chez la fille, ce qui du coup renforce les stéréotypes sexuels.

Les tenants de la théorie de l'apprentissage social ont beaucoup examiné la question de l'influence de la télévision sur l'acquisition des attitudes ou des comportements. En ce qui a trait à l'adoption d'une identité de genre, ils suggèrent que les enfants qui regardent beaucoup la télévision imiteront les modèles qu'ils y voient et en adopteront les stéréotypes sexuels. La recherche confirme que les choix d'émission diffèrent selon le sexe. Les garçons regardent plus de dessins animés et d'émissions d'action que les filles; les garçons comme les filles se souviennent mieux des séquences qui confirment les stéréotypes déjà assimilés que des séquences non stéréotypées (Calvert et Huston, 1987). Cependant, lorsque des modèles non stéréotypés sont présentés, cela peut susciter l'intérêt des enfants pour d'autres attitudes. Une étude a révélé que des filles à qui l'on avait montré des bandes-annonces présentant des femmes pharmaciennes ou bouchères s'intéressaient plus que d'autres à ce genre d'emplois non conventionnels (O'Bryant et Corder-Boltz, 1978). Des jeunes enfants qui avaient visionné une série de scènes non traditionnelles (comme un père et son fils s'amusant à faire la cuisine) adoptaient des attitudes moins stéréotypées que les enfants qui n'avaient pas regardé ces scènes (Johnston et Ettema, 1982). Aujourd'hui les médias sont de plus en plus sensibles à cette problématique. Au Québec, on présente maintenant des émissions pour enfants et des téléromans qui sont plus proches de la diversité des familles actuelles. Nous pouvons y voir des pères monoparentaux, des mères au travail, des parents homosexuels, des familles reconstituées. Nous pouvons penser que, à moyen terme, la télévision deviendra encore plus représentative de la diversité et de la complexité des rôles sexuels, et offrira donc aux enfants des modèles plus variés et, surtout, plus nuancés.

Bien qu'il soit indéniable que l'apprentissage par observation joue un rôle dans l'acquisition de l'identité de genre, il faut se rappeler, comme nous l'avons constaté dans la section sur l'influence des parents, que les parents ne varient pas toujours leurs méthodes d'éducation selon qu'il s'agit des garçons ou des filles. Ils ont plutôt tendance à renforcer l'entraide et à punir l'agressivité chez les garçons comme chez les filles (Maccoby et Jacklin, 1974). Nous devons donc examiner une autre hypothèse qui vient compléter cette théorie.

6.3.2 LA THÉORIE DU SCHÈME DU GENRE : L'APPROCHE SOCIOCOGNITIVE DE BEM

La **théorie du schème du genre sexuel** s'inspire en partie de la théorie de l'apprentissage social. Elle repose sur le concept du **schème du genre sexuel** (Bem, 1983, 1985). Comme dans la théorie de Piaget, un schème est une représentation mentale qui organise l'information et influence le comportement. Selon cette théorie, dès la petite enfance, l'enfant commence à emmagasiner des informations relatives aux personnes ou aux objets et il les catégorise en fonction de l'appartenance sexuelle des modèles. Il observe ainsi que la société classe les gens en fonction du sexe : les garçons et les filles portent des vêtements différents, ne jouent pas aux mêmes jeux et «font pipi» dans des endroits différents dans les lieux publics. Une fois que les enfants réalisent à quel sexe ils appartiennent, ils utilisent ce concept pour définir ce que signifie être un garçon ou une fille et ils se définissent eux-mêmes de cette façon. Selon Bem, les schèmes du genre sexuel favorisent les stéréotypes sexuels parce qu'ils influencent les jugements portés sur les comportements. De fait, les enfants acceptent très rapidement les étiquettes sexuelles. Par exemple, si l'on présente un jouet neutre à un garçon en lui disant qu'il s'agit d'un jouet de fille, il le lâchera comme s'il s'agissait d'une patate chaude (Ruble et Martin, 1998)! Cependant Sandra Bem soutient que les adultes ont un rôle à jouer auprès de l'enfant pour lui éviter d'adopter trop de comportements stéréotypés. Selon elle, l'**androgynie**, soit une personnalité qui possède des caractéristiques des deux sexes, constitue la personnalité la plus saine. Ainsi, un individu androgyne pourra devenir autonome et sera capable de s'affirmer (caractéristiques dites masculines), tout en faisant preuve de bienveillance, d'empathie et de compréhension (caractéristiques dites féminines). Comment les parents peuvent-ils combattre les stéréotypes sexuels véhiculés dans la société? D'abord, en ne se confinant pas eux-mêmes en tant qu'adultes dans des tâches traditionnelles ou des attitudes stéréotypées. Ensuite, ils peuvent offrir à l'enfant la possibilité de choisir des jeux qui ne sont pas traditionnellement associés à son sexe (par exemple proposer des camions aux filles, des poupées aux garçons). Cependant le contrôle des parents se restreint souvent au milieu familial. Sandra Bem a déjà raconté que lorsque son fils s'est présenté à la garderie avec des rubans dans les cheveux parce qu'il trouvait cela joli, les réactions de ses amis lui ont fait rapidement comprendre que ce n'était pas une attitude correcte pour un garçon.

La théorie du schème du genre sexuel tient compte de plusieurs facteurs qui influencent l'identité de genre chez l'enfant, tels que les observations qu'il fait de son entourage, le développement du schème du genre, la connaissance qu'il acquiert des stéréotypes sexuels et sa tendance à classer des activités et des objets divers par genre. Il n'est cependant pas prouvé que le schème du genre sexuel influence les comportements des enfants. La théorie n'explique pas non plus pourquoi certains enfants optent pour des comportements moins conformes à leur sexe (Ruble et Martin, 1998). Un des problèmes avec la théorie de Bem est que l'identité de genre ne devient pas plus stéréotypée à mesure que l'enfant acquiert des connaissances au sujet des caractéristiques masculines et féminines. En réalité, c'est plutôt le contraire qui se produit (Bussey et Bandura, 1999). Lorsque l'enfant est en processus de construction de son identité de genre (autour de quatre à six ans), il remarque et retient seulement l'information qui correspond à ce qu'il est déjà. Autour de huit ans, les enfants commencent à développer des schèmes de pensée plus complexes et ils peuvent alors commencer à intégrer des informations contradictoires, comme le fait qu'une fille peut aimer les camions (Ruble et Martin, 1998). Le tableau 6.1 résume le contenu des deux théories présentées.

Théorie du schème du genre sexuel
Théorie de Sandra Bem voulant que l'enfant se socialise en fonction des rôles appropriés à son sexe en se représentant ce que signifie être une fille ou un garçon.

Schème du genre sexuel
Selon la théorie de Bem, représentation mentale d'un ensemble de comportements qui aide l'enfant à traiter l'information relative à ce que signifie être un garçon ou une fille.

Androgynie
Personnalité qui possède à la fois des caractéristiques féminines et masculines.

TABLEAU 6.1 **DEUX PERSPECTIVES DU DÉVELOPPEMENT DE L'IDENTITÉ DE GENRE**

THÉORIE	AUTEUR	PROCESSUS EN JEU	POSTULATS DE BASE
Théorie de l'apprentissage social	Albert Bandura	Observation de modèles Imitation Renforcement	L'identité de genre résulte de l'interprétation et de l'internalisation de standards sociaux relativement au sexe des individus.
Théorie du schème du genre	Sandra Bem	Catégorisation cognitive combinée à l'observation de modèles	L'enfant organise les informations au sujet des comportements appropriés pour un garçon ou pour une fille en se basant sur les normes culturelles. Il intègre ensuite ces comportements dans un schème de genre et y adapte son comportement.

6.4 LE DÉVELOPPEMENT DE LA PERSONNALITÉ : LES PERSPECTIVES THÉORIQUES

L'identité de genre ne représente qu'un aspect de la personnalité du jeune enfant. Deux théoriciens que nous connaissons déjà, Freud et Erikson, se sont penchés sur le développement affectif et social des petits de 3 à 6 ans.

6.4.1 LA THÉORIE PSYCHOSEXUELLE DE FREUD

• LE STADE PHALLIQUE

Au chapitre 4, nous avons vu que l'enfant était au stade anal. En faisant l'apprentissage de la propreté, il découvre de manière plus approfondie ses organes génitaux, qui deviendront la zone érogène investie entre 3 et 6 ans. Cette découverte marque le début du **stade phallique**, terme qui vient de phallus (pénis : symbole de puissance). Durant cette période, les enfants découvrent qu'il est agréable de toucher ses propres organes génitaux et ils expérimentent la masturbation. Ils développent aussi une curiosité sexuelle qu'ils ne possédaient pas auparavant, puisqu'ils font maintenant la différence anatomique des sexes. Toutefois, à cet âge, cette différence anatomique se résume, selon Freud, au fait d'avoir un pénis ou pas.

• LE COMPLEXE D'ŒDIPE

Le complexe d'Œdipe représente sans doute l'événement le plus important de ce stade. Nous pouvons définir le **complexe d'Œdipe** comme le désir inconscient que ressent l'enfant pour le parent du sexe opposé. Le garçon, à ce stade, veut entretenir une relation unique avec sa mère à l'image de ce qu'il observe de celle qu'elle entretient avec son père. Il devient donc jaloux du père et le perçoit comme un rival, qu'il désire inconsciemment supprimer. Cependant le petit garçon se sent aussi coupable de ce désir, parce qu'il continue d'aimer son père et désire lui ressembler. Ce conflit psychique créera une anxiété chez les garçons, qui craindront de perdre leur pénis s'ils se lient à une mère qui n'en possède pas (c'est ce que Freud nomme l'*angoisse de castration*).

Quant à la fille, la déception relative à l'absence de pénis la poussera vers l'Œdipe. Son «envie du pénis» la fera se tourner vers le père qui, lui, en a un. Le même phénomène que celui qui s'est produit chez le garçon aura lieu. Elle percevra sa mère comme une rivale et manifestera un désir de rapprochement avec le père, mais le conflit psychique qui en résultera sera, selon Freud, plus difficile à surmonter, la mère étant pour la fille, comme pour le garçon, le premier objet d'amour. La mise en situation du début du chapitre révèle un exemple de complexe d'Œdipe. Pour l'un comme pour l'autre, le complexe d'Œdipe n'est pas

Stade phallique
Troisième stade du développement psychosexuel, caractérisé par le déplacement de la libido vers les organes génitaux. L'enfant voit la différence sexuelle sous forme d'absence ou de présence du pénis. Le complexe d'Œdipe en constitue l'enjeu central.

Complexe d'Œdipe
Conflit central inconscient du stade phallique, au cours duquel l'enfant désire la mort du parent du même sexe et éprouve un désir sexuel pour le parent du sexe opposé. Idéalement, une fois le conflit résolu, l'enfant désire s'inscrire dans la société et la culture pour établir plus tard une relation avec un partenaire du sexe opposé étranger à la famille.

le reflet d'un amour idyllique. Il est source de remords et d'anxiété. La résolution de l'Œdipe passera par le processus d'identification au parent du même sexe et par la formation du surmoi. Prenant conscience que la formation d'un couple avec le parent n'est pas une avenue possible dans la réalité, l'enfant choisit plutôt de devenir comme le parent du même sexe. Le *surmoi* apparaît environ au même moment. Il s'agit de la troisième instance psychique présentée au chapitre 1. Le surmoi intègre les valeurs et les règles sociales, dont l'interdit de l'inceste. Étant donné le processus fondamental d'identification au parent du même sexe dans la résolution du complexe d'Œdipe, nous pouvons nous demander comment se développent les enfants qui vivent dans une famille dont les parents sont du même sexe. L'encadré 6.1 fournit des informations à ce sujet.

Cette approche reflète bien les stéréotypes entretenus à l'époque dans laquelle vivait Freud. Elle dénote l'importance accordée aux hommes et à leur soi-disant supériorité. Dans les faits, quoique certains parents relatent des anecdotes qui peuvent laisser croire à l'existence du complexe d'Œdipe, aucune preuve scientifique n'existe de l'envie du pénis chez les filles (Matlin, 1987). Les recherches ultérieures sur la sexualité féminine écartent d'ailleurs l'idée selon laquelle le pénis est un idéal pour les deux sexes. Selon Karen Horney, ex-disciple de Freud, ce serait davantage le statut social de l'homme qui serait envié par les femmes. Elle a aussi suggéré que certains comportements masculins, comme le désir de reconnaissance sociale, pourraient, en réalité, constituer une compensation pour l'impossibilité pour les hommes d'enfanter. Dans ce contexte, les hommes auraient « l'envie de l'utérus », soit le désir de porter des enfants.

FIGURE 6.6   **LE COMPLEXE D'ŒDIPE**

6.4.2 LA THÉORIE PSYCHOSOCIALE D'ERIKSON

Lors de la crise précédente, comme nous l'avons vu au chapitre 4, l'enfant tentait de trouver un équilibre entre l'autonomie, la honte et le doute. Entre trois et six ans, l'enfant entre dans la **crise de l'initiative versus la culpabilité**. L'autonomie acquise dans le stade précédent amène l'enfant non seulement à agir de plus en plus de façon autonome, mais aussi à vouloir prendre des initiatives, élaborer et réaliser des projets. Cependant il voit grand et perd parfois de vue ses limites d'enfant, ce qui peut l'amener à se sentir coupable de ses motivations ou de ses actes. En même temps, son désir d'approbation par les adultes est fort. Aussi, lorsque les parents freinent ses initiatives, l'enfant peut ressentir de la culpabilité.

L'enfant qui traverse bien cette crise développera le sens de l'initiative. Il pourra agir sans être inhibé par la culpabilité et la peur de la punition tout en étant en mesure d'assumer pleinement ses responsabilités (Erikson, 1982). Il fera donc preuve d'une certaine mesure dans ses initiatives. L'enfant qui traverse cette crise avec difficulté pourra être dépourvu de toute spontanéité, rongé par la culpabilité, ce qui influencera sa façon d'amorcer la crise suivante. Il

Crise de l'initiative versus la culpabilité
Troisième crise du développement psychosocial, selon Erikson, au cours de laquelle l'enfant de trois à six ans doit réaliser l'équilibre entre le désir d'atteindre des buts et les jugements moraux liés à ce qu'il veut faire.

Les familles homoparentales

Le 9 décembre 2004, la cour suprême du Canada se prononçait unanimement en faveur du mariage entre conjoints de même sexe. L'aboutissement de ce débat de longue date permettrait donc à deux femmes ou à deux hommes de s'unir par les «liens sacrés». Ils auraient également le droit d'adopter un enfant ou de recourir à des services d'insémination artificielle ou aux services d'amis qui se porteraient volontaires pour aider le couple à avoir un enfant. Plusieurs personnes se demandent quel peut être l'impact sur les enfants s'ils sont élevés par des parents du même sexe? Selon Freud, la personnalité normale se développe par la résolution du complexe d'Œdipe, ce qui implique pour l'enfant l'identification au parent du même sexe. Mais que se passera-t-il si un petit garçon est élevé par deux femmes? Il existe encore peu d'études sur le sujet. Toutefois quelques chercheurs, dont Danielle Julien, du département de psychologie de l'Université du Québec à Montréal ont mené plusieurs recherches sur le sujet.

Selon une recension des écrits, effectuée par Dubé et Julien (2000), il est très difficile de dénombrer le nombre de parents du même sexe, tant au Québec qu'au Canada. D'une part, les statistiques ne compilent pas encore ce genre de données. D'autre part, étant donné les préjugés négatifs à l'endroit des homosexuels et peut-être encore plus des parents homosexuels, ces derniers peuvent choisir de garder leur orientation sexuelle secrète par peur du rejet ou de la discrimination, ou par crainte de se faire enlever les enfants. Les chiffres américains indiquent qu'environ 10 % des gais et 20 % des lesbiennes auraient des enfants qu'ils élèveraient avec une autre personne du même sexe qu'eux. Rappelons-nous que l'homosexualité a été considérée comme une maladie mentale jusqu'en 1970 et qu'elle apparaissait dans le DSM (Diagnostical and Statistical Manual), ouvrage qui décrit tous les troubles de santé mentale. Même si les mentalités changent, elles changent lentement et plusieurs professionnels de la santé doutent encore de la capacité des parents de même sexe à être de bons parents. Les préjugés sont nombreux. On considère les personnes homosexuelles comme des êtres très sexués qui vivent de manière instable. On dit des lesbiennes qu'elles sont

moins maternelles et des gais qu'ils sont moins responsables. Les rares études sur le sujet indiquent que les parents homosexuels peuvent être d'aussi bons parents que les parents hétérosexuels (Dubé et Julien, 2000). Mentionnons toutefois que davantage d'études portent sur les mères lesbiennes que sur les pères gais, sans doute parce que celles-ci sont plus nombreuses.

En ce qui a trait à l'effet sur le développement des enfants, Dubé et Julien (2000) reprennent certaines hypothèses de Patterson (1997) pour faire le tour de la question. Selon Patterson, les préoccupations au sujet de l'effet sur les enfants peuvent se situer sur deux plans, celui de l'identité sexuelle de l'enfant et celui de son adaptation sociale. Sur le plan de l'identité sexuelle, on pense que les enfants élevés par des parents de même sexe éprouveront plus de difficulté à trouver leur identité que les autres et qu'ils risquent de devenir eux-mêmes homosexuels. Sur le plan de l'adaptation sociale, on craint qu'ils ne soient rejetés par leurs pairs à cause de l'orientation sexuelle de leurs parents. Examinons si ces croyances s'avèrent fondées.

Voyons ce qu'il en est de l'identité sexuelle. Les résultats empiriques des études rapportées par Dubé et Julien (2000) divisent l'identité sexuelle en trois dimensions : l'identité de genre, les rôles sexuels et l'orientation sexuelle. En ce qui concerne l'identité de genre, ces auteurs font état d'une étude comparative entre les enfants de mères lesbiennes et de mères hétérosexuelles. Les résultats démontrent, à un degré comparable avec les enfants de mères hétérosexuelles, que les enfants de mères homosexuelles connaissent un développement normal de l'identité de genre et qu'ils sont satisfaits de leur appartenance sexuelle. En ce qui a trait aux rôles sexuels, évalués par la préférence pour des jouets, des activités ou des intérêts divers, dans l'ensemble, on ne trouve pas non plus de différences significatives entre les deux groupes. Dans une autre étude qui a utilisé l'entrevue clinique comme méthode de cueillette de données, on a trouvé que les filles de mères lesbiennes montrent plus d'intérêt pour les jeux physiques et les jouets plus masculins alors que les garçons préfèrent des jeux associés à leur propre sexe. La recherche indique toutefois

que ces préférences non conformistes demeurent dans les limites conventionnelles. Il faut tout de même faire remarquer que ces études sont menées auprès d'enfants d'âge variable et même auprès d'adultes qui ont été élevés par des parents homosexuels. Enfin, en ce qui a trait à l'orientation sexuelle, une des rares études québécoises sur le sujet a été réalisée auprès de 148 mères lesbiennes : elle montre que 3 % des filles et 6 % des garçons seraient, selon leurs mères, homosexuels. Dans la population générale au Québec, on estime que l'homosexualité varie entre 5 et 18 %. Ainsi, les enfants de familles homoparentales ne deviennent pas davantage homosexuels que ceux qui sont élevés par des parents de sexe opposés. Nous devons cependant souligner que les enfants de mères lesbiennes ont fréquemment été d'abord élevés dans une famille hétérosexuelle, avant la séparation des parents biologiques. Leur modèle d'origine ne serait donc pas le couple de lesbiennes. Quant aux pères homosexuels, leurs estimations au sujet de l'orientation sexuelle de leurs enfants rejoint des proportions qui correspondent à la population générale (8 à 10 %). Comme le disent bien les auteures, «ces résultats ne signifient pas que les enfants de parents homosexuels ne font face à aucun problème d'identité. Cependant ces résultats suggèrent que les problèmes d'identité sexuelle, lorsqu'ils surgissent, n'ont rien à voir avec l'orientation sexuelle des parents» (Dubé et Julien, p. 169).

En ce qui concerne le développement psychosocial, les enfants de parents homosexuels sont-ils victimes de rejet ou de brimades à cause de l'orientation sexuelle de leurs parents? Il semble qu'ils ne le soient pas plus que les autres enfants. Ces enfants ont autant d'amis et autant de chances de devenir populaires que les enfants de familles dites normales. Quant à leurs relations avec les adultes, on a mesuré le réseau de soutien social des parents afin de vérifier à qui les enfants étaient potentiellement exposés. Le tiers des mères lesbiennes ont des réseaux essentiellement composés de femmes. Les deux tiers ont des réseaux mixtes composés de femmes et d'hommes. Il semble que ces femmes désirent plus que les femmes hétérosexuelles que leurs enfants soient en contact avec des hommes et qu'elles cherchent les occasions d'impliquer les membres masculins de leur famille d'origine dans la vie de l'enfant. Il apparaît aussi que la présence du père biologique est recherchée par les mères lesbiennes, mais que les visites chez le parent hétérosexuel sont plus difficiles après une séparation durant laquelle la femme a déclaré son homosexualité. En résumé, les enfants de parents homosexuels fonctionneraient bien et ne seraient pas ostracisés par les autres enfants. Ils entretiennent des relations avec des personnes des deux sexes, ce qui peut favoriser le processus d'identification à une personne du même sexe et offrir un modèle de référence.

Les auteures de cette recension concluent que les difficultés des enfants de familles homoparentales ne sont pas plus importantes que dans la population générale. Elles insistent sur le fait que, à l'instar des familles traditionnelles, les difficultés de ces enfants sont davantage liées au contexte dans lequel évolue l'enfant (par exemple, la pauvreté), à la qualité des interactions parent-enfant et aux méthodes éducatives. À titre d'exemple, poursuivent-elles, la théorie de l'attachement s'attarde à comprendre la qualité des soins parentaux et le degré de sensibilité des parents à l'égard de l'enfant, mais en aucun cas, elle ne s'attarde à l'orientation sexuelle des parents pour évaluer le degré d'attachement. Alors, pourquoi le faire avec des parents homosexuels ?

est également possible que l'enfant qui n'a subi aucun contrôle de ses parents ressorte de cette crise avec un sens de l'initiative trop exubérant et qui ne tient pas compte des autres, ce qui en soit n'est pas non plus souhaitable puisque, désormais, le monde de l'enfant s'ouvrira à des interactions sociales nombreuses et diverses auxquelles il devra s'ajuster.

La théorie d'Erikson n'explique pas de façon satisfaisante les répercussions des influences sociales et culturelles sur les hommes et sur les femmes. Comme Freud, Erikson considère en fait le développement de l'homme comme la norme.

6.5 LES COMPORTEMENTS SOCIAUX DES ENFANTS

Entre trois et six ans, le cercle social de l'enfant s'élargit. Il fréquente la garderie, il rencontre d'autres enfants et adultes, ce qui lui donne l'occasion de faire de nouveaux apprentissages tels que celui de l'amitié. L'enfant peut aussi rencontrer certains problèmes, comme l'agressivité et les troubles de comportement. Les comportements sociaux désignent les interactions des enfants avec les adultes et, plus particulièrement, celles qu'ils établiront avec leurs pairs. Ces comportements sociaux peuvent être positifs ou négatifs. La période préscolaire constitue un moment privilégié pour le développement des compétences sociales de l'enfant (Bugental et Goodnow, 1998). Ces apprentissages sont importants et l'initiation à la vie de groupe, par exemple dans le contexte de la fréquentation d'une garderie, peut s'avérer plus difficile qu'on ne le croit. C'est le cas d'Amélie dans notre mise en situation. Les familles québécoises ont aujourd'hui en moyenne 1,5 enfants (Marcil-Gratton, 1999), ce qui signifie que l'enfant a de fortes chances de se retrouver enfant unique. Dans ce contexte, pour les enfants habitués à vivre seuls avec des adultes, l'initiation à la vie de groupe diffère de celle que connaissent les enfants habitués à partager leur vie quotidienne avec d'autres enfants. Les enfants uniques doivent apprendre à partager leur espace avec leurs pairs, attendre leur tour et écouter les autres. Malgré cela, les observations d'enfants d'âge préscolaire nous montrent que les enfants sont non seulement motivés, mais qu'ils possèdent les habiletés à entrer en relation avec les autres (Royer, 2004). Ils sont en mesure de se rapprocher des autres et de choisir un partenaire de jeu spécifique.

6.5.1 LES PREMIERS AMIS

L'ouverture de plus en plus grande de l'enfant sur le monde extérieur le rend curieux des autres et plus particulièrement des enfants qui l'entourent. En très bas âge, les enfants peuvent jouer les uns à côté des autres sans interaction véritable. Toutefois, autour de trois ans, ils peuvent développer de l'amitié. Comme pour les relations avec les frères et sœurs que nous avons décrites au chapitre 4, les interactions amicales ont des fonctions spécifiques. Elles aident l'enfant à s'adapter aux autres, à se montrer empathique, à apprendre à résoudre des conflits et à observer divers modèles de comportements. Les enfants apprennent aussi les différences qui

FIGURE 6.7 DEUX AMIES

Généralement les enfants d'âge préscolaire préfèrent se tenir avec des enfants du même sexe et du même âge qu'eux.

existent entre les garçons et les filles ainsi que les valeurs de respect nécessaires à la vie en société. Ils apprennent aussi à contrôler leur agressivité (Fabes *et al.*, 1996).

Généralement les enfants d'âge préscolaire préfèrent se tenir avec des enfants du même sexe et du même âge qu'eux. Ils ont tendance à passer la majeure partie de leur temps avec les mêmes trois ou quatre enfants avec lesquels ils s'entendent bien. On estime qu'à cet âge 75 % des enfants entretiennent des amitiés mutuelles (Hartup et Stevens, 1999). Que recherchent donc les enfants chez leurs amis ? Ils recherchent tout d'abord des caractéristiques similaires aux leurs. Les aspects les plus importants de l'amitié chez les 4-7 ans consistent à faire des activités ensemble, à s'apprécier, à s'aider mutuellement et, dans une moindre mesure, à habiter à proximité et à fréquenter la même école.

L'amitié comporte plusieurs conséquences bénéfiques pour l'enfant. Les enfants qui ont des amis apprécient davantage la fréquentation de l'école (Ladd et Hart, 1992). Ceux qui se sentent appréciés par leurs amis et bénéficient de leur soutien sont plus heureux, se sentent mieux à l'école et au besoin chercheront de l'aide auprès d'eux (Ladd *et al.*, 1996). Les enfants apprennent très vite à différencier les comportements qui sont acceptables de ceux qui ne le sont pas pour leur groupe de pairs. Par le biais de renforcements ou de punitions en provenance des pairs, l'enfant diminuera les comportements rejetés et maintiendra ceux qui sont appréciés. Nous pouvons constater ici l'importance du développement cognitif dans l'élaboration des habiletés sociales. L'enfant doit être en mesure de se forger une représentation réaliste de son comportement, de porter un jugement et ensuite de décider de modifier le comportement en question (Royer et Provost, 2004). Les relations amicales renforcent aussi le développement affectif. Par exemple, lors d'une situation de conflit, l'enfant prend conscience qu'il ne peut pas exprimer ses émotions de n'importe quelle manière. Il doit apprendre à les exprimer en tenant compte des règles établies dans le contexte dans lequel il se trouve (Coutu *et al.*, 2004). Le tempérament facile de l'enfant (que nous avons étudié au chapitre 4) et l'estime de soi élevée sont positivement corrélés aux compétences sociales des enfants.

Nous pouvons diviser les comportements sociaux des enfants en trois grandes catégories : les comportements prosociaux, les comportements internalisés et les comportements externalisés. Les comportements prosociaux des enfants facilitent le développement et le maintien des amitiés. Partager un jouet, offrir un objet, consoler un ami représentent des exemples de comportements prosociaux. Les comportements internalisés prennent la forme d'un retrait de l'enfant dû à la difficulté d'être en contact avec les autres ou à l'anxiété qui y est associée. Un enfant qui présente un comportement internalisé se retirera dans un coin et évitera les autres enfants. Enfin, les comportements externalisés représentent des manifestations antisociales et souvent agressives. L'enfant frappe, pousse ou mord (Royer et Provost, 2004). Nous avons pu observer la présence de ce comportement chez Amélie. Nous examinerons ces types de comportement dans les prochaines sections.

FIGURE 6.8 LE DÉVELOPPEMENT DE QUALITÉS PROSOCIALES

Les enfants qui ont des responsabilités à la maison ont tendance à développer des qualités prosociales telles que la coopération et la serviabilité. Cette petite fille de trois ans qui apprend à s'occuper des plantes a de fortes chances d'entretenir également des relations affectives avec les gens.

Comportement prosocial
Comportement volontaire à l'égard d'autrui et dont l'objectif vise le bénéfice de l'autre.

6.5.2 LE COMPORTEMENT PROSOCIAL

Nous avons vu au chapitre 4 qu'un enfant est capable d'empathie dès l'âge de deux ans. La suite logique de l'empathie est le **comportement prosocial**, qui, comme nous l'avons dit, prend la forme de comportements volontaires à l'égard d'autrui et dont l'objectif vise le bénéfice de l'autre. Les préoccupations pour l'autre augmentent à mesure que l'enfant avance en âge (Fabes et Eisenberg, 1996). Quoique les filles soient généralement plus orientées vers des comportements prosociaux que les garçons, les différences demeurent minimes (Eisenberg et Fabes, 1998). Existe-t-il une personnalité prosociale ? Une étude longitudinale auprès de 32 enfants de 4 à 5 ans conclut que les comportements prosociaux apparaissent très tôt et se maintiennent tout au long de la vie (Eisenberg *et al.*, 1999). Les enfants d'âge préscolaire qui étaient empathiques et qui partageaient spontanément leurs jouets montraient des comportements prosociaux 17 ans plus tard. On croit que les comportements prosociaux sont partiellement reliés au tempérament et au bagage génétique. Cependant ces comportements exigent un contrôle de soi dont l'apprentissage serait influencé par les parents.

En indiquant à l'enfant les comportements socialement acceptables et en agissant comme modèle, les parents favorisent l'apparition des comportements prosociaux (Eisenberg et Fabes, 1998). En effet, les parents d'enfants qui manifestent des comportements prosociaux adoptent eux-mêmes ce genre de comportement. De plus, ces adultes encouragent ces comportements par des jeux qui demandent la collaboration, le partage et l'empathie (Singer et Singer, 1998). Lorsque l'enfant commet un acte répréhensible, ces parents mettent l'accent sur l'effet du comportement de l'enfant sur les autres. Par exemple, lorsqu'un enfant prend un bonbon sans le payer au comptoir d'un dépanneur, sa mère lui fera comprendre l'impact de cet acte sur le marchand et sur les sentiments qu'il ressentirait s'il était lui-même le marchand.

6.5.3 LES PROBLÈMES DE COMPORTEMENT

Comment peut-on distinguer un comportement dérangeant d'un problème de comportement? Amélie présente-t-elle un problème de comportement? La réponse n'est pas évidente, puisque cela varie en fonction de l'intensité du comportement et du degré de tolérance des adultes qui s'occupent de l'enfant. Nous parlerons de problèmes de comportement si un enfant, dans un contexte de groupe, dérange et perturbe à un point tel que les adultes se sentent impuissants et dépassés. C'est ce que nous avons appelé les **comportements externalisés**. L'inverse, par exemple un enfant passif et qui se désintéresse des autres, représente aussi une situation préoccupante. Si ces comportements durent et affectent sérieusement le fonctionnement social et affectif de l'enfant, nous parlerons de problèmes de comportement internalisés (Coutu *et al.,* 2004). Les études menées auprès d'enfants d'âge préscolaire qui souffrent de problèmes de comportement sont plus rares que celles qui sont menées auprès d'échantillons d'enfants d'âge scolaire. Cependant il semble qu'entre 4 % et 22 % des enfants de cet âge souffriraient de ce type de problèmes (Vitaro et Gagnon, 2000).

Comportement externalisé
Trouble de comportement qui prend la forme de manifestations antisociales et souvent agressives.

• LES COMPORTEMENTS INTERNALISÉS

Comme nous l'avons mentionné, les **comportements internalisés** prennent la forme d'un retrait de l'enfant en ce qui concerne ses interactions avec les autres. Contrairement aux comportements externalisés qui affectent les autres, les comportements internalisés affectent l'enfant lui-même. Le plus connu de ces comportements est le problème de **retrait social**. L'enfant qui en souffre se tient à l'écart des autres enfants, il ne leur parle pas et n'a pas de contacts physiques avec eux. Selon Coutu et ses collègues (2004), ces enfants sont «passifs et s'intéressent peu aux activités sociales; ils sourient rarement; ils sont fréquemment distraits; ils sont peu portés à explorer de nouveaux objets; enfin ils paraissent inquiets et dépressifs (p. 153)». Certains enfants font preuve de retrait social lors de périodes de transition ou d'adaptation, mais ce n'est alors que passager et non généralisé comme chez l'enfant qui vit un réel problème. Par ailleurs, les auteurs nous mettent en garde face à la confusion qui existe entre le retrait social et l'enfant solitaire. Un enfant n'est pas considéré comme ayant un problème de comportement si son jeu est actif et s'il fonctionne bien tout en préférant la solitude.

Comportement internalisé
Trouble de comportement qui prend la forme du retrait de l'enfant de ses interactions avec les autres.

Retrait social
Problème de comportement, caractérisé par l'isolement volontaire de l'enfant vis-à-vis de son groupe social, par l'absence de contacts affectifs et physiques.

• LES COMPORTEMENTS EXTERNALISÉS

Précédemment nous avons indiqué que les comportements externalisés sont des gestes violents dirigés vers les autres. Ce terme signifie que l'enfant extériorise ses difficultés en s'en prenant aux gens qui se trouvent autour de lui. Il existe trois types de problèmes externalisés : l'hyperactivité, l'opposition à l'adulte et l'agressivité. La section suivante étant entièrement consacrée à l'agressivité, nous décrirons d'abord les deux autres types.

L'enfant hyperactif a une faible capacité de concentration et d'attention. Il est impulsif et agité. Il tolère mal l'attente ou les moments d'inaction. Dans un groupe, cet enfant demande beaucoup d'attention et il dérange souvent les autres. Cela affecte ses relations sociales, puisqu'il peut être rejeté à la fois par les adultes et par ses pairs. Lorsque le problème persiste, particulièrement à l'école, l'enfant sera examiné par un spécialiste, qui déterminera si l'enfant souffre ou non d'un trouble de déficit de l'attention/hyperactivité (TDA/H) et s'il doit être traité par une médication (Coutu *et al.,* 2004). Nous reparlerons de ce problème au chapitre 7.

FIGURE 6.9   LE RETRAIT SOCIAL

L'enfant qui souffre d'un problème de retrait social n'a pas de contacts avec les autres enfants et il ne leur parle pas.

L'opposition à l'adulte se retrouve, comme son nom l'indique, chez un enfant qui se montre hostile et agressif envers les figures d'autorité (parents, éducatrices). Il refuse toute forme d'encadrement ou d'obéissance. Devant une punition venant de l'adulte, l'enfant réagira fortement, soit en blâmant, soit en menaçant un autre enfant ou l'adulte lui-même. Comme nous le savons, l'opposition est une forme normale de comportement autour de 2-3 ans, et l'affirmation de l'enfant devant l'adulte peut aussi être saine ; l'identification de ce problème peut parfois prendre du temps. C'est seulement autour de sept ou même huit ans qu'un « trouble oppositionnel » pourra être diagnostiqué si le problème a persisté jusque-là. L'agressivité constitue le troisième type de comportement externalisé.

6.5.4 L'AGRESSIVITÉ

L'agressivité n'est pas un phénomène propre à l'enfant qui a entre 3 et 6 ans. En réalité, les comportements agressifs diminueraient pour les garçons et les filles au moment de l'entrée à l'école. Selon R. Tremblay (2003), les comportements agressifs sont plutôt appris dans les 24 premiers mois de la vie. Toutefois la période préscolaire est intéressante parce qu'elle constitue un moment privilégié d'intervention avant qu'il ne soit trop tard. En effet, un enfant d'âge scolaire qui présente des problèmes d'agressivité risque plus de maintenir ces comportements à l'adolescence. Pourquoi l'intervention est-elle appropriée à cet âge ? Le développement de l'enfant sur le plan cognitif, affectif et social contribue non seulement à l'apparition de l'agressivité, mais aussi à l'apparition de sa capacité à la contrôler : les enfants sont maintenant plus aptes à tolérer la frustration, ils sont capables d'empathie, ils peuvent verbaliser leurs frustrations plutôt que d'utiliser des gestes agressifs pour les exprimer. Ils possèdent donc un répertoire plus vaste de comportements de résolution de problèmes (Shaw, 2003).

Les garçons sont-ils plus agressifs que les filles ? À cela, Richard Tremblay de l'Université de Montréal répond en indiquant que dans les années 1990, aux États-Unis, 89 % des personnes arrêtées pour crimes violents étaient des hommes. Plusieurs études confirment en effet que les garçons seraient plus agressifs que les filles. Dès la petite enfance, les garçons sont plus portés à enlever un jouet des mains d'un autre enfant. Nous avons vu également que les filles utilisent le mode verbal davantage que les garçons pour résoudre leurs conflits (Coie et Dodge, 1998). Toutefois les filles peuvent utiliser une autre forme d'agressivité plus subtile. Alors que les garçons s'engageraient dans des comportements d'agressivité directe en utilisant la force physique et les menaces dirigées ouvertement vers l'autre, les filles adopteraient des comportements de **violence psychologique**. Ce type d'agressivité prend la forme de menaces indirectes, de manipulations ou de dénigrement : « traiter de noms », rejeter, rire de l'autre, retirer son affection représentent toutes des formes de violence psychologique. Bien entendu, à l'âge préscolaire, la violence psychologique des filles est plus directe : « Je ne t'invite pas à ma fête si tu ne me prêtes pas ton jouet. » À l'âge scolaire et à l'adolescence, cette forme de violence devient plus indirecte (Crick, Casas et Nelson, 2002).

Violence psychologique
Forme d'agressivité, plus souvent adoptée par les filles, qui prend la forme de menaces ou de manipulations dans le but de blesser une autre personne.

• LES FACTEURS DE RISQUE ASSOCIÉS À L'AGRESSIVITÉ CHEZ L'ENFANT

Dans une recension des écrits récents, Tremblay (2003) indique que les garçons dont les mères ont donné naissance pour la première fois avant l'âge de 20 ans et qui n'ont pas terminé l'école secondaire sont ceux qui présentent le plus de risques de devenir des agresseurs physiques chroniques, et ce, à partir du moment où ils entrent à la maternelle jusqu'à l'adolescence. Ces mères vivent souvent en situation de monoparentalité, dans des conditions d'extrême précarité économique. Ce contexte induit de nombreuses difficultés qui rendent la tâche parentale beaucoup plus ardue que dans les milieux plus favorisés. Ces femmes éprouvent du mal à se trouver un emploi, elles vivent des difficultés financières, elles occupent un logement inadéquat, elles ressentent de la honte face à leur situation et elles disposent de peu de soutien de la part de leur entourage ou de services de répit (Lavigueur, Coutu et Dubeau, 2000).

Outre le contexte de vie familial, des facteurs biologiques peuvent jouer un rôle dans l'agressivité, de même que le tempérament. Les enfants dont l'émotivité est plus intense et qui font preuve de peu de contrôle de soi, comme c'est le cas pour les enfants ayant un tempérament difficile, exprimeront leur colère par l'agressivité (Eisenberg *et al.*, 1994).

L'agressivité prend sa source dans une combinaison de facteurs stressants : une discipline sévère, un manque de comportements chaleureux de la part des parents, l'absence de soutien social, l'exposition à la violence conjugale ou dans le voisinage (Coie et Dodge, 1998). Les enfants dont la mère a un comportement de rejet sont exposés à un facteur de risque important. Des études longitudinales indiquent que la combinaison d'un attachement de type insécurisant à un comportement non chaleureux de la mère prédit l'apparition de l'agressivité chez les enfants (Coie et Dodge, 1998). Les interactions parent-enfant négatives fournissent à l'enfant un exemple de comportement inapproprié pour résoudre des conflits. Les enfants auraient donc tendance à reproduire les comportements de leurs parents (MacKinnon-Lewis *et al.*, 1997).

Les attitudes éducatives des parents sont également à considérer. Les parents d'enfants qui ont des comportements agressifs ne renforcent pas les bons comportements de l'enfant et ils sont le plus souvent sévères et inconsistants dans l'attribution des punitions (Coie et Dodge, 1998). Les parents qui abandonnent leurs demandes à la suite d'une réaction agressive de l'enfant encouragent la réapparition de ce comportement (Patterson, 1995). Par ailleurs, la punition corporelle comme la fessée frustre l'enfant et l'humilie. Des enfants battus au cours de leurs cinq premières années d'existence courent plus de risque d'adopter des comportements agressifs à l'école (Dodge, Pettit et Bates, 1997). Nous reviendrons au contexte général des pratiques éducatives dans la section suivante.

FIGURE 6.10 L'EXPOSITION À DES COMPORTEMENTS VIOLENTS

Selon la théorie de l'apprentissage social, l'exposition à des comportements adultes violents pourrait être un déclencheur de l'agressivité chez l'enfant.

• LES DÉCLENCHEURS DE L'AGRESSIVITÉ

L'exposition à la violence, dans la vie quotidienne ou à la télévision, peut-elle inciter à l'adoption de comportements agressifs ? Dans une étude classique de Bandura (Bandura, Ross et Ross, 1961), des enfants de trois à six enfants observent individuellement des adultes s'amuser avec un jouet. Les enfants sont divisés en trois groupes. Le premier groupe est composé d'enfants qui observent un modèle qui joue calmement. Dans le deuxième groupe, les enfants observent le modèle qui construit des blocs jusqu'à ce qu'il se mette soudainement à frapper une poupée gonflable d'un mètre cinquante, à la jeter par terre et à la rouer de coups de pied. Les enfants du troisième groupe n'observent aucun modèle. Après cette séance, on conduit les enfants des trois groupes dans une autre salle de jeu. Les enfants qui avaient observé le modèle agressif se sont montrés beaucoup plus agressifs que ceux des autres groupes. Ils ont répété plusieurs des paroles entendues et ont reproduit des actions dont ils avaient été témoins. Les enfants qui avaient été en contact avec le modèle calme se sont montrés moins agressifs que ceux du groupe de contrôle, qui n'avaient eu aucun modèle. Cette expérience issue de la théorie de l'apprentissage social démontre comment des adultes peuvent influencer le comportement agressif des enfants. Les comportements ainsi appris risquent plus d'être maintenus s'ils sont renforcés ultérieurement.

6.6 L'ENCADREMENT DES ENFANTS

Nous avons vu, à plusieurs reprises, l'importance du rôle joué par les parents. Pour amener l'enfant à devenir un adulte équilibré, ils se doivent de le guider et de l'encadrer. La façon dont les adultes exercent cet encadrement peut prendre différentes formes et est influencée par une multitude de facteurs.

6.6.1 LES FORMES DE DISCIPLINE

La discipline réfère aux méthodes qui visent à enseigner à l'enfant comment bien se comporter. L'objectif de la discipline est, éventuellement, d'aider l'enfant à se discipliner lui-même. Quelles sont les formes de discipline qui fonctionnent le mieux avec les enfants ? Des chercheurs se sont penchés sur cette question et nous prendrons connaissance des résultats de leurs recherches.

• LES TECHNIQUES BÉHAVIORISTES : LES RÉCOMPENSES ET LES PUNITIONS

Les parents ont souvent tendance à punir l'enfant pour un comportement indésirable, mais les études révèlent que les enfants réagissent généralement mieux au renforcement d'un bon comportement. Les renforcements externes peuvent être tangibles (un bonbon, un cadeau) ou intangibles (un sourire, une caresse, un mot gentil). Peu importe le type de renforcement, l'enfant doit le ressentir comme tel. Le renforcement doit être appliqué dans un délai assez court après le comportement. Éventuellement, après un certain nombre de renforcements, l'enfant n'en aura plus besoin. Il s'attribuera ses propres récompenses internes, par exemple en se sentant fier de lui. Cependant, la punition – par l'isolement ou le retrait d'un privilège – est parfois nécessaire lorsque, par exemple, un enfant frappe un ami ou traverse la rue sans regarder. Dans ce cas, la punition devrait être immédiate et en rapport avec la gravité du comportement. Elle est plus efficace lorsque le parent reste calme et offre une explication simple et courte de la raison de la punition (AAP, 1998). Toutefois la punition comporte des effets pervers. Un enfant qui a été souvent puni peut devenir agressif même si la punition visait justement à faire disparaître son comportement agressif (Nix *et al.*, 1999). La punition semble créer une certaine confusion chez les enfants. Ceux qui sont fréquemment punis éprouvent de la difficulté à interpréter les comportements punitifs et peuvent voir de l'hostilité là où il n'y en a pas (Weiss *et al.*, 1992). Enfin, la punition peut tout simplement effrayer l'enfant. Le parent qui punit l'enfant sous l'impulsion d'une colère donne à l'enfant l'image d'une perte de contrôle et engendre chez lui la peur (Grusec et Goodnow, 1994).

• LA PUNITION CORPORELLE

La punition corporelle est définie comme l'utilisation de la force dans l'intention de causer de la douleur, mais pas de blessure, dans le but de corriger ou de contrôler le comportement d'un enfant (Strauss, 1994). Ces comportements prennent la forme de la fessée, de tapes sur le corps ou sur le visage, de pincements. L'adulte peut aussi secouer l'enfant (ce qui peut être fatal pour un nouveau-né). Plusieurs enfants subissent la punition corporelle, puisque plusieurs parents continuent de croire qu'il s'agit d'une bonne méthode si elle est appliquée par des parents aimants. Toutefois de plus en plus de recherches montrent la fausseté de ces croyances. La punition corporelle comporte des séquelles négatives pour l'enfant et ne devrait pas être utilisée. En plus du risque de perte de contrôle de la part des parents qui peuvent blesser l'enfant, les effets négatifs de la punition corporelle chez les enfants sont les suivants : agressivité, délinquance, piètre relation parent-enfant, faible bien-être psychologique (Strauss, 1999). Au Canada, en 2005, plusieurs personnes tentent de faire changer la loi, qui permet encore la punition corporelle. Elles veulent ainsi suivre l'exemple de plusieurs pays tels que la Suède, l'Autriche, la Croatie, le Danemark, la Finlande, l'Allemagne, l'Italie et quelques autres qui ont aboli le droit des parents d'exercer la punition corporelle sur les enfants. L'encadré 6.2 résume la démarche canadienne.

• L'UTILISATION DU POUVOIR, LES TECHNIQUES DE PERSUASION ET LE RETRAIT DE L'AMOUR

Les parents utilisent tout un répertoire de méthodes disciplinaires autres que la punition et le renforcement. La recherche a identifié trois types supplémentaires de stratégies déployées par les parents : l'utilisation du pouvoir, la persuasion et le retrait de l'amour.

L'utilisation du pouvoir a pour but de faire cesser ou de décourager un comportement indésirable par l'utilisation du contrôle parental. Cette méthode prend la forme de demandes,

La punition corporelle

Dans son édition du 18 octobre 2002, *Le Devoir* titrait : «La Cour suprême se prononcera sur la fessée». Les juges de la cour suprême se sont en effet prononcés sur le châtiment corporel qui permet aux parents de frapper leurs enfants. Cette loi, vieille de 110 ans, permet à un enseignant, à un parent ou à un travailleur en milieu de garde de corriger un élève ou un enfant à la condition que la force utilisée ne dépasse pas la mesure raisonnable dans les circonstances. Selon la Fondation canadienne pour les enfants, les jeunes et le droit, cet article de loi contrevient à la Charte canadienne des droits et libertés. La Fondation a l'appui de la Commission des droits de la personne et des droits de la jeunesse du Québec. Par contre, le ministère de la Justice du Canada défend la loi. Selon le ministère, il est légitime de recourir à la correction physique. La Fédération canadienne des enseignants et la Coalition pour l'autonomie de la famille, un groupe conservateur, appuient de leur côté le ministère de la Justice alléguant que les enseignants ont parfois besoin d'utiliser la punition physique pour des élèves trop dissipés.

En 2004, la cour suprême se prononçait en faveur du maintien de cette loi. Alain-Robert Nadeau du Journal du Barreau rapporte que la juge en chef de la cour suprême précise cependant certaines limitations à la loi. Le châtiment corporel devrait être limité aux enfants de 2 à 12 ans (!) et les adultes ne devraient pas utiliser d'objets pour frapper ni frapper la tête de l'enfant.

Voici les précisions fournies par la juge en chef : le «*châtiment corporel infligé à un enfant de moins de deux ans lui est préjudiciable et n'est d'aucune utilité pour le corriger, vu les limites cognitives d'un enfant de cet âge. Le châtiment corporel infligé à un adolescent est préjudiciable, en ce sens qu'il risque de déclencher un comportement agressif ou antisocial. Le châtiment corporel infligé à l'aide d'un objet, comme une règle ou une ceinture, est préjudiciable physiquement et émotivement. Le châtiment corporel consistant en des gifles ou des coups portés à la tête est préjudiciable. Ces formes de châtiments, pouvons-nous conclure, ne sont pas raisonnables.* »

Aussi surprenant que cela puisse paraître, cette décision est en accord avec la majorité de la population. En effet, une majorité de Québécois est en faveur de la punition corporelle. Un sondage CROP (2002) indiquait que 59 % des Québécois appuient cette loi. La cour suprême veut peut-être suivre cette tendance et aussi éviter de criminaliser les interactions familiales. Néanmoins, selon Alain-Robert Nadeau, la décision de la cour suprême a pour effet de « légitimer la violence physique à l'encontre des enfants. Bien que l'on puisse prétendre, dans certaines chaumières que l'invalidation de cette disposition aurait eu pour effet de "*criminaliser les rapports familiaux*", il ne faut pas oublier que son effet véritable [...] est de permettre que des enfants âgés de 2 à 12 ans subissent des voies de fait». De toutes évidences, ce dossier n'a pas fini de faire couler de l'encre et des larmes...

---

de menaces et de retrait de privilèges. Les techniques persuasives, quant à elles, misent sur la compréhension de l'enfant. Elles encouragent un comportement souhaitable (ou découragent un mauvais comportement) en favorisant le raisonnement de l'enfant. Par exemple, le parent explique à l'enfant les conséquences de ses comportements, il discute avec lui des comportements souhaitables et non souhaitables, et lui demande son opinion. Enfin, le parent peut, à la suite d'un comportement inapproprié de l'enfant, se mettre à l'ignorer, à l'isoler ou à lui manifester moins d'affection. C'est la stratégie du retrait de l'amour.

Parmi ces trois méthodes, les techniques persuasives sont habituellement les plus efficaces, tandis que l'utilisation du pouvoir s'avère la moins efficace (McCord, 1996). Les techniques persuasives augmentent les sentiments d'empathie de l'enfant envers les victimes des actes répréhensibles qu'il a pu poser et induisent une certaine culpabilité, qui peut motiver des changements de comportements (Krevans et Gibbs, 1996). Ces techniques fonctionnent mieux que le retrait de l'amour, probablement parce que l'enfant est davantage encouragé à se centrer sur l'impact de ses comportements sur autrui plutôt que sur la détresse qu'il peut ressentir lorsque ses parents lui retirent leur amour (McCord, 1996). La plupart des parents utilisent plusieurs stratégies simultanément, et les adaptent en fonction de l'enfant et de la situation. Ils utilisent davantage le raisonnement pour amener l'enfant à se montrer attentif aux autres et le pouvoir pour interrompre des jeux trop vigoureux. Ils utilisent une combinaison de ces deux stratégies pour faire face aux mensonges et aux vols commis par l'enfant (Grusec et Goonow, 1994). Comme nous le verrons dans la section sur les facteurs qui influencent les conduites parentales, les comportements disciplinaires des parents peuvent dépendre de leurs croyances au sujet du développement de l'enfant ou de l'origine de ses comportements. Une observation des comportements parentaux dans une situation de conflits entre enfants montre que les mères tentent d'utiliser des techniques persuasives alors que les pères utilisent davantage le pouvoir. Cependant il semble que, le plus souvent, les parents choisissent de ne pas intervenir du tout (Perozynski et Kramer, 1999).

L'efficacité des méthodes dépend de l'enfant lui-même, de son tempérament, de son développement cognitif et de sa sensibilité (Grusec *et al.,* 2000). Les méthodes directives mais douces fonctionnent bien avec des enfants anxieux qui se sentent déjà très affectés lorsqu'ils agissent mal. Ces enfants comprennent rapidement les messages des parents et il est inutile d'utiliser le pouvoir excessif avec eux, puisque cela les rendrait encore plus anxieux (Eisenberg, 2000). Dans tous les cas, il importe que l'enfant reconnaisse que l'intervention du parent est justifiée. Les parents doivent donc être justes, clairs dans leurs explications et doivent se montrer cohérents dans leurs demandes envers l'enfant. Ce dernier sera probablement plus ouvert à recevoir le message du parent si celui-ci est sensible et chaleureux (Grusec et Goodnow, 1994). La discipline, nous le voyons, n'est pas indépendante de la relation parent-enfant; elle en fait partie. Pour mieux comprendre les interactions entre les parents et les enfants, les chercheurs ont identifié différents styles parentaux.

6.6.2 LES STYLES PARENTAUX

Existe-t-il des façons plus efficaces que d'autres de socialiser l'enfant? Diana Baumrind (1971, 1996b) s'est intéressée au rapport existant entre les différentes approches parentales et la compétence sociale des enfants. Ses travaux auprès de 103 enfants comprenaient des entrevues, des tests et des observations en milieu familial. Au moyen de ces méthodes, elle a mesuré le fonctionnement social des enfants, identifié trois styles parentaux et décrit les patrons typiques de comportement des enfants en fonction de ces trois styles. Des recherches ultérieures ont confirmé la forte association entre les styles parentaux et les comportements des enfants (Petit, Bates et Dodge, 1997).

Les parents autoritaires valorisent la domination et la soumission aveugle. Ils attendent de l'enfant qu'il se conforme à des normes de conduite établies et ils le punissent sévèrement quand il y déroge. Comparés à d'autres parents, ils sont plus indifférents et moins chaleureux. Leurs enfants sont davantage renfermés et méfiants.

Les parents permissifs valorisent l'expression de soi et l'autodiscipline. Ils font peu de demandes à l'enfant et le laissent libre de déterminer sa conduite. Quand ils émettent des règles, ce qui arrive rarement, ils en expliquent les raisons à l'enfant et lui demandent son avis quant à la légitimité de la règle. Ils utilisent très peu la punition. Ils sont chaleureux, non autoritaires et peu exigeants. Les enfants d'âge préscolaire élevés par ce type de parents tendent à être plus immatures, à avoir peu de contrôle sur eux-mêmes et à être peu portés à l'exploration.

Les parents directifs valorisent l'individualité de leurs enfants, mais insistent sur les contraintes de la vie en société. Ils se sentent confiants face à leurs habiletés à guider l'enfant et respectent ses décisions, ses opinions et sa personnalité. Ils sont chaleureux et ouverts, mais demandent à l'enfant de bien se tenir. Ils sont fermes dans le maintien des standards de comportement et imposent des limites, punitions à l'appui si nécessaire, dans un contexte soutenant pour l'enfant. Ce type de parents utilise la stratégie du raisonnement et se montre ouvert face à l'opinion de l'enfant. Selon les observations, les enfants de tels parents se sentent en sécurité et, dans un tel contexte, ils se savent aimés et encadrés. Les enfants d'âge préscolaire qui ont des parents directifs sont plus autonomes, en contrôle d'eux-mêmes, affirmatifs, curieux et heureux.

Elanor Maccoby et John Martin (1983) ont identifié un quatrième style parental : *les parents négligents et distants.* Ces parents, parfois à cause du stress ou de problèmes de santé mentale, sont concentrés sur leurs propres besoins plutôt que sur ceux de leurs enfants. Ce style parental a été associé à plusieurs problèmes subséquents chez l'enfant (Parke et Buriel, 1998), comme nous l'avons décrit dans l'encadré du chapitre 4 sur l'abus et la négligence envers les enfants.

Il ne fait donc pas de doute que le style directif donne de meilleurs résultats auprès des enfants. Le fait que les parents aient des attentes adaptées à l'enfant et qu'ils déterminent des limites réalistes y est pour beaucoup. La clarté et la constance des règles font que l'en-

FIGURE 6.11 LES AVANTAGES DU STYLE DIRECTIF

Les enfants d'âge pré-scolaire qui ont des parents directifs sont plus autonomes, en contrôle d'eux-mêmes, affirmatifs, curieux et heureux. Ils se savent aimés et encadrés.

fant sait à quoi s'attendre. Dans les foyers autoritaires, les enfants sont si strictement contrôlés qu'ils ne peuvent choisir eux-mêmes leurs comportements. Dans les foyers permissifs, les enfants bénéficient de si peu d'encadrement qu'ils deviennent hésitants et anxieux, et ignorent si leurs choix sont bons ou non. Dans les foyers directifs, les enfants savent comment répondre aux attentes. Ils peuvent décider si le risque de transgresser les règles en vaut la peine, compte tenu de l'insatisfaction des parents qui s'ensuivra. On attend de ces enfants qu'ils performent à l'école et qu'ils participent aux tâches ainsi qu'aux fêtes familiales. Les enfants en viennent à apprécier la satisfaction de prendre des responsabilités. De leur côté, les parents formulent des demandes réalistes et croient que leurs enfants peuvent y répondre. Lorsque des conflits surviennent, les parents directifs enseignent des façons constructives de communiquer son point de vue et de négocier des ententes acceptables. Par exemple, le parent peut demander : «Si tu ne veux pas te débarrasser de ces roches que tu as trouvées, où crois-tu que nous devrions les ranger?» Cette stratégie laisse de l'espace à l'enfant pour exprimer son opinion et se sentir valorisé. Il est fort probable qu'à ce stade-ci vous soyez en mesure de déterminer le style parental de la mère d'Amélie dans la mise en situation du début du chapitre. De nombreux facteurs déterminent les styles parentaux. La section qui suit explique trois de ces facteurs.

6.6.3 LES FACTEURS D'INFLUENCE DES CONDUITES PARENTALES

Une première source d'influence du comportement parental est d'ordre cognitif, puisqu'elle est reliée aux croyances et attitudes des parents au sujet du développement normal de l'enfant. En effet, les croyances des parents peuvent engendrer des attentes irréalistes envers les enfants ainsi que des réactions inappropriées. «Il est certain que si les parents ont une mauvaise perception du moment où un enfant peut comprendre le point de vue de l'autre, ou s'ils croient que les comportements d'inadaptation sociale sont attribuables à des facteurs biologiques, ou s'ils se fient à des histoires folkloriques telles que "qui aime bien châtie bien", de telles croyances auront une influence sur la façon dont ils interagiront avec leurs enfants et, par voie de conséquence, sur la qualité des relations qui se développeront entre eux» (Rubin *et al.,* 1996 p. 16). Par exemple, des chercheurs ont observé que certaines mères évitaient de réagir à des comportements inappropriés de l'enfant, parce que, selon eux, ces mères croyaient que le comportement de l'enfant avait des bases biologiques et donc, qu'elles ne pouvaient rien faire pour le modifier. Il y a donc lieu d'agir sur les croyances des parents de manière à favoriser un encadrement adéquat.

Selon Rubin et ses collègues (1996), une deuxième source d'influence sur les comportements parentaux concerne les caractéristiques des parents et de leur relation de couple. Parmi les facteurs qui exercent une influence sur les attitudes des parents, nous retrouvons l'âge du parent, son état de bien-être psychologique, la présence de conflits conjugaux ou d'une séparation maritale et le soutien social. Par exemple, les mères plus âgées seraient plus disponibles et sensibles à l'égard de l'enfant que les mères plus jeunes. Les mères dépressives sont moins positives envers l'enfant, moins impliquées et elles peuvent ignorer les demandes de l'enfant ou y réagir excessivement. Le travail de la mère peut comporter un impact positif sur ses pratiques éducatives, à la condition qu'elle se sente valorisée par son travail et ne ressente pas de conflit entre son rôle de mère et celui de travailleuse. Une relation conjugale harmonieuse influence positivement les comportements parentaux. Les parents heureux dans leur couple se sentent généralement compétents en tant que parents, ils sont sensibles et affectueux. Enfin, la présence de soutien social dans l'entourage, soit les personnes auxquelles la mère peut se confier, qui peuvent lui donner un coup de main et avec qui elle peut partager des activités sociales, est négativement corrélée aux comportements punitifs et restrictifs de la mère (Rubin *et al.,* 1996).

Le contexte de vie et le bagage personnel des parents constituent la troisième source d'influence. Les parents sont avant tout des adultes qui ont eux-mêmes été enfants et qui possèdent un bagage intellectuel, affectif et social qui influence leur façon d'être. Ces expériences personnelles modèlent le comportement des parents de multiples façons. Le modèle écologique, que nous avons vu au chapitre 1, nous permet d'élargir notre analyse de la situation des parents. Ces derniers ont non seulement leur bagage d'expériences personnelles, mais ils occupent aussi un travail plus ou moins satisfaisant et plus ou moins rémunérateur, ils bénéficient ou non d'un groupe d'amis qui les soutient dans leur rôle parental et ils vivent dans un quartier qui leur offre plus ou moins des services leur permettant d'alléger leur tâche de parents. Des études inspirées du modèle écologique confirment que le fait d'être économiquement défavorisé, sans emploi ou de vivre dans un environnement malsain sont des conditions suffisantes pour affecter les conduites parentales. Ces conditions peuvent diminuer la sensibilité et l'attention des parents à l'égard de leurs enfants. La pauvreté peut engendrer un niveau de stress élevé, des conflits conjugaux et une attitude plus punitive à l'égard des enfants (Rubin *et al.,* 1996). Certaines mesures de soutien à l'intention des familles plus vulnérables doivent donc être développées. La section suivante explique comment ce soutien peut les aider.

6.7 LE SOUTIEN AUX FAMILLES EN ÉTAT DE VULNÉRABILITÉ

Les familles qui cumulent un certain nombre de facteurs de risque tels que la pauvreté, la sous-scolarisation et le jeune âge des mères, sont plus susceptibles d'éprouver des difficultés sur le plan des rôles parentaux. Le stress associé aux conditions de vie (pression économique, isolement, monoparentalité, etc.) fragilise les capacités des parents. Ceux-ci deviennent moins chaleureux, plus irritables et moins efficaces dans la résolution des problèmes avec l'enfant (Lavigueur, 1989). Traditionnellement les psychologues et les travailleurs sociaux sont plus souvent centrés sur les problèmes des familles plutôt que sur leurs forces (Lavigueur *et al.,* 2004). Cette culture professionnelle favorise une perception négative des familles en contexte de pauvreté. Les intervenants ont tendance à penser que « si elles voulaient vraiment, elles pourraient s'en sortir ». Ils arrivent donc dans ces familles avec un certain nombre de préjugés négatifs qui affectent non seulement les solutions qu'ils proposent, mais également l'attitude des parents à l'égard de l'intervention. En effet, il n'est pas rare que ces familles soient méfiantes. Parce qu'elles se sentent jugées comme étant inadéquates et qu'elles craignent de voir leur enfant placé en famille d'accueil, ces familles opposent une certaine résistance à l'égard de l'intervention proposée.

Cette attitude négative envers les parents en contexte de pauvreté peut également être présente chez les éducatrices et les enseignants. Nous le voyons dans la mise en situation du début du chapitre, dans laquelle l'éducatrice tient peu compte de l'opinion de la mère et fait preuve de préjugés dévalorisants à l'endroit de sa famille. Les enfants issus de milieux pauvres portent déjà une étiquette négative lorsqu'ils se présentent à la maternelle, ce qui risque d'affecter les relations famille-école (de type mésosystémique). Pourtant la collaboration et la communication entre la famille et l'école est déterminante pour la bonne intégration des enfants dans le système scolaire (MSSSQ, 1998). Le soutien aux familles en contexte d'adversité comporte non seulement des obstacles du côté des parents eux-mêmes, mais également du côté des professionnels qui tentent de les aider.

Une des pistes de solution explorée au Québec ces dernières années consiste à tenter de changer la perspective des intervenants au sujet des familles vulnérables : au lieu de ne voir que les lacunes des jeunes mères, il faut prendre le temps d'examiner leurs forces. Cette stratégie se nomme **l'approche de l'« empowerment »**. L'« empowerment » est le processus par lequel une personne ou un groupe reprend le contrôle de sa vie et de sa capacité à répondre à ses propres besoins. Cette approche repose sur deux postulats : 1) Les parents sont les mieux placés pour connaître la nature de leurs problèmes et de leurs besoins ; 2) Les parents possèdent la capacité de définir la façon d'affronter ces problèmes. Cette approche,

Approche de l'« empowerment »
Approche qui vise à redonner du pouvoir à une personne, à la considérer en mesure de définir ses besoins et les moyens d'y répondre.

appliquée à l'intervention auprès des familles, implique que l'on mise sur les forces des parents, sur les ressources dont ils disposent dans l'environnement et sur les stratégies qu'ils utilisent pour faire face à leurs problèmes. Cette approche demande également aux intervenants de respecter les valeurs et les attitudes des parents plutôt que d'imposer leurs propres valeurs. L'intervention mise en place ne se fera donc pas sans la participation des parents, qui seront actifs dans les discussions et dans les prises de décisions. Le réseau de soutien social des parents sera également sollicité lors de l'intervention. En effet, nous savons qu'un parent qui obtient du soutien de son entourage sera davantage en mesure de bien remplir son rôle de parent.

Le ministère de la Santé et des Services sociaux du Québec (2004) a tout récemment mis sur pied un programme qui vise les familles en contexte de pauvreté. Le programme des Services intégrés veut rejoindre les familles d'enfants de zéro à cinq ans qui vivent sous le seuil de la pauvreté et dont les mères ont un faible niveau de scolarité. Ce programme vise l'accompagnement des familles et le soutien à la création d'environnements favorables. Les mères de ces jeunes enfants recevront les visites régulières d'une intervenante pendant cinq ans, à partir du début de leur grossesse. Dans une perspective d'«empowerment», les intervenantes discuteront avec les mères de leurs besoins et, avec elles, mettront en place des dispositifs de soutien, mais en respectant leurs choix. L'accompagnement peut impliquer de donner de l'information sur le développement de l'enfant, d'aider la jeune mère dans ses démarches pour retourner aux études ou pour se trouver un logement. Dans tous les cas, le réseau de soutien de la mère sera examiné pour voir comment il peut être utilisé. Cette stratégie s'inscrit dans le volet de la création d'un environnement favorable et comporte aussi la possibilité de mettre la mère en relation avec les ressources du quartier (maison de la famille, banque alimentaire, services d'aide à l'emploi, etc.). Ces moyens tendent à augmenter l'aide reçue par la mère et, par conséquent, par l'enfant, en plus de permettre à la mère de créer des liens avec son milieu. La création de tels liens favorise le sentiment de pouvoir de la mère sur sa propre vie, ce qui influence à son tour ses comportements parentaux. Quels moyens l'éducatrice d'Amélie pourrait-elle utiliser pour favoriser l'«empowerment» de la famille?

Chapitre 7

NICOLE LAQUERRE

Le développement physique et cognitif de l'enfant de 6 à 11 ans

Plus forts, plus rapides, mieux coordonnés, les enfants de cet âge ont besoin de se dépenser dans diverses activités physiques et de se nourrir sainement pour assurer leur croissance. Avec les nouveaux progrès cognitifs qui permettent à l'enfant de faire des opérations mentales, la pensée devient plus souple, moins égocentrique, de plus en plus logique et efficace. L'acquisition des notions de conservation illustre bien cette évolution de la pensée, qui devient réversible. Le langage, l'attention et la mémoire se développent eux aussi, instruments indispensables à la scolarisation. L'âge dit « de raison » coïncide en effet avec l'entrée à l'école, une étape majeure du développement de l'enfant. La réussite scolaire dépendra notamment du sentiment d'efficacité personnelle ressenti par l'enfant, mais aussi de l'encadrement et de l'appui qu'il recevra de ses parents et des ressources du système éducatif. Certains enfants, toutefois, présenteront des troubles de l'apprentissage plus ou moins importants. A.B.

Maxime ne peut rester tranquille. Il est incapable de terminer une tâche, même simple, et il se met toujours les pieds dans les plats. La situation est telle qu'il éprouve beaucoup de difficulté à se faire des amis. Son enseignant semble impuissant à maintenir l'attention de Maxime sur une tâche précise. Le médecin de famille rassure les parents et leur conseille d'attendre. Il affirme que le temps arrangera les choses. Le voisin, lui, considère tout simplement Maxime comme un enfant gâté.

À huit ans, Maxime est en troisième année. Malgré son impulsivité, il réussit à suivre son groupe grâce au soutien constant de ses parents et à la routine stable qu'ils ont instaurée à la maison. Le sport occupe aussi une place importante dans la vie de Maxime : natation, bicyclette, soccer, hockey. Il a essayé plusieurs autres sports, qu'il a abandonnés après peu de temps. Les aptitudes physiques de Maxime sont excellentes. Il est plus grand que les enfants de son âge et sa coordination est remarquable. Ses performances sportives pourraient être prodigieuses, mais il a beaucoup de difficulté à respecter les consignes et les règlements d'un sport d'équipe. Il préfère souvent se chamailler avec son frère aîné ou sauter sur le trampoline.

Lorsque vient le temps de faire les devoirs, la mère de Maxime constate que celui-ci progresse malgré tout. Il arrive à lire, même si, parfois, il semble deviner les mots plutôt que de les décoder. Lorsqu'il s'agit de compter, il a droit à autant de culbutes qu'il a de bonnes réponses dans ses additions. Jusqu'à maintenant, c'est ce que ses parents ont trouvé de mieux pour le motiver. Maxime a aussi compris qu'il peut utiliser des trucs pour se rappeler ce qu'il doit faire. Hier, par exemple, il a placé son sac de billes près de ses bottes pour penser à les apporter à l'école.

Lors de la dernière visite de ses grands-parents, Maxime a entendu ceux-ci parler d'un homme qui venait de mourir dans un accident de voiture. Alors que Maxime posait des questions sur le sujet, son grand-père lui a expliqué que certaines circonstances sont parfois impossibles à contrôler. Maxime comprend qu'il doit toujours s'attacher en voiture, mais il comprend un peu difficilement que, même si l'on est attaché, on peut quand même être blessé. Ses parents lui ont tellement répété que s'il ne faisait pas attention, et cela lui arrive fréquemment, il pourrait avoir un accident. Or, Maxime se blesse souvent, tant il est intrépide et impulsif, mais par bonheur rien de vraiment grave ne lui est arrivé jusqu'à maintenant.

QUESTIONS À SE POSER

· *Le comportement impulsif de Maxime pourrait-il être le symptôme d'un trouble particulier ?*

· *Les parents de Maxime prennent-ils les bons moyens pour faciliter ses apprentissages scolaires ?*

· *L'utilisation de stratégies pour se rappeler quelque chose est-elle fréquente chez des enfants de huit ans ?*

· *Pourquoi Maxime comprend-il difficilement qu'on peut avoir des accidents malgré les mesures de sécurité ?*

Comme chez tous les enfants de 6 à 11 ans, les habiletés motrices de Maxime progresseront moins rapidement qu'au cours de la période précédente. Ces années sont néanmoins importantes pour le développement de la force, de l'équilibre, de l'endurance et des aptitudes motrices requises dans les sports ou dans certaines activités extérieures. Dans ce chapitre, nous verrons en quoi consistent ces changements physiques. Sur le plan cognitif, nous verrons comment l'entrée dans le stade des opérations concrètes de Piaget permet l'accès à la pensée logique et à un jugement plus mature. Nous nous pencherons sur la façon dont les enfants progressent sur le plan de la mémoire et de la résolution de problèmes, et nous verrons comment leurs apprentissages scolaires, en particulier les habiletés de lecture et d'écriture, leur permettront d'élargir leur univers.

7.1 LE DÉVELOPPEMENT PHYSIQUE

Si vous assistez à la sortie des élèves d'une école primaire typique, vous verrez un groupe d'enfants de toutes les corpulences, de toutes les tailles et, particulièrement en milieu urbain, dotés de traits culturels spécifiques. Des grands, des petits, des grassouillets et des maigrichons se précipitent pêle-mêle pour se retrouver à l'air libre.

Si vous les suivez jusqu'à leur domicile, vous verrez certains d'entre eux – peut-être Maxime – grimper sur d'étroites saillies pour s'y aventurer dans un équilibre précaire avant de sauter. Vous en verrez d'autres s'efforcer de battre des records de distance, mais se cassant parfois un bras ou une jambe. Certains enfants demeurent à l'école pour faire leurs devoirs ou pour participer à des activités parascolaires. D'autres encore restent à la maison à regarder la télévision ou à manipuler des jeux vidéo.

Toutes ces activités sont possibles parce que les enfants deviennent plus forts, plus rapides, et que leur coordination s'améliore. Voyons comment tout cela se développe.

7.1.1 LA CROISSANCE

Durant cette période du développement, les garçons comme les filles prennent, en moyenne, 3,2 kg et grandissent de 5 à 8 cm par année jusqu'à la poussée de croissance pubertaire, qui commence en général vers l'âge de dix ans chez les filles. À partir de cet âge, la taille et le poids des filles seront légèrement supérieurs à ceux des garçons, jusqu'à ce que ces derniers entreprennent à leur tour leur poussée de croissance, vers l'âge de douze ou treize ans, après quoi, généralement, les garçons dépasseront les filles.

• LES RYTHMES DE CROISSANCE

Les rythmes de croissance varient selon l'ethnie, la nationalité et la classe socioéconomique. Une étude transculturelle portant sur des enfants de huit ans a révélé une différence d'environ 22 cm entre la taille moyenne des enfants les plus petits (provenant principalement du Sud-Est asiatique, de l'Océanie et de l'Amérique du Sud) et celle des plus grands (dont la plupart viennent du nord et du centre de l'Europe, d'Australie et des États-Unis) (Meredith, 1969). Bien que l'on doive probablement attribuer une partie de cette variation à des différences génétiques, les influences du milieu jouent également. Les enfants les plus grands se trouvent dans les endroits du globe où la malnutrition et les maladies infectieuses sont peu répandues. Pour des raisons similaires, les enfants issus de milieux aisés sont susceptibles d'être plus grands et plus développés que ceux de familles défavorisées.

Compte tenu des grandes variations de taille d'un enfant à l'autre, nous devons faire preuve de prudence dans l'évaluation de la santé des enfants ou dans le repérage d'anomalies dans la croissance. À Montréal, où beaucoup d'ethnies se côtoient, il serait nécessaire d'établir des normes particulières pour chaque communauté culturelle, afin de distinguer les caractéristiques d'une saine croissance de celles qui appartiennent à l'ethnie chez les enfants issus de ces groupes.

Même si la plupart des enfants grandissent normalement, il arrive que pour certains d'entre eux leur corps produise des hormones de croissance en quantité insuffisante. Dans ce cas, l'administration d'une hormone de croissance synthétique peut produire une augmentation rapide de la taille (Vance et Mauras, 1999).

• LA NUTRITION ET LA CROISSANCE

L'enfant d'âge scolaire a généralement bon appétit; l'apport énergétique doit être suffisant pour qu'il grandisse et se développe normalement. Cependant son régime ne doit pas être composé de plus de 30 % de lipides, dont moins de 10 % sous forme de graisses saturées. Le régime alimentaire doit miser sur la variété, faire une large part aux glucides complexes et comporter des aliments à teneur réduite en matières grasses (Société canadienne de pédiatrie et Santé Canada,

FIGURE 7.1 **CE SONT TOUS DES ENFANTS DE HUIT ANS!**

Ces garçons ont tous huit ans, ils fréquentent la même école et viennent d'un milieu semblable. Les différences dans leur stature sont dues en grande partie à des facteurs génétiques.

1993). On constate toutefois que plusieurs enfants n'ont pas une alimentation équilibrée et un nombre encore plus grand ne mangent pas à leur faim.

Environ 27 % de tous les enfants du monde souffrent de sous-alimentation, principalement ceux qui vivent dans le sud de l'Asie (46 %), en Afrique sub-saharienne (30 %) et en Amérique latine ou dans les Caraïbes (SOFI, 2002).

Nous reconnaissons tous que la pauvreté entraîne la sous-alimentation, mais l'inverse est vrai aussi. La sous-alimentation entraîne la pauvreté en agissant sur la santé de l'enfant, sur ses capacités d'apprentissage et, conséquemment, sur sa force physique et ses capacités de travail. Même en vieillissant, il devient difficile de sortir de cette situation.

De plus, l'Organisation des Nations Unies pour l'alimentation et l'agriculture établit un lien entre l'insécurité alimentaire et les conflits armés. Dans un pays qui vit un conflit armé, l'accès à la nourriture et la production de denrées alimentaires sont perturbés, rendant ainsi la population plus vulnérable. Cette vulnérabilité peut parfois aller jusqu'à entraîner des conflits armés, en provoquant une concurrence féroce pour l'utilisation des ressources qui deviennent de plus en plus rares. Ce lien est difficile à mesurer, mais ce qui est clair, c'est que « l'insécurité alimentaire et les conflits coexistent dans les mêmes endroits et qu'ils sont dus à un ensemble commun de facteurs de risque » (Organisation des Nations Unies pour l'alimentation et l'agriculture, 2002). Lors du Sommet mondial de l'alimentation de 1996, la communauté internationale s'était fixé pour objectif, d'ici 2015, de réduire de moitié le nombre de personnes souffrant de sous-alimentation chronique.

Le déficit nutritionnel se situe souvent sur le plan d'une insuffisance en micronutriments (vitamines et minéraux) quand le régime alimentaire n'offre qu'une diversité insuffisante d'aliments. Les enfants sont particulièrement touchés, puisque les micronutriments sont essentiels à la croissance. Une carence en vitamine A peut entraîner de graves problèmes visuels et affaiblit le système immunitaire, alors qu'une déficience en iode affecte les capacités mentales. L'anémie résultant d'un manque de fer est la plus répandue des formes de malnutrition. La fatigue qu'elle entraîne diminue la concentration et affecte par conséquent les apprentissages scolaires, en plus de limiter l'énergie dont l'enfant dispose pour les jeux et l'exploration.

• L'OBÉSITÉ ET L'IMAGE CORPORELLE

L'obésité chez les enfants est un phénomène en pleine croissance. Au Canada, les taux d'obésité chez les enfants ont plus que doublé entre 1981 et 1996, et la prévalence à l'embonpoint atteint actuellement environ 35 % des garçons et 30 % des filles (Agence de santé publique du Canada, 2002).

Comme nous l'avons déjà vu dans le chapitre 2, l'obésité résulte souvent d'une tendance héréditaire, aggravée par un manque d'exercice et une mauvaise alimentation. Parmi les gènes qui semblent impliqués dans l'obésité, on trouve celui qui contrôle la production d'une protéine appelée leptine, laquelle joue un rôle important dans la régulation des graisses (Friedman et Halaas, 1998). L'environnement agit ensuite. En effet, les enfants ont tendance à manger les mêmes types d'aliments et à développer les mêmes habitudes alimentaires que les gens qui les entourent.

L'inactivité pourrait toutefois être aujourd'hui le facteur principal de l'augmentation considérable de l'obésité. Par exemple, les enfants qui regardent pendant quatre heures ou plus la télévision chaque jour ont plus de gras corporel que ceux qui la regardent deux heures ou moins (Andersen et al., 1998).

Les enfants obèses sont souvent l'objet des railleries de leurs pairs et ils en souffrent. Ils peuvent alors compenser en ingurgitant des gâteries, aggravant ainsi leur problème physique et social. L'entourage des enfants obèses doit donc trouver des manières constructives pour les aider à perdre du poids et à améliorer leur **image corporelle**, et ce, sans les blâmer, en encourageant l'activité physique et en leur offrant une grande variété d'aliments sains et sans gras.

FIGURE 7.2   L'OBÉSITÉ

Au cours des dernières années, l'inactivité chez les enfants a pu être le facteur principal de l'augmentation considérable de l'obésité.

Image corporelle
Représentation que l'on se fait de son propre corps.

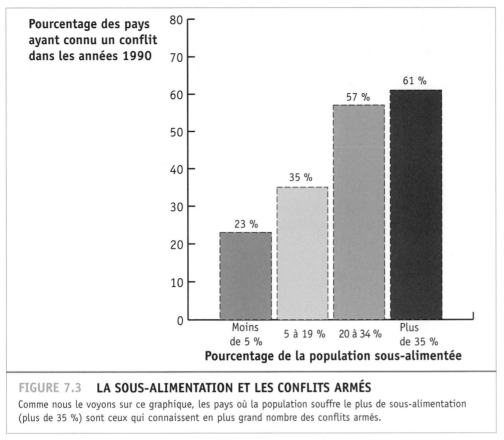

Pourcentage des pays ayant connu un conflit dans les années 1990

Pourcentage de la population sous-alimentée

Moins de 5 % : 23 %
5 à 19 % : 35 %
20 à 34 % : 57 %
Plus de 35 % : 61 %

FIGURE 7.3   LA SOUS-ALIMENTATION ET LES CONFLITS ARMÉS

Comme nous le voyons sur ce graphique, les pays où la population souffre le plus de sous-alimentation (plus de 35 %) sont ceux qui connaissent en plus grand nombre des conflits armés.

Source : Organisation des Nations Unies pour l'alimentation et l'agriculture (2002),
L'état de l'insécurité alimentaire dans le monde 2002 (SOFI 2002).

En 2004, Santé Canada a entrepris des travaux en vue de revoir le *Guide alimentaire canadien pour manger sainement*. Ces travaux devraient être terminés en 2006 et ils ont pour objectif de fournir un modèle d'alimentation qui promeut la santé et qui minimise les risques de développer des maladies chroniques associées à l'alimentation (Santé Canada, 2004).

7.1.2 LE DÉVELOPPEMENT DES HABILETÉS MOTRICES

Les compétences motrices continuent de s'améliorer au cours de l'enfance (voir tableau 7.1). Cependant la vie des enfants d'aujourd'hui est plus organisée qu'elle ne l'était il y a quelques décennies. Les enfants consacrent donc moins de temps à des activités libres et non structurées tel le **jeu-rude-de-culbute**, comme l'ont appelé certains spécialistes (voir encadré 7.1), et à des jeux informels, et ils consacrent plus de temps à des sports organisés (Hofferth et Sandberg, 1998).

• LA CONDITION PHYSIQUE

Bien que la plupart des enfants d'âge scolaire fassent suffisamment d'exercice pour répondre aux objectifs nationaux, de nombreux enfants ne sont pas aussi actifs qu'ils le devraient ou le pourraient. Sur un échantillon national représentatif d'enfants de 8 à 16 ans examinés entre 1988 et 1994, 80 % déclaraient jouer ou s'adonner à des exercices vigoureux – suffisamment pour transpirer ou être essoufflés – au moins trois fois par semaine en dehors du cours d'éducation physique de l'école. Cependant 15 % des garçons et 26 % des filles n'atteignaient pas les normes (Andersen *et al.*, 1998).

L'exercice – ou l'absence d'exercice – affecte autant la santé physique que la santé mentale. En effet, l'exercice améliore la force et l'endurance, permet d'avoir des os et des muscles sains, aide à contrôler le poids, réduit le stress et l'anxiété, et augmente la confiance en soi.

Jeux-rudes-de-culbute
(*rough-and-tumble play*)
Jeux désordonnés et vigoureux qui impliquent de la lutte, des coups de pieds, des cascades, des assauts, et parfois des poursuites, souvent accompagnés de rires et de cris.

TABLEAU 7.1 LES HABILETÉS MOTRICES DES GARÇONS ET DES FILLES DURANT L'ENFANCE

ÂGE	COMPORTEMENTS
6 ans	• La fille fait preuve d'une plus grande précision de mouvement ; le garçon accomplit mieux les actions moins complexes qui demandent de la force. • L'enfant peut sauter à la corde. • L'enfant peut lancer un objet en transférant correctement son poids d'un pied à l'autre.
7 ans	• L'enfant est capable de se tenir en équilibre sur un pied sans regarder. • L'enfant peut marcher sur une poutre de 5 cm de largeur. • L'enfant peut sauter et sautiller avec précision dans de petits carrés. • L'enfant peut jouer à saute-mouton.
8 ans	• La force de préhension permet à l'enfant d'exercer une pression constante de 5,5 kg. • C'est l'âge auquel les enfants des deux sexes participent au plus grand nombre de jeux. • L'enfant peut sauter d'un pied à l'autre sur un rythme 2-2, 2-3 ou 3-3. • La fille peut lancer une petite balle jusqu'à 12 m.
9 ans	• Le garçon peut courir à une vitesse de 5 m/s. • Le garçon peut lancer une petite balle à 21 m.
10 ans	• L'enfant peut juger de la trajectoire d'une petite balle lancée de loin et l'attraper. • La fille peut courir à une vitesse de 5 m/s.
11 ans	• Le garçon peut effectuer, sans élan, un saut en longueur de 1,5 m ; la fille saute 15 cm de moins.

Source : Adaptation de Cratty, 1986.

ENCADRÉ 7.1

Le jeu-rude-de-culbute (rough-and-tumble play)

Dix pour cent environ des jeux libres auxquels se livrent les élèves des premières années du primaire dans la cour de récréation sont des jeux-rudes-de-culbute, des jeux désordonnés et vigoureux qui impliquent de la lutte, des coups de pieds, des cascades, des assauts, et parfois des poursuites, souvent accompagnés de rires et de cris. Ce genre de jeux culmine au début de l'âge scolaire puis, vers 11 ans, le pourcentage tombe généralement à près de 5 %, ce qui correspond à peu près au pourcentage observé chez les moins de six ans.

Des jeux de ce genre, nous rappellant notre instinct primaire, nous renvoient à l'évolution de notre espèce et font partie de son héritage. Contrairement au jeu symbolique qui est propre à l'être humain, le jeu-rude-de-culbute a d'abord été découvert chez les singes. Il semble également universel, étant donné qu'on le retrouve de la petite enfance à l'adolescence dans des lieux aussi variés que l'Inde, le Mexique, l'Afrique, les Philippines, la Grande-Bretagne et les États-Unis (Humphreys et Smith, 1984).

Les anthropologues pensent que le jeu-rude-de-culbute a évolué afin de permettre aux individus de s'entraîner aux compétences nécessaires pour l'attaque et la chasse. Aujourd'hui ce type de jeu dessert d'autres objectifs outre l'exercice physique. Le jeu-rude-de-culbute permet aux enfants de manœuvrer pour la dominance dans un groupe de pairs en évaluant leur propre force et celle des autres. Partout dans le monde, les garçons sont plus adeptes que les filles de ce jeu, ce qui est généralement attribué à une combinaison de différences hormonales et de socialisation (Pellegrini, 1998 ; Pellegrini et Smith, 1998).

Malheureusement la plupart des activités physiques, à l'école ou à l'extérieur, consistent en des jeux ou des sports d'équipe compétitifs, destinés aux enfants les plus athlétiques et les plus en forme. Trop souvent, les parents et les entraîneurs poussent les enfants à s'exercer pendant de longues heures et ils mettent l'accent sur la victoire plutôt que sur la participation, critiquant les habiletés des enfants ou leur donnant des conseils pour mieux performer. Certains parents semblent même projeter leurs propres rêves de gloire sportive sur leurs enfants. Toutes ces pratiques ont pour effet de décourager plutôt qu'encourager la participation. En outre, la plupart des enfants délaisseront ces activités lorsqu'ils quitteront l'école. Les pédiatres et les professionnels de la santé recommandent d'offrir des cours d'éducation physique comportant plusieurs sports différents et de mettre l'accent sur le plaisir de jouer plutôt que sur celui de gagner ainsi que sur des activités que l'on peut pratiquer toute la vie, comme le tennis, la course, la natation, le golf et le patin.

• LES BLESSURES ACCIDENTELLES

C'est entre 5 et 14 ans que les blessures accidentelles surviennent le plus fréquemment chez les enfants et elles représentent la première cause de décès à cet âge (Santé Canada, 1999). Cela s'explique par le fait que les enfants s'adonnent à plus d'activités physiques et qu'ils sont moins supervisés qu'au cours de la période précédente. En effet, le port d'un casque protecteur pourrait éviter bien des accidents, que ce soit à bicyclette, au hockey, en patins à roulettes, en ski, au football ou pour l'équitation. Récemment, les blessures liées au trampoline ont augmenté considérablement chez les jeunes, au point que le AAP (American Academy of Pediatrics) en déconseille l'installation.

Malheureusement, les médias n'encouragent pas les comportements sécuritaires. Entre 1995 et 1997, dans les films les plus populaires, la plupart des personnages principaux ne portaient pas de ceinture de sécurité en voiture, ne regardaient pas des deux côtés avant de traverser une rue et n'utilisaient pas les passages pour piétons, ils ne portaient pas de casque à bicyclette ou d'appareils de flottaison en bateau (Pelletier *et al.*, 2000).

FIGURE 7.4 LES BIENFAITS DE L'EXERCICE PHYSIQUE

L'exercice influence autant la santé physique que la santé mentale ; il améliore la force et l'endurance, permet d'avoir des os et des muscles sains, aide à contrôler le poids, réduit le stress et l'anxiété, et augmente la confiance en soi.

7.2 LE DÉVELOPPEMENT COGNITIF

Au cours des années d'âge scolaire, le développement cognitif de l'enfant se poursuivra au rythme même de sa capacité grandissante de conceptualiser, de se concentrer, de résoudre des problèmes, de mémoriser et d'utiliser le langage. Nous examinerons cette progression dans la section qui suit.

7.2.1 LE STADE DES OPÉRATIONS CONCRÈTES DE PIAGET

Selon Piaget, entre cinq et sept ans, l'enfant atteint le **stade des opérations concrètes**, ainsi nommé parce que l'enfant est désormais capable d'utiliser des opérations mentales pour résoudre des problèmes concrets et réels. Il peut exécuter de nombreuses tâches cognitives d'un niveau largement supérieur à celui qu'il pouvait atteindre au stade préopératoire (voir tableau 7.2). Comme il est beaucoup moins égocentrique, l'enfant parvenu au stade des opérations concrètes peut se décentrer, c'est-à-dire qu'il peut tenir compte de plusieurs aspects d'une situation plutôt que de fixer son attention sur un seul, comme c'était le cas au stade précédent. L'enfant comprend également le caractère réversible de la plupart des opérations physiques. Enfin, sa capacité accrue de comprendre le point de vue des autres lui permet de communiquer plus efficacement et de se montrer plus souple dans son jugement moral. Bien qu'elle demeure ancrée dans le réel de l'ici et maintenant, la pensée de l'enfant est beaucoup plus logique. Il comprend mieux les notions d'espace et de temps, de causalité, de catégorisation, de raisonnement inductif et déductif et de conservation.

Stade des opérations concrètes
Troisième stade du développement cognitif selon Piaget (de 6 à 12 ans environ), au cours duquel l'enfant accède à une pensée logique mais non abstraite.

• LES RELATIONS SPATIALES ET LES LIENS DE CAUSALITÉ

Au stade des opérations concrètes, l'enfant est plus apte à comprendre les relations spatiales. Il a une idée plus claire de la distance qui sépare un endroit d'un autre (sa maison et celle d'un ami par exemple) et du temps nécessaire pour parcourir cette distance. Il peut aussi se souvenir plus facilement du parcours et des points de repère qui jalonnent le chemin. L'expérience joue un rôle dans ce développement : un enfant qui se rend à l'école à pied se familiarise plus facilement avec l'environnement qui entoure sa maison.

La capacité d'utiliser des cartes et des maquettes, et de communiquer des informations spatiales augmente avec l'âge. Bien qu'un enfant de six ans soit capable de chercher et de trouver des objets cachés, il ne peut, en général, donner à quelqu'un des indications précises pour chercher ces mêmes objets – peut-être parce qu'il ne dispose pas du vocabulaire approprié ou qu'il ne perçoit pas les informations dont son interlocuteur a besoin (Plumert *et al.*, 1994).

TABLEAU 7.2 PROGRÈS DANS CERTAINES COMPÉTENCES COGNITIVES DURANT L'ÂGE SCOLAIRE

COMPÉTENCE	EXEMPLE
Pensée spatiale	Danielle peut utiliser une carte ou une maquette pour chercher un objet caché et elle peut donner à quelqu'un des indications pour lui permettre de trouver l'objet. Elle est capable d'estimer les distances et de juger combien de temps il faudra pour se rendre d'un endroit à un autre.
Cause et effet	Dimitri sait quels attributs physiques des objets placés de chaque côté de la balance affecteront le résultat (par exemple, il sait que c'est le nombre d'objets qui importe, et non la couleur). Il ne sait pas encore quels facteurs spatiaux (comme la position et l'orientation des objets) font la différence.
Classification	Hélène est capable de trier des objets par catégories selon leur forme, leur couleur ou les deux. Elle sait qu'une sous-catégorie (les roses) compte moins de membres que la classe dont elle fait partie (les fleurs).
Sériation et inférence transitive	Catherine sait que si un bâtonnet est plus long que le second et que le second bâtonnet est plus long que le troisième, alors le premier bâtonnet est plus long que le troisième.
Raisonnement inductif et raisonnement déductif	Sarah est capable de résoudre des problèmes inductifs et déductifs, et elle sait que les conclusions inductives (basées sur des prémisses précises) sont plus incertaines que les conclusions déductives (basées sur des prémisses générales).
Conservation	À l'âge de 7 ans, Philippe sait qu'une boule de pâte à modeler roulée en serpent contient toujours la même quantité de pâte à modeler (conservation de la substance). À 9 ans, il sait que la boule et le serpent ont le même poids (conservation du poids). Toutefois, ce n'est que vers 11 ans qu'il comprendra que la boule et le serpent déplacent le même volume de liquide s'ils sont plongés dans l'eau (conservation du volume).

Source : Adaptation de Cratty, 1986.

Les jugements sur la causalité s'améliorent aussi. À huit ans, Maxime peut établir un lien entre les mesures de sécurité et le risque d'accident. Par contre, sa compréhension demeure incomplète puisqu'il ne tient pas compte de tous les facteurs de risque. Si nous demandons par exemple à un enfant d'âge scolaire de prédire comment les plateaux d'une balance oscilleront si nous plaçons différents objets sur chacun d'eux, il saura répondre correctement en fonction du nombre et du poids des objets. Par contre, si nous modifions la position des plateaux (plus ou moins éloignés du centre), il sera incapable de prédire l'effet de la variation (Amsel *et al.,* 1996).

• LA CATÉGORISATION

La capacité de constituer des catégories aide l'enfant à penser de façon logique. La catégorisation comprend des compétences aussi sophistiquées que la **sériation**, l'**inférence transitive** et l'**inclusion de classe**. L'enfant comprend le principe de sériation lorsqu'il est capable de classer une série d'objets suivant une ou plusieurs dimensions, comme le poids (du plus léger au plus lourd) ou la couleur (du plus clair au plus foncé). L'inférence transitive réfère à la capacité de reconnaître une relation entre deux objets si l'on connaît la relation qui existe entre eux et un troisième objet. On montre trois bâtonnets à Catherine : un jaune, un vert et un bleu. On lui montre que le bâtonnet jaune est plus long que le vert et que le vert est plus long que le bleu. Sans comparer physiquement les bâtonnets jaune et bleu, Catherine sait que le bâtonnet jaune est plus long que le bleu (Chapman et Lindenberger, 1988).

L'inclusion de classe est la capacité de saisir la relation qui existe entre un tout et ses différentes parties. Si l'on montre un bouquet de dix fleurs – sept roses et trois œillets – à un enfant au stade préopératoire et si on lui demande s'il y a plus de roses ou plus de fleurs, il risque fort de répondre qu'il y a plus de roses, car il compare les roses avec les œillets plutôt qu'avec l'ensemble du bouquet. Ce n'est qu'au stade des opérations concrètes que l'enfant peut réaliser que les roses représentent une sous-classe de fleurs et que, pour cette raison, il ne peut y avoir plus de roses que de fleurs (Flavell, 1963).

Sériation
Capacité d'ordonner des éléments suivant une dimension.

Inférence transitive
Compréhension de la relation qui existe entre deux objets en connaissant la relation qu'entretient chaque objet avec un objet tiers.

Inclusion de classe
Compréhension de la relation qui existe entre un tout et ses différentes parties.

• LE RAISONNEMENT INDUCTIF ET LE RAISONNEMENT DÉDUCTIF

Au chapitre précédent, nous avons vu que le raisonnement de l'enfant du stade préopératoire était un raisonnement transductif, c'est-à-dire que ce raisonnement n'était ni inductif ni déductif. Selon Piaget, au stade des opérations concrètes, l'enfant utilise le **raisonnement inductif**; à partir d'observations sur certains membres d'une classe d'individus, d'animaux ou d'objets, il peut tirer des conclusions générales sur la classe dans son ensemble (« Mon chien aboie. Le chien de Claude aboie aussi, ainsi que celui de Sarah. Donc, il semble que tous les chiens aboient. »). Les conclusions inductives doivent être conditionnelles, car on peut toujours recevoir de nouvelles informations (un chien qui n'aboie pas) qui ne supporteraient pas la conclusion.

Le **raisonnement déductif**, qui selon Piaget ne se développe qu'à l'adolescence, part d'une affirmation générale sur une classe (prémisse) et l'applique à tous les membres de cette classe. Si la prémisse est vraie pour l'ensemble de la classe, et que le raisonnement est sensé, la conclusion doit être vraie : « Tous les chiens aboient. Frimousse est un chien. Frimousse aboie. »

Des chercheurs ont donné à résoudre des problèmes inductifs et déductifs à des enfants de la maternelle à la sixième année. Ces problèmes étaient conçus de manière à ne pas faire référence à des connaissances du monde réel. Par exemple, un problème déductif disait ceci : « Tous les *poggops* portent des bottes bleues. Tombor est un *poggop*. Est-ce que Tombor porte des bottes bleues ? » La version inductive du même problème était la suivante : « Tombor est un *poggop*. Tombor porte des bottes bleues. Est-ce que tous les *poggops* portent des bottes bleues ? » Contrairement à ce qu'énonce la théorie de Piaget, les enfants de deuxième année (mais pas ceux de maternelle) ont été capables de résoudre correctement les deux types de problèmes, de faire la distinction entre les deux et de justifier leurs réponses. Ils ont, par ailleurs, exprimé plus de confiance dans leurs réponses déductives que dans leurs réponses inductives (Galotti, Komatsu et Voelz, 1997).

• LA CONSERVATION

Au stade des opérations concrètes, l'enfant est capable de résoudre mentalement certains types de problèmes de conservation, sans avoir à mesurer ou à peser les objets.

Si l'on a deux boules de pâte à modeler de même grosseur et que l'on roule ou pétrit l'une des deux pour lui donner une forme différente, par exemple une forme de serpent, Philippe, qui a atteint le stade des opérations concrètes, peut maintenant dire que la boule et le serpent contiennent la même quantité de pâte à modeler. Sylvie, qui est seulement au stade préopératoire, est trompée par les apparences : selon elle, le serpent contient une plus grande quantité de pâte à modeler, car il semble plus long (revoir le tableau 5.4).

Contrairement à Sylvie, Philippe comprend le **principe d'identité** : il sait que c'est la même pâte à modeler, même si la forme a changé. Il comprend également le **principe de réversibilité** : il sait qu'il pourrait redonner au serpent sa forme de boule. Philippe est également capable de **décentration** : il peut se concentrer à la fois sur la longueur et la largeur. Il reconnaît que, même si la boule de pâte à modeler est plus courte que le serpent, elle est, par contre, plus épaisse. Sylvie reste centrée sur une seule dimension (la longueur) et elle exclut l'autre (l'épaisseur).

En général, l'enfant peut résoudre des problèmes de conservation de la substance de ce genre vers six ou sept ans, mais ce n'est que vers neuf ou dix ans qu'il est capable de maîtriser la conservation du poids – lorsqu'on lui demande, par exemple, si la boule et le serpent ont le même poids. Quant au phénomène de la conservation du volume – lorsqu'on demande à l'enfant de juger si la boule et le serpent déplacent la même quantité de liquide, lorsqu'on les place dans un verre d'eau – il est rare que l'enfant soit capable de le comprendre avant l'âge de 11-12 ans.

Piaget nomme **décalage horizontal** cette inconséquence dans le développement des différents types de conservation. Le raisonnement de l'enfant de cet âge est tellement

FIGURE 7.5 **L'INCLUSION DE CLASSES**

Au stade des opérations concrètes, Noémie comprend maintenant que la sous-classe des roses ainsi que toutes les autres sortes de fleurs font partie de la classe générale des fleurs.

Raisonnement inductif
Type de raisonnement logique qui part d'observations précises sur des membres d'une classe pour se généraliser en une conclusion au sujet de cette classe.

Raisonnement déductif
Type de raisonnement logique qui part d'une prémisse générale au sujet d'une classe pour tirer une conclusion sur un membre ou des membres particuliers de cette classe.

Principe d'identité
Compréhension du fait que l'identité d'un objet (sa substance, son poids...) ne change pas si aucune opération (enlever ou ajouter) n'est effectuée sur cet objet.

Principe de réversibilité
Compréhension du fait qu'une transformation peut aussi se faire en sens inverse.

Décentration
Capacité de considérer plusieurs points de vue.

Décalage horizontal
Terme utilisé par Piaget pour décrire l'incapacité de l'enfant d'appliquer sa compréhension d'un type de conservation (en substance, en poids ou en volume) à un autre type. On dit « horizontal » parce qu'il se produit dans la même étape de développement. L'action mentale n'est donc pas encore indépendante du contenu.

concret et étroitement lié à une situation particulière que l'enfant ne peut appliquer immédiatement la même opération mentale de base à une situation différente, même si les principes sous-jacents restent identiques.

Avant de maîtriser parfaitement la notion de conservation, l'enfant passe par un stade de transition. À ce stade, il remarque plus d'un aspect, comme la hauteur, la largeur, la longueur et l'épaisseur, mais il ne voit pas le lien qui existe entre ces dimensions. Ainsi, dans l'exemple précédent, l'enfant peut répondre correctement si le serpent est court, mais il risque d'échouer si le serpent est très long et très mince. Lorsque l'enfant comprend bien la notion de conservation, il peut justifier logiquement ses réponses en faisant appel à la réversibilité, à l'identité ou à la compensation.

Selon Piaget, l'acquisition de la notion de conservation dépend de la maturation neurologique, combinée à l'adaptation à l'environnement, et ne relève pas de l'expérience culturelle. La base neurologique de la conservation du volume a été démontrée par des mesures de l'activité du cerveau prises sur le cuir chevelu pendant une tâche de conservation. Les enfants qui avaient acquis la conservation du volume montraient des rythmes cérébraux différents de ceux qui ne l'avaient pas encore acquise, ce qui laisse penser qu'ils utilisaient différentes régions du cerveau pour accomplir la même tâche (Stauder *et al.*, 1993).

Malgré des études qui soutiennent que la pensée rigide et illogique des jeunes enfants évolue vers la pensée flexible et logique des enfants plus âgés (Gardiner *et al.*, 1998), des habiletés telles que la conservation peuvent également dépendre en partie de la familiarité avec les matériaux manipulés. En effet, des enfants mexicains qui s'adonnent à la poterie comprennent que la boule d'argile roulée sur un tour contient toujours la même quantité d'argile qu'au départ. Ces enfants montrent des signes de conservation de la substance plus tôt que des enfants qui ne font pas de poterie (Broude, 1995). La compréhension de la conservation ne viendrait pas uniquement de nouveaux modèles d'organisation mentale, mais elle dépendrait aussi des expériences personnelles avec le monde physique.

Toutes ces différences cognitives entre les enfants du stade préopératoire et ceux du stade des opérations concrètes se manifesteront dans plusieurs domaines de leur vie quotidienne, entre autres, dans leur évaluation du bien et du mal.

• LE RAISONNEMENT MORAL

Pour connaître le raisonnement moral des enfants, Piaget (1932) leur racontait l'histoire suivante : « Il était une fois deux petits garçons. Un jour, Antoine remarque que l'encrier de son père (à cette époque, en 1932, un encrier était un objet courant) est vide et décide de le remplir pour lui rendre service. En ouvrant la bouteille, il la renverse et fait une grande tache d'encre sur la nappe. Julien, lui, joue avec l'encrier de son père, même en sachant que c'est interdit, et fait une petite tache sur la nappe. » Piaget demandait aux enfants : « Lequel des deux garçons est le plus désobéissant et pourquoi ? »

Jusque vers l'âge de sept ans, l'enfant sera porté à considérer Antoine comme le plus coupable, puisqu'il a fait la plus grande tache. Cependant l'enfant plus âgé reconnaîtra l'intention louable derrière le geste et considérera que la petite tache faite par Julien découle d'une action qu'il n'aurait pas dû faire. Pour Piaget les jugements moraux immatures dénotent de l'égocentrisme parce qu'ils sont centrés sur une seule dimension : l'importance de la faute. Les jugements plus matures tiennent compte de l'intention de celui qui pose l'action[1].

---

1. La question de l'intention par rapport à celle des conséquences est loin d'être claire, même aux yeux des adultes, comme en témoigne notre code criminel. Les peines pour meurtre sont plus sévères que celles qui sont prévues pour tentative de meurtre, même si, dans les deux cas, il y a intention de tuer. De la même manière, un conducteur en état d'ébriété qui blesse quelqu'un reçoit une peine plus sévère que celui qui ne heurte personne, même si ni l'un ni l'autre n'avait l'intention de blesser qui que ce soit. Les conséquences importent tellement à la plupart des gens que la société a élaboré ses lois en fonction de ce qui se produit effectivement et non en fonction des intentions.

Selon Piaget, le raisonnement moral suit le développement cognitif et il se développe en trois stades.

Le premier stade (environ de 2 à 7 ans, ce qui correspond au stade préopératoire) est basé sur l'obéissance à l'autorité. Cela amène l'enfant à voir tout en noir ou tout en blanc, jamais en gris. Comme il est égocentrique, l'enfant ne peut concevoir qu'il y ait plus d'une façon d'aborder une question morale. Il croit que les règles sont dictées par une autorité adulte et qu'elles ne peuvent être modifiées, et que toute offense, peu importe l'intention, mérite une punition.

Le deuxième stade (de 7-8 ans à 10-11 ans, ce qui correspond à peu près au stade des opérations concrètes) se caractérise par une plus grande souplesse basée sur le respect et la coopération. Comme l'enfant multiplie ses interactions avec d'autres enfants et avec les adultes, il découvre un éventail de plus en plus vaste de points de vue et commence à penser de façon moins égocentrique. L'enfant en vient à conclure qu'il n'existe pas de code moral unique et absolu, et il commence à développer son propre code moral basé sur la justice et un traitement égal pour tous. Il prend en considération l'intentionnalité de l'acte.

Le troisième stade commence lorsque l'enfant devient capable de raisonnement formel, c'est-à-dire vers 11-12 ans (nous parlerons de la pensée formelle au chapitre 9). À ce stade, la notion d'égalité prend une signification différente pour l'enfant. La croyance que tous doivent être traités également est graduellement remplacée par la notion d'équité et par la prise en considération des circonstances spécifiques. Ainsi, l'enfant plus âgé affirmera qu'un enfant de deux ans qui renverse de l'encre ne devrait pas être traité de la même façon qu'un enfant de dix ans qui agit de la même façon. L'idée de Piaget, selon laquelle le développement du raisonnement moral suit le développement cognitif, sera reprise par Kohlberg, dont nous verrons la théorie du jugement moral au chapitre 9.

7.2.2 LE DÉVELOPPEMENT DE LA MÉMOIRE : LE TRAITEMENT DE L'INFORMATION

À la différence de Piaget, qui décrit d'importants changements dans le fonctionnement de la pensée des enfants d'âge scolaire, les chercheurs en traitement de l'information se concentrent sur l'amélioration de l'efficacité des opérations mentales : la quantité d'informations qu'un enfant peut traiter à un moment précis, la vitesse et le degré de précision. Les aptitudes à traiter et à retenir l'information progressent de façon considérable chez l'enfant d'âge scolaire ; il comprend mieux comment fonctionne sa mémoire, et cela lui permet d'utiliser des stratégies ou de concevoir des plans délibérés pour se souvenir. De plus, au fur et à mesure que ses connaissances augmentent, l'enfant devient plus apte à juger des informations qui sont importantes et qu'il doit retenir. Plus le traitement de l'information s'avère efficace, plus l'enfant apprendra et retiendra facilement. Les différences dans l'efficacité du traitement de l'information peuvent expliquer les différences dans la réussite scolaire.

• LES HABILETÉS DE BASE

Il semble que la façon dont le cerveau stocke les informations soit universelle, mais l'efficacité du système varie quant à elle d'une personne à une autre (Siegler, 1998). Les modèles de traitement de l'information divisent le cerveau en trois «zones de stockage» : la *mémoire sensorielle*, la *mémoire de travail* et la *mémoire à long terme*.

La mémoire sensorielle constitue le point d'entrée initial du système de stockage et elle change peu avec l'âge. Comme nous l'avons vu, elle est déjà présente chez le nourrisson et le souvenir immédiat d'un enfant de cinq ans est presque aussi bon que celui d'un adulte (Siegler, 1998). Cependant, si elle n'est pas traitée (encodée), la mémoire sensorielle s'estompe rapidement.

Les informations encodées ou récupérées se trouvent dans la mémoire de travail, un «entrepôt» à court terme pour les informations sur lesquelles une personne travaille activement, c'est-à-dire pour les informations que la personne essaie de comprendre, dont elle veut se souvenir ou auxquelles elle veut réfléchir. Comme nous l'avons déjà vu, c'est dans la mémoire de travail que les représentations mentales sont préparées pour être stockées ou récupérées. Nous pouvons observer son fonctionnement en demandant à un enfant de mémoriser une série de chiffres dans l'ordre inverse de leur présentation (par exemple de dire 8-3-7-5-1-6 s'il a entendu 6-1-5-7-3-8). Un enfant de cinq ou six ans ne retiendra habituellement que deux chiffres alors que l'adolescent pourra en mémoriser six en moyenne. On situe dans les lobes frontaux l'élément de la mémoire de travail qui contrôle le traitement de l'information et l'on sait que cette région du cerveau se développe plus lentement que toutes les autres (Nelson *et al.* 2000). Cet élément de contrôle de la mémoire de travail semble arriver à maturité entre huit et dix ans.

L'encodage des informations permet ensuite de les transférer dans la mémoire à long terme, un « entrepôt » de capacité quasiment illimitée qui conserve des informations pour de longues périodes de temps. Des informations anciennes peuvent aussi être redirigées vers la mémoire de travail.

Durant l'enfance, le temps de réaction s'améliore et la vitesse de traitement de tâches mentales telles que faire correspondre des images, additionner des nombres mentalement et se souvenir d'informations spatiales augmente rapidement, étant donné que les synapses ou les connexions neurologiques inutiles du cerveau ont été élaguées (Hale, Bronik et Fry, 1997). Un traitement plus rapide et efficace augmente le nombre d'informations qu'un enfant peut conserver dans sa mémoire de travail, ce qui lui permet de mieux se souvenir et d'atteindre un niveau de pensée plus complexe et de plus haut niveau.

• LES STRATÉGIES MNÉMONIQUES

Stratégies mnémoniques
Trucs utilisés pour faciliter la mémorisation.

Les méthodes que nous utilisons pour aider notre mémoire sont appelées **stratégies mnémoniques**. La stratégie mnémonique la plus connue des enfants et des adultes est l'utilisation d'aide-mémoire externes. Noter un numéro de téléphone, faire une liste ou mettre une minuterie sont des exemples d'aide-mémoire externes : le rappel vient d'une autre source que la personne elle-même. Les autres stratégies les plus utilisées sont la répétition, l'organisation et l'élaboration.

Répétition
Stratégie mnémonique qui consiste à redire sans cesse l'information pour ne pas l'oublier.

Organisation
Stratégie mnémonique qui consiste à placer mentalement l'information en catégories.

Élaboration
Stratégie mnémonique qui consiste à associer les items à mémoriser à autre chose, comme inventer une histoire.

La **répétition** consiste, par exemple, à redire sans cesse un numéro de téléphone pour ne pas l'oublier, alors que l'**organisation** réfère au placement mental de l'information dans une catégorie (les animaux, les vêtements, les fruits, etc.) afin de la retracer plus rapidement. Dans l'**élaboration**, une information est associée avec d'autres éléments, comme inventer une histoire. Pour se rappeler d'apporter sa brosse à dent, ses patins, son casque et son livre, un enfant pourrait imaginer qu'il patine avec un livre et une brosse à dents en équilibre sur son casque. Le tableau 7.3 présente des stratégies et le moment auquel les enfants commencent à pouvoir les utiliser.

• LA MÉTAMÉMOIRE : COMPRENDRE LE FONCTIONNEMENT DE LA MÉMOIRE

Métamémoire
Connaissance du fonctionnement de la mémoire.

C'est la **métamémoire**, la connaissance du fonctionnement de la mémoire, qui permet à l'enfant plus âgé d'utiliser des stratégies mnémoniques. Entre l'âge de cinq et sept ans, le lobe frontal subit une réorganisation significative, rendant possible l'amélioration de la mémoire (Janowsky et Carper, 1996).

L'élève de maternelle comme celui de première année sait qu'on se souvient mieux d'une matière si on l'étudie plus longtemps, il sait que les gens oublient des choses avec le temps, qu'il est plus facile de se rappeler un événement inattendu qu'un événement routinier et que certains trucs facilitent le rappel. Il est donc normal que Maxime, à huit ans, puisse utiliser une stratégie pour se rappeler d'apporter ses billes. En troisième année, l'enfant sait que certaines personnes se souviennent mieux que d'autres et que certaines choses se mémorisent plus facilement que d'autres.

TABLEAU 7.3 QUELQUES STRATÉGIES DE MÉMORISATION

STRATÉGIE	DÉFINITION	DÉVELOPPEMENT
Aide-mémoire externe	Vient d'une aide extérieure à la personne	L'enfant de 5-6 ans peut y recourir, mais celui de 8 ans pourra y penser par lui-même.
Répétition	Répétition consciente	On peut apprendre à un enfant de 6 ans à le faire, mais à 7 ans il le fera spontanément.
Organisation	Regrouper par catégories	La plupart des enfants ne le feront pas avant l'âge de 10 ans, mais on peut leur enseigner à le faire un peu plus jeune.
Élaboration	Associer à autre chose les items à retenir, par exemple à une histoire	Les enfants plus âgés sont plus susceptibles de le faire spontanément et se souviennent mieux s'ils font leur propre élaboration ; les plus jeunes se souviennent mieux si quelqu'un le fait pour eux.

• L'ATTENTION SÉLECTIVE

À l'âge scolaire, l'enfant peut se concentrer plus longtemps qu'auparavant sur l'information dont il a besoin, tout en filtrant les autres informations non pertinentes. Par exemple, il peut inférer la signification approximative d'un mot qu'il lit et supprimer les autres significations qui ne conviennent pas au contexte. Cette habileté grandissante qui permet d'écarter les idées importunes et de rediriger l'attention sur celles qui sont pertinentes est due à la maturation neurologique. C'est une des raisons pour lesquelles le fonctionnement de la mémoire s'améliore durant l'enfance. Cette habileté à diriger consciemment l'attention pourrait expliquer pourquoi les enfants plus vieux font moins d'erreurs de rappel que les plus jeunes ; ils sont maintenant capables de sélectionner ce qu'ils veulent retenir et ce qu'ils peuvent oublier (Lorsbach et Reimer, 1997).

• LE TRAITEMENT DE L'INFORMATION ET LES TÂCHES DE CONSERVATION DE PIAGET

Les progrès de la mémoire, que nous venons de voir, contribuent peut-être à la maîtrise des tâches de conservation étudiées par Piaget. En effet, la mémoire de travail du jeune enfant est tellement limitée que même s'il maîtrisait le concept de conservation il pourrait être incapable de se souvenir de toutes les informations pertinentes (Siegler et Richards, 1982). Il se peut, par exemple, que l'enfant oublie que deux éléments en pâte à modeler de formes différentes étaient identiques au départ. À partir du moment où l'enfant parvient à appliquer un concept ou un schème de façon plus automatique, cela pourrait libérer de l'espace dans la mémoire de travail, qui pourrait ainsi traiter de nouvelles informations. Cette hypothèse contribue peut-être à expliquer le décalage horizontal : l'enfant doit être suffisamment à l'aise avec un type de conservation (par exemple la conservation de la substance) pour l'utiliser de façon automatique avant de pouvoir étendre et adapter ce schème à d'autres types de conservation (Case, 1992).

Tous ces progrès cognitifs permettront à l'enfant de réussir ses apprentissages scolaires. Plusieurs chercheurs se sont toutefois demandé si l'on pouvait prédire la réussite scolaire des enfants, et cette interrogation a donné lieu à l'apparition des tests d'intelligence.

FIGURE 7.6   L'ATTENTION SÉLECTIVE

À l'âge scolaire, l'enfant peut se concentrer plus longtemps qu'auparavant sur l'information dont il a besoin tout en filtrant les autres informations non pertinentes.

7.2.3 LA MESURE DE L'INTELLIGENCE

Les tests de quotient intellectuel (QI) prétendent mesurer la capacité d'apprentissage, alors que les tests de connaissances évaluent ce que l'enfant a appris dans différents domaines. Cependant, comme nous le verrons, il est virtuellement impossible de mettre au point un test qui ne nécessite aucune connaissance préalable. De plus, les tests d'intelligence sont validés par des mesures de connaissances, telles que les performances scolaires. Cette raison,

Biais culturel
Dans un test d'intelligence, tendance à inclure des questions utilisant un vocabulaire, ou faisant appel à des situations ou habiletés plus significatives pour un groupe culturel que pour un autre.

Test exempt de connotations culturelles
Test d'intelligence qui, s'il était possible de le concevoir, n'aurait aucun lien avec le bagage culturel.

Test culturellement équitable
Test composé uniquement d'expériences communes aux personnes de cultures différentes.

Théorie des intelligences multiples
Théorie de Gardner selon laquelle chaque personne possède différentes formes d'intelligence.

parmi d'autres, explique les importants désaccords quant à la validité et à la précision des tests de QI pour évaluer les différences d'intelligence qui existent d'un enfant à l'autre.

• LA CONTROVERSE AU SUJET DES TESTS DE QUOTIENT INTELLECTUEL

L'utilisation des tests de quotient intellectuel est très controversée, même si les résultats aux tests de QI obtenus à l'âge scolaire sont de bons indices de la réussite scolaire, surtout chez les enfants qui possèdent des aptitudes verbales très développées. On a découvert que le score obtenu à un test de QI effectué à 11 ans permet de prévoir l'indépendance fonctionnelle durant la vieillesse et la présence ou l'absence de démence (Whalley et Deary, 2001).

Toutefois on peut se demander si les tests de QI sont équitables. Leurs détracteurs prétendent que les tests de QI sous-estiment le degré d'intelligence des enfants qui, pour une raison ou pour une autre, ne réussissent pas bien les tests (Ceci, 1991). Comme les résultats sont évalués en fonction du temps pris par le sujet pour passer le test, ils assimilent l'intelligence à la vitesse d'exécution et pénalisent un enfant qui travaille lentement. Plus fondamentalement, on reproche aux tests de QI de juger l'intelligence par rapport aux connaissances de l'enfant, c'est-à-dire principalement à partir de ce qu'il a appris à l'école ou dans son milieu culturel. Les tests ne peuvent donc prétendre mesurer l'aptitude innée.

Les résultats moyens aux tests varient selon les groupes ethniques, ce qui porte à croire que les tests sont injustes envers les minorités. Ainsi, même si des Noirs américains obtiennent de meilleurs résultats que bien des Blancs, les résultats des enfants noirs sont, en moyenne, de 15 points inférieurs à ceux des enfants blancs. Un déficit semblable est également présent dans leurs performances scolaires. Par ailleurs, les Américains d'origine asiatique, dont la réussite scolaire dépasse généralement celle des autres ethnies, ne présentent pas de différences significatives dans leur QI. Leur succès scolaire proviendrait vraisemblablement d'autres facteurs culturels (Neisser *et al.*, 1996).

On attribue ces différences dans les quotients intellectuels aux inégalités de l'environnement, que ce soit en ce qui concerne le revenu, la nutrition, les conditions de vie, la stimulation intellectuelle, la scolarisation, la culture ou d'autres facteurs comme les effets de l'oppression ou de la discrimination qui affectent l'estime de soi, la motivation et les performances académiques (Kottak, 1994).

Certains attribuent ces différences ethniques dans les QI au **biais culturel**, c'est à dire à la tendance à inclure dans le test des questions qui utilisent un vocabulaire particulier ou qui font appel à des situations ou des habiletés plus significatives pour un groupe culturel donné (Sternberg, 1987). On a donc tenté de construire des **tests exempts de connotations culturelles**, avec des tâches qui ne font pas appel au langage. Il a toutefois été impossible d'éliminer toutes les influences culturelles. Les psychométriciens ont aussi été incapables d'élaborer des **tests culturellement équitables**, c'est-à-dire portant uniquement sur des expériences communes aux personnes de cultures différentes.

• LES INTELLIGENCES MULTIPLES DE GARDNER

Une autre critique sérieuse concernant les tests de QI porte sur le fait qu'ils se concentrent presque entièrement sur des habiletés qui sont utilisées à l'école. Ils n'évaluent pas d'autres aspects importants du comportement intelligent, comme le bon sens, les habiletés sociales, la créativité et la connaissance de soi. Ces habiletés, peuvent devenir aussi importantes, sinon plus importantes, et peuvent donc être considérées comme des formes différentes d'intelligence.

Un enfant qui démontre de l'habileté pour analyser des textes et faire des analogies est-il plus intelligent qu'un enfant capable de jouer un morceau de musique difficile au violon, qu'un enfant capable d'exécuter un projet de groupe ou encore qu'un enfant qui peut lancer le ballon au bon moment ? Selon la **théorie des intelligences multiples** de Gardner, la réponse est non.

Gardner, neuropsychologue et chercheur en éducation de l'Université de Harvard, affirme qu'il y aurait huit types d'intelligence distincts. Cette hypothèse est fondée, selon lui, sur le fait que différents endroits du cerveau traitent différents types d'information. Selon Gardner, les tests d'intelligence conventionnels couvrent seulement trois types d'intelligence : l'intelligence linguistique, l'intelligence logico-mathématique et, jusqu'à un certain point, l'intelligence spatiale. Les quatre autres formes d'intelligence, non mesurées dans les tests de QI, sont l'intelligence musicale, l'intelligence kinesthésique, l'intelligence interpersonnelle, l'intelligence intrapersonnelle et l'intelligence naturaliste (Gardner, 1998). Le tableau 7.4 donne les définitions de chacune des formes d'intelligence ainsi que des exemples de champs d'application pour chacune.

Être très intelligent dans un domaine ne signifie pas nécessairement qu'on l'est également dans un autre domaine. Une personne peut donc être très douée en art (capacité spatiale), en précision de mouvement (kinesthésique), en relations sociales (interpersonnelle) ou en compréhension de soi (intrapersonnelle) et avoir un QI peu élevé.

TABLEAU 7.4 **LES HUIT INTELLIGENCES SELON GARDNER**

FORME D'INTELLIGENCE	DÉFINITION	CHAMPS OU SECTEURS D'APPLICATION
Linguistique	Capacité d'utiliser et de comprendre les mots et les nuances de sens	Écriture, édition, traduction
Logico-mathématique	Capacité de manipuler les nombres et de résoudre des problèmes logiques	Science, affaires, médecine
Musicale	Capacité de percevoir et de créer des modèles de ton et de rythme	Composition et direction musicale
Spatiale	Capacité de trouver son chemin dans un environnement donné et d'établir des relations entre les objets dans l'espace	Architecture, menuiserie, urbanisme
Kinesthésique	Capacité de se mouvoir de façon précise	Danse, sport, chirurgie
Interpersonnelle	Capacité de comprendre les autres et de communiquer avec eux	Enseignement, théâtre, politique
Intrapersonnelle	Capacité de se comprendre (soi-même)	Counseling, psychiatrie, direction spirituelle
Naturaliste	Capacité de distinguer les espèces	Chasse, pêche, agriculture, jardinage, cuisine

Source : Adaptation de Gardner, 1993, 1999.

• DE NOUVELLES AVENUES DANS LA MESURE DE L'INTELLIGENCE

Depuis les débuts des tests d'intelligence, de nombreux psychologues ont essayé d'en éliminer les défauts. Parmi les tests les plus récents, mentionnons ceux qui s'appuient sur le concept d'**évaluation dynamique** de Vygotsky, chercheur russe dont nous avons déjà parlé.

Les tests fondés sur la zone proximale du développement contiennent des éléments qui dépassent jusqu'à deux ans le degré de compétence courant de l'enfant. Lorsque cela s'avère nécessaire, l'évaluateur aide l'enfant à accomplir la tâche par des questions dirigées, des exemples ou des démonstrations, et ce, en lui donnant une rétroaction ; le test lui-même est donc une situation d'apprentissage. La différence entre les éléments auxquels l'enfant est capable de répondre seul et ceux pour lesquels il doit être aidé constitue la zone proximale de développement de l'enfant.

Vygotsky (1956) a donné l'exemple de deux enfants d'un âge mental de sept ans. Avec de l'aide, Nadia était facilement capable de résoudre des problèmes destinés à des enfants de neuf ans d'âge mental, montrant ainsi une avance de deux ans sur son âge mental. Par contre,

Évaluation dynamique
Procédure d'évaluation qui consiste à aider l'enfant lors de l'évaluation, de façon à déterminer ses capacités à tirer profit d'un entraînement.

avec le même type d'aide, Anna ne pouvait résoudre les problèmes d'un enfant de sept ans et demi d'âge mental. Si l'on mesure le développement de l'intelligence de ces enfants par rapport à ce qu'ils savent faire seuls, il est presque identique. Par contre, si l'on mesure leur développement par rapport à leur zone proximale de développement, il est très différent.

En identifiant ce que l'enfant est prêt à apprendre et l'importance de l'aide dont il a besoin, le test dynamique donne peut-être aux enseignants plus de renseignements utiles que les tests psychométriques et il peut les guider dans leurs interventions pour aider les enfants à atteindre leur plein potentiel. Ce genre de test peut s'avérer particulièrement efficace avec les enfants désavantagés qui, généralement, réussissent moins bien les tests psychométriques traditionnels. On dispose cependant de peu de validations expérimentales de ce test, ce qui le rend difficile à mesurer avec précision (Grigorinko et Sternberg, 1998).

7.2.4 L'ÉVOLUTION DU LANGAGE : LA COMMUNICATION

Le langage évolue considérablement au cours de cette période de l'enfance. L'enfant comprend et interprète mieux les messages, et il réussit davantage à se faire comprendre, ce qui améliore considérablement ses habiletés de communication.

• LA SYNTAXE : LA STRUCTURE DU LANGAGE

Supposez que vous vous trouviez devant une entrée couverte de neige et que vous demandiez à quelqu'un comment vous y prendre pour sortir la voiture du garage. On peut vous répondre « Pierre a promis à Marie de déblayer l'entrée » ou bien « Pierre a dit à Marie de déblayer l'entrée ». Selon la réponse, vous sauriez qui, de Pierre ou de Marie, déblaiera l'entrée. Cependant beaucoup d'enfants de moins de cinq ou six ans ne saisissent pas la différence structurale entre ces deux phrases et croient que les deux phrases signifient que Marie pellettera (Chomsky, 1969).

Cette confusion se comprend facilement : compte tenu des verbes (comme *commander, ordonner, demander*) pouvant remplacer le verbe « dire » dans la deuxième phrase, la plupart des enfants de six ans comprendront que c'est Marie qui devra faire le travail. Ils n'ont pas encore maîtrisé les constructions grammaticales utilisant un verbe comme « promettre » de la façon dont il est employé dans la première phrase, même s'ils savent ce qu'est une promesse et même s'ils sont capables d'utiliser le mot et de le comprendre correctement dans d'autres phrases. En revanche, à huit ans, la plupart des enfants interprètent correctement la phrase.

Si l'enfant de six ans a atteint une maîtrise étonnante de la langue, s'il peut manier une grammaire complexe et utiliser un vocabulaire de quelques milliers de mots, il est encore loin de saisir toutes les subtilités de la syntaxe, c'est-à-dire l'ordre approprié des mots dans la construction d'une phrase. Durant les premières années d'école, il utilise rarement des phrases comportant la forme passive, des verbes composés avec *avoir* et des tournures conditionnelles (du type « si... alors... »).

Jusqu'à neuf ans, et peut-être après cet âge, l'enfant approfondit sa compréhension de la syntaxe et ses structures de phrases deviennent de plus en plus élaborées. Les enfants plus âgés utilisent plus de propositions subordonnées (« Le garçon *qui livre les journaux* a frappé à la porte ») et ils considèrent la **sémantique** (compréhension du sens des mots) d'une phrase comme un tout, plutôt que de prendre l'ordre des mots comme une indication du sens de la phrase. Toutefois ce n'est qu'au début de l'adolescence, au moment où les progrès cognitifs permettront de faire des raisonnements plus complexes que le jeune utilisera certaines constructions de phrases commençant par *cependant, quoique* ou *toutefois* (Owens, 1996).

• LA PRAGMATIQUE : SAVOIR COMMUNIQUER

Sémantique
Compréhension de la signification des mots et des phrases.

Pragmatique
Ensemble des règles linguistiques qui régissent l'utilisation du langage pour la communication.

Le domaine dans lequel les enfants progressent le plus à l'âge scolaire est la **pragmatique**, c'est-à-dire l'utilisation du langage pour communiquer. Cela comprend les habiletés de conversation et les habiletés de narration.

Un bon orateur commence par poser des questions avant d'aborder un sujet qui peut être inconnu de son interlocuteur. Il décèle facilement un problème de communication et y remédie de son mieux. Sur ce plan, il existe de grandes différences individuelles; certains enfants de sept ans sont de meilleurs orateurs que certains adultes (Anderson *et al.*, 1994).

La plupart des enfants de six ans peuvent redire l'intrigue d'une courte histoire ou d'un film et ils commencent à faire des liens entre les motifs, les actions et les conséquences. Cependant, même s'ils peuvent raconter des histoires, celles-ci n'ont habituellement pas de fin : les enfants racontent plutôt une expérience personnelle.

Vers sept ou huit ans, l'enfant raconte des histoires plus longues et plus complexes. Les contes ont souvent un début et une fin conventionnels («Il était une fois...» et «Ils vécurent heureux» ou tout simplement «Fin». Le vocabulaire utilisé est plus varié qu'auparavant, mais les personnages ne grandissent pas et ne changent pas, et les intrigues ne sont pas complètement développées.

Généralement l'enfant plus âgé situe la scène en décrivant le décor et en présentant les personnages, et il indique clairement les changements de temps et de lieux pendant l'histoire. Il construit des épisodes plus complexes que l'enfant plus jeune, mais il supprime les détails superflus. Il se concentre davantage sur les motifs et les pensées des personnages, et il réfléchit à la manière de résoudre les problèmes dans le feu de l'action.

Les habiletés de communication de l'enfant d'âge scolaire seront mises à profit dans ses relations avec les autres et auront un impact sur sa popularité auprès de ses pairs, comme nous le verrons dans le prochain chapitre.

• LA LITTÉRATIE

Pour comprendre ce qui se trouve sur une page imprimée, les enfants doivent d'abord maîtriser certaines habiletés de prélecture. La littératie, comme nous l'avons déjà définie, réfère à toutes ces habiletés qu'une personne doit maîtriser pour pouvoir lire et écrire.

Les habiletés de prélecture impliquent la compréhension que le langage est un moyen de communication, la prise de conscience que les mots sont composés de sons distincts, les phonèmes, et la capacité d'associer les sons aux lettres, ou les combinaisons de lettres qui les représentent.

À mesure que les enfants maîtrisent les habiletés nécessaires à la traduction de l'écrit en langage verbal, ils apprennent aussi que l'écriture peut exprimer des idées, des pensées et des sentiments.

L'identification des mots. L'enfant peut identifier un mot écrit de deux façons. La première est appelée le *décodage* : l'enfant «prononce» le mot, en traduisant oralement ce qu'il voit. Pour ce faire, l'enfant doit maîtriser le code phonétique qui détermine quel son correspond aux lettres écrites. La deuxième méthode est la *reconnaissance visuelle* : l'enfant regarde simplement le mot et se le remémore.

Ces deux méthodes ont inspiré des approches différentes dans l'apprentissage de la lecture. L'approche qui met l'accent sur le décodage est appelée **approche phonétique**, alors que celle qui met l'accent sur la reconnaissance visuelle et l'utilisation d'indices contextuels est appelée **méthode globale**. Les programmes qui suivent la méthode globale sont bâtis sur la littérature et sur des activités ouvertes initiées par les élèves, par opposition aux tâches plus rigoureuses, dirigées par les enseignants, que l'on retrouve dans les programmes qui suivent l'approche phonétique.

L'enfant apprend à lire avec une meilleure compréhension et avec plus de satisfaction s'il voit la langue écrite comme une façon d'obtenir des informations et d'exprimer des idées et des sentiments, au lieu de la voir comme un système de sons et de syllabes isolés qui doivent être appris par cœur.

Approche phonétique
Approche d'enseignement de la lecture qui met l'accent sur le décodage de mots inconnus.

Méthode globale
Approche d'enseignement de la lecture qui met l'accent sur la reconnaissance visuelle et l'utilisation d'indices contextuels.

On reproche à la méthode globale d'encourager l'enfant à lire le texte en diagonale, à deviner les mots et leur signification et à négliger la correction de ses erreurs de lecture ou d'orthographe. Selon les détracteurs de cette méthode, la lecture est une compétence qui doit être enseignée ; le cerveau n'est pas programmé pour l'acquérir sans apprentissage. Une longue série de recherches soutient l'idée que la conscience phonologique et l'entraînement phonique précoces constituent les éléments de base pour un bon apprentissage de la lecture (Jeynes et Littell, 2000).

De nombreux experts recommandent actuellement de combiner les points forts des deux approches. Ainsi, l'enfant apprend à la fois les compétences phonétiques et les stratégies qui lui permettront de comprendre ce qu'il lit. Ce genre d'approche mixte semble mieux convenir au fonctionnement du cerveau de l'enfant. Étant donné que des compétences académiques telles que la lecture résultent de plusieurs fonctions à différents endroits du cerveau, un enseignement basé uniquement sur des sous-compétences particulières (phonétique ou compréhension) présente moins de chance de réussite qu'un programme qui couvre une large gamme de compétences (Byrnes et Fox, 1998). Les enfants qui peuvent choisir entre la méthode visuelle ou celle qui est basée sur la phonétique – et qui utilisent la remémoration visuelle pour les mots familiers et le décodage phonétique pour les mots nouveaux – deviennent des lecteurs chevronnés et plus polyvalents (Siegler, 1998).

La compréhension. Les processus sous-jacents à la compréhension de textes écrits sont identiques à ceux qui régissent la mémoire. Plus l'identification des mots devient automatique, plus la capacité de la mémoire de travail augmente et plus l'enfant est capable de se concentrer sur le sens de ce qu'il lit. De nouvelles stratégies, plus sophistiquées, permettent à l'enfant d'ajuster sa vitesse de lecture et son attention selon l'importance et le degré de difficulté du matériel. La **métacognition** – la conscience de la façon dont son esprit fonctionne – permet à l'enfant de contrôler la compréhension de ce qu'il lit et de développer des stratégies (comme relire les passages difficiles, lire plus lentement, essayer de visualiser ce qui est décrit et se souvenir d'exemples). Plus les connaissances de base augmentent, plus l'enfant devient apte à comparer de nouvelles informations avec celles dont il dispose déjà (Siegler, 1998). Nous verrons plus loin comment l'école peut développer ces habiletés métacognitives.

L'écriture. L'acquisition de l'écriture va de pair avec le développement de la lecture. Tout comme l'enfant apprend à traduire le mot écrit en parole, il apprend également à utiliser des mots écrits pour exprimer des idées, des pensées et des sentiments. Avant d'entrer à l'école, l'enfant commence à utiliser des lettres, des nombres et des formes qui ressemblent à des lettres, comme des symboles pour représenter des mots ou des parties de mots.

Écrire est difficile pour le jeune enfant et les premiers textes qu'il compose sont généralement très courts. Les devoirs écrits proposés par l'école portent souvent sur des sujets inconnus. L'enfant doit alors rassembler et organiser différentes informations provenant de sa mémoire à long terme et d'autres sources. Contrairement à la conversation, qui offre une rétroaction constante, l'écriture demande à l'enfant de juger par lui-même si l'objectif a été atteint. L'enfant doit aussi garder à l'esprit un certain nombre d'autres contraintes : orthographe, ponctuation, grammaire, ainsi que les tâches physiques de base reliées à la formation des lettres. L'enfant qui utilise un traitement de texte rédige mieux, étant donné qu'il peut laisser de côté les exigences mécaniques de l'écriture à la main (Siegler, 1998).

Nous venons de voir comment l'enfant franchit une transition importante entre le stade préopératoire et celui des opérations concrètes, transition qui se produit autour de l'âge de six ans. Ce n'est pas sans raison que l'âge du début de la première année est fixé à 6 ans au 30 septembre. C'est généralement à partir de cet âge que les progrès cognitifs de l'enfant lui permettent de faire ses apprentissages scolaires. Voyons maintenant comment l'école peut favoriser ce développement.

Métacognition
Compréhension du fonctionnement de ses propres processus mentaux.

FIGURE 7.8 **L'APPRENTISSAGE DE LA LECTURE ET DE L'ÉCRITURE**

Tout comme l'enfant apprend à traduire le mot écrit en parole (lire), il apprend également à utiliser des mots écrits pour exprimer des idées, des pensées et des sentiments (écrire).

7.3 L'ENFANT ET L'ÉCOLE

L'entrée à l'école est un événement important, et la performance de l'enfant dès sa première année scolaire influencera tout son cheminement. Plus un enfant se sent confiant face à ses habiletés académiques, plus il s'implique et, conséquemment, plus il travaille fort, plus il développe son sentiment d'efficacité.

7.3.1 L'ÉCOLOGIE DE LA RÉUSSITE SCOLAIRE

L'entrée à l'école représente une transition majeure dans la vie de l'enfant. Ce dernier arrive à l'école avec un bagage accumulé depuis la petite enfance : son tempérament, ses habiletés interpersonnelles, son estime de soi, ses habiletés cognitives, son attitude face aux expériences nouvelles. L'ensemble de ces facteurs jouera un rôle dans la réussite scolaire. Cependant l'enfant n'est pas le seul responsable de son succès scolaire. Dans une perspective écologique, nous examinerons les facteurs qui favorisent la réussite de l'enfant à l'école.

• LE RÔLE DE L'ENFANT

Les caractéristiques ontosystémiques de l'enfant ont un impact sur le vécu scolaire. On sait aussi que le sexe de l'enfant a une influence considérable sur la réussite scolaire. Le décrochage scolaire est un phénomène qui touche beaucoup plus de garçons que de filles. En 2001, 34,7 % de garçons contre 20,6 % des filles n'obtenaient pas leur diplôme d'études secondaires (ministère de l'Éducation, 2003). L'encadré 7.2 s'attarde à la question de l'éducation des garçons. Parmi les autres facteurs ontosystémiques en cause dans la réussite scolaire, on retrouve le tempérament, les habiletés sur le plan du langage, les troubles de comportement et la perception de l'école et des enseignants. Dans l'étude récente de Bouchard et Saint-Amant (2000), on constate que les élèves «qui connaissent le succès à l'école partagent une vision positive de l'école, du personnel enseignant et de l'apprentissage (p. 285)». Ils considèrent que l'école est importante non seulement pour leur développement scolaire, mais aussi pour leur développement personnel. Par contre, les élèves en difficulté qualifient à peu près tous l'école de «plate». Ils ont des attentes minimales par rapport à l'école et ne s'y sentent pas valorisés. La motivation des enfants et leurs perceptions quant à leurs capacités de réussir influencent la performance scolaire. Les enfants éprouvant un sentiment d'efficacité personnelle élevé se croient capables de maîtriser leurs travaux scolaires et de contrôler leurs propres apprentissages. Ces enfants sont aussi plus susceptibles de réussir que ceux qui doutent de leurs capacités. Comme nous le verrons dans le chapitre 9, les études sur la motivation indiquent que certaines variables influencent la motivation : la perception de la valeur de la tâche à accomplir, la perception de la capacité à l'accomplir et le degré de contrôle sur la tâche. Ainsi, pour être motivé à participer à l'école, les enfants doivent voir l'utilité des matières qu'ils apprennent, sentir qu'ils peuvent en faire l'apprentissage et qu'ils ont une marge de manœuvre dans leurs façons d'apprendre (Greg, 2004).

• LE RÔLE DE LA FAMILLE

De toutes les personnes qui gravitent autour de l'enfant, c'est le microsystème familial qui influence le plus la réussite scolaire des enfants. Les parents des enfants qui réussissent savent créer un environnement propice à l'apprentissage (une place pour étudier, un horaire faisant place aux devoirs, des heures de télévision réduites), ils démontrent de l'intérêt pour la vie scolaire de l'enfant et s'impliquent dans les activités scolaires. Il est possible que la réussite de Maxime en classe soit due en bonne partie au soutien de ses parents.

Comment les parents peuvent-ils motiver leurs enfants ? Quelques-uns utilisent des moyens extrinsèques (externes), comme donner de l'argent ou des cadeaux pour des bonnes notes et punir pour les mauvaises. D'autres encouragent les enfants à développer une motivation intrinsèque (interne) en les félicitant pour leur travail et en valorisant leurs efforts, ce qui

Quand école rime avec féminité

Par Annie Deveault

Nous aborderons la question du décrochage scolaire dans le prochain chapitre, qui porte sur l'adolescence. Nous nous poserons tout d'abord cette question : Comment se fait-il que les écarts entre les garçons et les filles soient si grands en ce qui concerne le taux de difficultés scolaires? Certains répondent à cette question en disant : l'école est un univers qui favorise les filles et qui est dirigé par des femmes; celles-ci basent leur enseignement sur des modèles féminins. Cette explication, quoique n'étant pas totalement fausse, demande un peu plus de nuances. Le Groupe de réflexion sur l'éducation des garçons (Greg, 2004) passe en revue les explications possibles de la plus grande difficulté des garçons à l'école.

D'abord, sur le plan physiologique, les garçons diffèrent des filles. On dit souvent que les garçons ont besoin de bouger davantage et d'être actifs dans leurs apprentissages. La pédagogie par projet, de plus en plus développée au Québec, suscite davantage l'intérêt des garçons que ne le font les méthodes plus classiques dans lesquelles l'enfant doit apprendre de façon passive.

La socialisation des garçons jouerait également un rôle. En effet, le processus d'identification des garçons au genre masculin aurait pour effet de repousser des valeurs associées à la réussite scolaire (comme la persévérance et la performance scolaire) par les garçons, parce qu'ils les considèrent comme des valeurs féminines (Ministère de l'Éducation, 2003). Il en résulte que, pour les garçons, l'école est un mal nécessaire permettant d'acquérir des connaissances, mais elle n'est pas perçue comme un lieu agréable où l'on se développe comme personne et où l'on se sent valorisé, comme c'est le cas pour les filles. La performance scolaire affecte différemment la popularité des garçons et des filles, parce que les idéaux de la masculinité et de la féminité diffèrent. Chez les filles, la réussite scolaire est un critère de popularité, alors que pour être populaire, un garçon doit être en mesure de défier l'autorité et de ne pas être trop performant, sous peine de se faire étiqueter de « nerd » ou de « tapette ». Cette constatation amène Greg à proposer qu'un travail de fond soit accompli pour défaire les stéréotypes sexuels associés à la réussite scolaire.

Nous avons vu que les parents jouent un rôle primordial dans le succès scolaire des enfants. Or, les mères sont plus présentes dans le suivi scolaire que les pères. Ceci influence peut-être la perception du garçon, qui croit que les apprentissages scolaires sont une « affaire de femmes ». La participation plus grande des pères représente peut-être une solution pour contrer le décrochage scolaire des garçons. De la même façon, la très faible présence d'hommes dans le milieu scolaire ne fournit pas aux garçons des modèles masculins de valorisation de l'école. Une plus grande présence d'enseignants masculins pourrait être bénéfique, tant pour les filles que pour les garçons qui seraient exposés à une plus grande diversité de modèles.

Depuis une dizaine d'années, le problème de la réussite scolaire des garçons interpelle de nombreux acteurs de la société québécoise, en particulier du milieu scolaire. Dans ce contexte, certains ont développé des interventions tentant de contrer le rejet de l'école par les garçons. Voyons les différentes stratégies utilisées.

- La fin de la mixité : les filles et les garçons fréquentent les mêmes classes depuis 40 ans. Certains professionnels de l'éducation croient que les classes devraient être désormais séparées selon le sexe des enfants, étant donné que les modes d'apprentissage des garçons et des filles diffèrent.

- Les activités parascolaires : certaines écoles développent sur l'heure du dîner des activités sportives qui visent à faire bouger les garçons et à leur faire dépenser leur trop plein d'énergie. D'autres développent des périodes d'activités spécifiquement destinées aux garçons, comme des sorties sportives deux journées par année.

- Les interventions psychosociales : certains spécialistes du milieu scolaire mettent sur pied des programmes de soutien aux garçons qui éprouvent des difficultés à l'école. Ces programmes incluent des activités qui correspondent à leurs intérêts (sorties sportives, activités culturelles), et des discussions de groupe visant à modifier la perception négative qu'ils ont de l'école.

- Les méthodes d'enseignement : les garçons et les filles ont des capacités similaires mais des styles cognitifs différents. La pédagogie par projet, davantage pertinente pour les garçons, constitue une autre avenue pour déjouer le décrochage scolaire des garçons. Elle consiste par exemple à construire une cabane pour les oiseaux. Cet exercice impliquera divers apprentissages : mesurer les dimensions de la cabane à construire, se procurer le matériel nécessaire, faire des recherches sur les types d'oiseau que l'on veut attirer, ajuster les dimensions de la cabane en fonction des oiseaux. Les enfants doivent également réfléchir à des stratégies pour se procurer l'argent pour nourrir les oiseaux, etc. Les projets sont souvent présentés à la classe, ce qui favorise les capacités d'expression orale.

L'ensemble de ces stratégies présentent l'avantage de maintenir les garçons sur les bancs d'école. Des évaluations systématiques de leur efficacité restent cependant à développer

---

s'avère beaucoup plus efficace que les moyens extrinsèques. Les enfants développent ainsi le plaisir de travailler et la satisfaction de bien faire.

Le niveau socioéconomique de la famille est aussi associé à la réussite scolaire. Il s'exerce à travers l'ambiance familiale, le voisinage, la qualité des écoles disponibles et dans la façon dont les parents élèvent leurs enfants. Le statut socioéconomique peut affecter la capacité des parents à procurer un environnement qui encourage l'apprentissage. Le taux de non-diplômation au secondaire serait deux fois plus élevé dans les milieux socioéconomiques plus faibles (Bouchard et Saint-Amant, 2000). Toutefois plusieurs enfants provenant de milieux défavorisés réussissent bien à l'école. Ce qui fait la différence, c'est le **capital social** : les ressources familiales et communautaires sur lesquelles les enfants peuvent

Capital social
Ressources familiales et communautaires sur lesquelles les enfants peuvent compter.

compter. Dans une intervention expérimentale échelonnée sur trois ans, on a augmenté le salaire des parents pour que leurs revenus se situent au-dessus du seuil de pauvreté et on leur a offert un supplément pour les soins de santé des enfants. Ces parents ont manifesté moins de stress et plus d'optimisme qu'un groupe contrôle, et leurs enfants d'âge scolaire ont amélioré leur comportement et leur rendement académique (Huston *et al.,* 2001).

Le style parental jouerait également un rôle. Les parents directifs sont ceux qui favorisent le plus la réussite des enfants à l'école. Ils encouragent la participation scolaire des enfants mais favorisent également leur autonomie. L'attitude des parents envers l'école est importante. Les attitudes positives des parents face à l'éducation et à l'école, de même que des attentes élevées quant à la réussite de l'enfant augmentent les chances de succès de l'enfant. Il semble que les mères sont beaucoup plus présentes que les pères dans le suivi scolaire. Par ailleurs, parmi tous les facteurs prédictifs de la performance scolaire des enfants, la scolarité des parents constitue le facteur le plus puissant (Epstein, 1988). Enfin, des événements stressants subis par la famille, tels que le divorce des parents, ont le potentiel d'affecter les enfants dans leur vécu scolaire. « Les familles touchées par la séparation ou le divorce passent par une phase de désorganisation qui affecte tous les membres de la famille à des degrés divers (Corriveau *et al.,* 1998, p. 268) ». L'enfant peut temporairement éprouver des difficultés à se concentrer, ce qui affectera ses résultats scolaires.

• LES RELATIONS FAMILLE-ÉCOLE

La collaboration mésosystémique entre la famille et l'école représente une variable déterminante et un facteur de protection dans le processus de l'intégration et de l'adaptation scolaire des enfants, en particulier les plus défavorisés (MSSQ, 1998a). La participation du parent à l'école diminue les problèmes de comportements des enfants et augmente leur perception positive de l'école ainsi que leurs résultats académiques. La communication entre la famille à l'école est primordiale. L'étude de Deslandes et Jacques (2004) révèle que plus les parents font confiance à l'enseignant, que plus ils ont l'occasion d'échanger avec lui au sujet des progrès de l'enfant et que plus ils sentent qu'ils peuvent partager avec lui leurs préoccupations au sujet de l'enfant, plus l'enfant est à l'aise à l'école et s'ajuste à cet environnement. Les échanges avec l'école auront des effets bénéfiques sur l'enfant s'ils sont positifs, efficaces et bidirectionnels, et si les deux parties respectent les valeurs et les compétences de chacun (Jacques et Deslandes, 2002). L'approche de l'« empowerment », que nous avons étudiée au chapitre 6, peut s'appliquer au contexte scolaire. Si les parents se sentent valorisés et respectés dans leurs rapports avec l'école, les chances de réussite de l'enfant augmentent. Le partenariat établi entre l'école et la famille implique le partage des connaissances, des compétences et des prises de décision entre la famille et l'école. L'analyse de Miron (2004) indique que les parents perçoivent plus favorablement le milieu scolaire lorsque les relations famille-école sont basées sur l'« empowerment ». L'effet positif se répercute sur l'estime de soi des parents et leurs sentiments de contrôle face au milieu scolaire fréquenté par leur enfant.

• LES AUTRES FACTEURS LIÉS À LA RÉUSSITE SCOLAIRE

Le groupe de pairs aurait également une influence sur la performance de l'enfant. En effet, si le groupe de pairs valorise la réussite scolaire, il y aura un effet d'entraînement chez l'enfant qui, voulant s'identifier à son groupe, valorisera également la participation à l'école. Les enfants ont d'ailleurs tendance à se regrouper avec ceux qui ont des performances académiques similaires (Gagnon, 1999). Les apprentissages nécessaires à la réussite scolaire tels que la persévérance, la détermination, le dynamisme, pourront être imités par les enfants d'un même groupe. L'école elle-même joue également un rôle. Le climat qui règne à l'école, les règles à suivre, les activités proposées constituent des facteurs importants. Cependant, par-dessus tout, ce sont les relations que l'enfant développe avec ses enseignants qui marquent son cheminement scolaire. Or, si en général les enseignants perçoivent leurs élèves positivement, ils ont tendance à entretenir une perception plus négative des enfants en difficulté scolaire (Potvin et Rousseau, 1993), ce qui a pour effet, bien entendu, de démotiver l'enfant davantage. Enfin, sur le plan exosystémique, mentionnons que les programmes éducatifs proposés par le gouvernement présentent un certain degré d'influence sur la réussite scolaire des enfants. Ces programmes doivent être adaptés aux besoins de l'enfant et favoriser son intérêt pour l'école.

• LE SYSTÈME ÉDUCATIF

Comment l'école peut-elle favoriser le développement de l'enfant ? Tout au long du 20ᵉ siècle, nous avons vu défiler plusieurs philosophies de l'éducation contradictoires, allant de l'apprentissage par cœur aux modèles sociocognitifs, en passant par la pédagogie ouverte et plusieurs autres théories éducatives.

Aujourd'hui de nombreux éducateurs recommandent d'enseigner aux enfants en intégrant des projets reliés à leurs intérêts et à leurs talents naturels : on peut, par exemple, enseigner la lecture et l'écriture dans le contexte d'un projet de recherche sur les autres cultures ou enseigner des concepts mathématiques en étudiant la musique. Selon ces éducateurs, il faut favoriser les projets coopératifs, la résolution de problèmes pratiques et une collaboration étroite entre parents et enseignants. De nombreux éducateurs contemporains mettent également l'accent sur le raisonnement. Dans le contexte d'apprentissages académiques, comme dans les activités quotidiennes, l'enfant à qui l'on apprend à réfléchir obtient de meilleurs résultats aux tests de QI et à l'école (Feldman, 1986). L'encadré 7.3 présente les tendances actuelles dans l'éducation au Québec.

L'utilisation des ordinateurs et la possibilité de naviguer dans Internet ouvrent de nouvelles avenues en éducation : apprentissage individualisé, communications élargies et développement précoce des habiletés de recherche. Toutefois ces nouveaux outils représentent aussi un danger. Au-delà du risque d'être exposé à du matériel pernicieux ou inapproprié, les jeunes doivent apprendre à exercer leur esprit critique pour évaluer l'information trouvée et pour séparer les faits des opinions ou des publicités (Lee, 1998).

Si l'on se fie aux résultats de la dernière enquête du programme PISA (Programme for International Student Assessment) de l'OCDE, le Canada possède l'un des meilleurs systèmes d'éducation au monde – au sein du Canada, le Québec n'est devancé que par l'Alberta et la Colombie-Britannique. Le programme PISA 2003 touche plus de 250 000 élèves de 15 ans provenant de 41 pays. Il est axé principalement sur l'apprentissage des mathématiques, mais il évalue aussi les habiletés de lecture et les résultats en sciences (OCDE, 2004).

7.3.2 QUELQUES PROBLÈMES D'APPRENTISSAGE

Malgré tous les changements que l'on peut apporter dans le système éducatif, il reste encore des domaines pour lesquels il faut recourir à une éducation spécialisée. Certains enfants ont des besoins particuliers dont il faut tenir compte. Explorons ensemble trois de ces domaines.

• LA DÉFICIENCE INTELLECTUELLE

La **déficience intellectuelle** est définie comme un fonctionnement intellectuel situé bien en deçà de la moyenne. Elle s'accompagne d'un QI de 70 ou moins et de lacunes importantes sur le plan de la communication et de la socialisation. Dans 30 % à 40 % des cas, la cause de la déficience reste inconnue. Les causes connues se répartissent comme suit, dans un ordre décroissant de fréquence : problèmes lors du développement de l'embryon, comme dans le cas du syndrome d'alcoolisation fœtale ; troubles mentaux, comme l'autisme ; complications durant la grossesse et l'accouchement, comme la malnutrition fœtale et le manque d'oxygène à la naissance ; facteurs héréditaires et troubles physiques survenus dans l'enfance, comme un traumatisme ou un empoisonnement au plomb (American Psychiatric Association, 1994). Plusieurs causes de déficience intellectuelle peuvent faire l'objet de prévention.

La plupart des enfants déficients intellectuels peuvent bénéficier d'une scolarisation, si la déficience est faible ou modérée. Un milieu favorable et stimulant dès les premières années

FIGURE 7.9   **L'UTILISATION DE L'ORDINATEUR EN CONTEXTE SCOLAIRE**

L'utilisation des ordinateurs et la possibilité de naviguer dans Internet ouvrent de nouvelles avenues en éducation, mais les jeunes doivent apprendre à exercer leur esprit critique.

Déficience intellectuelle

Fonctionnement intellectuel situé bien en deçà de la moyenne, accompagné d'importantes lacunes sur le plan de la communication et de la socialisation.

et un encadrement soutenu favorisent le développement de ces enfants. La plupart des enfants déficients peuvent donc aller à l'école jusqu'au secondaire, occuper un emploi, vivre dans leur communauté et fonctionner relativement bien en société. Par contre, les enfants

CONTEXTE QUÉBÉCOIS

ENCADRÉ 7.3

L'école québécoise

En 1995, les États généraux sur l'éducation ont conduit à repenser le système éducatif du Québec et, en 2001, une réforme scolaire était implantée à partir du Programme de formation de l'école québécoise (MEQ, 2001). Cette réforme s'inspire des recherches les plus récentes en pédagogie et tient compte du fait que les connaissances acquises doivent constamment être remises à jour. Il s'agit donc de mettre de l'avant «une pédagogie de la découverte et de la production plutôt qu'une pédagogie qui mise sur la consommation de connaissances» (*L'école, tout un programme, Énoncé de politique éducative,* 1997, page 15).

Ce programme vise avant tout le développement intégral de l'élève. Il place ce dernier au cœur de sa formation. Pour ce faire, il cherche à éveiller la curiosité intellectuelle de l'élève en l'amenant à développer les différentes facettes de sa vision du monde. Ses assises pédagogiques proviennent du postulat que chacun cherche à donner un sens à ce qu'il fait, et qu'il est inutile d'acquérir des connaissances si l'on est incapable de leur donner un sens. Combien de fois avez-vous entendu – ou peut-être dit vous-même – «À quoi ça sert de savoir ça?» Toutes les recherches en pédagogie démontrent que si un élève s'investit dans un projet concret et stimulant, il fera les apprentissages nécessaires à la réalisation de son projet et il saura à quoi servent ces apprentissages. Le programme de formation de l'école québécoise propose donc une pédagogie par projets, une pédagogie dans laquelle l'élève se pose des questions et cherche activement des solutions en confrontant ses idées à celles de ses camarades ou des enseignants et enseignantes. On favorise la collaboration plutôt que la compétition. L'enfant acquiert ainsi non seulement des connaissances, mais aussi des stratégies pour savoir quand et comment les utiliser.

La formation au primaire est divisée en trois cycles de deux ans : une année d'acquisition de connaissances nouvelles et une année de consolidation. Cette division favorise l'intégration des connaissances, puisque l'élève aura le temps de les réorganiser et de faire des liens. On juge ainsi qu'il sera plus facile d'aider l'élève plus faible à s'ajuster et de proposer de nouveaux défis à l'élève plus doué. C'est aussi la raison pour laquelle il n'y aura plus de redoublement : puisqu'on considère que le fait de redoubler comporte plus de conséquences négatives que positives. Non seulement le redoublement ne favorise pas la réussite, mais il nuit à l'estime de soi de l'élève.

Le programme de formation est construit autour de trois grandes composantes : les domaines d'apprentissage, les compétences transversales et les domaines généraux.

Les compétences transversales

Les compétences transversales sont en quelque sorte des méthodes de travail indispensables à la poursuite des études, des habiletés communes à toutes les disciplines du savoir et qui peuvent s'appliquer à plusieurs situations. Exploiter l'information, résoudre des problèmes, exercer son jugement critique ou mettre en œuvre sa pensée créatrice sont des exemples de compétences transversales. C'est aussi se donner des méthodes de travail efficaces, exploiter les technologies de l'information ou pouvoir communiquer de façon appropriée. Certaines de ces compétences sont d'ordre personnel et social, comme structurer son identité et être capable de coopérer.

Les domaines généraux de formation

Le programme de formation propose cinq domaines d'intérêts qui correspondent à des attentes sociales ou qui font partie des préoccupations de la vie quotidienne. Ces domaines sont les suivants : apprendre à cultiver de saines habitudes de vie; apprendre à bien se connaître et à mener à terme ses projets; apprendre à développer son esprit critique à l'égard des médias; apprendre l'importance d'agir en consommateur averti et à faire appel à son sens de la responsabilité à l'égard de l'environnement; apprendre à jouer un rôle actif à l'intérieur d'un groupe en manifestant une ouverture d'esprit et du respect.

Les domaines d'apprentissage

Les domaines d'apprentissage correspondent aux disciplines scolaires traditionnelles : les langues, les mathématiques, la science et la technologie, l'univers social (géographie, histoire, éducation à la citoyenneté), les arts et le développement personnel (éducation physique, enseignement moral et religieux). Ces trois grandes composantes du programme de formation sont interreliées et contribuent ensemble à produire un individu ouvert au monde, un citoyen responsable et doté d'un bagage de connaissances et de méthodes lui permettant d'accéder aux échelons supérieurs de l'éducation.

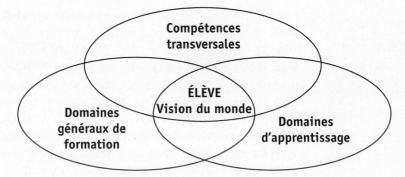

Source : MEQ, Programme de formation de l'école québécoise, Ministère de l'Éducation, Gouvernement du Québec, 2001.

qui souffrent d'une déficience profonde nécessiteront des soins constants, généralement prodigués en institution.

• LES TROUBLES D'APPRENTISSAGE

Nelson Rockefeller, ancien vice-président des États-Unis, éprouvait tellement de difficulté à lire qu'il improvisait ses discours plutôt que de recourir à un texte. Il souffrait de **dyslexie**, un problème d'apprentissage de la lecture non lié à une déficience intellectuelle.

Le terme dyslexie réfère à tous les types de problèmes de lecture et compte pour 80 % des troubles d'apprentissage. La plupart des cas résultent vraisemblablement de problèmes neurologiques dans le traitement des sons. Les enfants dyslexiques sont incapables de reconnaître que les mots sont formés de petites unités de sons, représentés par des lettres. La dyslexie serait en grande partie héréditaire (Plomin, 2001).

Les enfants dyslexiques confondent souvent le haut et le bas, la gauche et la droite ; ils peuvent lire *lion* au lieu de *loin* ; ils inversent également les chiffres : par exemple *48* devient *84*. Ces enfants souffrent aussi de déficiences subtiles dans le langage parlé et écrit, et ont une capacité de mémoire limitée pour les mots. Même s'il est possible, avec un entraînement systématique, d'apprendre à lire à un enfant dyslexique, le processus ne devient jamais vraiment automatique, comme c'est le cas pour la plupart des lecteurs.

Étant donné que le succès scolaire influence grandement l'estime de soi, les troubles d'apprentissage peuvent avoir des conséquences dévastatrices, tant pour la santé mentale que pour le bulletin scolaire.

Les enfants dont le poids à la naissance était faible, ceux qui ont souffert de malnutrition ou de traumatismes à la naissance, ceux qui ont un tempérament « difficile » et ceux qui viennent de familles pauvres et instables sont les plus susceptibles de souffrir de troubles d'apprentissage. Ceux qui s'en tirent le mieux sont ceux dont les problèmes ont été découverts et traités tôt (Levine, 1987).

Parmi les moyens les plus efficaces pour aider les enfants aux prises avec des troubles d'apprentissage se trouvent les techniques de modification du comportement pour favoriser la concentration, les méthodes destinées à améliorer les habiletés de base et à introduire des stratégies cognitives, l'aide apportée dans l'organisation de la vie quotidienne à l'école comme à la maison et, enfin, l'encouragement des progrès accomplis dans les domaines scolaires et autres. De plus, si l'on parvient à identifier leurs points forts de manière à compenser leurs faiblesses et s'ils obtiennent de l'aide psychologique pour traiter les problèmes qui surviennent, comme une faible estime de soi, ces enfants peuvent mener une vie satisfaisante et productive.

L'hyperactivité, classée parmi les troubles du comportement, accompagne souvent les troubles d'apprentissage. Il en est question dans la section suivante.

• LE DÉFICIT DE L'ATTENTION ET L'HYPERACTIVITÉ

Le comportement de Maxime est une situation à laquelle font face plusieurs parents et enseignants. Maxime souffre probablement du **trouble de déficit de l'attention/hyperactivité (TDA/H)**, un syndrome caractérisé par l'inattention persistante ou par l'hyperactivité et l'impulsivité, dans des situations inappropriées. Même si ces comportements sont, jusqu'à un certain degré, le propre de tous les enfants, ils sont parfois tellement prononcés qu'ils nuisent à la vie scolaire et à plusieurs aspects de la vie quotidienne. On estime que ce syndrome affecte de 3 à 11 % des enfants d'âge scolaire partout dans le monde et qu'il touche particulièrement les garçons (Collège des Médecins du Québec, 2001). Dans la moitié des cas, l'hyperactivité se manifeste avant quatre ans, mais, souvent, elle n'est pas dépistée avant l'entrée à l'école (APA, 1994).

Dyslexie
Trouble d'apprentissage répandu qui rend la lecture et la rédaction difficiles ou impossibles.

Trouble de déficit de l'attention/hyperactivité (TDA/H)
Syndrome caractérisé par l'inattention persistante ou l'hyperactivité et l'impulsivité, dans des situations inappropriées.

Des facteurs génétiques jouent un rôle important dans l'hyperactivité. Un gène associé au TDA/H est aussi lié à la recherche de nouveauté, un comportement qui, à l'origine, aidait les humains à s'adapter à des environnements changeants. Le fait que cet avantage soit lié à l'évolution pourrait expliquer pourquoi ce problème est devenu si fréquent dans un monde en perpétuel changement (Ding *et al.,* 2002).

Des études ont aussi démontré que, chez les enfants atteints, certaines structures du cerveau impliquées dans le contrôle de l'attention et de l'impulsivité (entre autres dans le cortex préfrontal) sont anormalement petites. Des facteurs liés à la naissance peuvent aussi être en cause : prématurité, consommation d'alcool ou de tabac pendant la grossesse, exposition au plomb, manque d'oxygène. Les recherches n'ont toutefois démontré aucun lien significatif entre le TDA/H et les additifs alimentaires tels que les colorants ou les saveurs artificiels, les substituts de sucre comme l'aspartame ou le sucre lui-même (Barkley, 1998). Si les symptômes ont tendance à diminuer avec l'âge, le TDA/H peut toutefois persister jusqu'à l'adolescence ou l'âge adulte.

Les médecins prescrivent de plus en plus des médicaments, habituellement des stimulants (comme le Ritalin), afin d'aider l'enfant hyperactif à mieux se concentrer sur son travail et à réduire ses comportements indésirables. Si les doses prescrites sont appropriées, le Ritalin semble efficace à court terme, mais les effets à long terme demeurent inconnus, et les enfants ainsi traités ne réussissent pas mieux les tests de performance scolaire que ceux qui n'ont pas pris de médicaments (APA, 1996). Par ailleurs, plusieurs intervenants s'inquiètent de l'utilisation du Ritalin chez des enfants d'âge préscolaire, alors qu'on ignore encore ses effets sur le cerveau en développement.

L'utilisation du Ritalin demeure très controversée, et il est encore préférable de ne recourir aux médicaments qu'en dernier ressort et comme complément à des programmes de modification du comportement, qui enseignent à l'enfant à vivre en société et à maîtriser son comportement impulsif (Albaret, 1996).

L'intégration de ces enfants dans les classes régulières n'est pas sans poser de problèmes aux enseignants, qui n'ont pas toujours la formation requise pour répondre aux besoins de ces enfants. Par ailleurs, cette pratique permet à ces enfants d'être moins marginalisés et facilite chez leurs pairs l'acceptation des différences.

Chapitre 8

ANNIE DEVAULT

Le développement affectif et social de l'enfant de 6 à 11 ans

PLAN DU CHAPITRE

Ses nouvelles capacités cognitives permettent à l'enfant de développer un concept de soi plus réaliste et plus complet. Conjointement au soi réel, le soi idéal apparaît et permet à l'enfant de se fixer des objectifs et de se projeter dans l'avenir. L'entrée à l'école apporte un changement majeur dans la vie affective et sociale de l'enfant, qui passe maintenant de nombreuses heures en dehors de sa famille. La présence des parents demeure toutefois indispensable pour assurer l'encadrement nécessaire au désir d'autonomie croissant de l'enfant. Ce dernier doit comprendre l'importance et l'utilité des règles qui lui sont imposées. Les problèmes soulevés par la conciliation famille-travail rendent parfois cet encadrement difficile. Les interactions avec les pairs, de plus en plus présents dans la vie de l'enfant, lui ouvrent de nouvelles perspectives, l'aident à mieux se connaître et lui procurent les joies de l'amitié. L'enfant de cet âge n'est cependant pas à l'abri des problèmes de santé mentale tels que les troubles anxieux et la dépression. A.B.

Émile, 8 ans, est en deuxième année. Il déteste l'école. Pour une raison qu'il ignore, Émile n'éprouve aucun intérêt pour le français ou les mathématiques, ni même pour l'éducation physique. Il peut rester assis et donner l'impression qu'il écoute, mais ses résultats scolaires laissent croire qu'il a beaucoup de difficulté à effectuer des apprentissages. En classe, il regarde dehors et «part dans la lune». Personne ne lui parle et il ne parle à personne. De plus, il ne s'entend pas très bien avec son enseignante. Elle ne semble pas l'aimer tellement. Une fois, Émile lui a demandé de l'aide, et elle a rapidement perdu patience en lui disant qu'il ne faisait tout simplement pas d'efforts. Dans la cour d'école, Émile se tient loin des autres, surtout depuis qu'un élève plus grand a tenté de lui voler son «lunch». Émile s'est alors enfui juste à temps. Depuis cet événement, il se rend compte que certaines personnes sont méchantes. Il en a parlé à son père, qui lui a répondu de ne pas se laisser faire ainsi et de se défendre. Émile a senti que, aux yeux de son père, il n'était pas à la hauteur. Cependant il a peur. Que va-t-il lui arriver s'il essaie de se battre ? Il se fera battre à son tour. Émile se sent petit et sans défense, et il sait qu'il ne peut rien faire pour régler le problème. Il en a parlé à Olivier, son seul ami, qui a dit le comprendre parce que lui aussi a peur des plus grands. Au moins, ils vivent cette complicité et, chaque fois que l'occasion se présente, ils se retrouvent dans leur cachette, dans la cour d'école, là où personne ne peut les trouver, pas même les adultes. Il leur est arrivé d'ailleurs de ne pas rentrer en classe lorsque la cloche a sonné. La mère, d'Émile a alors été alertée. Depuis, elle tente de comprendre ce qui arrive à son fils qui, pourtant, n'avait aucune difficulté auparavant. Elle a demandé à son mari d'aller rencontrer l'enseignante pour résoudre le problème. L'enseignante, surprise de voir arriver le père plutôt que la mère, a parlé des difficultés vécues par Émile en classe et du fait qu'il semblait rejeté de ses pairs. Ensemble ils ont élaboré un plan pour mieux encadrer Émile non seulement dans ses apprentissages scolaires, mais aussi dans ses relations avec les autres enfants.

QUESTIONS À SE POSER

· *Que pouvons-nous constater au sujet de la perception qu'Émile a de lui-même ? Quels sont les éléments qui influencent cette perception ?*

· *Identifiez les émotions ressenties par Émile.*

· *Quel est le degré de popularité d'Émile auprès de ses pairs ? Quelles conséquences cela a-t-il sur ses comportements envers les autres ?*

· *De quel type d'agression Émile a-t-il été victime ?*

L'âge scolaire est marquant pour plusieurs raisons. Nous venons de voir, au chapitre précédent, que les capacités cognitives des enfants franchissent un pas important. Le développement affectif se complexifie lui aussi. L'univers de l'enfant s'élargit considérablement avec l'approfondissement des relations d'amitié. Bien entendu, l'entrée à l'école, et l'autonomie qu'elle implique, ouvre un monde qui, désormais, appartient à l'enfant. En effet, quoique les relations familiales soient toujours d'une importance fondamentale, l'âge scolaire amène l'enfant à se créer une vie de plus en plus autonome et indépendante de sa famille. Nous verrons dans ce chapitre comment l'enfant se développe sur le plan personnel à travers l'évolution de la représentation de soi. Avec l'aide des théories psychanalytiques, nous approfondirons le développement de sa personnalité. Nous aborderons ensuite les relations de l'enfant au sein de sa famille, puis au sein de son groupe de pairs. Puisque l'école prend une importance capitale à cette période, nous noterons certains facteurs d'ordre affectif qui influencent la réussite des enfants à l'école. Nous examinerons par la suite des situations plus difficiles, dans lesquelles les enfants souffrent de problèmes de santé mentale. Finalement nous décrirons le stress ressenti par les enfants dans la famille d'aujourd'hui.

8.1 LE SOI EN DÉVELOPPEMENT

Nous avons vu, au chapitre 6, comment naît le concept de soi. Durant la période préscolaire, la conception de soi de l'enfant était relativement simple. Les enfants se décrivaient plutôt en termes concrets et unilatéraux. Les progrès de l'enfant d'âge scolaire sur le plan cognitif lui permettent désormais de développer une image de soi beaucoup plus complexe et réaliste. Cette transition favorisera l'approfondissement du développement de l'enfant sur le plan émotionnel.

8.1.1 LA REPRÉSENTATION DE SOI

Lorsque l'enfant atteint l'âge de sept ou huit ans, ses capacités cognitives l'amènent à développer un concept de soi beaucoup plus nuancé. Les jugements qu'il porte sur lui-même deviennent plus réalistes, plus complets et ils incluent à la fois des éléments positifs et négatifs. L'enfant parle beaucoup plus facilement de lui-même que dans la période précédente. Il peut se décrire d'une façon globale en incluant des aspects différents de sa personnalité (Harter, 1998). Par exemple, Lisa, huit ans, se décrit comme suit : « À l'école, je me sens bonne dans certaines matières, en particulier le français et les arts. J'ai obtenu de très bons résultats pour mon dernier bulletin et j'en suis très fière. Mais, lorsque je me compare aux amis de ma classe, je sais que je suis vraiment nulle en mathématiques. Je ne m'en fais pas trop avec cela, parce que les maths ne sont pas si importantes que ça pour moi. Les relations avec mes amies sont vraiment plus importantes (traduction libre de Harter, 1996, p. 208) ».

FIGURE 8.1 LA REPRÉSENTATION DE SOI

Lorsque l'enfant atteint l'âge de sept ou huit ans, ses capacités cognitives l'amènent à développer un concept de soi beaucoup plus nuancé et réaliste.

La description que Lisa fait d'elle-même montre bien qu'elle peut décrire plusieurs aspects différents de sa personne. Elle ne se définit pas, comme le ferait un enfant plus jeune, en termes de « noir ou blanc ». Elle se décrit comme étant bonne dans certaines matières et « nulle » dans d'autres. Sa description inclut des jugements concernant ses propres valeurs ou préférences : « Les relations avec mes amies sont vraiment plus importantes ». Enfin, Lisa peut se définir en se comparant avec d'autres enfants de son âge, ce qui influencera le développement de son estime de soi.

• LE SOI RÉEL ET LE SOI IDÉAL

La période d'âge scolaire correspond en effet à l'apparition de la notion du **soi réel**, qui représente ce qu'une personne est vraiment ; et du **soi idéal**, soit ce que la personne voudrait être. Lorsque l'enfant acquiert cette nuance, il est davantage en mesure de prendre conscience de la distance qui le sépare de son idéal ou de son objectif, comme le fait Lisa par rapport aux mathématiques. Un écart important entre le soi réel et le soi idéal est habituellement un signe de maturité (Maccoby, 1980). Il semble que l'enfant qui se fixe des normes personnelles élevées contribue à son propre développement. En effet, en évaluant la différence entre le soi idéal et le soi réel, l'enfant peut se fixer des objectifs qui le font évoluer vers son soi idéal.

Soi réel
Idée qu'une personne se fait de ce qu'elle est vraiment.

Soi idéal
Idée qu'une personne se fait de ce qu'elle devrait être.

Le soi idéal, partie intégrante du concept de soi, est nettement influencé par les standards de la société. En effet, les jugements que les enfants portent sur eux-mêmes se basent sur les normes véhiculées dans la société. La chercheure américaine Harter (1985a) a demandé à des enfants de huit à douze ans d'évaluer leur apparence, leur comportement, leurs performances scolaires, leurs habiletés sportives ainsi que le degré d'acceptation de la part de leurs pairs. Puis, elle leur a demandé laquelle, parmi ces dimensions, était la plus importante pour se décrire soi-même. Les enfants ont révélé que l'apparence arrivait en premier lieu, suivie de l'acceptation par les pairs. Le succès scolaire, les habiletés sportives et le comportement étaient jugés moins importants. Sans pouvoir affirmer que ces résultats s'appliquent à notre société, ils suggèrent tout de même qu'à cet âge la définition de soi passe par les relations avec les pairs, via l'apparence ou le degré d'acceptation ressenti. Nous reviendrons à l'importance de l'amitié à la section 8.4.

• L'IMPORTANCE DU SOUTIEN SOCIAL

Au chapitre 6, nous avons mentionné l'effet que peut avoir le soutien social sur les comportements parentaux. Toutefois le soutien social est également bénéfique pour l'enfant et il contribue à favoriser l'estime de soi. Le soutien social que l'enfant reçoit de ses parents, de ses copains de classe et de ses professeurs lui fournit des messages importants pour son estime de soi. Les gens de son entourage sont-ils attentifs à lui ? Le traitent-ils comme une personne qui possède de la valeur, qui a des choses importantes à dire ? Si l'enfant ressent qu'il a une place bien à lui dans l'esprit des personnes importantes de sa vie, il se sentira valorisé. Un enfant ne pourra pas, en effet, entretenir une estime de soi élevée s'il n'est pas soutenu dans ses perceptions par les messages de son entourage. La présence de soutien, par contre, accentuera son estime de soi qui, comme nous l'avons déjà mentionné, représente un gage de développement sain pour l'enfant, et cela, sur une multitude de plans, dont celui du développement émotionnel (Duclos, 2000).

8.1.2 LE DÉVELOPPEMENT ÉMOTIONNEL

Plus les enfants vieillissent, plus ils sont conscients de leurs émotions et de celles des autres. Ils peuvent ajuster leurs réactions émotionnelles aux situations dans lesquelles ils se trouvent ainsi que répondre à la détresse émotionnelle d'une autre personne. Pour les enfants d'environ sept ans, la honte et la fierté, qui dépendent non seulement du degré de connaissance de l'impact de leurs propres actions sur les autres mais aussi de leur socialisation, affectent l'opinion qu'ils ont d'eux-mêmes. Cet âge est également marqué par une plus grande aptitude de l'enfant à verbaliser des émotions contradictoires, ce qui représente une nouvelle habileté émotionnelle (voir le tableau 8.1, qui décrit les étapes dans les niveaux de compréhension des émotions contradictoires des enfants). Harter (1996) fournit un exemple de cette capacité de nuancer ses émotions chez une petite fille de huit ans : « Je n'aime pas les garçons de ma classe, car ils sont vraiment désagréables, mais je ne me sens pas comme ça par rapport à mon frère, même s'il m'énerve parfois. Je l'aime, mais, en même temps, il fait des choses qui me choquent. Mais j'essaie de me contrôler, parce que je me sentirais idiote si je me mettais en colère (p. 208) ».

Les comportements prosociaux apparaissent, comme nous l'avons vu, à l'âge préscolaire, mais ils se renforcent à la période scolaire. Les enfants deviennent alors encore plus enclins à l'empathie, comme le démontre Olivier, l'ami d'Émile, dans la mise en situation du début du chapitre. La présence de comportements prosociaux est le signe d'une bonne adaptation émotionnelle de l'enfant. Les enfants capables de comportements prosociaux, c'est-à-dire capables de porter attention aux autres dans les jeux ou les conversations, agissent de manière plus appropriée dans des contextes de groupe, vivent moins d'émotions négatives et sont capables de résoudre les problèmes de manière constructive (Eisenberg *et al.*, 1996).

Le contrôle des émotions négatives représente une autre dimension du développement émotionnel. Les enfants se rendent compte de ce qui les met en colère, de ce qui les rend tristes ou leur fait peur. Ils acquièrent également une connaissance des réactions des autres lorsque ces derniers manifestent ces émotions. Cette meilleure connaissance des réactions de l'entourage fera en sorte que l'enfant ajustera son comportement. Les enfants de cet âge peuvent aussi distinguer entre la présence d'une émotion et l'expression de cette émotion. Par exemple, des enfants de maternelle croient que lorsqu'un enfant pleure, l'émotion disparaîtra si un parent lui conseille de cesser de pleurer. Par contre, un enfant de onze ans sait que l'arrêt des pleurs ne signifie pas nécessairement la suppression de l'émotion (Rotenberg et Eisenberg, 1997). La mise en situation du début de chapitre montre qu'Émile est capable d'identifier plusieurs émotions : la peur, l'inconfort dans ses relations avec son enseignante. Il peut donner des informations sur son estime de soi et comprendre les émotions des autres.

Nous avons vu précédemment que la culture d'appartenance joue un rôle majeur dans l'apprentissage de l'expression des émotions. À l'âge scolaire, l'enfant est tout à fait conscient des règles qui prévalent dans sa propre culture. Les réactions de ses parents et des autres adultes à l'expression de ses émotions sont à la base de cet apprentissage. Notre compréhension des émotions des enfants d'âge scolaire est non seulement issue des études empiriques, mais elle provient aussi des théories psychanalytiques.

TABLEAU 8.1 NIVEAUX DE COMPRÉHENSION DES ÉMOTIONS CONTRADICTOIRES CHEZ LES ENFANTS (HARTER, 1996)

NIVEAU	ÂGE APPROXIMATIF	CE QUE L'ENFANT COMPREND	CE QUE L'ENFANT POURRAIT DIRE
Niveau 0	3-6 ans	Les enfants ne peuvent comprendre l'existence d'émotions contradictoires. Ils ne peuvent même pas reconnaître que deux émotions similaires telles que la colère et la tristesse peuvent coexister.	«Tu ne peux avoir deux émotions en même temps, parce que tu n'as qu'un seul cœur.»
Niveau 1	6-7 ans	Les enfants développent des catégories pour classifier les émotions positives et les émotions négatives. Ils peuvent reconnaître l'existence de deux émotions simultanées, mais seulement dans les cas où les émotions sont similaires et dirigées vers la même cible.	«Si mon frère me frappait, je serais triste et en colère.»
Niveau 2	7-8 ans	Les enfants peuvent reconnaître la coexistence de deux émotions similaires dirigées vers des cibles différentes. Toutefois ils ne comprennent pas la coexistence de deux émotions contradictoires.	«J'étais très excité d'aller rendre visite à mes grands-parents au Mexique. Je n'avais pas peur. Je ne pourrais pas avoir peur et être content en même temps.»
Niveau 3	8-10 ans	Les enfants peuvent intégrer des émotions positives et des émotions négatives. Ils peuvent comprendre que l'on peut avoir des émotions contradictoires, mais seulement dans les cas où les cibles sont différentes.	Une petite fille peut exprimer des émotions négatives à l'endroit de son petit frère, telles que «J'étais fâchée contre lui, donc je l'ai pincé.» et exprimer des émotions positives envers son père, telles que «J'étais contente parce que mon père ne s'est pas fâché contre moi». Cependant elle ne pourrait pas reconnaître qu'elle éprouve des émotions négatives et positives pour la même personne.
Niveau 4	11 ans	Les enfants peuvent décrire des émotions contradictoires dirigées vers une même cible.	«Je suis contente de fréquenter ma nouvelle école, mais j'ai aussi un peu peur.»

8.2 LE DÉVELOPPEMENT DE LA PERSONNALITÉ DE 6 À 11 ANS : LES APPROCHES THÉORIQUES

Comme ce fut le cas pour les périodes d'âge précédentes, nous examinerons l'évolution de la personnalité de l'enfant selon les théories de Freud et celles d'Erikson.

8.2.1 LA THÉORIE PSYCHOSEXUELLE DE FREUD

Après la «tempête de l'Œdipe», décrite au chapitre 6, au cours de laquelle l'enfant a vécu beaucoup d'anxiété et d'émotions intenses, survient, selon Freud, la **période de latence**. Cette période se distingue par l'absence d'investissement de l'enfant dans une zone érogène particulière, d'où le terme de «période» plutôt que de «stade». Pour Freud, c'est une période de repos pendant laquelle l'enfant se détourne des préoccupations d'ordre sexuel. Si l'enfant a résolu le complexe d'Œdipe en s'identifiant au parent du même sexe, il bénéficie maintenant d'un surmoi qui le rend plus conscient des règles sociales, règles qu'il choisit désormais de suivre volontairement. La présence du surmoi facilitera pour l'enfant l'obéissance aux règles et à la discipline inhérente à la vie scolaire (Golse, 2001). L'identification facilitera également la motivation scolaire de l'enfant, puisqu'il voudra suivre les traces de son parent par le biais de l'entrée à l'école. Le développement des compétences intellectuelles et des habiletés sociales, largement présentes dans le contexte scolaire, caractérise la période de latence.

L'idée que l'enfant prendrait une distance par rapport à la sexualité est contestée par des chercheurs contemporains. En effet, les enfants de cet âge ont des jeux sexuels, se

Période de latence

Quatrième étape du développement psychosexuel, caractérisée par le refoulement des pulsions sexuelles causé par la présence du surmoi et leur sublimation dans des activités scolaires, sociales et culturelles.

masturbent et posent des questions au sujet de la sexualité. Les enfants seraient portés à cacher cet intérêt pour la sexualité à cause de la réprobation des adultes et aussi parce qu'ils sont désormais plus conscients des standards sociaux relatifs à la sexualité.

Il est intéressant de tracer un parallèle entre la période de latence, axée sur le développement intellectuel, et la période des opérations concrètes de Piaget. Selon Freud, l'enfant a besoin de prendre une distance par rapport à la sexualité pour un certain temps. Il sublimera (ou transformera) alors ses fantasmes par le biais d'opérations cognitives très concrètes, comme par exemple la sériation ou la classification, auxquelles il prendra un réel plaisir. La capacité de l'enfant de se concentrer sur ces tâches intellectuelles comblera son besoin de prendre une distance vis-à-vis des conflits émotionnels (Glose, 2001).

8.2.2 LA THÉORIE PSYCHOSOCIALE D'ERIKSON

Travail versus infériorité
Quatrième crise dans la théorie du développement psychosocial d'Erikson, dans laquelle l'enfant doit faire l'apprentissage de certaines habiletés favorisées par la culture. Il doit aussi être conscient de ses limites sans développer un sentiment d'infériorité.

Comme Freud, Erikson considère les années scolaires comme une période de calme sur le plan affectif. En parallèle avec la période de latence, Erikson met l'accent sur la maîtrise d'habiletés qui serviront à l'enfant dans le contexte scolaire. La crise qui survient entre 6 et 11 ans est celle qu'Erikson appelle **travail versus infériorité**. La notion de travail représente les tâches que l'enfant de cet âge doit apprendre : les tâches scolaires mais également les sports de groupe et la vie en société. La comparaison sociale inhérente à cette période d'âge appelle la notion d'infériorité. Dans le cadre de ses apprentissages, l'enfant, se comparant à ses pairs, pourra ressentir un sentiment d'infériorité par rapport aux autres. Comme dans les crises eriksoniennes précédentes, c'est l'équilibre entre les deux pôles qui favorisera le développement d'une saine personnalité. Par le travail, l'enfant développera un sentiment de compétence, soit l'impression de pouvoir maîtriser et accomplir les tâches qui lui incombent. En comparant ses propres compétences avec celles de ses pairs, l'enfant élaborera une meilleure connaissance de lui-même et de ses limites. Le sentiment d'infériorité ressenti par l'enfant ne s'avère donc pas obligatoirement négatif, car il aide l'enfant à élaborer un concept de soi réaliste. Cependant, si l'enfant est constamment écrasé par un sentiment d'infériorité, il se sentira incompétent et pourra perdre la motivation pour le travail et l'apprentissage. L'enfant pourra même régresser à une crise antérieure et perdre le sens de l'initiative. À l'opposé, un enfant trop axé sur le travail, la performance et la perfection pourra devenir un bourreau de travail ou un être qui ne tolère absolument pas l'échec.

8.3 LE RÔLE DE LA FAMILLE À L'ÂGE SCOLAIRE

L'enfant d'âge scolaire possède une vie bien à lui. Il passe désormais plus de temps à l'extérieur de la maison et devient moins proche de ses parents (Hofferth, 1998). La réalité des familles modernes, le travail des parents, l'accent mis sur l'éducation, les horaires chargés font également en sorte que l'enfant passe plus de temps qu'auparavant à l'école, dans les garderies et dans des activités organisées. Malgré cela, les relations familiales demeurent une partie très importante de la vie des enfants de cet âge.

8.3.1 LES RELATIONS FAMILIALES

La vie de l'enfant, maintenant teintée de multiples influences, changera en quelque sorte les relations qu'entretiennent les parents et les enfants. L'influence la plus importante sur le développement de l'enfant est reliée au climat familial (Bronfenbrenner et Morris,

FIGURE 8.2 LE DÉVELOPPEMENT DES HABILETÉS IMPORTANTES POUR LA CULTURE

Selon Erikson, c'est à l'âge scolaire que l'enfant développe des habiletés jugées importantes par sa culture. En conduisant ses oies au marché, cette petite Vietnamienne développe ses compétences et son estime de soi. De plus, en prenant des responsabilités adaptées à ses capacités grandissantes, elle apprend comment fonctionne la société dans laquelle elle vit, le rôle qu'elle y joue et la signification d'un travail correctement effectué.

1998). Le climat est-il chaleureux et soutenant pour l'enfant ou est-il plutôt conflictuel? L'ajustement des parents aux besoins de l'enfant d'âge scolaire favorise le développement d'un bon climat familial.

• LA CORÉGULATION

Un des changements typiques dans les relations parent-enfant à l'âge scolaire est le fait que la fonction du contrôle des comportements passe graduellement des parents à l'enfant. La **corégulation** est le mécanisme par lequel les parents et l'enfant partagent le pouvoir : les parents supervisent le comportement général de l'enfant et ce dernier fait montre d'autorégulation (Maccoby, 1984). Nous avons vu, au chapitre 4, que l'enfant de deux ou trois ans commence déjà à faire preuve d'autorégulation, par exemple en décidant par lui-même de ne pas insérer le doigt dans la prise de courant. Cependant, à cette période d'âge, les parents devaient se maintenir à proximité et intervenir souvent pour rappeler à l'enfant ce qui était permis ou non. Parvenu à l'âge scolaire, les interventions des parents peuvent se faire moins intenses, puisque l'enfant peut exercer un plus grand contrôle sur lui-même. Par exemple, lorsqu'un enfant vit un conflit avec un ami, le parent discutera avec l'enfant des stratégies que ce dernier peut mettre en place afin de résoudre le conflit, plutôt que d'intervenir directement dans le conflit en présence des deux enfants (Parke et Buriel, 1998). Les enfants sont plus portés à suivre les conseils de leurs parents quand ils reconnaissent que ces derniers sont justes et préoccupés par leur bien-être. Cependant les parents ne devraient intervenir de manière directe que lorsque c'est nécessaire. La maturité de l'enfant sera davantage favorisée si les parents permettent à l'enfant de réfléchir par lui-même et d'exercer son jugement (Maccoby, 1984).

> **Corégulation**
> Stade transitionnel dans le contrôle du comportement de l'enfant, durant lequel les parents supervisent l'enfant de façon moins intense qu'auparavant. Les enfants possèdent plus de possibilités d'utiliser l'autorégulation.

La façon dont les parents et les enfants résolvent leurs conflits importe probablement plus que l'issue même du conflit. Dans un processus de résolution de conflit constructif, les enfants apprennent que tous les comportements ne sont pas acceptables et qu'il est important de disposer de règles. Ce processus renseigne aussi l'enfant au sujet des stratégies de résolution les plus efficaces (Eisenberg, 1996). L'apprentissage de ces habiletés est primordial, parce que le nombre de conflits parent-enfant risque d'augmenter au fur et à mesure que l'enfant grandit. Dans une étude menée auprès de 63 familles biparentales ayant des enfants de quatrième année, des chercheurs ont filmé les interactions parent-enfant pendant que ceux-ci discutaient de problèmes survenus au cours du dernier mois (par exemple, l'heure du coucher ou les tâches ménagères). L'un des sujets de discussion était choisi par les enfants et l'autre par les parents. Les familles ont effectué le même exercice deux ans plus tard. Les résultats comparatifs démontrent qu'entre 9 et 11 ans, peu importe le sujet traité, les enfants sont devenus généralement plus négatifs dans leurs interactions avec les parents, en particulier lorsque le sujet traité était choisi par les parents. Il semble que les enfants réagissaient plus au pouvoir des parents qu'au thème lui-même (Vuchinich *et al.*, 1996).

FIGURE 8.3   UN PÈRE ET SON FILS

Bien que les enfants d'âge scolaire passent moins de temps qu'avant à la maison, les parents continuent d'être très importants dans leur vie. Les parents qui éprouvent du plaisir à être avec leurs enfants ont généralement des enfants qui sont fiers d'eux–mêmes et de leurs parents.

• LA DISCIPLINE

Nombreux sont ceux qui confondent discipline et punition mais, en latin, *disciplina* signifie «enseignement, instruction». La discipline à l'âge scolaire devrait suivre la signification latine de ce mot. En effet, la corégulation implique des méthodes disciplinaires différentes. La plupart des parents auront tendance à utiliser plus souvent des techniques de persuasion (vues au chapitre 6) que des stratégies de punitions plus directes. Ces techniques de persuasion utilisées par les parents mettent l'accent sur les conséquences des comportements de l'enfant sur son entourage, ce qui favorise la réflexion de l'enfant sur son propre comportement et influence ses actions. Les enfants réagissent mieux à ces méthodes. Grâce à ses progrès cognitifs, l'enfant, plutôt que de céder à l'autorité brute, aime recevoir des explications et sentir qu'il a une marge de manœuvre. Lorsqu'il sent cette ouverture, l'enfant a plus tendance à s'incliner, constatant que ses parents sont des être justes qui ont plus d'expérience que lui. Le contexte de vie des familles affectera cependant la disponibilité des parents à favoriser l'acquisition de ces habiletés.

8.3.2 LA CONCILIATION FAMILLE-TRAVAIL

Il y a 25 ans, la majorité des Canadiennes âgées entre 25 et 54 ans, et qui vivaient en couple, n'étaient pas actives sur le marché du travail. Selon les plus récentes estimations, de nos jours, 80 % des femmes mariées ou en union libre travaillent (Institut Vanier de la famille, 2004). Ce taux augmente à 83 % pour les femmes célibataires ou divorcées. La hausse de la participation des femmes sur le marché de l'emploi fait émerger l'enjeu de l'effet du travail des mères sur le bien-être des enfants, tant sur le plan de leur santé physique que sur celui de leur bien-être psychologique et social et celui de leur réussite scolaire. L'effet du travail des mères sur le développement des enfants est relié à différents facteurs, incluant l'âge de l'enfant, son sexe, son tempérament et sa personnalité. L'impact diffère également en fonction des horaires de travail de la mère (temps plein ou partiel), de son degré de satisfaction au travail, du soutien qu'elle obtient de son conjoint, de son revenu et de la qualité des services de garde dont elle dispose (Parke et Buriel, 1998).

Si l'impact du travail des hommes sur les enfants a été moins étudié, c'est probablement à cause des rôles sexuels traditionnels, lesquels attribuent aux hommes le rôle de pourvoyeurs. Les pères qui décident de rester à la maison tandis que la mère travaille ne sont pas légion. Pourtant, l'homme dont le travail n'est pas stimulant peut se consacrer avec enthousiasme à sa vie de famille et, à travers ses enfants, atteindre un sentiment d'accomplissement, de plaisir, de stimulation intellectuelle, de valorisation morale et d'estime de soi. Cependant l'enfant peut aussi souffrir si son père, frustré par son manque d'autonomie au travail, se décharge sur lui de ses frustrations par une attitude hostile et sévère (McKinley, 1964) ou si son père a un travail si exigeant qu'il participe peu à la vie familiale (Veroff, Douvan et Kulka, 1981). Toutefois, c'est la perte d'emploi du père, plus que sa participation au marché du travail, qui semble comporter des effets néfastes sur les enfants. La plupart des pères deviennent alors plus irritables, impatients et profitent peu du temps passé avec leurs enfants (Devault et Gratton, 2003).

Il est évident que l'occupation d'un emploi contribue au bien-être financier des familles. Dans les familles à faible revenu, le travail des mères semble affecter positivement la réussite scolaire des enfants (Goldberg *et al.*, 1996). La participation des mères permet non seulement d'augmenter le revenu familial, mais elle offre à l'enfant des modèles positifs de productivité (Lefebvre et Merrigan, 2000). Plus la mère est satisfaite de son travail et a l'impression de s'y développer, plus elle jouera son rôle de parent de façon adéquate (Parke et Buriel, 1998). Les enfants d'âge scolaire dont la mère travaille vivent de manière plus structurée que ceux dont les mères restent à la maison. Ils sont plus encouragés à devenir indépendants (Bronfenbrenner et Crouter, 1982) et développent des attitudes plus égalitaires vis-à-vis des rôles sexuels (Parke et Buriel, 1998). Certaines études démontrent que les garçons seraient plus négativement affectés par le travail de leur mère sur le plan de leur réussite scolaire que les filles (Goldberg *et al.*, 1996). Cependant la qualité du service de garde scolaire peut compenser cet impact négatif. Des garçons d'âge scolaire qui fréquentent un service de garde qui offre un programme d'activités flexibles et un climat émotionnel positif sont mieux adaptés à la vie scolaire que ceux qui ne bénéficient pas de ce type de service (Pierce *et al.*, 1999).

Cependant, au-delà du travail des mères, c'est l'organisation entière de la famille – avec, dans une forte majorité de cas, le travail des deux parents – qui est susceptible d'affecter le développement de l'enfant. La **conciliation famille-travail** représente le processus par lequel des parents qui travaillent arrivent à consacrer du temps et de l'énergie à la fois à leur famille et à leur travail.

En effet, la participation au marché du travail alourdit la charge des parents et augmente le stress de la vie quotidienne. Cette pression peut affecter négativement la quantité de temps que les parents passent à soigner, à éduquer, à encadrer leurs enfants et à interagir avec eux. La population des hommes et des femmes qui travaillent est celle qui dispose de la moins grande quantité de temps par jour (environ quatre heures) pour soi et pour la famille. Les mères qui travaillent à temps plein passent en moyenne 6,4 heures par jour avec leurs enfants de moins de cinq ans, les pères, eux, y consacrent 4,3 heures. Lorsque l'enfant a entre cinq et huit ans, les mères passent cinq heures par jour avec l'enfant, et les pères, 3,4 heures. Lorsque l'enfant atteint l'adolescence, non seulement les heures qui lui sont consacrées diminuent, mais l'écart entre les pères et les mères se réduit (respectivement 2,7 et 2,6 heures par jour). Le grand problème de la conciliation famille-travail est le manque de temps. Une majorité de familles au travail qui ont de jeunes enfants affirment manquer de temps pour leurs enfants et leurs amis (Institut Vanier de la famille, 2004).

L'Institut Vanier de la famille (2004) nous apprend également qu'environ 50 % des femmes qui ont des enfants occupent des emplois atypiques, c'est-à-dire des emplois à temps partiel, un travail autonome ou qui comporte des horaires variés. Si, comme nous l'avons vu, les rôles sexuels tendent à se modifier, c'est encore la femme qui, le plus souvent, délaissera son emploi pour s'occuper des enfants. Certaines de ces conditions de travail, surtout celles du travail à temps partiel, peuvent favoriser la plus grande présence des mères auprès des enfants. Cependant le travail atypique est souvent associé à des conditions de travail plus changeantes et difficiles. Les conditions du travail atypique sont caractérisées par l'instabilité, le faible revenu et des heures qui s'agencent mal avec la vie familiale (Lefebvre et Merrigan, 2000). Or, comparées à la présence des parents sur le marché de l'emploi, ce sont les conditions de travail du parent qui semblent présenter le plus d'impact sur le bien-être des enfants.

• L'EFFET DE LA CONCILIATION FAMILLE-TRAVAIL SUR LES PARENTS

Une enquête récente menée par le ministère de l'Emploi, de la Solidarité sociale et de la Famille, du Gouvernement du Québec (2004), sur la conciliation famille-travail dans les petites et moyennes entreprises (PME) nous renseigne sur la façon dont les parents vivent la conciliation famille-travail. L'une des conclusions de l'étude révèle que, pour une très grande majorité de parents, la conciliation famille-travail s'avère souvent difficile, sinon très difficile. Le stress et la fatigue représentent le lot permanent de plusieurs travailleurs ayant de jeunes enfants. Le stress proviendrait non seulement de l'accumulation des rôles de travailleur et de parent, mais aussi des conflits engendrés par ces deux rôles. Les exigences du travail soutirent du temps à la famille et inversement. Il en résulte, pour plusieurs, un sentiment de culpabilité relié au fait de ne pas pouvoir donner autant que nécessaire à la famille et, dans une moindre mesure, au milieu de travail. Les résultats de cette étude, confirmés par d'autres recherches tant au Canada qu'aux États-Unis, démontrent que le travail interfère plus souvent avec la famille que l'inverse. « En situation de conflit (entre famille et emploi), les employés auraient plus tendance à sabrer dans leurs responsabilités familiales parce qu'elles ne font pas l'objet d'évaluation et d'une rémunération formelle, comme c'est le cas pour les responsabilités professionnelles (Saint-Onge *et al.*, 2002, p. 503) ». Si le choix de laisser son emploi ou de diminuer les heures de travail s'offre à certains parents, la majorité d'entre eux maintiennent le travail à temps plein pour des raisons économiques. Le recours au soutien de l'entourage, soit à la famille élargie, soit aux voisins et amis, devient indispensable dans les cas particuliers où l'enfant est malade ou lorsqu'il est en journée pédagogique. Le fait de disposer d'une certaine flexibilité dans les horaires de travail facilite grandement la conciliation famille-travail. Toutefois ces mesures

Conciliation famille-travail
Processus par lequel les parents tentent de répartir leurs énergies en fonction des exigences reliées au monde du travail et à celui de la vie familiale.

sont souvent plus disponibles pour les individus qui occupent des postes de cadre ou pour les professionnels. Interrogés sur les mesures à prendre du côté des employeurs pour faciliter la conciliation famille-travail, les employés se montrent peu exigeants et très compréhensifs relativement aux contraintes de production de l'entreprise (Gouvernement du Québec, 2004). Pourtant les employeurs ont aussi la responsabilité du bien-être familial de leurs employés.

• LA RESPONSABILITÉ DES EMPLOYEURS ET DES ENTREPRISES

Les employeurs sont-ils conscients des contraintes de la vie familiale sur la productivité de leurs employés? L'enquête du Gouvernement du Québec révèle que les employeurs montrent une certaine ouverture, même si cela les dérange, surtout dans le cas où un enfant est malade. Cependant certains employés font état de l'absence de compréhension des employeurs qui, par exemple, ne transmettent pas aux parents les appels en provenance de la garderie ou de l'école. Les employeurs qui affichent la plus grande ouverture face à la complexité de la conciliation famille-travail se montrent plus flexibles dans les horaires de travail. Ces mesures sont toutefois ponctuelles, et l'employé doit, chaque fois que cela est nécessaire, négocier avec son employeur. Dans les cas où un employé quitte le travail plus tôt pour aller chercher un enfant malade, il doit reprendre ses heures de travail pour pouvoir recevoir son plein salaire. Il semble que le profil de l'employeur joue un certain rôle sur son degré d'ouverture aux mesures facilitant la conciliation famille-travail. S'il est jeune, s'il a lui-même (ou elle-même) des enfants, s'il est sensible aux besoins des enfants et des familles, il offrira plus d'aide en matière de conciliation famille-travail (Gouvernement du Québec, 2004). Ces résultats donnent à penser que, malgré un certain progrès, nous sommes encore loin du moment où le milieu de travail privilégiera le bien-être des enfants. Les travailleurs de demain devront poursuivre leurs efforts afin que le milieu de travail s'adapte aux exigences reliées à la vie familiale.

• L'EFFET DE LA CONCILIATION FAMILLE-TRAVAIL SUR LES ENFANTS

Au-delà de la moins grande disponibilité temporelle des parents, les exigences liées au travail entraînent-elles d'autres impacts négatifs sur les enfants? C'est la question que se sont posée deux chercheurs de l'Université du Québec à Montréal. Dans leur étude, ils ont examiné les conditions de travail de la mère et leur impact sur les comportements de l'enfant (problèmes de comportement ou comportements prosociaux), sur sa réussite scolaire et sur les pratiques parentales (Lefebvre et Merrigan, 2000). Leurs résultats révèlent que le temps reste un élément important, puisque l'impact négatif du travail de la mère sur les comportements de l'enfant est plus élevé lorsque la mère travaille à temps plein que lorsqu'elle travaille à temps partiel. Il apparaît également que les horaires de travail irréguliers, surtout dans le cas du travail à temps plein, ont des impacts négatifs sur les comportements de l'enfant et sur les pratiques parentales. Toutefois, selon les auteurs, les parents compensent leur manque de temps en choisissant des modalités appropriées pour l'enfant durant leur absence, par exemple un bon service de garde. Les parents profitent également au maximum des périodes de temps où ils ne sont pas au travail pour les consacrer à leurs enfants. Par ailleurs, au-delà des conditions de travail, il ressort de l'étude que le revenu familial et le degré de scolarité de la mère constituent les dimensions les plus importantes pour expliquer les problèmes de comportement de l'enfant. En effet, un revenu plus élevé et une scolarité plus poussée favorisent nettement le développement de l'enfant, peu importe les conditions de travail de la mère. Lefebvre et Merrigan (2000) concluent que «puisqu'on n'obtient pas d'effets négatifs convaincants associés au travail des mères sur le développement des enfants, il est possible d'argumenter en faveur de politiques qui soutiennent les mères sur le marché du travail (p. 98)». On pense à des services de garde de qualité, à l'instauration d'horaires flexibles dans les milieux de travail, au travail à domicile, etc. Voilà un autre champ de bataille pour les futurs parents.

8.4 L'ENFANT D'ÂGE SCOLAIRE ET SON GROUPE DE PAIRS

À l'âge scolaire, tandis que l'influence des parents diminue, les pairs prennent une importance nouvelle. Les groupes se forment naturellement entre les enfants qui habitent le même quartier ou qui fréquentent la même école. Les membres du groupe de pairs proviennent habituellement du même niveau socioéconomique et sont du même âge. Les groupes de pairs, le plus souvent unisexes (Hartup, 1992), renforceront l'identification au genre et l'apprentissage des rôles sexuels, aussi bien pour les garçons que pour les filles (Hibbard et Buhrmester, 1998).

8.4.1 L'INFLUENCE DES PAIRS SUR L'ENFANT

Puisque la place prise par les pairs devient plus importante, ceux-ci auront également une influence plus grande sur l'enfant. En effet, leur présence dans la vie de l'enfant ouvre de nouvelles perspectives et favorise l'apparition de jugements indépendants de ceux de la famille. La confrontation de ses propres valeurs avec celles de ses pairs permet à l'enfant de décider quelles valeurs il fait siennes. La comparaison avec d'autres enfants du même âge lui permet de juger ses propres habiletés de manière plus réaliste et d'acquérir une perception plus claire de sa propre efficacité (Bandura, 1994). Le groupe de pairs représente en quelque sorte une mini société dans laquelle les enfants apprennent à ajuster leurs besoins et leurs désirs à ceux des autres. Ils reconnaissent davantage les moments où ils peuvent imposer leurs besoins et ceux où ils doivent céder la place aux besoins des autres. La présence des pairs fait donc contrepoids à l'égocentrisme de l'enfant.

L'influence du groupe de pairs peut aussi être néfaste. Bien que le groupe soit à l'origine d'actions constructives, c'est habituellement en compagnie de camarades que les enfants commencent à fumer et à boire, à se faufiler au cinéma sans payer et à adopter d'autres comportements antisociaux. Les préadolescents se montrent plus influençables face à la pression du groupe de pairs, ce qui peut ainsi transformer l'enfant sage en un petit délinquant (Hartup, 1992). Évidemment, pour les enfants, comme pour les adultes d'ailleurs, une certaine conformité au groupe fait partie d'une saine adaptation. Le conformisme n'est malsain que s'il devient destructif ou s'il entraîne l'enfant à aller à l'encontre de son propre jugement.

Le sentiment d'appartenance, présent au sein des groupes d'enfants, a parfois pour effet de renforcer les préjugés envers les personnes qui ne font pas partie du groupe. Ces préjugés peuvent être orientés vers des personnes d'origines ethniques différentes de celle de la majorité. La meilleure manière de contrer le développement de préjugés racistes consiste à organiser des activités de groupes dans lesquelles des enfants de différentes origines poursuivent un but commun (Gaertner *et al.*, 1989).

8.4.2 LA POPULARITÉ

La popularité devient plus importante à l'âge scolaire, puisque l'enfant passe plus de temps avec ses pairs et que l'opinion de ces derniers peut avoir un impact considérable sur son estime de soi. Certains enfants sont plus entourés que d'autres. Ces enfants plus populaires et qui sont aimés par leurs pairs sont susceptibles d'être mieux adaptés une fois arrivés à l'adolescence (Masten et Coatworth, 1998). Ceux qui éprouvent de la difficulté à s'entendre avec les autres et à se faire accepter risquent plus de

FIGURE 8.4 LE GROUPE DE PAIRS

La présence des pairs dans la vie de l'enfant ouvre de nouvelles perspectives et favorise l'apparition de jugements indépendants de ceux de la famille.

développer des problèmes psychologiques, de décrocher de l'école ou de devenir délinquants (Hartup, 1992).

Les enfants populaires montrent de bonnes habiletés sur le plan cognitif et sur le plan de leurs relations interpersonnelles. Il sont en mesure de régler des problèmes avec les autres, sont capables d'ouverture et peuvent offrir du soutien émotionnel à leurs pairs. Ces enfants s'affirment sans être dérangeants ou agressifs. Toutes ces raisons expliquent probablement le fait que leurs camarades apprécient leur compagnie (Masten et Coatsworth, 1998). Cependant ce portrait n'est pas toujours celui de l'enfant populaire et il arrive parfois que des garçons agressifs et antisociaux soient très populaires auprès de leurs pairs. Cela nous questionne sur les critères dont se servent les enfants pour déterminer la popularité. Une étude, menée auprès d'enfants rejetés par leurs pairs en quatrième année en raison de leurs comportements agressifs, a montré qu'ils gagnaient en popularité en fin de cinquième année. Cette étude suggère que des comportements rejetés par des enfants plus jeunes sont considérés plus « cool » par des préadolescents (Sandstrom et Coie, 1999).

Plusieurs facteurs expliquent l'impopularité de certains enfants, mais certains de ces facteurs sont totalement en dehors de leur contrôle. Les problèmes de comportement que nous avons décrits au chapitre 6, tels que l'agressivité ou le retrait social, sont reliés à l'impopularité (Masten et Coatsworth, 1998). D'autres enfants ne trouvent pas la faveur de leurs pairs à cause de leur immaturité ou de leur anxiété. Ces enfants, trop centrés sur eux-mêmes, se montrent insensibles aux émotions de leurs pairs et s'adaptent mal à des situations nouvelles (Bierman *et al.,* 1993). Certains enfants qui ont une faible estime de soi développent un sentiment d'impuissance à changer le cours des choses. S'ils se sentent rejetés, ces enfants ne feront pas d'effort pour tenter de se faire accepter, ce qui confirmera leur perception qu'ils sont rejetés et impopulaires. C'est le phénomène de l'**autoréalisation des prophéties** (Rabiner et Coie, 1989). Émile, dans la mise en situation, n'est pas un enfant populaire. Nous constatons qu'il ne fait aucune tentative pour entrer en contact avec les autres, à l'exception de son seul ami. Il accepte la situation comme si elle était normale. Les caractéristiques reliées à la popularité s'acquièrent d'abord au sein de la famille (Masten et Coatsworth, 1998). Les parents d'enfants populaires affichent un style parental directif plutôt qu'autoritaire (voir le chapitre 6). Les enfants qui sont punis par leurs parents autoritaires tendront à utiliser les mêmes stratégies auprès de leurs pairs, soit des comportements de menace ou d'agressivité directe. Bien entendu, ces comportements ne favorisent pas la popularité. Le style directif, axé sur le raisonnement de l'enfant, fournit à l'enfant des outils qu'il pourra utiliser dans ses relations avec ses amis (Hart *et al.,* 1990).

La culture influence-t-elle la popularité ? Une étude comparative Chine-Canada le suggère (Chen *et al.,* 1992). L'échantillon était composé de 480 enfants de Shanghai (Chine) et de 296 enfants de l'Ontario (Canada). On a évalué la popularité en demandant aux enfants de nommer : 1) les trois enfants qu'ils préféraient dans leur classe et 2) leurs trois meilleurs amis de la classe. Les résultats montrent d'abord que certains traits associés à la popularité sont communs aux deux cultures. Les enfants sociables et coopératifs étaient les plus populaires, tant en Chine qu'au Canada. L'agressivité était également rejetée par les deux groupes d'enfants. Toutefois une différence importante a émergé. La timidité et la sensibilité de l'enfant constituent des traits associés à la popularité en Chine mais pas au Canada, où la popularité est davantage associée à l'affirmation de soi et à l'assurance.

8.4.3 L'AMITIÉ À L'ÂGE SCOLAIRE

La popularité diffère de l'amitié : elle est unidirectionnelle et elle constitue l'opinion d'un groupe de pairs au sujet d'un enfant. L'amitié, elle, est bidirectionnelle. Elle est partagée par l'un et l'autre des amis. Nous avons vu au chapitre 4 que les enfants d'âge préscolaire choisissent pour amis des enfants qui leur ressemblent. Ceci reste vrai chez les écoliers, qui prennent surtout pour amis des enfants du même âge et du même sexe. Cependant l'amitié s'approfondit et

Autoréalisation des prophéties
Phénomène par lequel des comportements engendrent une réponse spécifique qui, à son tour, confirme la justification des comportements de départ.

s'intensifie. Avec un ami, l'enfant peut désormais partager des secrets que même les parents ne connaîtront pas. Un ami peut aussi aider à passer une période plus difficile, comme la séparation parentale. Les enfants impopulaires ont aussi des amis, mais en moins grande quantité que les enfants plus populaires. Ils choisissent souvent des amis soit plus jeunes, soit qui ne font pas partie de leur classe ou qui ne fréquentent pas leur école (George et Hartmann, 1996).

L'amitié semble aider l'enfant à se sentir bien avec lui-même, mais il est aussi vrai qu'un enfant bien dans sa peau se fera plus facilement des amis. Le rejet par les pairs et le manque d'amis durant cette période peut entraîner des effets à long terme. Une étude longitudinale, à laquelle participaient des enfants de cinquième année qui n'avaient pas d'amis, a montré que ces enfants étaient plus susceptibles d'afficher des symptômes de dépression une fois jeunes adultes. Les jeunes adultes qui avaient eu des amis durant leur enfance avaient une meilleure estime de soi (Bagwell *et al.*, 1998).

FIGURE 8.5 **L'AMITIÉ**

L'amitié est bidirectionnelle, elle est partagée par l'un et l'autre des amis.

La conception qu'ont les enfants de l'amitié change avec le temps, de même que la manière dont ils agissent avec leurs amis. Les enfants d'âge préscolaire jouent ensemble mais, à l'âge scolaire, l'amitié devient plus profonde et durable. Pour être et avoir un véritable ami, l'enfant doit atteindre la maturité cognitive lui permettant de tenir compte du point de vue et des besoins de l'autre autant que des siens (Hartup et Steven, 1999). En se fondant sur des entrevues réalisées auprès de quelque 250 personnes âgées de 3 à 45 ans, Robert Selman (1980) a retracé les

TABLEAU 8.2 **LES STADES DE L'AMITIÉ DE SELMAN (1980)**

STADE	DESCRIPTION	EXEMPLE
Stade 0 : 3-7 ans Amitié momentanée	À ce niveau indifférencié d'amitié, les enfants sont égocentriques et ils ont de la difficulté à considérer le point de vue de l'autre. Ils ont tendance à ne penser qu'à leurs propres intérêts dans la relation. La plupart des enfants de cet âge définissent leur amitié en termes de proximité géographique. Ils attribuent une valeur à des caractéristiques physiques ou matérielles.	«Mon amie habite dans ma rue.» «Il est mon ami, parce qu'il a un Power Rangers.»
Stade 1 : 4-9 ans Soutien unidirectionnel	À ce niveau unidirectionnel, un bon ami est celui qui fait ce qu'on veut qu'il fasse.	«Elle n'est plus mon amie, parce qu'elle ne vient pas chez-moi quand je veux qu'elle le fasse.» «Il est mon ami, parce qu'il me prête toujours ses briques Lego lorsque je lui demande.»
Stade 2 : 6-12 ans Coopération réciproque	Ce niveau de réciprocité coexiste avec le stade 1. Il implique des échanges, mais les enfants sont encore centrés sur leurs propres intérêts.	«On est amis, on fait des choses l'un pour l'autre.» «Un ami est une personne qui joue avec toi quand tu n'as personne d'autre avec qui jouer.»
Stade 3 : 9-15 ans Relation mutuelle et intime	À ce niveau de relation mutuelle, les enfants perçoivent l'amitié comme une entité en soi. C'est un type de relation qui se développe avec le temps, qui demande un investissement et qui inclut le fait d'accomplir des choses l'un pour l'autre. Les amis deviennent possessifs et demandent l'exclusivité.	«Développer une réelle amitié prend beaucoup de temps. Donc, il n'est pas agréable d'apprendre que ton ami essaie de se faire d'autres amis que toi.»
Stade 4 : 12 ans et + Interdépendance et autonomie	À ce stade d'interdépendance, les enfants respectent les besoins mutuels de dépendance et d'autonomie.	«Une amitié authentique demande un réel engagement. Il faut soutenir l'autre, lui faire confiance et être généreux, mais il faut aussi être capable de le laisser prendre une distance lorsqu'il en a besoin.»

changements dans la conceptualisation de l'amitié à travers le temps. Selon lui, la plupart des enfants d'âge scolaire se situent au deuxième stade ou au troisième stade (voir le tableau 8.2 à la page précédente).

Les enfants d'âge scolaire peuvent distinguer un «meilleur ami» d'un «bon ami» ou d'une «connaissance» en se basant sur l'intimité de leurs relations et sur le temps qu'ils passent ensemble. La plupart des enfants de cet âge ont entre trois et cinq «meilleurs amis» avec lesquels ils passent le plus clair de leur temps en dyade ou en triade (Hartup et Stevens, 1999). Quelque 12 % des enfants de cet âge aux États-Unis ont un seul ami ou n'en ont aucun (Hofferth, 1998). Les amitiés féminines diffèrent des amitiés masculines. Les garçons ont plus d'amis, mais leurs relations sont moins caractérisées par l'intimité et l'échange d'affection, plus typiques des amitiés féminines. Une étude québécoise confirme que ces différences sexuelles qui s'amorcent dès l'âge scolaire se maintiendront jusqu'à l'âge adulte. En effet, les amitiés entre hommes sont caractérisées par les activités communes (sorties, activités sportives) alors que l'amitié entre femmes est fondée sur l'échange de confidences et le soutien mutuel (Devault, 1988).

8.4.4 LES AGRESSIONS ET LE TAXAGE

Durant les années du primaire, comme nous l'avons mentionné au chapitre 6, les comportements agressifs diminuent graduellement. Pour les enfants qui maintiennent ce type de comportement, le type d'agressivité change. L'**agressivité hostile**, qui a pour objectif de blesser quelqu'un, prend la place de l'**agressivité instrumentale**, plus typique des enfants d'âge préscolaire et qui vise à atteindre un but. Les enfants agressifs au primaire ne savent pas contrôler leur agressivité. Ils sont le plus souvent impopulaires et développent éventuellement des problèmes psychologiques et interpersonnels (Coie et Dodge, 1998). Leurs problèmes interpersonnels proviennent-ils de leur agressivité ou ces enfants deviennent-ils agressifs parce qu'ils ont des problèmes? La réponse à cette question n'est pas encore clarifiée (Crick et Grotpeter, 1995). Cependant un élément de réponse à cette question réside dans le mécanisme d'attribution utilisé par les agresseurs.

• L'ÉVALUATION COGNITIVE DE L'INFORMATION ET L'AGRESSIVITÉ

La manière dont l'information est traitée cognitivement semble influencer les comportements adoptés par les enfants agressifs. Par exemple, un enfant placé en rang, que l'on pousse accidentellement, se retourne et pousse encore plus fort parce qu'il croit que la poussée était volontaire. Cette réaction est typique des enfants qui utilisent l'agressivité hostile. Ces enfants ont un **biais d'attribution hostile**, c'est-à-dire que leur interprétation des comportements des autres à leur endroit est souvent reliée à l'idée que les gens leur veulent du mal. Ces enfants réagissent donc vivement en se défendant contre ces attaques (de Castro *et al.*, 2002). Les enfants qui veulent dominer et contrôler leur environnement sont particulièrement sensibles aux menaces à leur capacité de contrôle de leur environnement. Ils attribuent ces menaces à un comportement hostile dirigé contre eux et réagissent par l'agressivité. Les enfants rejetés ou victimes d'une discipline exagérément autoritaire réagissent aussi par le biais d'attribution hostile (Coie et Dodge, 1998). Le problème est que la plupart des personnes sont portées à devenir hostiles lorsqu'elles se sentent agressées. Ainsi, les personnes qui ont un biais d'attribution hostile verront leurs perceptions confirmées par l'attitude des autres, ce qui renforcera la présence de l'agressivité hostile. Ce cercle vicieux mène éventuellement à un réel problème d'externalisation. De Castro et ses collègues (2002) ont analysé 41 études portant sur le sujet : la majorité de ces études confirment une corrélation positive entre un biais d'attribution hostile et la présence de comportements agressifs.

• LA TÉLÉVISION ET L'AGRESSIVITÉ

Au chapitre 6, nous avons parlé du rôle de la télévision dans l'agressivité, mais il importe d'y revenir parce que les enfants d'âge scolaire, surtout entre 8 et 12 ans, sont particulièrement susceptibles d'être influencés par la télévision (Eron et Huesmann, 1986). Nous y revenons également parce que les études récentes tendent à démontrer que la télévision ferait des

Agressivité hostile
Comportement agressif dont le but recherché est de blesser l'autre.

Agressivité instrumentale
Comportement agressif qui vise à atteindre le but recherché par l'agresseur.

Biais d'attribution hostile
Interprétation cognitive des comportements des autres, dont le sens est négatif et menaçant.

ravages plus grands que nous ne l'estimions auparavant. Ainsi, des études longitudinales rigoureuses établissent un lien de causalité, ce qui est très rare en recherche, entre l'observation de la violence à la télévision et l'utilisation de comportements violents (Coie et Dodge, 1998 ; Strasburger et Donnerstein, 1999). Les enfants, surtout ceux qui sont soumis à une discipline trop sévère, sont plus vulnérables que les adultes devant l'influence de la télévision. Les enfants qui regardent la télévision absorbent par la même occasion les valeurs que celle-ci véhicule et peuvent croire que la violence représente un comportement acceptable. Une étude américaine du contenu des émissions de télévision révèle que dans 73 % des scènes de violence, les agresseurs ne sont pas punis, et que dans 47 % des cas, les victimes ne sont pas blessées, suggérant ainsi aux enfants que la violence ne comporte pas de conséquences néfastes (National Television Violence Study, 1995). Les enfants voient les héros et les « méchants » obtenir ce qu'ils veulent par la violence. Ils peuvent donc en conclure qu'il s'agit d'une manière efficace de résoudre les conflits. Ces scènes peuvent insensibiliser les enfants par rapport à la violence et leur faire tenir cette violence pour acquise, en plus de diminuer leur motivation à agir lorsqu'ils la rencontrent dans la « vraie vie » (Gunter et Harrison, 1997). Plus le temps passé devant la télévision est important, plus les effets sont néfastes chez les enfants. Une enquête menée auprès de 2 245 enfants de la troisième à la cinquième année a révélé que les enfants qui regardent le plus la télévision, en particulier ceux qui aiment les émissions d'action, présentent davantage de symptômes psychologiques (anxiété, dépression, colère et stress) et de comportements violents que les enfants qui la regardent moins.

ENCADRÉ 8.1

Le taxage au Québec

Le ministère de la Sécurité publique du Québec a mené une vaste enquête en 2002 sur le taxage au Québec. Cette initiative a permis de recueillir des données auprès de 16 600 jeunes, garçons et filles, qui fréquentent le primaire et le secondaire. Cette enquête révèle que 11 % des jeunes confient avoir été victimes de taxage et 23 %, témoins de taxage. Ce phénomène préoccupe beaucoup de jeunes, puisque que 62 % d'entre eux se disent affectés d'une manière ou d'une autre par le taxage. L'enquête québécoise indique que le taxage serait davantage une affaire de garçons : 60 % des victimes et 70 % des auteurs de taxage sont des garçons. Par contre, les filles se disent plus craintives d'être taxées que les garçons. La majorité des victimes affirment avoir été la cible d'un taxeur une seule fois. Il n'en reste pas moins que près de 1 % des jeunes rapportent avoir été agressés à plus de six reprises. Bien entendu, il s'avère plus difficile de cumuler des informations sur les auteurs du taxage. Dans cette étude, 3,4 % (n=560) des jeunes avouent s'être livrés à ces gestes. Les données nous portent à croire qu'il faut éviter de séparer en deux groupes étanches les victimes et les agresseurs. En effet, près de 35 % des jeunes qui ont posé un geste

de taxage avouent qu'ils en ont également été victimes.

Peu importe leur âge, les garçons sont deux fois plus nombreux que les filles à commettre des gestes de taxage. Au primaire, 3,5 % des filles avouent qu'elles agressent des élèves à l'aide du taxage. Cette proportion reste la même au secondaire. Chez les garçons, 6,3 % adoptent ce comportement au primaire et 8,6 %, au secondaire I à III. En ce qui a trait aux victimes, 13,3 % des filles au primaire se décrivent comme victimes de taxage. Du côté des garçons, ils sont 18,2 % à rapporter être victimes de taxage au primaire. Dans les deux cas, les proportions diminuent au secondaire (à 7,8 % pour les filles et à 10,7 % chez les garçons du secondaire I à III). Les agressions sont commises par des personnes plus âgées et par des personnes connues de la victime.

Que veulent les taxeurs ? Dans les médias, les taxeurs sont décrits comme des jeunes qui forcent un autre enfant à lui donner une paire de chaussures, une veste de cuir d'une marque spécifique que leurs parents ne peuvent leur payer. L'enquête fournit des résultats beaucoup plus nuancés. Dans la majorité des cas, les victimes rapportent qu'on leur a pris, ou qu'on a tenté de leur prendre leur carte de guichet automatique ou

de l'argent. La seconde requête des taxeurs se rapporte au contexte scolaire : des fournitures scolaires, une carte d'autobus ou de la nourriture. Les vêtements et les accessoires « in » arrivent au troisième rang avec 26 % des jeunes qui disent qu'on voulait leur prendre un vêtement, des patins à roues alignées ou un cellulaire.

Lorsqu'on demande aux auteurs de taxage d'expliquer leur motivation, ils répondent pour la plupart qu'ils l'ont fait pour « le fun » ou pour se venger de quelqu'un. L'attrait de l'objet à extorquer apparaissait chez seulement 21 % d'entre eux. À la suite d'un événement comme celui-là, la plupart des jeunes victimes choisiront des moyens d'évitement face à l'agresseur. Certains en parlent à des amis, mais très rarement à un adulte (enseignant ou parent).

Une proportion assez élevée (17,6 %) des victimes disent qu'elles ont tenté de se venger, perpétrant ainsi le cycle en devenant elles-mêmes des taxeurs.

Il est important de souligner que les enfants qui fréquentent l'école primaire ont peur d'être taxés dans une large proportion (77,8 % des filles et 59 % des garçons), justifiant ainsi la mise en place de mesures pour assurer le sentiment de sécurité dans les écoles.

La supervision des parents demeure le meilleur moyen de contrer les effets indésirables de la télévision. Les parents doivent voir ce que les enfants regardent à la télévision et discuter avec eux du contenu des émissions, de manière à les faire réfléchir et à nuancer leur compréhension. Il serait inutile de priver simplement les enfants de télévision, puisqu'elle comporte aussi de bonnes émissions éducatives. Cependant lorsqu'un enfant s'identifie à un personnage agressif, le parent pourrait tenter, en questionnant l'enfant, de comprendre pourquoi ce personnage est attirant pour lui. Une fois la complicité établie avec l'enfant à propos de son intérêt pour le personnage, le parent peut amener l'enfant à dépasser la simple imitation des comportements violents par des questions : « Qu'est-ce que le personnage aurait pu faire de différent dans cette situation ? Crois-tu qu'il soit triste parfois ? S'il n'avait pas d'arme, quelle stratégie pourrait-il utiliser pour régler son problème ? » (Royer, 2004). Ces questions peuvent faciliter chez l'enfant la distinction entre le réel et la fiction.

• LE TAXAGE ET SES VICTIMES

Taxage

Comportements agressifs délibérés et dirigés de façon persistante envers les mêmes personnes, qui sont généralement plus faibles, vulnérables ou sans défense.

FIGURE 8.6 LE TAXAGE

C'est le plus souvent vers la 3ᵉ ou la 4ᵉ année que les élèves utilisent le taxage : les garçons ont plutôt tendance à utiliser l'agressivité explicite, tandis que les filles usent de l'agressivité relationnelle.

L'agressivité devient du **taxage** quand elle est délibérée, constamment dirigée vers une même cible qui, le plus souvent, est vulnérable, faible et sans défense. Plus de deux millions d'enfants américains d'âge scolaire, donc 30 % de cette population, sont des agresseurs ou des victimes de taxage (Nansel *et al.*, 2001). Au Québec, 11 % des jeunes se disaient victimes de taxage en 2002 (ministère de la Sécurité publique). L'encadré 8.1 fait le point sur le taxage au Québec. Les garçons qui taxent utilisent la force physique et sélectionnent des filles ou des garçons comme victimes. Les filles qui pratiquent le taxage utilisent davantage la violence psychologique (décrite au chapitre 6) et choisissent pour victimes plus de filles que de garçons.

Le taxage peut apparaître dès la maternelle. Au début, l'enfant agressif peut diriger son agressivité vers différentes cibles. Lorsqu'il s'apercevra que son comportement affecte plus un enfant qu'un autre, il se concentrera sur ce dernier. Toutefois, c'est à l'âge scolaire que le taxage est le plus présent (Boulton et Smith, 1994). Les enfants «taxeurs» ont souvent de mauvais résultats scolaires, ils ont plus tendance à fumer et à consommer de l'alcool (Nansel *et al.*, 2001). Les victimes sont plus souvent anxieuses et soumises, elles pleurent facilement et manquent de confiance en elles-mêmes. À l'inverse, certaines victimes sont provocantes et aiment l'argumentation (Hodges *et al.*, 1999). Les facteurs de risque associés à la victimisation sont semblables à travers les cultures. Les victimes chinoises et américaines sont soit soumises et retirées, soit agressives plutôt qu'affirmatives. Elles n'obtiennent pas de bons résultats scolaires (Schwartz *et al.*, 2001).

La présence d'amis constitue un facteur de protection contre le taxage (Schwartz *et al.*, 2001). En effet, les enfants victimes de taxage sont plus souvent solitaires et éprouvent de la difficulté à établir des liens d'amitié, comme c'est le cas pour Émile. Par ailleurs, les victimes de taxage peuvent, à leur tour, développer des problèmes de comportement tels que l'hyperactivité ou la dépendance excessive. Ces enfants sont plus susceptibles que d'autres de devenir eux-mêmes des agresseurs (Schwartz *et al.*, 1998). Les tueries dans les écoles américaines ont souvent été perpétrées par des enfants qui avaient été victimes de taxage (Anderson *et al.*, 2001).

Le taxage peut être stoppé et prévenu. La Norvège a implanté dans ses écoles primaires un programme d'intervention visant à contrer le taxage. À la suite de ce programme, le nombre d'incidents reliés au taxage a diminué de moitié. Le programme comportait les éléments suivants : une atmosphère scolaire chaleureuse qui favorise l'engagement des enfants combinée à la mise en place de règles fermes et consistantes, mais sans recours à la punition physique ; une meilleure supervision aux récréations et aux heures de lunch ; des règles scolaires au sujet du taxage et des discussions autour de ce thème par les enfants, le personnel de l'école et les parents (Olweus, 1995).

8.5 LES TROUBLES DE LA SANTÉ MENTALE CHEZ LES ENFANTS

Il est plus rare de parler de problèmes de santé mentale chez les enfants que chez les adultes. Pourtant le phénomène n'en est pas pour autant plus rare. Selon une vaste enquête menée auprès de 2 400 sujets par une équipe de recherche de l'hôpital Rivière-des-Prairies à Montréal, les parents d'enfants de 6 à 11 ans issus de la population générale rapportent la présence de problèmes de santé mentale chez plus de 20 % des enfants. Ces résultats sont corroborés par d'autres études (Valla et Bergeron, 1999). Quand peut-on parler de problèmes de santé mentale chez l'enfant? Voilà une question à laquelle il est difficile de répondre. Si un enfant commet un meurtre, mange ses selles ou se mutile, il est relativement aisé de conclure à un problème grave. Cependant la plupart des problèmes vécus par les enfants ne sont pas aussi spectaculaires et ils se rapprochent de la «normalité». C'est souvent une question de degré d'intensité des problèmes qui permettra de conclure à la présence d'un trouble réel. De plus, un enfant sera considéré comme déviant en fonction de son âge, de sa famille, de sa culture (Habimana, 1999). Pour faciliter l'identification d'un trouble de la santé mentale, l'American Psychological Association (APA, 1994) a énoncé les critères suivants : l'enfant ressent de la détresse ou est affecté dans au moins deux secteurs de fonctionnement (la famille, l'école, le groupe de pairs...); ses comportements ou ses émotions ne sont pas appropriés à son âge, à son origine ethnique ou à sa culture; ses problèmes affectent ses habiletés scolaires, sociales ou personnelles; ses comportements sont inhabituels pour un enfant de son âge; ses difficultés persistent même lorsqu'il obtient de l'aide et il présente plusieurs problèmes simultanément.

8.5.1 LES FACTEURS DE RISQUE ASSOCIÉS AUX PROBLÈMES DE SANTÉ MENTALE

Comment expliquer l'apparition de troubles de la santé mentale chez des enfants? Plusieurs théories, dont certaines exposées dans ce livre, ont tenté d'expliquer la maladie mentale. L'approche psychanalytique suggère la présence de conflits inconscients développés dans l'enfance et non résolus, tandis que Bandura parle de l'imitation de comportements inadaptés. Cependant les problèmes de santé mentale sont complexes et aucune théorie n'explique totalement leur origine. Par exemple, les troubles de la santé mentale dans l'enfance surviennent de deux à trois fois plus souvent chez les garçons que chez les filles, et aucune théorie ne parvient à elle seule à expliquer ce phénomène. L'approche écologique présente cet avantage de faire appel à la multiplicité des facteurs en cause pour expliquer l'apparition d'un trouble. En effet, les études sur les enfants qui présentent des problèmes de santé mentale ont identifié certains facteurs de risque reliés aux différents systèmes du modèle de Bronfenbrenner (Habimana, 1999). Voyons d'abord certains facteurs reliés à l'enfant lui-même, puis ceux qui sont associés à sa famille et à son environnement.

• LES FACTEURS RELIÉS À L'ENFANT

Les facteurs génétiques sont les premiers à considérer. La déficience intellectuelle, l'autisme et la schizophrénie ont des origines génétiques. Les troubles de comportements quant à eux seraient aussi en partie expliqués par les gènes. Des enfants, dont les parents biologiques sont délinquants, qui sont adoptés tôt dans leur enfance par des parents non délinquants présentent malgré tout plus de risque de devenir eux-mêmes délinquants (Schaffer, 1989).

Le tempérament de l'enfant constitue un autre facteur à prendre en considération. Comme nous l'avons étudié au chapitre 4, le tempérament influence les réactions de l'enfant à son environnement. Si la capacité de régulation mutuelle de la relation parent-enfant est faible, le comportement difficile de l'enfant peut favoriser le développement d'un problème de santé mentale. Par exemple, une mère dépressive peut réagir à un enfant au tempérament difficile par le rejet ou l'indifférence. Il est probable que cette réponse ne rende pas le tempérament de l'enfant plus facile, et les interactions subséquentes entre le parent et l'enfant pourront avoir pour effet d'aggraver le problème.

Les défis de l'adoption internationale

Par Nicole Laquerre

RÉFLEXION

Les progrès en contraception et la légalisation de l'avortement ont réduit le nombre de bébés disponibles pour l'adoption à l'échelle nationale. C'est pourquoi plusieurs parents se tournent vers l'adoption internationale pour satisfaire leur désir d'enfant.

Au Québec, l'adoption internationale compte pour environ 70 % de toutes les adoptions, avec une moyenne annuelle d'un peu plus de 900 adoptions depuis la fin des années 1990. Le Québec est l'une des sociétés où le taux d'adoptions internationales est le plus élevé – deux fois plus qu'en France et trois fois plus qu'aux États-Unis. Les enfants sont majoritairement des filles et proviennent surtout de Chine, mais aussi d'Haïti et d'environ 90 autres pays. Même si la plupart des enfants sont adoptés avant l'âge de un an, leur âge moyen varie autour de deux ans (Lachance, 2002).

Si l'adoption internationale peut combler le profond désir d'enfant de couples qui ont souvent essayé la plupart des méthodes de reproduction assistée, du point de vue de l'enfant, ce type d'adoption ne devrait être envisagé qu'en dernier recours. De leur côté, les parents qui adoptent un enfant d'un pays étranger doivent s'attendre à relever un défi de taille. Cet enfant a déjà un vécu, même s'il n'est âgé que de quelques mois. Il a connu l'abandon, en plus de conditions de vie fréquemment éprouvantes. Il est souvent incapable d'avoir une vision positive du monde et des adultes qui l'entourent. Les parents qui adoptent un enfant dans de telles conditions doivent être informés du défi qui les attend.

Les problèmes que présentent plusieurs de ces enfants sont complexes et se rattachent la plupart du temps aux troubles de l'attachement. Les expériences vécues par un enfant abandonné sont telles qu'il lui est très difficile d'établir un lien de confiance. Cet enfant parviendra fort probablement, dans des conditions de soins normales, à rattraper le déficit de croissance, de langage et de santé qui le caractérise, si les attentes des parents sont réalistes et s'ils comprennent la complexité du mécanisme d'attachement. Plus l'enfant est âgé au moment de l'adoption, plus il risque d'avoir souffert de malnutrition, plus le réseau neuronal du cerveau peut être affecté et plus les risques de retard intellectuel, de problèmes de langage ou de déficit de l'attention sont grands.

Selon le docteur Chicoine, pédiatre spécialisé dans l'adoption internationale, la plus grande partie du cerveau de l'enfant se développe surtout dans les trois premières années de la vie, et c'est entre 8 et 12 mois que la structure responsable de l'attachement se forme dans le système limbique (Chicoine et Lemieux, 2005). Or, ce développement s'effectue grâce à l'interaction parent-enfant.

Les manques subis par le bébé abandonné ou maltraité sont tels qu'il est amené à surdévelopper son cerveau reptilien, une partie du cerveau responsable des fonctions reliées à la survie, et à sous-développer d'autres parties responsables des émotions et des relations sociales.

Pour se développer adéquatement, le cerveau a besoin de stimulations émotives. Dans les premiers mois de la vie, étant donné que l'enfant est entièrement dépendant des autres pour la satisfaction de ses besoins, autant physiques qu'émotifs, il doit compter sur un adulte qui le prend en charge, qui lui procure non seulement les soins physiques, mais qui peut aussi le rassurer dans les moments de détresse. Si un enfant vit continuellement la peur, la frustration ou la souffrance, il en conclut que le monde est un endroit hostile et il se referme alors sur lui-même. La perception de sa relation avec les autres est faussée, et comme ces expériences sont imprégnées dans son cerveau, il devient ensuite très difficile de guérir ces « plaies du cerveau ». Plus un enfant aura souffert, moins il pourra faire confiance.

Il arrive fréquemment qu'un enfant adopté ne fasse pas confiance à ses parents. Il peut sembler autonome et sociable, avec une capacité d'adaptation remarquable, mais ce n'est que pour mieux cacher son insécurité.

Celle-ci peut se manifester par exemple par des problèmes de sommeil, des troubles du langage, un refus de regarder les autres dans les yeux, des comportements inadéquats comme se cogner dans son lit ou se gratter pour rien. Selon Chicoine, il faut généralement que l'adaptation se fasse d'abord ; ensuite, la relation d'attachement peut s'enclencher. Pour l'enfant adopté, il est plus facile de « faire comme si » que de faire confiance. Il faut savoir que plusieurs de ces enfants ne présentent pas de problèmes apparents dans les premières années de leur adoption ; ils cherchent plutôt à plaire, de peur d'être abandonnés encore une fois. Ici aussi le mécanisme de survie entre en jeu et ce n'est que plus tard, souvent au seuil de l'adolescence, que la blessure d'attachement devient évidente.

Une équipe de recherche s'est intéressée à la santé mentale d'adolescents et de jeunes adultes suédois ayant été adoptés à l'étranger à un jeune âge. Même si la plupart sont bien adaptés, on a trouvé qu'ils étaient de trois à cinq fois plus à risque de souffrir d'un trouble psychologique, d'abuser de drogues et d'alcool, de faire des tentatives de suicide ou de commettre un crime que des individus nés en Suède ou arrivés au pays avec leurs parents (Hjern *et al.*, 2002). Malgré ce portrait négatif, plusieurs parents et enfants réussissent à relever le défi et à évoluer dans une relation empreinte d'amour et de confiance.

Colombie 31
Bélarus 52
Haïti 100
Corée du Sud 44
Chine 464

Total annuel : 908

NOMBRE DE LETTRES DE NON-OPPOSITION ÉMISES PAR LE SECRÉTARIAT À L'ADOPTION INTERNATIONALE, SELON LES CINQ PRINCIPAUX PAYS D'ORIGINE, 2003

Source : Secrétariat à l'adoption internationale, Ministère de la Santé et des Services sociaux, Gouvernement du Québec. http://www.adoption.gouv.qc.ca/fr/publications/statistiques/2003_sai_stats_5pays.pdf

• LES FACTEURS RELIÉS À LA FAMILLE

Depuis le tout début de ce livre, nous avons parlé de l'influence de la famille sur le développement des enfants avant même leur naissance. Il ne fait donc pas de doute que le contexte familial peut, de la même façon, constituer un lieu propice au développement de troubles de santé mentale. Les conflits familiaux, la déviance sociale ou le trouble de la santé mentale d'un parent, l'absence de discipline et l'inconsistance des parents, la négligence et l'absence de soutien représentent les facteurs les plus souvent associés à la maladie mentale de l'enfant. La mort d'un parent dans l'enfance constitue également un événement marquant souvent relié à l'apparition ultérieure de troubles dépressifs et de tentatives suicidaires. Le divorce des parents est lui aussi mis en cause. Les recherches tendent toutefois à démontrer que ce sont les conflits parentaux dont l'enfant est témoin avant la séparation qui créent de la détresse et de l'anxiété chez l'enfant. Ils seraient plus dommageables que la séparation elle-même. De plus, la séparation des parents étant souvent accompagnée d'une diminution de revenu, cela ne facilite pas l'adaptation de l'enfant (Habimana, 1999). L'encadré 8.2 décrit la situation particulière de l'adoption internationale qui peut parfois constituer un risque à long terme pour le bien-être psychologique des enfants.

• LES FACTEURS RELIÉS À L'ENVIRONNEMENT PLUS LARGE

Les troubles présents dans la famille n'apparaissent pas en vase clos. Le contexte social peut, en interaction avec les facteurs individuels et familiaux, conduire à l'apparition de problèmes de santé mentale chez les enfants.

Le contexte scolaire peut-il créer l'apparition de problèmes de santé mentale chez l'enfant ? Il est difficile de distinguer la cause de l'effet. Les difficultés de l'enfant qui se révèlent en contexte scolaire sont peut-être antérieures à sa scolarisation. L'école représente un univers singulier dans lequel les enfants doivent se conformer et performer, ce qui ne convient pas à tous. Les difficultés scolaires de l'enfant se trouvent parfois exacerbées par le rejet de son groupe ou les préjugés des enseignants. Enfin, la pauvreté constitue un facteur de risque du développement des problèmes de santé mentale. Il faut préciser toutefois que, dans la majorité des cas, la pauvreté ne vient pas seule. Elle s'accompagne d'un faible taux de scolarisation, de la présence de violence et de drogue, d'une absence de ressources sociales et, par conséquent, d'un faible espoir dans l'avenir (Habimana, 1999).

Devant ce tableau plutôt sombre, il ne faudrait pas oublier que certains enfants, malgré des conditions de vie très difficiles, ne développent jamais de problèmes de santé mentale. Certains facteurs favorisent la résilience (dont nous avons parlé au chapitre 4) chez les enfants : une estime de soi élevée, la réussite scolaire, un réseau social soutenant, des rapports riches avec certaines personnes de l'entourage (Habimana, 1999). Nous reviendrons sur les enfants résilients dans la section 8.6.

Nous avons décrit brièvement certains problèmes vécus par les enfants dans la section portant sur les troubles de comportement du chapitre 6. Nous complétons ici par la description de deux troubles spécifiques aux enfants d'âge scolaire : la phobie scolaire et la dépression.

8.5.2 LA PHOBIE SCOLAIRE ET LES AUTRES TROUBLES ANXIEUX

Les enfants qui présentent une **phobie scolaire** éprouvent une crainte irrationnelle d'aller à l'école. Certains enfants ont de bonnes raisons de ne pas vouloir aller à l'école : un enseignant dénigrant, une surcharge de travail ou le fait d'être victime de taxage (Kochenderfer et Ladd, 1996). Dans ces circonstances, des mesures concrètes doivent être prises pour modifier l'environnement et non l'enfant lui-même. La vraie phobie scolaire est probablement associée

FIGURE 8.7 **LA PHOBIE SCOLAIRE**

Les enfants qui présentent une phobie scolaire éprouvent une crainte irrationnelle d'aller à l'école.

Phobie scolaire
Peur irrationnelle d'aller à l'école.

Trouble d'anxiété de séparation
Trouble caractérisé par l'anxiété extrême et prolongée reliée au fait de se séparer de ses parents ou de quitter la maison.

à un problème plus large que l'on nomme le **trouble d'anxiété de séparation**. Ce trouble est caractérisé par la peur excessive, présente pour une durée d'au moins quatre semaines, de quitter la maison et de se séparer des personnes auxquelles l'enfant est attaché. Le trouble d'anxiété de séparation (à ne pas confondre avec l'angoisse de séparation qui survient dans la petite enfance) affecte environ 4 % des enfants ou des adolescents et peut persister jusqu'au cégep. Ces enfants proviennent souvent d'une famille unie où les liens sont très étroits. Ce trouble peut se développer à la suite d'un événement traumatisant tel que la mort d'un animal de compagnie, une maladie ou l'entrée dans une nouvelle école (APA, 1994). Plusieurs enfants qui souffrent de ce trouble présentent également des symptômes de dépression : de la tristesse, des comportements de retrait, de l'apathie et une difficulté à se concentrer (USDHHS, 1999c).

Les enfants qui souffrent de phobie scolaire sont souvent de bons élèves. Ils sont timides et inhibés lorsqu'ils sont à l'extérieur de leur foyer et, au contraire, affirmatifs, têtus et exigeants lorsqu'ils sont avec leurs parents (Bernstein et Garfinkel, 1988).

Phobie sociale
Peur irrationnelle des situations sociales et désir intense de les éviter.

La phobie scolaire peut également être associée à une forme de **phobie sociale** : une peur extrême de se retrouver dans des situations sociales et un désir intense d'éviter ce type de contexte. Les enfants qui souffrent de phobie sociale sont tellement anxieux qu'ils rougissent, transpirent abondamment ou ont des palpitations lorsqu'on leur demande de parler en classe ou lorsqu'ils rencontrent une connaissance sur la rue (USDHHS, 1999c). La phobie sociale est plus commune qu'on ne le croyait auparavant. Elle affecte environ 5 % des enfants et 8 % des adultes. Ce trouble a une composante génétique assez marquée. Si un parent souffre de phobie sociale, les risques sont plus élevés que l'enfant en souffre également. Les enfants peuvent aussi développer une phobie sociale en observant leurs parents interagir dans un contexte social (Beidel et Turner, 1998).

Trouble d'anxiété généralisée
Trouble caractérisé par une anxiété permanente non dirigée vers une situation spécifique.

Certains enfants souffrent d'un **trouble d'anxiété généralisée**, qui se caractérise par une anxiété permanente non reliée à un contexte comme l'école ou les relations sociales. Ces enfants sont anxieux à propos de tout : leur performance scolaire, la ponctualité, la guerre, les tremblements de terre... Ce sont des enfants généralement perfectionnistes, conformistes et qui doutent d'eux-mêmes. Ils recherchent l'approbation et ressentent un besoin constant d'être rassurés (USDHHS, 1999c).

Trouble obsessif-compulsif
Trouble caractérisé par la présence de pensées intrusives constantes et de comportements de répétition visant la disparition des obsessions.

Un autre trouble est le **trouble obsessif-compulsif**, lequel est moins commun chez les enfants. Une obsession représente une idée ou une image dont il est difficile de se défaire. Une compulsion représente le besoin incontrôlable d'adopter un comportement de façon répétée, souvent dans le but de faire disparaître la pensée obsessive. Par exemple, un enfant qui souffre de trouble obsessif-compulsif pourrait être obsédé par le fait qu'un de ses parents soit malade. Ces pensées hantent son esprit de façon presque constante. Dans une tentative de faire cesser ces pensées, il décide de se laver les mains de façon à ce qu'il n'y ait pas de microbes dans la maison. Cependant le fait de se laver les mains ne fait pas disparaître son obsession et, par conséquent, il se lavera les mains encore plus souvent (USDHHS, 1999c).

Dans la population générale, les troubles anxieux sont plus fréquents que tout autre trouble de santé mentale et ils ont augmenté grandement. Aux États-Unis, en 1980, un enfant « normal » rapportait un niveau d'anxiété plus élevé qu'un enfant traité en psychiatrie dans les années 1950. L'augmentation du taux de divorce, de la criminalité et la diminution du sentiment de cohésion sociale seraient responsables de cette augmentation (Twenge, 2000). Les troubles anxieux sont deux fois plus présents chez les filles que chez les garçons. La plus grande vulnérabilité des filles face à l'anxiété peut se manifester dès l'âge de six ans. Comme nous le verrons, les troubles anxieux sont très souvent associés à la dépression.

8.5.3 LA DÉPRESSION

La dépression chez l'enfant est plus difficile à déceler que chez l'adulte parce que les symptômes sont variables et parce que la dépression est souvent accompagnée d'une autre forme de problème, très fréquemment de type anxieux. Par ailleurs, les enfants possèdent une moins grande capacité d'expression verbale que les adultes. Pour bien illustrer la dépression infanto-juvénile, voyons l'histoire de Raphaël (cette histoire de cas est tirée de Petot, 1999).

Raphaël a sept ans, et sa mère consulte un spécialiste, suivant le conseil de son enseignante qui trouve que cet enfant se concentre peu, ne travaille pas, est lent et semble «absent» en classe. De plus, depuis six mois, Raphaël refuse d'aller à l'école. Il dit avoir mal au ventre et vomit sur le chemin de l'école. Il souffre d'insomnie et fait des cauchemars. Lorsqu'on demande à Raphaël d'interpréter certaines images qu'on lui présente (ce que l'on nomme des tests projectifs), l'imaginaire de Raphaël se révèle être peuplé de blessures, de peau arrachée, de sang et de mort. Sa mère avoue également qu'il affirme vouloir mourir parce qu'il ne se sent pas bien dans sa peau et que, dit-il, «ça ne sert à rien de vivre». Au cours du dernier mois, il a fait trois tentatives de suicide en tentant de se jeter sous une voiture ou en s'immobilisant au milieu de la rue quand une voiture arrive. La mère apprend à la psychologue qu'elle vit un conflit avec son mari et que les symptômes de Raphaël s'aggravent lorsqu'il est témoin de leurs disputes. De plus, elle-même a été très affectée par le suicide de sa sœur survenu un an auparavant. Une évaluation des symptômes de Raphaël à l'aide d'une échelle de mesure de la dépression chez les enfants confirme que Raphaël est profondément perturbé et souffre de dépression majeure.

Existe-t-il beaucoup d'enfants qui, comme Raphaël, souffrent de dépression? Il faut d'abord distinguer deux formes de dépression : la **dépression majeure** et la **dysthymie**. Le premier type est plus grave. Les symptômes sont intenses et aigus, comme dans le cas de Raphaël, mais ils sont généralement de courte durée, soit quelques semaines à quelques mois. On estime que 2 % des enfants souffrent de dépression majeure. La dysthymie constitue une forme moins intense de dépression. Les symptômes sont moins évidents mais plus chroniques. Ce type de dépression peut durer plusieurs années. Entre 0,6 % et 1,7 % des enfants en souffrent. En ce qui a trait à la répartition entre les garçons et les filles, si, comme nous l'avons dit, une plus grande proportion de garçons souffre de trouble de la santé mentale en général, cette affirmation ne s'applique pas à la dépression, pour laquelle la répartition entre les garçons et les filles est semblable (Petot, 1999).

À la différence du cas de Raphaël, qui est particulièrement clair, les symptômes de la dépression ne se présentent pas toujours de manière aussi évidente. Nous pouvons classifier les symptômes de la dépression infantile en quatre grandes catégories. Premièrement la présence importante d'émotions négatives, en particulier la tristesse, s'exprime verbalement, par les pleurs ou par l'absence d'expressions émotionnelles joyeuses. Bien entendu, tous les enfants montrent de la tristesse à l'occasion. Toutefois chez les enfants dépressifs, ces périodes de tristesse sont longues, intenses et fréquentes. Ces signes s'accompagnent parfois d'irritabilité et de colères. Les crises de colère, les hurlements, les coups qui apparaissent à la suite d'une petite frustration constituent parfois les seuls signes qui alertent les parents.

Deuxièmement des symptômes d'ordre cognitif apparaissent, tels que la difficulté à se concentrer, à fournir un effort intellectuel.

Troisièmement une diminution du plaisir et de l'intérêt survient. L'enfant perd toute motivation à aller à l'école et même à jouer. Il n'a envie de rien, il s'ennuie. Il se retire et peut formuler une absence d'espoir dans l'avenir.

Quatrièmement une diminution de l'estime de soi et parfois des sentiments de culpabilité apparaissent. L'enfant s'évalue négativement dans plusieurs situations et se sent responsable des événements, même de ceux qui lui sont étrangers. Les deux tiers des enfants dépressifs

Dépression majeure
Trouble psychologique qui, lorsqu'il est présent chez l'enfant, est caractérisé par la perte d'intérêt ou de plaisir pour presque toutes les activités, y compris le jeu. La capacité de concentration est diminuée, de même que l'estime de soi. L'enfant peut se sentir apathique et penser à la mort. La dépression majeure chez l'enfant dure de quelques semaines à quelques mois. Les symptômes sont intenses mais de courte durée.

Dysthymie
On l'appelle aussi «dépression mineure». Les symptômes qui y sont associés sont les mêmes que ceux de la dépression majeure, mais ils sont moins intenses et durent plus longtemps, parfois jusqu'à plusieurs années.

répondent affirmativement à l'assertion suivante : «Tout ce qui ne va pas est de ma faute», laquelle assertion est tirée d'une échelle d'évaluation de la dépression chez les enfants. Certains enfants craignent la mort imminente des membres de leur famille ou les séparations qu'ils considèrent comme permanentes. Bien que la plupart des gens croient que les enfants ne pensent pas au suicide, selon Petot (1999), les deux tiers des enfants déprimés auraient des idées suicidaires.

Les explications de la dépression chez les enfants peuvent se diviser en deux grandes catégories. L'explication psychanalytique et l'explication cognitive. Dans la perspective psychanalytique, les origines de la dépression remonteraient à la petite enfance, durant laquelle l'enfant a subi un traumatisme, souvent relié à une perte. Selon Mélanie Klein, tous les enfants passeraient par une période de dépression lors du sevrage de l'allaitement. Les enfants qui deviennent dépressifs à un âge plus avancé n'auraient jamais résolu le conflit créé par la perte engendrée lors du sevrage. Les symptômes dépressifs des enfants s'expliqueraient par une trop longue séparation entre le bébé et sa mère, ce qui créerait chez l'enfant une perte de la personne la plus importante pour lui. Freud explique la dépression de manière similaire. Elle aurait pour origine un deuil précoce (une perte, une séparation) (Petot, 1999).

Lorsque nous avons étudié l'agressivité, nous avons mentionné le fait que les enfants agressifs tendent à avoir un biais d'attribution hostile. Les interprétations cognitivistes de l'origine de la dépression chez l'enfant considèrent que les dépressifs affichent des biais d'attribution pessimistes. Des chercheurs tels que Beck (1976), Ellis (1975) ou Selligman (1975) croient que les personnes qui souffrent de dépression «ne sont pas pessimistes parce qu'elles sont tristes, elles sont tristes parce qu'elles sont pessimistes (Petot, 1999, p. 124)». Leur façon d'interpréter le monde, toujours d'une manière négative, créerait chez eux des sentiments dépressifs. Il est difficile cependant de savoir si les cognitions négatives précèdent les épisodes dépressifs ou leur succèdent. Les recherches n'ont pas confirmé hors de tout doute que les biais d'attribution existaient de façon systématique chez les personnes dépressives avant l'apparition des symptômes. Lewinsohn (1974) utilise une approche cognitivo-comportementale pour expliquer la dépression en insistant sur l'absence de renforcements positifs dans la vie des enfants dépressifs. Selon Petot (1999), il est en effet fréquent dans les familles d'enfants dépressifs de voir les parents ne faire aucun commentaire sur les bons comportements ou les succès scolaires, mais intervenir sévèrement lorsque l'enfant commet une erreur ou éprouve une difficulté. Par ailleurs, certains chercheurs posent l'hypothèse que l'origine de la dépression serait génétique. En effet, il est fréquent de retrouver dans la famille des enfants dépressifs des parents qui vivent des troubles dépressifs, des troubles anxieux ou des problèmes de consommation. Cependant, à ce jour, aucune preuve ne permet d'affirmer que les gènes sont responsables. En effet, les parents déprimés peuvent provoquer la dépression chez leur enfant par le simple fait d'être tristes, d'induire chez l'enfant des interprétations cognitives pessimistes, de ne pas avoir d'interactions positives et de ne pas renforcer l'enfant positivement (Petot, 1999).

8.5.4 L'INTERVENTION EN SANTÉ MENTALE INFANTILE

Psychothérapie individuelle
Processus interactionnel structuré qui, fondé sur un diagnostic, vise le traitement d'un trouble de santé mentale à l'aide de méthodes psychologiques reconnues par la communauté scientifique.

Le traitement psychologique des enfants dépressifs ou anxieux peut prendre plusieurs formes. Dans la **psychothérapie individuelle**, le thérapeute rencontre l'enfant individuellement et, dans la mesure du possible, l'aide à prendre conscience de ses émotions et de ses relations interpersonnelles. Ce type de thérapie peut être salutaire pour un enfant qui traverse une période difficile, comme la mort d'un parent ou la séparation des parents. Dans le cadre de la psychothérapie individuelle, les psychologues peuvent faire appel aux techniques de *thérapie par le jeu*. Dans ce contexte, des jouets, des marionnettes, de la pâte à modeler sont utilisés pour que l'enfant puisse verbaliser ce qu'il ressent. Selon les psychanalystes, les mises en scène élaborées par l'enfant dans le contexte du jeu, seront le reflet de son vécu émotionnel. La thérapie par le jeu a montré son efficacité dans diverses situations, incluant les problèmes émotionnels (Bratton et Ray, 2002).

La *thérapie comportementale* vise à modifier les comportements indésirables de l'enfant par le biais de renforcements. Les principes de la théorie de l'apprentissage, que nous avons étudiés au chapitre 1, sont alors mis en œuvre. Lewinsohn et ses collègues (1990) utilisent une approche cognitivo-comportementale de la dépression. Cette thérapie implique les parents dans le processus thérapeutique. On travaille sur le plan cognitif, surtout avec les parents, et sur le plan des comportements avec les parents et les enfants. Les techniques utilisées demandent aux parents d'examiner leurs propres interprétations cognitives, de manière à prendre conscience des messages qu'ils livrent aux enfants. Des techniques de résolution de problèmes sont pratiquées avec la famille et on incite cette dernière à augmenter les renforcements positifs des comportements souhaitables de l'enfant, ainsi que les activités familiales agréables.

FIGURE 8.8   **LA THÉRAPIE PAR LE JEU**

Au cours de la thérapie par le jeu, la thérapeute observe la façon dont l'enfant exprime dans ses actes les problèmes qu'il vit en utilisant des matériaux appropriés à son niveau de développement.

La *thérapie familiale* peut utiliser cette dernière technique ou d'autres, mais, dans tous les cas, la famille entière est invitée à participer aux séances psychothérapeutiques. Le psychologue examine les interactions entre les membres de la famille et identifie les façons de faire favorables au bien-être de la famille et celles qui sont malsaines. Les psychologues qui pratiquent la thérapie familiale ont découvert que le réel problème réside souvent dans la famille plus que chez l'enfant. D'ailleurs, l'identification par les parents de leurs propres problèmes est généralement suffisante pour faire disparaître les symptômes de l'enfant.

La *thérapie par l'art* s'applique bien aux cas dans lesquels l'enfant possède des habiletés verbales limitées ou lorsqu'il a subi un grave traumatisme émotionnel. La pratique de la peinture, par exemple, peut aider l'enfant à exprimer ses difficultés sans avoir à les verbaliser (Kozlowska et Hanney, 1999). La thérapie par l'art peut être utilisée dans le contexte d'une thérapie familiale. L'observation par le thérapeute de la famille qui planifie un projet de création artistique, qui discute des moyens pour le réaliser et qui lui donne une forme concrète fournit de bonnes indications du fonctionnement de la famille (Kozlowska et Hanney, 1999).

Le recours à la *thérapie pharmacologique*, utilisée en combinaison avec une autre forme de psychothérapie, a beaucoup augmenté durant les années 1990. Cependant les résultats obtenus chez les enfants sont loin d'être aussi positifs que ceux que l'on a observés chez les adultes (Petot, 1999), et plusieurs psychologues du développement en décrient l'utilisation. Les antidépresseurs ne se sont pas révélés plus efficaces que des placebos dans le traitement des dépressions chez les enfants et les adolescents (Fisher et Fisher, 1996). Certains enfants n'auront pas besoin de traitement spécifique, à cause de leur capacité de résilience.

8.6 LE STRESS ET LA RÉSILIENCE CHEZ LES ENFANTS

Le **stress** est la réponse de l'organisme à une demande d'adaptation physique ou psychologique qui lui est faite. Les événements stressants, que l'on appelle aussi des **stresseurs**, font partie de la vie de l'enfant. Ils incluent l'entrée à l'école, les exigences des parents quant à la performance scolaire et la menace des agressions. La plupart des enfants développent des stratégies pour faire face à ces stresseurs. Des événements majeurs, tels que l'abus physique ou sexuel, une fusillade dans une école ou l'attaque du World Trade Center auront, en général, des impacts néfastes à plus long terme. Devant de telles menaces, certains enfants font davantage preuve de résilience que d'autres.

Dans la section sur la conciliation famille-travail, nous avons examiné combien il peut être difficile pour les familles de combiner plusieurs rôles. Dans ce contexte, l'enfant subit lui

Stress
Ensemble des réactions ou des réponses de l'organisme à toute demande d'adaptation qui lui est faite.

Stresseurs
Expériences qui induisent du stress.

FIGURE 8.9 LE SYNDROME DE STRESS POST-TRAUMATIQUE

Des événements majeurs, tels que l'attaque du World Trade Center, auront en général des impacts néfastes à plus long terme.

aussi beaucoup de pressions. Selon le psychologue pour enfants David Elkind (1997), le jeune d'aujourd'hui est un «enfant bousculé». La vie des familles modernes oblige les enfants à vieillir trop vite et ces derniers sont soumis à trop de stress, trop jeunes. Les enfants sont exposés à des problèmes d'adulte par le biais de la télévision avant même d'avoir résolu ceux de l'enfance. Par ailleurs, le travail des parents qui favorise une plus grande mobilité entraîne pour certains des déménagements fréquents et la perte de contact avec leurs amis (Hofferth et Sandberg, 1998).

Compte tenu du rythme de vie des enfants d'aujourd'hui et du stress qu'ils ressentent, il n'est pas étonnant que les enfants soient inquiets. Comme nous l'avons mentionné, l'anxiété chez les enfants a beaucoup augmenté (Twenge, 2000). La peur du danger et de la mort constituent les peurs les plus fréquentes des enfants de tout âge (Gullone, 2000), et ce, dans plusieurs pays du monde. Les enfants qui vivent en contexte de pauvreté, que l'on associe parfois à un environnement moins sécuritaire, présentent des niveaux d'anxiété plus grands.

Les enfants de différentes origines ethniques se préoccupent beaucoup de l'école, de leur santé et de celle de leur entourage. Toutefois leur plus grande préoccupation est reliée à la menace que représentent les autres : se faire voler ou attaquer (Silverman *et al.*, 1995). Pourtant, ces enfants ne vivent pas nécessairement dans un environnement violent. Les chercheurs croient que leurs inquiétudes au sujet de la sécurité sont influencées par la présence de violence dans la société à laquelle les enfants appartiennent. Aux États-Unis, entre 1994 et 1999, 253 personnes sont mortes dans le cadre de fusillades dans les écoles : 68 % des victimes étaient des élèves (Anderson *et al.*, 2002). Projetée sur tous les écrans du monde, l'attaque du World Trade Center a marqué l'imagination de tous. Comment les enfants ont-ils réagi à cette attaque ? Selon une étude menée auprès de 8 266 enfants américains d'âges variables, 10 % ont montré des symptômes typiques du **syndrome de stress post-traumatique** (problèmes de sommeil, cauchemars, difficultés de concentration, pensées récurrentes au sujet de l'attaque). Quelque 15 % ont développé des problèmes d'agoraphobie, c'est-à-dire de l'anxiété reliée au fait de se trouver dans des endroits publics (Board of Education of City of New York, 2002).

Syndrome de stress post-traumatique

Trouble psychologique associé à un événement traumatisant dépassant les capacités d'adaptation de la personne et caractérisé par une anxiété intense et tenace liée à la remémoration de l'événement.

TABLEAU 8.3 CARACTÉRISTIQUES DES ENFANTS ET DES ADOLESCENTS RÉSILIENTS (MASTEN ET COATSWORTH, 1998)

NIVEAU	CARACTÉRISTIQUES
Individuel	• Bon fonctionnement intellectuel • Agréable, sociable, tempérament facile • Estime de soi élevée et sentiment d'efficacité personnelle • Talents et espoir dans l'avenir
Familial	• Relation de proximité avec au moins un parent • Style parental de type directif : encadrement chaleureux, attentes élevées envers l'enfant • Niveau socioéconomique favorable • Réseau de soutien avec la famille élargie
Extrafamilial	• Liens significatifs avec des adultes de l'entourage • Présence de liens avec des organismes qui favorisent les comportements prosociaux • Fréquentation d'une bonne école

Les enfants qui grandissent dans un environnement violent montrent des difficultés de concentration et des problèmes de sommeil. Certains craignent d'être abandonnés par leurs parents, d'autres deviennent violents. Un bon nombre de ces enfants refusent de développer des liens d'attachement avec des pairs, de peur d'être blessés (Garbarino *et al.*, 1998). La multiplicité des facteurs de risque augmente les effets néfastes. Ainsi, un enfant qui vit dans un environnement violent et dont les parents sont pauvres et inadéquats présente beaucoup plus de risques de voir son développement affecté à long terme (Rutter, 1987).

Nous avons vu au chapitre 4 que la résilience est définie comme un ressort moral, la qualité d'une personne qui ne se décourage pas et qui ne se laisse pas abattre par les épreuves de la vie. Les enfants résilients sont ceux qui, même dans des circonstances difficiles, maintiennent leurs compétences et leur développement normal. Ces enfants ne possèdent pas des qualités exceptionnelles. Ils réussissent simplement à maintenir un fonctionnement normal et à faire appel aux ressources dont ils ont besoin (Masten, 2001). Le tableau 8.3 décrit les principales caractéristiques de l'enfant résilient. Les deux facteurs de protection les plus importants sont d'ordre familial et cognitif (Masten et Coatsworth, 1998). Les enfants résilients entretiennent une relation d'attachement intense avec au moins l'un de leurs parents ou un autre adulte significatif (Masten, 2001), ce que Cyrulnik appellerait un *tuteur de résilience*. Sur le plan cognitif, les enfants résilients tendent à démontrer des QI supérieurs et de bons mécanismes de résolution de problème. Leur plus grande capacité à traiter l'information les aide probablement à affronter l'adversité, à se protéger eux-mêmes, à ajuster leurs comportements et à apprendre de leurs expériences. Leur intelligence supérieure attire peut-être des enseignants qui deviennent des guides, des confidents ou des mentors (Masten et Coatsworth, 1998). Parmi les autres facteurs de protection, nous retrouvons les suivants :

• *La personnalité sociable de l'enfant.* Les enfants résilients s'adaptent facilement, ils sont sympathiques, indépendants mais sensibles aux autres. Ils sont compétents et ont une estime de soi élevée. Ils sont créatifs et motivés.

• *Le fait d'avoir été exposé à un seul événement stressant.* Nous avons mentionné que l'accumulation des facteurs de risque constitue le contexte le plus dommageable pour les enfants. Les recherches sur les enfants résilients révèlent qu'ils sont plus souvent exposés à un seul événement difficile plutôt qu'à plusieurs.

• *La présence d'expériences compensatoires.* Un environnement scolaire soutenant, des expériences de succès dans d'autres domaines, comme le sport ou la musique, peuvent aider l'enfant à se protéger d'un milieu familial destructeur (Masten, 2001).

Le fait que certains enfants soient résilients ne signifie pas que les difficultés de la vie ne les affectent pas. De manière générale, les enfants issus de contextes difficiles développent plus de problèmes d'ajustement que les enfants de milieux plus favorables. De plus, les recherches sur la résilience sont récentes et nous ignorons encore si, à long terme, les conséquences d'un traumatisme ne se feront pas sentir, même chez les enfants résilients en bas âge (Masten et Coatsworth, 1998). Malgré tout, l'intérêt que représentent les enfants résilients est de constater que les expériences négatives ne mènent pas inévitablement au développement d'une incapacité. Certains enfants naviguent à travers les difficultés et réussissent à maintenir le cap vers leur bon développement.

A

Accommodation
Terme issu de la théorie de Piaget désignant la modification que subit une structure cognitive pour intégrer une nouvelle information.

Acide désoxyribonucléique (ADN)
Substance chimique du génome qui transporte les instructions contrôlant la synthèse des protéines et, ce faisant, la formation et le fonctionnement des cellules.

Adaptation
Terme issu de la théorie de Piaget désignant une interaction efficace entre l'environnement et l'individu. Elle résulte de l'assimilation et de l'accommodation.

Adaptations acquises
Expression piagétienne désignant les schèmes restructurés pour tenir compte de comportements donnés, appris par accommodation.

Adéquation
Concordance entre le tempérament d'un enfant et les caractéristiques de son environnement.

Agressivité hostile
Comportement agressif dont le but recherché est de blesser l'autre.

Agressivité instrumentale
Comportement agressif qui vise à atteindre le but recherché par l'agresseur.

Allèle
Les différentes formes possibles d'un même gène.

Amniocentèse
Ponction du liquide amniotique. Ce test prénatal permet de dépister certaines anomalies génétiques, de connaître le sexe du bébé ainsi que son âge fœtal.

Analgésie péridurale
Diminution de l'influx nerveux produite par l'administration d'une substance appropriée dans l'espace péridural.

Androgynie
Personnalité qui possède à la fois des caractéristiques féminines et masculines.

Anesthésie péridurale
Abolition de la sensibilité, produite par l'administration d'une substance appropriée dans l'espace péridural.

Animisme
Tendance à concevoir les objets inanimés comme possédant des caractéristiques humaines.

Anoxie
Privation d'oxygène susceptible de causer des lésions cérébrales.

Anxiété de séparation
Sentiment de détresse ressenti par un enfant quand la personne qui s'occupe habituellement de lui le quitte.

Approche behavioriste
Conception selon laquelle le développement est une réaction à des stimuli et à des événements externes.

Approche de l'*empowerment*
Approche qui vise à redonner du pouvoir à une personne, à la considérer en mesure de définir ses besoins et de trouver les moyens d'y répondre.

Approche écologique
Approche théorique développée par Bronfenbrenner, laquelle explique le développement humain par l'interaction qui existe entre la dimension ontosystémique (caractéristiques personnelles d'un individu), la dimension chronosystémique (transition vécue et moment du développement), le contexte de développement (famille, école...) et l'environnement (facteurs géographiques, politiques, économiques et culturels).

Approche humaniste
Conception selon laquelle chaque personne a la capacité de prendre sa vie en main, d'assumer son développement de manière saine et positive, grâce à des caractéristiques propres à l'être humain, comme la capacité de choisir, de créer, de tendre vers l'actualisation de soi.

Approche phonétique
Approche d'enseignement de la lecture qui met l'accent sur le décodage de mots inconnus.

Approche psychanalytique
Théorie développée par Freud portant sur les forces inconscientes qui motivent le comportement humain et qui stipule que les événements qui se produisent durant l'enfance déterminent le développement de la personnalité adulte.

Assimilation
Terme issu de la théorie de Piaget désignant l'intégration d'une nouvelle information dans une structure cognitive existante.

Attachement
Relation affective réciproque et dynamique qui s'établit entre deux individus (habituellement le nouveau-né et son parent). L'interaction entre ces deux personnes contribue à renforcer et à raffermir ce lien.

Attachement désorganisé et désorienté
Type d'attachement perturbé dans lequel l'enfant démontre de multiples contradictions dans son comportement à l'égard de sa mère et manifeste de la confusion et de la peur.

Attachement insécurisant de type ambivalent
Type d'attachement perturbé dans lequel l'enfant affiche une anxiété en présence et en l'absence de sa mère. Lors de la réunion avec cette dernière, l'enfant démontre tout à la fois une recherche de réconfort et des comportements de rejet et de résistance.

Attachement insécurisant de type évitant
Type d'attachement perturbé dans lequel l'enfant manifeste une distance à l'égard de sa mère lorsqu'elle est présente, une indifférence lors de son départ et une absence de réconfort lors du retour.

Attachement sécurisant
Type d'attachement dans lequel l'enfant manifeste de la confiance en présence de sa mère, de la détresse lors de son absence et un retour à la confiance lors de la réunion avec la mère.

Autonomie, honte et doute
D'après Erikson, deuxième crise du développement psychosocial (18 mois à 3 ans) au cours de laquelle l'enfant trouve un équilibre entre, d'une part, l'autonomie (indépendance, autodétermination) et, d'autre part, la honte et le doute.

Autoréalisation des prophéties
Phénomène par lequel des comportements engendrent une réponse spécifique qui, à son tour, confirme la justification des comportements de départ.

Autorégulation
Contrôle interne sur ses comportements dont fait preuve l'enfant en fonction des attentes sociales.

B

Babillage
Répétition de sons composés d'une consonne et d'une voyelle.

Base de sécurité
Utilisation par l'enfant de son parent comme point de référence qui lui permet d'explorer et de revenir, au besoin, pour recevoir un réconfort émotionnel.

Bébé de faible poids par rapport à son âge de gestation
Bébé qui pèse moins de 90 % du poids moyen des bébés de même âge gestationnel, qu'il soit né à terme ou non.

Bébé prématuré

Bébé né avant la 37e semaine de gestation.

Biais culturel

Dans un test d'intelligence, tendance à inclure des questions utilisant un vocabulaire, ou faisant appel à des situations ou habiletés plus significatives pour un groupe culturel que pour un autre.

Blastocyste

Stade de développement de l'embryon avant qu'il s'implante dans l'utérus.

C

Ça

Dans la théorie psychanalytique, instance innée et inconsciente de la personnalité, présente dès la naissance, qui obéit au principe de plaisir par la recherche d'une gratification immédiate.

Capacité de représentation

Capacité de se rappeler (se représenter mentalement) des objets et des expériences sans l'aide de stimuli, principalement par le recours à des symboles.

Capital social

Ressources familiales et communautaires sur lesquelles les enfants peuvent compter.

Catégorisation rapide

Processus de traitement de l'information qui consiste à poser rapidement une hypothèse. Par extension, processus selon lequel un enfant absorbe le sens d'un nouveau mot après l'avoir entendu seulement une ou deux fois.

Cauchemar

Rêve terrifiant qui survient souvent vers la fin de la nuit. L'enfant en garde généralement un vif souvenir.

Causalité

Principe selon lequel certains événements sont la cause d'autres événements.

Centration

D'après Piaget, limite de la pensée préopératoire qui amène l'enfant à ne percevoir qu'un seul aspect d'une situation au détriment des autres.

Césarienne

Intervention chirurgicale qui consiste à pratiquer une incision dans la paroi abdominale, afin d'extraire le bébé de l'utérus.

Chromosomes

Segments d'ADN porteurs des gènes qui transmettent les facteurs héréditaires ; ils sont au nombre de 46 chez l'être humain normal.

Chronosystème

Dans le modèle écologique, facteur de développement relié au passage du temps, que ce soit les périodes de transition de la vie ou l'époque pendant laquelle un individu évolue.

Climatère

Période de changements hormonaux progressifs occasionnant une variété de symptômes physiologiques chez la femme et qui mènera à la ménopause ; dure de un à huit ans avant la ménopause.

Cognition sociale

Capacité de reconnaître l'état émotionnel des autres.

Cohorte

Groupe d'individus qui grandissent au même endroit et au même moment.

Colostrum

Liquide sécrété par le sein juste avant la montée laiteuse, moins riche en graisses que le lait, mais adapté aux besoins du nouveau-né. Il contient, entre autres, des anticorps qui contribuent à immuniser le bébé.

Complexe d'Œdipe

Conflit central inconscient du stade phallique au cours duquel l'enfant désire la mort du parent du même sexe et éprouve un désir sexuel pour le parent du sexe opposé. Idéalement, une fois le conflit résolu, l'enfant désire s'inscrire dans la société.

Comportement d'attachement

Signes émis par l'enfant qui appellent des réponses de l'adulte qui s'en occupe : regards, sourires, contacts, pleurs…

Comportement externalisé

Trouble de comportement qui prend la forme de manifestations antisociales et souvent agressives.

Comportement internalisé

Trouble de comportement qui prend la forme du retrait de l'enfant de ses interactions avec les autres.

Comportement prosocial

Comportement volontaire à l'égard d'autrui et dont l'objectif vise le bénéfice de l'autre.

Concept de soi

Ensemble des représentations qu'une personne possède au sujet d'elle-même.

Conciliation famille-travail

Processus par lequel les parents tentent de répartir leurs énergies en fonction des exigences reliées au monde du travail et à celui de la vie familiale.

Conditionnement classique

Apprentissage grâce auquel un stimulus précédemment neutre devient capable de déclencher cette réponse après avoir été associé de façon répétée à un stimulus inconditionnel qui, lui, provoque cette réponse.

Conditionnement opérant

Forme d'apprentissage dans laquelle une réponse continue à se produire parce qu'elle a été renforcée ou cesse de se produire parce qu'elle a été punie.

Confiance versus méfiance fondamentales

Selon Erikson, première crise du développement psychosocial (0 à 18 mois) au cours de laquelle le nourrisson investit le monde sur la base d'un sentiment de confiance ou de méfiance. La qualité de l'interaction avec la mère joue un rôle important dans l'établissement de la confiance.

Conflits psychiques

Conflits inconscients entre les pulsions fondamentales et les contraintes liées à la réalité.

Congruence

Dans la conception rogérienne, état d'une personne qui ressent une correspondance entre ce qu'elle vit (l'expérience), ce qu'elle en sait (la prise de conscience) et ce qu'elle en dit (la communication).

Conscience de soi

Reconnaissance de sa différence par rapport aux autres personnes et aux objets. Cette reconnaissance permet de réfléchir à ses propres comportements par rapport aux normes sociales.

Conservation

Selon Piaget, capacité de comprendre que deux quantités égales (liquide, poids, nombre, surface…) restent égales malgré une transformation apparente, pourvu que rien ne soit enlevé ni ajouté aux deux quantités.

Corégulation

Stade transitionnel dans le contrôle du comportement de l'enfant durant lequel les parents supervisent l'enfant de façon moins intense qu'auparavant. Les enfants possèdent plus de possibilités d'utiliser l'autorégulation.

Cortex cérébral

Couche supérieure du cerveau ; siège des processus mentaux tels que la mémoire, l'apprentissage, l'intelligence et la capacité de résoudre des problèmes.

Crise de l'initiative versus la culpabilité

Troisième crise du développement psychosocial, selon Erikson, au cours de laquelle l'enfant de trois à six ans doit réaliser l'équilibre entre le désir d'atteindre des buts et les jugements moraux liés à ce qu'il veut faire.

D

Décalage horizontal

Terme utilisé par Piaget pour décrire l'incapacité de l'enfant d'appliquer sa compréhension d'un type de conservation (en substance, en poids ou en volume) à un autre type. On dit «horizontal» parce qu'il se produit dans la même étape de développement. L'action mentale n'est donc pas encore indépendante du contenu.

Décentration

Capacité de considérer plusieurs points de vue.

Déficience intellectuelle

Fonctionnement intellectuel situé bien en deçà de la moyenne, accompagné d'importantes lacunes sur le plan de la communication et de la socialisation.

Délivrance

Troisième phase de l'accouchement pendant laquelle le placenta et le sac amniotique sont expulsés.

Dendrite

Un prolongement de la cellule nerveuse; partie qui capte l'information.

Dépression majeure

Trouble psychologique qui, lorsqu'il est présent chez l'enfant, est caractérisé par la perte d'intérêt ou de plaisir pour presque toutes les activités, y compris le jeu. La capacité de concentration est diminuée, de même que l'estime de soi. L'enfant peut se sentir apathique et penser à la mort. La dépression majeure chez l'enfant dure de quelques semaines à quelques mois. Les symptômes sont intenses, mais de courte durée.

Dérogation scolaire

Permission spéciale de déroger à la loi stipulant que l'âge minimum pour entrer à la maternelle est 5 ans au 30 septembre.

Déterminisme

Vision selon laquelle l'environnement joue un rôle déterminant dans l'orientation du comportement.

Développement cognitif

Suite de changements dans les mécanismes de la pensée qui résultent en une capacité croissante d'acquérir et d'utiliser la connaissance.

Développement psychosexuel

Dans la théorie psychanalytique, séquence invariable de stades dans le développement de la personnalité, depuis l'enfance jusqu'à l'adolescence, au cours de laquelle différentes zones érogènes sont investies.

Dispositif d'acquisition du langage

Selon la théorie innéiste de Noam Chomsky, ensemble des structures mentales innées permettant à l'enfant de déduire les règles grammaticales par l'analyse du langage qu'il entend dans son entourage.

Dominance de la main

Préférence pour l'utilisation d'une main plutôt que l'autre.

Double standard

Attentes de la société qui diffèrent en fonction du sexe de la personne.

Dyslexie

Trouble d'apprentissage répandu qui rend la lecture et la rédaction difficiles ou impossibles.

Dysthymie

On l'appelle aussi «dépression mineure». Les symptômes qui y sont associés sont les mêmes que ceux de la dépression majeure, mais ils sont moins intenses et durent plus longtemps, parfois jusqu'à plusieurs années.

E

Échafaudage

Selon Vygotsky, soutien temporaire que les parents donnent à l'enfant pour qu'il puisse effectuer une tâche.

Échelle d'évaluation du comportement néo-natal

Test neurologique et comportemental mesurant les réactions du nouveau-né à l'environnement; il permet d'évaluer les comportements interactifs, moteurs et physiologiques ainsi que la réaction au stress.

Égocentrisme

Selon Piaget, caractéristique de la pensée préopératoire qui rend impossible la prise en compte du point de vue d'une autre personne.

Élaboration

Stratégie mnémonique qui consiste à associer les items à mémoriser à autre chose, comme inventer une histoire.

Émotion

Sentiment subjectif, comme la tristesse, la joie et la peur, qui survient en réponse à des situations et à des expériences.

Émotions autoévaluatives

Émotions comme la fierté, la honte et la culpabilité, qui dépendent de la conscience de soi et de la connaissance des normes sociales au sujet des comportements acceptables.

Empathie

Habileté de se mettre à la place d'une autre personne et de ressentir ce qu'elle ressent.

Empreinte

Processus se produisant durant une période critique du développement d'un organisme et par lequel l'organisme réagit à un stimulus d'une manière difficilement modifiable par la suite.

Enfant difficile

Enfants au tempérament irritable, ayant un rythme biologique irrégulier et des réactions émotionnelles intenses.

Enfant facile

Enfant démontrant un tempérament généralement joyeux, une ouverture aux nouvelles expériences et ayant des rythmes biologiques réguliers.

Enfant plus lent à réagir

Enfant dont le tempérament est généralement calme, mais qui se montre hésitant devant de nouvelles situations.

Énurésie

Émission involontaire d'urine; souvent associée au sommeil nocturne des enfants.

Épisiotomie

Incision du périnée entre la vulve et l'anus, destinée à agrandir l'orifice afin de faciliter la sortie du bébé.

Équilibration

Dans la terminologie piagétienne, tendance à harmoniser les divers éléments cognitifs au sein de l'organisme, et entre l'organisme et le monde extérieur.

Estime de soi

Valeur qu'une personne accorde à elle-même.

Éthologiste

Scientifique qui étudie les comportements caractéristiques des différentes espèces.

Évaluation dynamique

Procédure d'évaluation qui consiste à aider l'enfant lors de l'évaluation, de façon à déterminer ses capacités à tirer profit d'un entraînement.

Exosystème

Dans le modèle écologique, facteur de développement relié aux décisions prises dans des instances non fréquentées par la personne, mais qui ont un impact direct sur sa vie.

Expression gestuelle

Gestes servant à communiquer.

Expulsion

Phase de l'accouchement qui débute au moment où la tête du bébé commence à s'engager dans le col et le vagin, et qui se termine lorsque le bébé est complètement sorti du corps de la mère.

F

Fœtus

Nom donné à l'embryon après la huitième semaine de la grossesse, c'est-à-dire dès qu'il commence à présenter des formes humaines.

Fontanelles

Espaces membraneux entre les os du crâne du nouveau-né qui s'ossifieront graduellement dans les premiers mois de sa croissance.

Forceps

Instrument en forme de deux cuillères croisées, utilisé pendant l'accouchement et destiné à saisir la tête du bébé et à l'extraire.

Fratrie

Ensemble des frères et des sœurs d'une famille.

G

Gamètes

Cellules reproductrices sexuées (spermatozoïde ou ovule).

Gazouiller

Émettre des gazouillis, premiers sons simples émis par les bébés.

Gène

Composante de base de l'hérédité qui détermine le trait hérité.

Génotype

Composition génétique sous-jacente qui mène à la manifestation de certains traits.

H

Habituation
Forme d'apprentissage simple par lequel l'enfant, une fois habitué à un son, à une sensation visuelle ou à tout autre stimulus, réagit de manière moins intense ou cesse complètement de réagir.

Hérédité
Ensemble des traits transmis d'une génération à l'autre par les gènes.

Holophrase
Mot qui exprime une pensée complète.

Hypothèse
Prédiction du résultat d'une expérience, basée sur des connaissances antérieures au sujet d'un phénomène.

I

Identité de genre
Représentation que se fait une personne d'elle-même en fonction de son appartenance à un sexe.

Image corporelle
Représentation que l'on se fait de son propre corps.

Imitation différée
Reproduction d'un comportement observé, après un certain laps de temps et grâce à la récupération de sa représentation en mémoire.

Imitation invisible
Imitation réalisée avec des parties du corps que l'on ne peut voir, comme la bouche.

Imitation visible
Imitation réalisée avec des parties du corps que l'on peut voir, comme les mains et les pieds.

Inclusion de classe
Compréhension de la relation qui existe entre un tout et ses différentes parties.

Indice d'Apgar
Évaluation standardisée de la condition du nouveau-né; elle consiste à mesurer la coloration, la fréquence cardiaque, la réactivité, le tonus musculaire et la respiration.

Inférence transitive
Compréhension de la relation qui existe entre deux objets en connaissant la relation qu'entretient chaque objet avec un objet tiers.

Influences du milieu
Influences attribuables aux expériences vécues au contact du monde extérieur.

Invariants fonctionnels
Dans la perspective piagétienne, modes de développement cognitif qui agissent entre eux à tous les stades du développement de l'intelligence. Ils sont au nombre de trois : l'organisation cognitive, l'adaptation et l'équilibration.

Irréversibilité
Limite de la pensée préopératoire qui empêche l'enfant de comprendre qu'une opération sur un objet peut être faite en sens inverse pour revenir à l'état initial de l'objet.

J

Jeu constructif
Jeu qui consiste à utiliser des objets pour construire ou créer autre chose.

Jeu dramatique (ou symbolique)
Jeu dans lequel l'enfant invente une situation imaginaire; faire semblant d'être quelque chose ou quelqu'un d'autre (médecin, infirmière, Batman) en s'adonnant à des activités d'abord relativement simples, puis de plus en plus complexes.

Jeu fonctionnel
Jeu constitué d'actions répétitives avec ou sans objets, comme faire rouler une balle ou tirer un jouet sur roues.

Jeu formel
Jeu de règles; toute activité comportant des règles, une structure et un objectif (la victoire), comme la marelle, les jeux de billes, etc.

Jeu social
Jeu dans lequel les enfants interagissent les uns avec les autres.

Jeu symbolique
Selon Piaget, le fait de représenter des objets ou des actions par des symboles (autres objets ou actions imaginaires).

Jeux-rudes-de-culbute (*rough-and-tumble play*)
Jeux désordonnés et vigoureux qui impliquent de la lutte, des coups de pieds, des cascades, des assauts, et parfois des poursuites, souvent accompagnés de rires et de cris.

Jumeaux dizygotes
Jumeaux nés de l'union de deux ovules différents et de deux spermatozoïdes différents; aussi appelés jumeaux fraternels, faux jumeaux ou jumeaux non identiques.

Jumeaux monozygotes
Jumeaux nés de la division d'un seul zygote après la fécondation; aussi appelés vrais jumeaux ou jumeaux identiques.

L

Langage de bébé
Langage souvent utilisé pour se mettre à la portée des bébés. Ce langage est simplifié et comprend beaucoup d'intonations, des phrases courtes, des répétitions et un registre plus aigu.

Langage expressif
Capacité de s'exprimer avec des mots.

Langage prélinguistique
Mode d'expression orale qui précède le langage véritable. Il se compose de pleurs, de gazouillis, de babillages, d'imitations accidentelles puis délibérées de sons que l'enfant ne comprend pas.

Langage réceptif
Capacité de comprendre la signification des mots.

Langage social
Langage destiné à un interlocuteur.

Langage télégraphique
Phrases ne comportant que quelques mots essentiels.

Lanugo
Duvet qui couvre le nouveau-né et qui disparaît quelques jours après sa naissance.

Latéralisation
Localisation de certaines fonctions dans le côté droit ou gauche du cerveau.

Lecture dirigée
Séance de lecture au cours de laquelle l'adulte interagit avec l'enfant; il décrit l'image, pose des questions et fait des liens avec d'autres connaissances.

Littératie
Habiletés de lecture et d'écriture.

M

Macrosystème
Dans le modèle écologique, facteur de développement relié aux valeurs et aux normes véhiculées dans une société.

Maison de naissance
Établissement où l'on pratique des accouchements et où l'on apporte des soins à la mère et au nouveau-né.

Maturation
Succession de changements physiques, programmés génétiquement, qui font en sorte qu'un individu est en mesure ou non d'effectuer une tâche.

Méiose
Division cellulaire au cours de laquelle le nombre de chromosomes diminue de moitié. Ce type particulier de division, qui suppose une variété presque infinie de combinaisons de gènes dans l'ovule et le spermatozoïde, explique les différences de constitution génétique entre enfants issus de mêmes parents.

Mémoire autobiographique
Mémoire qui réfère aux événements vécus par une personne.

Mémoire de reconnaissance visuelle
Habileté à distinguer un stimulus familier d'un nouveau stimulus lorsqu'ils sont présentés en même temps.

Mémoire de travail
Mémoire qui correspond à l'information qu'on est en train de traiter.

Mémoire explicite

Mémoire qui utilise le rappel conscient des souvenirs.

Mémoire implicite

Mémoire latente, qui ne fait pas appel aux processus conscients, souvent associée au conditionnement.

Mésosystème

Dans le modèle écologique, facteur de développement relié à l'ensemble des liens qui existent entre les différents microsystèmes d'un individu.

Métacognition

Compréhension du fonctionnement de ses propres processus mentaux.

Métamémoire

Connaissance du fonctionnement de la mémoire.

Méthode globale

Approche d'enseignement de la lecture qui met l'accent sur la reconnaissance visuelle et l'utilisation d'indices contextuels.

Microsystème

Dans le modèle écologique, facteur de développement relié au milieu fréquenté par la personne, dans lequel elle entretient des contacts avec d'autres individus. Pour une même personne, il existe plusieurs microsystèmes tels que la famille, l'école, le centre de loisirs.

Mitose

Division du noyau d'une cellule en deux cellules identiques.

Mode de transmission dominant-récessif

Mode de transmission génétique qui fait qu'un trait déterminé par un gène récessif se manifeste seulement s'il n'est pas en présence d'un gène dominant pour ce même trait.

Mode de transmission plurifactorielle

Mode de transmission génétique qui fait qu'un trait résulte d'une interaction complexe entre des gènes et plusieurs facteurs environnementaux.

Mode de transmission polygénique

Mode de transmission génétique qui fait qu'un trait est déterminé par plusieurs gènes.

Moi

Dans la théorie psychanalytique, instance de la personnalité qui obéit au principe de réalité dans la recherche de modes acceptables de satisfaction des désirs.

Motricité fine

Motricité des muscles courts qui permet une meilleure dextérité et une meilleure coordination œil-main.

Motricité globale

Motricité des muscles longs qui permet de coordonner des mouvements comme courir, sauter, pédaler, etc.

Myélinisation

Processus de recouvrement des neurones par une substance graisseuse appelée myéline. Elle permet une communication plus rapide entre les cellules nerveuses.

N

Négativisme

Comportement caractéristique du jeune enfant (autour de deux ans) qui l'amène à exprimer son désir d'indépendance en s'opposant fermement à ce qu'on lui demande de faire.

O

Ontosystème

Dans le modèle écologique, facteur de développement relié aux caractéristiques individuelles telles que le bagage génétique, les habitudes de vie, l'attitude, les habiletés.

Opérations mentales

Réflexions mentales qui permettent de comparer, de mesurer, de transformer et de combiner des ensembles d'objets.

Organisation cognitive

Tendance héréditaire à créer des systèmes qui rassemblent systématiquement en un tout cohérent les connaissances d'une personne.

P

Paradigme du visage inexpressif

Méthode de recherche utilisée pour mesurer la régulation mutuelle chez des bébés de deux à neuf mois.

Pensée symbolique

Capacité d'utiliser des symboles pour représenter des objets ou des situations de la vie réelle.

Période critique

Moment précis où un événement donné risque d'avoir le plus de répercussions.

Période de latence

Quatrième étape du développement psychosexuel, caractérisée par le refoulement des pulsions sexuelles causé par la présence du surmoi et leur sublimation dans des activités scolaires, sociales et culturelles.

Période embryonnaire

Stade du développement prénatal qui s'étend de la deuxième à la huitième semaine et au cours duquel les principaux organes et systèmes se développent.

Période fœtale

Stade du développement prénatal qui va environ de la huitième semaine à la naissance et au cours duquel le fœtus présente une apparence humaine.

Période germinale

Stade du développement prénatal au cours duquel le zygote se divise et s'implante dans l'utérus.

Période sensible

Période de temps durant laquelle une personne est particulièrement prête à répondre à une expérience ou à effectuer une tâche.

Permanence de l'objet (ou schème de l'objet permanent)

Dans la terminologie piagétienne, le fait pour un enfant de comprendre qu'un objet ou une personne continuent d'exister même s'ils ne sont pas dans son champ de perception.

Perspective cognitiviste

Conception théorique, principalement développée par Piaget, qui explique le développement intellectuel des individus en ce qui concerne la perception, la mémoire, l'intelligence.

Peur des étrangers

Méfiance qu'éprouve un enfant à l'égard de personnes inconnues. Phénomène apparaissant généralement entre l'âge de six mois et de un an.

Phénotype

Ensemble des caractéristiques observables d'un individu.

Phobie scolaire

Peur irrationnelle d'aller à l'école.

Phobie sociale

Peur irrationnelle des situations sociales et désir intense de les éviter.

Phonème

Son de voyelle ou de consonne.

Plasticité du cerveau

Capacité de modification du cerveau à la suite de l'expérience.

Pragmatique

Ensemble des règles linguistiques qui régissent l'utilisation du langage pour la communication.

Principe d'identité

Compréhension du fait que l'identité d'un objet (sa substance, son poids…) ne change pas si aucune opération (enlever ou ajouter) n'est effectuée sur cet objet.

Principe de réversibilité

Compréhension du fait qu'une tranformation peut aussi se faire en sens inverse.

Psychothérapie individuelle

Processus interactionnel structuré qui, fondé sur un diagnostic, vise le traitement d'un trouble de santé mentale à l'aide de méthodes psychologiques reconnues par la communauté scientifique.

R

Raisonnement déductif

Type de raisonnement logique qui part d'une prémisse générale au sujet d'une classe pour tirer une conclusion sur un membre ou des membres particuliers de cette classe.

Raisonnement inductif

Type de raisonnement logique qui part d'observations précises sur des membres d'une classe pour se généraliser en une conclusion au sujet de cette classe.

Réactions circulaires primaires

Actes simples et répétitifs centrés sur le corps de l'enfant et destinés à reproduire une sensation agréable découverte par hasard; ils sont caractéristiques du deuxième sous-stade du stade sensorimoteur de Piaget.

Réactions circulaires secondaires

Expression piagétienne désignant des gestes intentionnels, répétés pour obtenir des résultats extérieurs au corps de l'enfant; ces réactions sont caractéristiques du troisième sous-stade du stade sensorimoteur décrit par Piaget.

Réactions circulaires tertiaires

Expression piagétienne désignant des variations intentionnelles du comportement destinées à explorer de nouvelles façons de produire un résultat désirable; ces réactions sont caractéristiques du cinquième sous-stade du stade sensorimoteur décrit par Piaget.

Référence sociale

Le fait de se baser sur les comportements d'une autre personne pour ajuster son propre comportement dans une situation ambiguë.

Réflexe

Réponse innée et automatique à certaines stimulations spécifiques.

Réflexes primitifs

Types de réflexes propres aux nouveau-nés; leur présence ou leur disparition permet d'évaluer la croissance neurologique de l'enfant.

Régulation mutuelle

Accord entre les rythmes émotionnels et les réponses mutuelles de deux personnes en interaction.

Renforcement négatif

Dans le conditionnement opérant, stimulus désagréable retiré après un comportement pour augmenter la probabilité de réapparition du comportement.

Renforcement positif

Dans le conditionnement opérant, stimulus agréable appliqué après un comportement pour augmenter la probabilité de réapparition du comportement.

Répétition

Stratégie mnémonique qui consiste à redire sans cesse l'information pour ne pas l'oublier.

Réseau de soutien social

Ensemble des personnes qui font partie de l'entourage d'un individu, qui offrent différents types d'aide et avec qui il partage des relations interpersonnelles.

Résilience

Capacité d'une personne, d'un groupe de bien se développer ; de continuer à se projeter dans l'avenir en présence d'événements déstabilisants, de traumatismes sérieux, graves, de conditions de vie difficiles.

Retrait social

Problème de comportement caractérisé par l'isolement volontaire de l'enfant vis-à-vis de son groupe social, par l'absence de contacts affectifs et physiques.

Rôles sexuels

Les traits de personnalité, les comportements, les intérêts, les attitudes et les habiletés qu'une culture considère comme appartenant aux femmes ou aux hommes.

Rubéole

Maladie contagieuse, généralement bénigne, dont les symptômes sont un gonflement des ganglions, la fièvre et des rougeurs sur la peau. Elle peut avoir des conséquences graves si la mère contracte cette maladie dans les premiers mois de sa grossesse.

S

Sage-femme

Personne formée pour exercer une profession qui consiste à assister les femmes durant la grossesse et l'accouchement et à donner des soins au nouveau-né.

Schéma corporel

Image qu'on se fait de son propre corps.

Schème

Dans la terminologie piagétienne, structure cognitive élémentaire dont se sert l'enfant pour interagir avec l'environnement; modèle organisé de pensée et de comportement.

Schème du genre sexuel

Selon la théorie de Bem, représentation mentale d'un ensemble de comportements qui aide l'enfant à traiter l'information relative à ce que signifie être un garçon ou une fille.

Sémantique

Compréhension de la signification des mots et des phrases.

Sériation

Capacité d'ordonner des éléments suivant une dimension.

Sida

Syndrome d'immunodéficience acquise qui se caractérise par une faiblesse du système immunitaire, ce qui favorise le développement d'infections et de cancers.

Situation étrange

Expérience de laboratoire élaborée par Mary Ainsworth visant à évaluer l'attachement entre une mère et son enfant.

Socialisation

Processus d'apprentissage des comportements considérés comme appropriés dans une culture donnée.

Soi idéal

Idée qu'une personne se fait de ce qu'elle devrait être.

Soi réel

Idée qu'une personne se fait de ce qu'elle est vraiment.

Soliloque

Action de penser à haute voix sans intention de communiquer; courant chez les enfants d'âges préscolaire et scolaire.

Somnambulisme

Le fait de marcher en dormant. La personne n'en garde habituellement aucun souvenir.

Somniloquie

Le fait de parler en dormant. La personne n'en garde habituellement aucun souvenir.

Stade anal

Deuxième stade du développement psychosexuel, durant lequel la satisfaction est obtenue grâce à la rétention et à l'expulsion des selles et, d'une manière plus large, au contrôle de soi et des autres.

Stade des opérations concrètes

Troisième stade du développement cognitif selon Piaget (de 6 à 12 ans environ), au cours duquel l'enfant accède à une pensée logique mais non abstraite.

Stade oral

Premier stade du développement psychosexuel, durant lequel la satisfaction est obtenue principalement par la bouche, l'incorporation et la relation à la mère.

Stade phallique

Troisième stade du développement psychosexuel, caractérisé par le déplacement de la libido vers les organes génitaux. L'enfant voit la différence sexuelle sous forme d'absence ou de présence du pénis. Le complexe d'Œdipe en constitue l'enjeu central.

Stade préopératoire

Selon la théorie de Piaget, deuxième stade du développement cognitif, qui se situe entre deux et six ans, au cours duquel l'enfant peut se représenter mentalement des objets qui ne sont pas physiquement présents. Ces représentations, par contre, sont limitées du fait que l'enfant ne peut penser logiquement.

Stade sensorimoteur

Premier stade piagétien du développement cognitif (de la naissance à deux ans); à ce stade, l'enfant apprend par ses sens et par ses activités motrices.

Stéréotype sexuel

Généralisation portant sur la masculinité et la féminité.

Stratégies mnémoniques

Trucs utilisés pour faciliter la mémorisation.

Stress

Ensemble des réactions ou des réponses de l'organisme à toute demande d'adaptation qui lui est faite.

Stresseurs

Expériences qui induisent du stress.

Surgénéralisation des règles

Emploi généralisé de règles grammaticales ou de règles de syntaxe sans tenir compte des exceptions.

Surmoi

Dans la théorie psychanalytique, instance de la personnalité qui représente les interdits ou principes moraux transmis à l'enfant par les parents et d'autres représentants de la société. Le surmoi se développe vers l'âge de cinq ou six ans.

Synapse

Zone de rencontre entre deux neurones.

Syndrome d'alcoolisation fœtale

Anomalies cérébrales, motrices et développementales (comprenant retard de croissance, malformations du visage et du corps, et troubles du système nerveux central) dont sont atteints les enfants de femmes qui consomment une quantité excessive d'alcool durant la grossesse.

Syndrome d'arrêt de croissance non organique

Arrêt de croissance physique d'un bébé, malgré une alimentation adéquate.

Syndrome de Down

Anomalie chromosomique habituellement causée par la présence d'un chromosome 21 supplémentaire et caractérisée par la déficience intellectuelle légère ou profonde, de même que par certaines anomalies physiques comme les yeux bridés.

Syndrome de stress post-traumatique

Trouble psychologique associé à un événement traumatisant dépassant les capacités d'adaptation de la personne et caractérisé par une anxiété intense et tenace liée à la remémoration de l'événement.

Syntaxe

Règles qui président à l'organisation des mots dans une phrase.

T

Taxage

Comportements agressifs délibérés et dirigés de façon persistante envers les mêmes personnes, qui sont généralement plus faibles, vulnérables ou sans défense.

Tempérament

Ensemble des dispositions fondamentales et relativement stables qui modulent le style d'approche et de réaction à une situation donnée.

Tératogène

Susceptible de causer des malformations congénitales.

Terreurs nocturnes

Manifestation d'un état de panique, pendant le sommeil profond, qui survient habituellement au début de la nuit. L'enfant n'en garde habituellement aucun souvenir.

Test culturellement équitable

Test composé uniquement d'expériences communes aux personnes de cultures différentes.

Test exempt de connotations culturelles

Test d'intelligence qui, s'il était possible de le concevoir, n'aurait aucun lien avec le bagage culturel.

Théorie de l'apprentissage social

Théorie principalement élaborée par Bandura, selon laquelle les comportements sont acquis par l'imitation de modèles et maintenus par le renforcement.

Théorie de la pensée

Conscience et compréhension des processus mentaux.

Théorie des intelligences multiples

Théorie de Gardner selon laquelle chaque personne possède différentes formes d'intelligence.

Théorie du développement psychosocial

Théorie développée par Erikson laquelle souligne l'importance des influences sociales et culturelles dans le développement de la personnalité. Selon cette théorie, le développement du moi, qui se poursuit tout au long de la vie, procède en huit stades. À chaque stade, la personne doit résoudre une crise, c'est-à-dire atteindre un équilibre entre deux pôles, l'un négatif, l'autre positif.

Théorie du schème du genre sexuel

Théorie de Sandra Bem voulant que l'enfant se socialise en fonction des rôles appropriés à son sexe en se représentant ce que signifie être une fille ou un garçon.

Théorie du traitement de l'information

Théorie qui considère l'individu comme un manipulateur de perceptions et de symboles.

Théorie innéiste

Théorie selon laquelle le comportement relève d'une capacité innée.

Théorie socioculturelle

Théorie cognitiviste élaborée par Vygotsky, selon laquelle le développement cognitif doit être compris en tenant compte des processus sociaux et culturels au sein desquels l'enfant se développe. Le développement cognitif résulte de la collaboration entre l'enfant et son environnement.

Transduction

Selon Piaget, le fait d'établir un lien de causalité, logique ou non, entre deux événements sur la seule base de leur rapprochement dans le temps.

Travail

Première phase de l'accouchement, caractérisée par la présence de contractions régulières.

Travail versus infériorité

Quatrième crise dans la théorie du développement psychosocial d'Erikson, dans laquelle l'enfant doit faire l'apprentissage de certaines habiletés favorisées par la culture. Il doit aussi être conscient de ses limites sans développer un sentiment d'infériorité.

Trouble d'anxiété de séparation

Trouble caractérisé par l'anxiété extrême et prolongée reliée au fait de se séparer de ses parents ou de quitter la maison.

Trouble d'anxiété généralisée

Trouble caractérisé par une anxiété permanente non dirigée vers une situation spécifique.

Trouble de déficit de l'attention/ hyperactivité (TDA/H)

Syndrome caractérisé par l'inattention persistante ou l'hyperactivité et l'impulsivité, dans des situations inappropriées.

Trouble obsessif-compulsif

Trouble caractérisé par la présence de pensées intrusives constantes et de comportements de répétition visant la disparition des obsessions.

V

Vernix caseosa

Substance graisseuse qui recouvre le fœtus et le protège contre l'infection. Il est absorbé par la peau dans les deux ou trois jours qui suivent la naissance.

Violence psychologique

Forme d'agressivité, plus souvent adoptée par les filles, qui prend la forme de menaces ou de manipulations dans le but de blesser une autre personne.

Z

Zone érogène

Partie du corps qui procure une sensation de plaisir et qui est associée à un stade du développement psychosexuel.

Zone proximale de développement

Dans la théorie cognitiviste de Vygotsky, distance la plus petite entre ce qu'un enfant connaît et le niveau qu'il doit atteindre pour accéder à une connaissance plus complexe. Ce passage de la zone proximale de développement doit être franchi avec l'aide de l'entourage de l'enfant.

Zygote

Organisme unicellulaire provenant de l'union d'un spermatozoïde et d'un ovule.

Chapitre 1

Ariès, P. (1962). *Centuries of childhood*, New York, Vintage.

Baltes, P.B., U. Lindenberger et U.M. Staudinger (1998). «Life-span theory in developmental psychology», dans R.M. Lerner (Éd.), *Handbook of child psychology, vol. 1, Theoretical models of human development*, New York, Wiley, p. 1029-1143.

Bronfenbrenner, U. (1979). *The ecology of human development*, Cambridge, MA, Harvard University Press.

Bronfenbrenner, U. et P.A. Morris (1998). «The ecology of developmental processes», dans W. Damon et R.M. Lerner (Éd.), *Handbook of Child Psychology, vol. 1*, New York, John Wiley & Sons.

Chiriboga, D.A. (1989). «Mental health at the midpoint : Crisis, challenge, or relief», dans S. Hunter et M. Sundel (Éd.), *Midlife myths*, Newbury Park, CA, Sage.

Damant, D., C. Bouchard, L. Boileau, N. Bastien et G. Lessard (1999). «1,2,3 GO! Modèle théorique et activités d'une initiative communautaire pour les enfants et parents de six voisinages de la grande région de Montréal», *Nouvelles Pratiques Sociales*, 12, p. 133-150.

Dolto, F. et C. Dolto-Tolitch (1989). *Paroles pour adolescents ou le complexe du homard*, Paris, De Goeth.

Elkind, D. (1987a). *Miseducation*, New York, Knopf.

Erikson, E.H. (1950). *Childhood and Society*, New York, Norton.

Erikson, E.H. (1968). *Identity : Youth and crisis*, New York, Norton.

Erikson, E.H. (1973). «The wider identity», dans K. Erikson (Éd.), *In search of common ground : Conversations with Erik H. Erikson and Huey P. Newton*, New York, Norton.

Evans, R.I. (1967). *Dialogue with Erik Erikson*, New York, Harper et Row.

Jones, E. (1961). *The life and work of Sigmund Freud*, publié et abrégé par L. Trilling et S. Marcus, New York, Basis Books.

Kagan, J. (1989). *The nature of the child*, New York, Basic Books.

Lenneberg, E.H. (1969). «On explaining language», *Science*, 164 (3880), p. 635-643.

Maslow, A. (1954). *Motivation and personality*, New York, Harper et Row.

Maslow, A. (1968). *Toward a psychology of being*, Princetown, NJ, Van Nostrand Reinhold.

Pollock, L.A. (1983). *Forgotten children*, Cambridge, MA, Cambridge University Press.

Ryerson, A.J. (1961). «Medical advice on child rearing, 1550-1900», *Harvard Educational Review*, 31, p. 302-323.

Halls, S. (1916). *Adolescence*, New York, Appleton.

Hall, G.S. (1922). *Senescence : The last half of life*, New York, Appleton.

Skinner, B.E. (1938). *The behavior of organisms : An experimental approach*, New York, Appleton-Century.

Chapitre 2

Bailey A, C. A. Le Couteur, I. Gottesmani, P. Bolton, E. Simonoff, E. Yuzda et M. Rutter (1995). «Autism as a strongly genetic disorder : evidence from a British twin study», *Psychol Med*, 25, p. 63-77.

Brazelton, T.B. (1973). *Neonatal behavioral assessment scale*, Philadelphia, Lippincott.

Chang A.B. et autres (2003). «Altered arousal response in infants exposed to cigarette smoke», *Archives of diseases in children, 88*, p. 30-33.

Cook, E.H., Jr., V. Lindgren, B.L. Leventhal et autres (1997). «Autism or atypical autism in maternally but not paternally derived proximal 15q duplication», *American Journal of Human Genetics*, 60, p. 928-934.

Davis, M.K. (1998). «Review of the evidence for an association between infant feeding and childhook cancer», International Journal of Cancer, vol. 11, p. 29-33.

Devlin, B., M. Daniels et K. Roeder (1997). «The heritability of IQ», *Nature*, 388, p. 468-471.

Enger, S.M. et autres (1997). «Breast-feeding history, pregnancy experience and risk of breast cancer», *British Journal of Cancer*, vol. 76, n° 1, p. 118-123.

Fahey, V. (1988). «The gene screen : Looking in on baby», *Health*, mai-juin, p. 68-69.

Froyn, K. et J.-P. Despres (1995). «The importance of muscle and fat metabolism for the complications of obesity», *The 6th European Congress on Obesity*, du 31 mai au 2 juin, Copenhagen.

Gabbard, C.P. (1996). *Lifelong motor development*, 2e éd., Madison, WI, Brown and Benchmark.

Gilliland, F.D., Li Yu-Fen, L. Dubeau, K. Berhane, E. Avol, R.W. McConnell, J. Gauderman, et J.M. Peters (2002). *American Journal of Respiratory and Critical Care Medicine*, 166, p. 457-463.

Golombock, S., R. Cook, A. Bish et C. Murray (1995). «Families created by the new reproductive technologies: Quality of parenting and social and emotional development of the children», *Child Development*, 66, p. 285-298.

Gouvernement du Québec (1998). *Pratique des sages-femmes : recommandations ministérielles*.

Guzik et autres (1999). «Efficacy of super-ovulation and intrauterine insemination in the treatment of infertility», *New England Journal of Medecine*, 340, p. 177-183.

Hawkins, J. (1999). «Trends in anesthesiology during childbirth», *Anesthesiology*, 91, p. A1060.

Institut de la statistique du Québec (2000). *Étude longitudinale du développement des enfants du Québec (ÉLDEQ 1998-2002)*, Québec.

King, S. (2000). «La tempête de verglas : une occasion d'étudier les effets du stress prénatal chez l'enfant et la mère». *Santé Mentale au Québec*, 25 (1), p. 163-184.

Koletzko, S. et autres (1989). «Role of infant feeding practices in development of Crohn's disease in childhood», *British Medical Journal*, vol. 298, p. 1617-1618.

Kraemer, H.C., A. Korner, T. Anders, C.N. Jacklin et S. Dimiceli (1985). «Obstetric drugs and infant behavior : A reevaluation», *Journal of Pediatric Psychology*, 10, p. 345-353.

Lackmann, G.M., U. Salzberger, U. Tollner, M. Chen, S.G. Carmella et S.S. Hecht (1999). «Metabolites of a tobacco-specific carcinogen in the urine of newborns», *Journal of the National Cancer Institute*, 91, p. 459-465.

Lindegren, M.L., R.H. Byers, Jr., P. Thomas, S.F. Davis, B. Caldwell, M. Rogers, M. Gwinn, J.W. Ward et P.L. Fleming (1999). «Trends in perinatal transmission of VIH/AIDS in the United States», *Journal of the American Medical Association*, 282, p. 531-538.

McGuffin, P., M.J. Own et A.E. Farmer (1995). «Genetic basis of schizophrenia», *The lancet*, 346, p. 678-682.

Ministère de la Santé et des Services sociaux (1993). *Politique de périnatalité*, p.45-70.

Mitchell E.A., R. Scragg et A.W. Stewart (1992). «Four modifiable and other risk factors for cot death : The New Zealand Study», *Journal of Pediatrics and Child Health*, vol. 28, n° 1, p. 53-58.

O'Connor, T.G., J. Heron, J. Golding, M. Beveridge et V. Glover (2002). «Maternal antenatal anxiety and children's behavioural/emotional problems at 4 years», *British Journal of Psychiatry*, 180, p. 502-508.

Oddy, W. (1999). *British Medical Journal*, vol. S19, p. 815-819.

Phelps, J.A., J.O. Davis et K.M. Schartz (1997). «Nature, nurture, and twin research strategies», *Current Directions in Psychological Science*, 6(5), p. 117-121.

San Giovanni, J.P et autres (2000). «Meta-analysis of dietary essential fatty acids and long-chain polyinsaturated fatty acids as they relate to visuel resolution acuity in healthy infants», *Pediatrics*, vol. 105, n° 6, p. 1292-1298.

Santé Canada (1996). «Prévention du syndrome d'alcoolisme feotal (SAF) et des effets de l'alcool sur le foetus (EAF) au Canada», cat. : H39-348/1996F, octobre, déclaration conjointe.

Santé et Services sociaux Québec (2002). *Accouchements et naissances, taux de césarienne (1969 à 2000-2001)*, statistiques.

Schuckit, M.A. (1987). «Biological vulnerability to alcoholism», *Journal of Consulting and Clinical Psychology*, 5, p. 301-309.

Square D. (1997). «Fetal alcohol syndrome epidemic in Manitoba reserve», *Journal de l'Association médicale canadienne*, 157, p. 59-60.

Statistique Canada (1994). *Enquête nationale sur la santé de la population, données de 1994*.

Statistique Canada (1999). *Recueil de statistiques de l'état civil, 1996*.

Statistique Canada (2004). Le tableau 102-0030 et les données des autres pays proviennent de l'OCDE (Eco-Santé OCDE 2004, tableau 2.

Statistique Canada (2004). *Rapports sur la santé*, vol. 1, n° 4, juillet, catalogue n° 82-003-XIF.

Stick, S.M., P.R. Burton, L. Gurrin, P.D. Sly et P.N. LeSouëf (1996). «Effects of maternal smoking during pregnancy and a family history of asthma on respiratory function in newborn infants», *The Lancet*, 348, p. 1060-1064.

Suranyi-Cadotte, B., M. Dongier, F. Lafaille et L. Luthe (1989). «Platelets of alcoholics, and of subjects genetically at risk for alcoholism, share the same abnormality of imipramine binding sites», *British Journal of Addiction*, 84, p. 437-445.

Taylor, H.G., N. Klein, N.M. Minich et M. Hack (2001). «Middle-school-age outcomes in children with very low birthweight», *Child Development*, 71(6), p. 1495-1511.

Tisdale, S. (1988). «The mother», *Hippocrates, 2(3)*, p. 64-72.

Weissman, M.M., V. Warner, P.J. Wickramaratne et D.B. Kandel (1999). «Maternal smoking during pregnancy and psychopathology in offspring followed to adulthood», *Journal of the American Academy of Child and Adolescent psychiatry*, 38, p. 892-899.

Wilson, A.C. et autres (1998). «Relation of infant diet to childhood health : seven year follow up of cohort of children in Dundee infant feeding study», *Brithsh Medical Journal*, vol. 316, p. 21-25.

Wright, L.W. et autres (1998). «Increasing breastfeeding rates to reduce infancy illness at the community level», *Pediatrics*, vol. 101, p. 837-844.

Yamasaki, J.N. et W.J. Schull (1990). «Perinatal loss and neurological abnormalities among children of the atomic bomb», *Journal of the American Medical Association*, 264, p. 605-609.

Chapitre 3

Abravanel, E. et A.D. Sigafoos (1984). «Exploring the presence of imitation during early infancy», *Child development*, 55, p. 381-392.

Ames, E.W. (1997). *The development of Romanian orphanage children adopted to Canada : Final report (National Welfare Grants Program, Human Ressources Development, Canada)*, Burnaby, BC, Canada, Simon Fraser University, Psychology Department.

Bornstein et Tamis-LeMonda (1989). «Maternal responsiveness : Characteristics and consequences», *New Directions for Child Development*, n° 43, San francisco, Jossey-Bass.

Bradley, R. et B. Caldwell. (1982). «The consistency of the home environment and its relation to child development», *International Journal of Behavioral Development*, 5, p. 445-465.

Bradley, R.H. (1989). «Home measurement of maternal responsiveness», dans M.H. Bornstein (Éd.), *Maternal responsiveness : Characteristics and consequences, New Directions for Child Development*, n° 43, San Francisco, Jossey-Bass.

Bradley, R.H., B.M. Caldwell, S.L. Rock, C.T. Ramey, K.E. Barnard, C. Gray, M.A. Hammond, S. Mitchell, A.W. Gottfried, L. Siegel et D.L. Johnson (1989). «Home environment and cognitive development in the first 3 years of life : A collaborative study involving six sites and three ethnic groups in North America», *Developmental Psychology*, 25, p. 217-235.

Brodbeck, A.J. et O.C. Irwin (1946). «The speech behavior of infants without families», *Child development*, 17, p. 145-156.

Chomsky, N. (1972). *Language and mind*, 2e éd., New York, Harcourt Brace Jovanovich.

Chugani, H.T., M.E. Behen, O. Muzik, C. Juhasz, F. Nagy et D.C. Chugani (2001). «Local brain functional activity following early deprivation : A study of postinstitutionalized Romanian orphans», *NeuroImages*, 14, p. 1290-1301.

Cohen, L.B., et L.B. Amsel (1998). «Precursors to infants' perception of the causality of a simple event», *Infant Behavior and Development*, 21, p. 713-732.

Colombo, J. (1993). *Infant cognition : Predicting later intellectual functioning*, Thousand Oaks, CA, Sage.

DeCasper, A. J., J. P. Lecanuet, M. C. Busnel, C. Granier-Deferre et R. Maugeais (1994). «Fetal reactions to recurrent maternal speech», *Infant Behavior and Development*, 17, p. 59-164.

Fernald, A., J.P. Pinto, D. Swingley, A. Weinberg et G.W. McRoberts (1998). «Rapid gains in speed of verbal processing by infants in the 2nd year», *Psychological Science*, 9(3), p. 1003-1015.

Frankenburg, W.K., J. Dodds, P. Archer, B. Bresnick, P. Maschka, N. Edelman et H. Shapiro (1992). *Denver II training manual*, Denver, Denver Developmental Materials.

Frankenburg, W.K., J. Dodds, P. Archer, H. Shapiro, B. Bresnick (1992). «The Denver II : A Major Revision and Restandardization of the Denver Developmental Screening Test», *Pediatrics*, 89. p. 91-97.

Gannon, P.J., R.L. Holloway, D.C. Broadfield et A.R. Braun (1998). «Asymmetry of chimpanzee planum temporale : Humanlike pattern of Wernicke's brain language homlog», *Science*, 279, p. 22-222.

Gardiner, H.W., J.D. Mutter et C. Kosmitzki (1998). *Lives across cultures : Cross-cultural human development*, Boston, Allyn et Bacon.

Gleitman, L.R., E.L. Newport et H. Gleitman (1984). «The current status of the motherese hypothesis», *Journal of Child Language*, 11, p. 43-79.

Goubet, N. et R.K. Clifton (1998). «Object and event representation in 6 1/2-month-old infants», *Developmental Psychology*, 34, p. 63-76.

Jankowski, J.J., S.A. Rose et J.F. Feldman (2001). «Modifying the distribution of attention in infants», *Child Development*, 72, p. 339-351.

Johnson, M H. (1998). «The neutral basis of cognitive development», dans D. Kuhn et R.S. Siegler (Éd.), *Handbook of child psychology : Vol. 2. Cognition, perception, and language*, 5e éd., New York, Wiley, p. 1-49.

Kaplan, H., et H. Dove (1987). «Infant development among the Ache of East Paraguay», *Developemental Psychology*, 23, p. 190-198.

Lai, C.S.L., S.E. Fisher, J.A. Hurst, F. Vargha-Khadem et A.P. Monaco (2001). «A forkhead-domain gene is mutated in a severe speech and language disorder», *Nature*, 413, p. 519-523.

Lalonde, C. E. et J.F. Werker (1995). «Coginitive influences on cross-language speech perception in infancy», *Infant Behavior and Development*, 18, p. 459-475.

Macfarlane, A. (1975). «Olfaction in the development of social preferences in the human neonate», dans *Parent-Infant interaction (CIBA Foundation Symposium n° 33)*, Amsterdam, Elsevier.

Masataka, N. (1998). «Perception of motherese in Japanese sign language by 6-month-old hearing infants», *Development Psychology*, 34(2), p. 241-246.

Meltzoff, A.N. et M.K. Moore (1983). «Newborn infants imitate adult facial gestures», *Child Development*, 54, p. 702-709.

Meltzoff, A.N. (1988). «Infant imitation and memory : Nine-month-olds in immediate and deferred tests», *Child development*, 59, p. 217-225.

Nash, J.M. (1997). «Fertile minds», *Times*, 3 février, p. 49-56.

Nishimura, H., K. Hashikawa, K. Doi, T. Iwaki, Y, Watanabe, H. Kusuoka, T. Nishimura et T. Kubo (1999). «Sign language 'heard' in the auditory cortex», *Nature*, 397, p. 116.

Nobre, A.C. et K. Plunkett (1997). «The neutral system of language : structure and development», *Current Opinion in Neurobiology*, 7, p. 262-268.

Owens, R.E. (1996). *Language development*, 4e éd., Boston, Allyn and Bacon.

Pomerleau A., G. Malcuit, N. Desjardins (1993). «Attention behavior of infants and modulation of maternal language», *Can J Exp Psychol.*, mars, 47(1), p. 99-112.

Ramey, C.T., et S.L. Ramey (1998a). « Early intervention and early experience », *American Psychologist*, 53, p. 109-120.

Ramey, C.T. et S.L. Ramey (1998b). «Prevention of intellectual disabilities : Early interventions to improve cognitive development», *Preventive Medecine*, 21, p. 224-232.

Ramey, C.T. et S.L. Ramey (1992). « Early educational intervention with disadvantaged children ? To what effect? », *Apllied and Preventive Psychology*, 1, p. 131-140.

Rice, M.L. (1982). «Child language : What children know and how», dans T.M. Field, A. Huston, H.C. Quay, L. Troll, et G.E. Finley (Éd.), *Review of human development research*, New York, Wiley.

Santé Canada (2001). *Déclaration conjointe sur le syndrome du bébé secoué*, ministre de Travaux publics et Services gouvernementaux, Ottawa, 2001.

Schechtman, V.L., R.M. Harper, A.J. Wilson et D.P. Southall (1992). «Sleep state organization in normal infants and victims of the sudden infant death syndrome», *Pediatrics*, 89, p. 865-870.

Slobin, D. (1983). «Universal and particular in the acquisition of grammar», dans E. Wanner et L. Gleitman (Éd.), *Language acquisition : The state of the art*, Cambridge, England, Cambridge university Press.

Statistique Canada (1999). Agence de Santé publique du Canada, Système canadien de surveillance périnatale.

Stevens, J.H. et R. Bakeman (1985). «A factor analytic study of the HOME scale for infants», *Development Psychology*, 21, p. 1106-1203.

White, B.L. (1971). *Fundamental early environmental influences on the development of competence*, article présenté au Third Western Symposium on Learning : Coginitive Learning, octobre, Western Washington State College, Bellingham, WA.

White, B.L., B. Kaban et J. Attanucci (1979). *The origins of human competence*, Lexington, MA, Health.

Whitehurst, G.J. et C.J. Lonigan (1988). «Child development and emergent literacy», *Child Development*, 69, p. 848-872.

Zelazo, P.R., R.B. Kearsley et D.M. Stack (1995). «Mental representations for visual sequences: Increased speed of central processing from 22 to 32 months», *Intelligence*, 20, p. 41-63.

Zelazo, P.D., J.S. Reznick et J. Spinazzola (1998). «Representational flexibility and response control in a multistep, multilocation search task», *Development Psychology*, 34, p. 203-214.

Chapitre 4

Cyrulnik, B. et C. Seron (2003). *La résilience ou comment renaître de sa souffrance*, Paris, Fabert.

Dubeau, D., S. Coutu et E. Moss (2000). «Comment va le père? Conceptualisation de la complémentarité parentale durant la période d'âge préscolaire de l'enfant», *Revue internationale de l'éducation familiale*, 4, p. 93-115.

Faugeras, F., S. Moisan et C. Laquerre (2000). *Les problématiques en centre jeunesse*, Module pédagogique, Québec, Centre jeunesse de Québec, Institut Universitaire.

Goldberg, S. (2000). *Attachment and Development*, Londres, Arnold.

Golse, B. (2001). *Le développement affectif et intellectuel de l'enfant*, Paris, Masson.

Haswell, K., E. Hock, et C. Wenar (1981). «Oppositional behavior of preschool children : Theory and prevention», *Family Relations*, 30, p. 440-446.

Hetherington, E.M. et J. Kelly (2002). *For better or for worse. Divorce reconsidered*, New York, W.W. Norton & Company.

Jutras, S. (1999). «Difficultés vécues dans de nouvelles structures familiales : État des recherches récentes», dans J. Alary, S. Jutras, Y. Gauthier et J. Goudreau (Éd.), *Familles en transformation. Récits de pratique en santé mentale*, Montréal, Gaëtan Morin.

Kochanska, G. et N. Aksan (1995). «Motherchild positive affect, the quality of child compliance to requests and prohibitions, and maternal control as correlates of early internalization», *Child Development*, 66, p. 236-254.

Kopp, C.B. (1982). «Antecedents of self-regulation», *Development Psychology*, 18, p. 199-214.

Kuczynski, L. et G. Kochanska (1995). «Function and content of maternal demands : Developmental significance of early demands for competent action», *Child Development*, 66, p. 616-628.

Lamb, M.E. (2004). *The role of the father in child development*, 3e éd., New York, John Wiley & Sons.

Lanoue, J. et R. Cloutier (1996). *La spécificité du rôle de père auprès de l'enfant*, Centre de recherche sur les services communautaires, Université Laval.

Lytton, H. et D.M. Romney (1991). «Parents' differential socialization of boys and girls : A meta-analysis», *Psychological Bulletin*, 109, p. 267-296.

Parent, S. et J.-F. Saucier (1999). «La théorie de l'attachement», dans E. Habimana, L. S. Ethier, D. Petot et M. Tousignant (Éd.), *Psychopathologie de l'enfant et de l'adolescent*, Montréal, Gaëtan Morin.

Power, T.G. et M.L. Chapieski (1986). «Child-rearing and impulse control in toddlers : A naturalistic investigation», *Developmental Psychology*, 22, p. 271-275.

Royer, N. (2004). *Le monde du préscolaire*, Montréal, Gaëtan Morin.

Rubin, K.H., P. Hastings, L.S. Shannon, H.A. Henderson et X. Chen (1997). «The consistency and concomitants of inhibition : Some of the children, all the time», *Child Development*, 68, p. 467-483.

Rubin, K.H, L. Rose-Krasnor, M. Bigras, R. Mills et C. Booth (1996). «La prédiction du comportement parental : les influences du contexte, des facteurs psychosociaux et des croyances des parents», dans G. M. Tarabulsy et R. Tessier (Éd.), *Le développement émotionnel et social de l'enfant*, Québec, Presses de l'Université du Québec.

Saint-Jacques, M.C. et C. Parent (2002). *La famille recomposée : une famille composée sur un air différent*, Montréal, Éditions de l'Hôpital Sainte-Justine.

Sroufe, L.A. (1979). « Socioemotional development », dans J. Osofsky (Éd.), *Handbook of infant development*, New York, Wiley.

Tourigny, M., M. Mayer, J. Wright, C. Lavergne, N. Trocmé, S. Hélie, C. Bouchard, C. Chamberland, R. Cloutier, M. Jacob, J. Boucher et M. C. Larrivée (2002). *Étude sur l'incidence et les caractéristiques des situations d'abus, de négligence, d'abandon et de troubles de comportement sérieux signalées à la Direction de la protection de la jeunesse au Québec (EIQ)*, Montréal, Centre de liaison sur l'intervention et la prévention psychosociales (CLIPP).

Thompson, R.A. (1998). « Early socio-personality development, dans In W. Damon (Éd. Série) et N. Eisenberg (Éd. vol) », *Handbook of child psychology : Vol. 3. Social, emotional, and personality development*, 4e éd., New York, Wiley, p. 25-104.

Chapitre 5

Baker, Colin (1996). *Foundations of Bilingual Education and Bilingualism*, Clevedon, Multilingual Matters.

Bialystok, Ellen (Éd.) (1991). *Language processing in bilingual children*, Cambridge, Cambridge University Press.

Bronfenbrenner, U. (1974). *Is Early Intervention Effective?, Report on Longitudinal Evaluations of Preschool Programs*, vol. II, Washington, D.C., Office of Child Development.

Conseil canadien de développement social (2002). *Le progrès des enfants au Canada 2002*, Canada 2002.

Conseil national du bien-être social (2004). *Rapport sur la pauvreté 2001*, Canada 2004.

Corbin, C. (1973). *A textbook of motor development*, Dubuque, IA, Brown.

Diaz, R.M. et C. Klingler (1991). « Towards an explanatory model of the interaction between bilingualism and cognitive development », dans E. Bialystok, (Éd.), *Language Processing in Bilingual Children*, Cambridge, Cambridge University Press.

Enquête de surveillance de l'usage du tabac au Canada (2003). Tableau 10, Exposition des enfants à la fumée secondaire du tabac à la maison, par province et selon le groupe d'âge, Canada, 2003.

Garon, D. (2002). *Le système ESAR : guide d'analyse, de classification et d'organisation d'une collection de jeux et de jouets*, Montréal, Éditions Asted.

Goleman, D.J. (1995). « Biologists find site of working memory », *The New York Times*, 2 mai, p. C1 et C9.

Gouvernement du Québec (2004). Consultation sur le financement et le développement des services de garde, Emploi, Solidarité sociale et Famille. http://www.messf.gouv.qc.ca/services-a-la-famille/consultation-services-garde/document/services-garde.asp#1

Hohmann, M., D.P. Weikart, L. Bourgon et M. Proulx (2000). *Partager le plaisir d'apprendre. Guide d'intervention éducative au préscolaire*, Boucherville, Gaëtan Morin Éditeur, 470 p.

Kaiser, Barbare et Judy Sklar Rasminsky (2003). *VIH/SIDA et Garde à l'enfance : aide-mémoire*, par. Un projet de la Fédération canadienne des services de garde à l'enfance, financé par Santé Canada dans le cadre de la Stratégie nationale sur le sida.

Lalonde-Graton, M. (2003). *Fondements et pratiques de l'éducation à la petite enfance*, Sainte-Foy, Presses de l'Université du Québec.

Ludi, Georges (1998). *L'enfant bilingue : chance ou surcharge?*, Suisse (Université de Bâle) http://www.romsem.unibas.ch/sprachenkonzept/Annexe_8.html

Ministère de la Famille et de l'Enfance (1997). *Programme éducatif des centres de la petite enfance*, Québec, gouvernement du Québec, 38 p.

Ministère de la Famille et de l'Enfance (2004). *Enquête québécoise sur la qualité des services de garde éducatifs*, Institut de la statistique du Québec, Les Publications du Québec.

Parten, M. (1932). « Social play among preschool children », *Journal of Abnormal and Social Psychology*, 27, p. 243-269.

Perrenoud, Philippe (2000). « Trois pour deux : langues étrangères, scolarisation et pensée magique », *Éducateur*, n° 13, 24 novembre 2000, p. 31-36.

Santé Canada (2003). *Le VIH et le sida au Canada : Rapport de surveillance au 31 décembre 2002*, Division de l'épidémiologie et de la surveillance du VIH/sida, Centre de prévention et de contrôle des maladies infectieuses, Santé Canada, 2003.

Schweinhart, L. et D. Weikart (1993a). *Preschool Child-Initiated Learning Found to Help Prevent Later Problems*, High/Scope Educational Research Foundation, Ypsilanti.

Schweinhart, L. et D. Weikart (1993b). *High Quality Preschool Program Found to Improve Adult Status*, High/Scope Educational Research Foundation, Ypsilanti.

Thommen, E. (2001). *L'enfant face à autrui*, Paris, Armand Colin.

Tremblay, S. (2003). *Enquête Grandir en qualité, Recension des écrits sur la qualité des services de garde*, Québec, ministère de la Famille et de l'Enfance, Direction de la recherche de l'évaluation et de la statistique.

Waxman S.R. et A. Senghas (1992). « Relations among word meaning in early lexical development », *Developmental Psychology*, 28, 5, p. 862-873.

Wein, C.A. (1995). « Developmentally Appropriate Practice in "Real Life" », *Teachers College Press*, New York, Columbia University, adaptation.

Wong-Fillmore, Lily. (1991). « When Learning a Second Language Means Losing the First », *Early Childhood Research Quarterly*, 6, p. 323-346.

Chapitre 6

Coutu, S., G. Tardif et D. Pelletier (2004). « Les problèmes de comportement chez les enfants d'âge préscolaire : quelques pistes pour l'évaluation, la prévention et l'intervention », dans

N. Royer (Éd.), *Le monde du préscolaire*, Montréal, Gaëtan Morin.

Germain, B. et P. Langis (2003). *La sexualité. Regards actuels*, Laval, Groupe Beauchemin.

Lavigueur, S. (1989). « L'insularité des mères : une problématique particulière en intervention », *La Revue Canadienne de Psycho-Éducation*, 18, p. 21-40.

Lavigueur, S., S. Coutu, D. Dubeau et A. Devault (2004). *Les compétences des parents et les ressources qui les soutiennent*, W3.uqo.ca/qemvie.

Lavigueur, S., S. Coutu et D. Dubeau (2001). « L'intervention auprès des familles à risque. Une approche multimodale qui mise sur la résilience », dans L. LeBlanc et M. Séguin (Éd.), *La relation d'aide. Concepts de base et interventions spécifiques*, Outremont, Les éditions Logiques, chap. 7, p. 171-220.

Lytton, H. et D.M. Romney (1991). « Parents' differential socialization of boys and girls : A meta-analysis », *Psychological Bulletin*, 109, p. 267-296.

Marcil-Gratton, N. (1999). « De la naissance à l'école : des trajectoires familiales de plus en plus mouvementées pour les tout-petits d'aujourd'hui », *Revue Préscolaire*, 37, p. 4-6.

Ministère de la Santé et des Services sociaux (1998b). *Agissons en complices. Pour une stratégie de soutien du développement des enfants et des jeunes*, Rapport Cliche, gouvernement du Québec.

Royer, N. (2004). *Le monde du préscolaire*, Montréal, Gaëtan Morin.

Rubin, K.H., L. Rose-Krasnor, M. Bigras, R. Mills et C. Booth (1996). « La prédiction du comportement parental : les influences du contexte, des facteurs psychosociaux et des croyances des parents », dans G. M. Tarabulsy et R. Tessier, R. (Éd.), *Le développement émotionnel et social de l'enfant*, Presses de l'Université du Québec.

Vitaro, F. et C. Gagnon (Éd.) (2000). *Prévention des problèmes d'adaptation chez les enfants et les adolescents*, tomes 1 et 2, Montréal, Presses de l'Université du Québec.

Stoller, R.J. *Sex and Gender*, New York, Science house, 1968.

Chapitre 7

Agence de santé publique du Canada (2002). *Guide d'activité physique canadien pour les enfants*.

Albaret, J. M. (1996). « L'enfant agité et distrait en psychomotricité », *Journal de pédiatrie et de puériculture*, n° 3, p. 49-154.

American Psychiatric Association (1994). *Diagnostic and statistical manual of mental disorders (DSM-IV)*, 4e éd., Washington.

American Psychiatric Association (1996). *Manuel diagnostique et statistique des troubles mentaux*, Paris (DSM IV), Masson.

Amsel, E., G. Goodman, D. Savoie et M. Clark (1996). « The development of reasoning about causal and noncausal influences on levers », *Child Development*, 67, p. 1624-1646.

Andersen, R.E., C.J. Crespo, S.J. Bartlett, L.J. Cheskin et M. Pratt (1998). « Relationship of physical activity and television watching with body weight and level of fatness among children : Results from the Third National Health and Nutrition Examination Survey », *Journal of the American Medical Association*, 279, p. 938-942.

Anderson, A.H., A. Clark et J. Mullin (1994). « Interactive communication between children : Learning how to make language work in dialog », *Journal of Child Language*, 21, p. 439-463.

Barkley, R.A. (1998b). « Attention-deficit hyperactivity disorder », *Scientific American*, septembre, p. 66-71.

Bouchard, P. et J.-C. Saint-Amant (2000). « L'axe mère-enfant de la réussite scolaire au primaire en milieu populaire », dans M. Simard et J. Alary (Éd.), *Comprendre la famille. Actes du 5e symposium québécois de recherche sur la famille*, Québec, Presses de l'Université du Québec.

Broude, G.J. (1995). *Growing up : A cross-cultural encyclopedia*, Santa Barbara, CA, ABC-CLIO.

Byrnes, J.P. et N.A. Fox (1998). « The educational relevance of research in cognitive neuroscience », *Educational Psychology Review*, 10, p. 297-342.

Case, R. (1992). « Neo-Piagetian theories of child development », dans R. Sternberg et C. Berg (Éd.), *Intellectual development*, New York, Cambridge University Press.

Chapman, M. et U. Lindenberger (1988). « Functions, operations, and decalage in the development of transitivity », *Developmental Psychology*, 24, p. 542-551.

Chomsky, C.S. (1969). *The acquisition of syntax in children from five to ten*, Cambridge, MA, MIT Press.

Collège des médecins du Québec et Ordre des psychologues du Québec (2001). *Le trouble déficit de l'attention /hyperactivité et l'usage de stimulants du système nerveux central*, Lignes directrices du Collège des médecins du Québec et l'Ordre des psychologues du Québec, septembre 2001.

Conseil canadien de développement social (2002). *Le progrès des enfants au Canada*.

Corriveau, D., F. Bowen et N. Rondeau (1998). « Caractéristiques du milieu familial en lien avec l'adaptation scolaire et sociale de l'enfant. Le cas d'une école montréalaise », dans L. Ethier et J. Alary (Éd.), *Comprendre la famille. Actes du 4e symposium québécois de recherche sur la famille*, Québec, Presses de l'Université du Québec.

Cratty, B.J. (1986). *Perceptual and motor development in infants and children*, 3e éd., Englewood Cliffs, NJ, Prentice-Hall.

Deslandes, R. et M. Jacques (2004). « Relations famille-école et l'ajustement du comportement socioscolaire de l'enfant à l'éducation préscolaire », *Éducation et francophonie*, 32, p. 172-200.

Ding, Y-C., H.-C. Chi, D.L. Grady, A. Morishima, J.R. Kidd, K.K. Kidd, P. Flodman, M.A. Spence, S. Schuck, J.M. Swanson, Y.-P. Zhang et R.K. Moyziz (2002). « Evidence of positive selection acting at the human dopamine receptor D4 gene locus», *Processings of the National Academy of Science*, 99, p. 309-314.

Epstein, J.L. (1988). *Parent Involvement and student achievement*, School policy and parent involvement : research results, Educational Research Service, p. 12-13.

Feldman, R.D. (1986). «What are thinking skills?», *Inspector*, avril, p. 62-71.

Flavell, J. (1963). *The Developement psychology of Jean Piaget*, New York, Van Nostrand.

Friedman, J.M. et J.L. Halaas (1998). «Leptin and the regulation of body weight in mammals», *Nature*, 395, p. 763-770.

Gagnon, C. (1999). *Pour réussir dès le primaire. Filles et garçons face à l'école*, Montréal, les Éditions du remue-ménage.

Galotti, K.M., L.K. Komatsu et S. Voelz (1997). «Children's differential performance on deductive and inductive syllogisms», *Development Psychology*, 33, p. 70-78.

Gardner, H. (1993). *Frames of Mind : The Theory of Multiple Intelligences*, éd. 10e anniversaire, NY, Basic Books.

Gardner, H. (1999). *Intelligence reframed : multiple intelligences for the 21st century*, New York, Basic Books.

Greg. Groupe de réflexion sur l'éducation des garçons (2004). www.legreg.ca

Grigorinko, E.L. et R.J. Sternberg (1998). «Dynamic testing», *Psych Bulletin*, 124, p. 75-111.

Hale, S., M.D. Bronik, et A.F. Fry (1997). «Verbal and spatial working memory in school-age children: Developmental differences in susceptibility to interference», *Developmental Psychology*, 33, p. 364-371.

Hofferth, S.L. et J. Sandberg (1998). *Changes in American children's time, 1981-1997*, Report of the 1997 Panel Study of Income Dynamics, Child Development Supplement, Ann Arbor, University of Michigan, Institute for Social Research.

Huston, H.C., G.J. Duncan, R. Granger, J. Bos, V. McLoyd, R. Mistry, D. Crosby, C. Gibson, K. Magnuson, J. Romich et A. Ventura (2001). «Work-based antipoverty programs for parents can enhance the performance and social behavior of children», *Child Development*, 72(1), p. 318-336.

Jacques, M. et R. Deslandes (2002). «Transition à la maternelle et relations école-famille», dans C. Lacharité et G. Pronovost (Éd.), *Comprendre la famille. Actes du 65e symposium québécois de recherche sur la famille*, Québec, Presses de l'Université du Québec.

Janowsky, J.S. et R. Carper (1996). «Is there a neural basis for cognitive transitions in school-age children?», dans A.J. Sameroff et M.M. Haith (Éd.), *The five to seven year shift: The age of reason and responsibility*, Chicago, University of Chicago Press, p. 33-56.

Jeynes, W.H. et S.W. Littell (2000). «A meta-analysis of studies examining the effect of whole language instruction on the literacy of low-SES students», *Elementary School Journal*, 101, p. 21-33.

Kottak, C.P. (1994). *Cultural anthropology*, New York, McGraw-Hill.

Lee, J. (1998). «Children, teachers, and the Internet», *Delta Kappa Gamma Bulletin*, 4 (2), p. 5-9.

Levine, M.D. (1987). *Developmental variation and learning disorders*, Cambridge, MA, Educators Publishing.

Lorsbach, T.C. et J.F. Reimer. (1997). «Developmental changes in the inhibition of previously relevant information», *Journal of Experimental Child Psychology*, 64, p. 317-342.

MEQ (1997). *L'école, tout un programme*, Énoncé de politique éducative, ministère de l'Éducation, gouvernement du Québec.

MEQ (2001). *Programme de formation de l'école québécoise*, ministère de l'Éducation, gouvernement du Québec.

Meredith (1969). «Body contemporary groups of eight-year-old children studied in different parts of the world», *Monographs of the Society for Research in Child Development*, 34(1).

Ministère de l'Éducation (2003). Indicateurs de l'éducation, édition 2003, Québec, secteur de l'information et des communications.

Miron, J. M. (2004). «Les services préscolaires et la famille : un partenariat à créer», dans N. Royer (Éd.), *Le monde du préscolaire*, Montréal, Gaëtan Morin.

MSSQ (1998a). Dans *Groupe de réflexion sur l'éducation des garçons (2004)*, www.legreg.ca

Neisser, U., G. Boodoo, T.J. Bouchard, Jr., A.W. Boykin, N. Brody, S.J. Ceci, D.F. Halpern, J.C. Loehlin, R. Perloff, R.J. Sternberg et S. Urbina (1996). «Intelligence : knows and unknows», *American Psychologist*, 51(2), p. 77-101.

Nelson, C.A., C.S. Monk, J. Lin, L.J. Carver, K.M. Thomas et C.L. Truwit (2000). «Functional neuroanatomy of spatial working memory in children», *Developmental Psychology*, 36, p. 109-116.

OCDE (2004). *Learning for Tomorrow's World : First Results from PISA 2003*, OECD.

Organisation des Nations Unies pour l'alimentation et l'agriculture (2002). *L'état de l'insécurité alimentaire dans le monde*, 2002 (SOFI 2002).

Owens, R.E. (1996). *Language development*, 4e éd., Boston, Allyn and Bacon.

Pelletier, A.R., K.P. Quinlan, J.J. Sacks, T.J. Van Gilder, J. Gilchrist et H.K. Ahluwalia (2000). «Injury prevention practices as depicted in G-rated and PG-rated movies», *Archives of Pediatrics and Adolescent Medicine*, 154, p. 283-286.

Piaget, J. (1932). *The moral judgment of the child*, New York, Harcourt Brace.

Plomin, R. (2001). «Genetic factors contributing to learning and language delays and disabilities», *Child & Adolescent Psychiatric Clinics of North America*, 10(2), p. 259-277.

Plumert, J.M., H.L. Pick, Jr., R.A. Marks, A.S. Kintsch et D. Wegesin (1994). «Locating objects and communicating about locations : Organizational differences in children's searching and direction-giving», *Developmental Psychology*, 30, p. 443-453.

Potvin, P. et R. Rousseau (1993). «Attitudes des enseignants envers les élèves en difficulté scolaire», *Canadian Journal of Education*, 18, p. 132-149.

Santé Canada (1999). Données sur les blessures au Canada, Direction générale de la protection de la santé.

Santé Canada (2004). Révision du *Guide alimentaire canadien pour manger sainement*, Bureau de la politique et de la promotion de la nutrition, http://www.hc-sc.gc.ca/hpfb-dgpsa/onpp-bppn/revision_food_guide_f.html.

Secrétariat à l'adoption internationale, ministère de la Santé et des Services sociaux, gouvernement du Québec. http://www.adoption.gouv.qc.ca/fr/publications/statistiques/2003_sai_stats_5pays.pdf

Siegler, R.S. et D. Richards (1982). «The development of intelligence», dans R. Sternberg (Éd.), *Handbook of human intelligence*, London, Cambridge University Press.

Siegler, R.S. (1998). *Children's thinking*, 3e éd., Upper Saddle River, NJ, Prentice-Hall.

Société canadienne de pédiatrie et Santé Canada (1993). *Recommandations sur la nutrition... mise à jour : Les lipides dans l'alimentation des enfants*, Rapport du groupe de travail mixte de la Société canadienne de pédiatrie (SCP) et Santé Canada, n° de référence : N94-01, réapprouvé en mars 2004.

SOFI (2002). *L'état de l'insécurité alimentaire dans le monde*, Organisation des Nations Unies pour l'alimentation et l'agriculture.

Stauder, J.E.A., P.C.M. Molenaar et M.W. Van der Molen (1993). «Scalp topography of event-related brain potentials and cognitive transition during childhood», *Child Development*, 64, p. 769-788.

Sternberg, R.J. (1987). «The use and misuse of intelligence testing : Misunderstanding meaning, users overrely on scores», *Education Week*, 23 septembre, p. 22, 28.

Vance, M.L. et N. Mauras (1999). «Growth hormone therapy in adults and children», *New Eng J Med*, 341, p. 1206-1216.

Vygotsky, L.S. (1956). *Selected psychological investigations*, Moscow, Izdstel'sto Akademii Pedagogicheskikh Nauk USSR.

Whalley, L.J. et I.J. Deary (2001). «Longitudinal cohort study childhood IQ and survival up to age 76», *British Medical Journal*, 322, p. 819.

Chapitre 8

Bouchard, P. et J.-C. Saint-Amant (2000). «L'axe mère-enfant de la réussite scolaire au primaire en milieu populaire», dans M. Simard et J. Alary (Éd), *Comprendre la famille. Actes du 5e symposium québécois de recherche sur la famille*, Québec, Presses de l'Université du Québec.

Chicoine, J.-F., P. Germain et J. Lemieux (2003). *L'enfant adopté dans le monde (en quinze chapitres et demi)*, Québec, Canada, Éditions de l'Hôpital Sainte-Justine.

Chicoine, J.-F. et J. Lemieux (2005). «Les troubles de l'attachement en adoption internationale», *Le journal des professionnels de l'enfance*, Société de pédiatrie internationale, Paris, France.

Corriveau, D., F. Bowen et N. Rondeau (1998). «Caractéristiques du milieu familial en lien avec l'adaptation scolaire et sociale de l'enfant. Le cas d'une école montréalaise», dans L. Ethier et J. Alary (Éd.), *Comprendre la famille. Actes du 4e symposium québécois de recherche sur la famille*, Québec, Presses de l'Université du Québec.

Deslandes, R. et M. Jacques (2004). «Relations famille-école et l'ajustement du comportement socioscolaire de l'enfant à l'éducation préscolaire», *Éducation et francophonie*, 32, p. 172-200.

Devault, A. (1988). «L'intimité et la révélation de soi», *Science et Comportement*, vol. 18, n° 3, p. 123-140.

Devault, A. et S. Gratton (2003). «Les pères en situation de perte d'emploi : l'importance de les soutenir de manière adaptée à leurs besoins», *Pratiques psychologiques*, 2, p. 79-88.

Duclos, G. (2000). *L'estime de soi. Un passeport pour la vie*, Montréal, Éditions de l'Hôpital Sainte-Justine.

Epstein, J.L. (1988). «School policy and parent involvement : research results», *Parent Involvement and student achievement*, Educational Research Service, p. 12-13.

Gagnon, C. (1999). *Pour réussir dès le primaire – Filles et garçons face à l'école*, Montréal, les Éditions du remue-ménage.

Golse, B. (2001). *Le développement affectif et intellectuel de l'enfant*, Paris, Masson.

Gouvernement du Québec (2004). *La conciliation travail-famille dans des petites entreprises québécoises. Analyse et interprétation des résultats d'une enquête qualitative*. Emploi, Solidarité sociale et Famille. Québec.

Groupe de réflexion sur l'éducation des garçons (2004). www.legreg.ca

Habimana, E. (1999). «Classification et étiologie», dans E. Habimana, L.S. Ethier, D. Petot et M. Tousignant (Éd.), *Psychopathologie de l'enfant et de l'adolescent. Approche intégrative*, Montréal, Gaëtan Morin.

Harter, S. (1996). «Developmental changes in self-understanding across the 5 to 7 shift», dans A.J. Sameroff et M. Haith (Éd.), *The five to seven year shift : The age of reason and responsibility*, Chicago, University of Chicago Press, p. 207-235.

Hjern, A., F. Lindblad et B. Vinnerljung (2002). «Suicide, psychiatric illness, and social maladjustment in intercountry adoptees in Sweden : a cohort study», *The Lancet*, 10 août, 360 (9331).

Institut Vanier de la famille (2004). *Profil des familles canadiennes III*. Ottawa.

Jacques, M. et R. Deslandes (2002). «Transition à la maternelle et relations école-famille», dans C. Lacharité et G. Pronovost (Éd.), *Comprendre la famille. Actes du 65e symposium québécois de recherche sur la famille*,

Québec, Presses de l'Université du Québec.

Lachance, J-F. (2002). *Les adoptions internationales au Québec. Portrait statistique de 2000,* Secrétariat de l'adoption internationale, ministère de la Santé et des Services sociaux, gouvernement du Québec.

Lefebvre, P. et P. Merrigan (2000). «Est-ce que le revenu familial, le travail des mères, les conditions et les horaires de travail ont des effets sur le développement des enfants et les pratiques parentales?», dans M. Simard et J. Alary (Éd.), *Comprendre la famille. Actes du 5ᵉ symposium québécois de recherche sur la famille*, Québec, Presses de l'Université du Québec.

Lewinsohn, P.M., G.N.Clarke, H. Hops et J. Andrews (1990). «Cognitive-behavioral treatment of depressed adolescents», *Behavior Therapy*, 21, p. 385-401.

Masten, A.S. et J.D. Coatsworth (1998). «The development of competence in favorable and unfavorable environments : Lessons from research on successful children», *American Psychologist,* 53, p. 205-220.

Ministère de l'Éducation (2003). *Indicateurs de l'éducation*, édition 2003, Québec, Secteur de l'information et des communications.

Miron, J.-M. (2004). «Les services préscolaires et la famille : un partenariat à créer», dans N. Royer (Éd.), *Le monde du préscolaire*, Montréal, Gaëtan Morin.

Petot, D. (1999). «Les dépressions», dans E. Habimana, L. S. Ethier, D. Petot et M. Tousignant (Éd.), *Psychopathologie de l'enfant et de l'adolescent. Approche intégrative,* Montréal, Gaëtan Morin.

Potvin, P. et R. Rousseau (1993). «Attitudes des enseignants envers les élèves en difficulté scolaire», *Revue canadienne de l'éducation,* 18, p. 132-149.

Royer, N. (2004). *Le monde du préscolaire,* Montréal, Gaëtan Morin.

Schaffer, D. (1989). «Child psychiatry : introduction and overview», dans H.I. Kaplan et B.J. Sadock (Éd.), *Comprehensive textbook of psyhiatry*, Baltimore, Williams and Wilkins.

Selman, R.L. (1980). *The growth of interpersonal understanding : Developmental and clinical analyses*, New York, Academic.

St-Onge, S., S. Renaud, G. Guérin et E. Caussignac (2002). «Vérification d'un modèle structurel à l'égard du conflit travail-famille», *Relations industrielles,* 57, p. 491-516.

Van Grunderbeeck, N. (1999). «Les troubles d'apprentissage», dans E. Habimana, L. S. Ethier, D. Petot et M. Tousignant (Éd.), *Psychopathologie de l'enfant et de l'adolescent. Approche intégrative,* Montréal, Gaëtan Morin.

Vous trouverez les références originales provenant de la 5ᵉ édition française et de la 9ᵉ édition américaine sur le site Odilon.ca

Références iconographiques

Figure 1.1
© Zhang Yanhui/Sovfoto/PictureQuest
Figure 1.2
© John Vachon/Library of Congress
Figure 1.3
© Mary Evens Picture Library/Sigmund Freud Copyrights
Figure 1.4
Bettmann/Corbis
Figure 1.5
Avec la permission d'Albert Bandura
Figure 1.6
© Bill Anderson/Photo Reasearchers/Publiphoto
Figure 1.7
A.R. Luria/Dr. Michael Cole, Laboratory of Human Cognition, University of California, San Diego
Figure 1.9
Bettmann/Corbis
Figure 1.10
Tirée de *Human Development 9e édition*, Diane E. Papalia, Sally Wendkos, Olds Ruth Duskin Feldman, p. 42. Avec la permission des éditions McGraw-Hill
Figure 1.11
Library Cornell education
Figure 2.1
G.Shatten/SPL/Publiphoto
Figure 2.2
© Nuance photo
Tableau 2.3
© Elizabeth Crews
Figure 2.3
Tirée de *Développement de l'enfant 5e édition*, Sally Wendkos, Olds Ruth Duskin Feldman, Diane Papalia, Éditions Beauchemin p. 39, fig.2.7
Figure 2.4
Tirée de *Développement de l'enfant 5e édition*, Sally Wendkos, Olds Ruth Duskin Feldman, Diane Papalia, Éditions Beauchemin p. 39, fig.2.6
Figure 2.5
Tirée de *Human Development 9e édition*, Diane E. Papalia, Sally Wendkos, Olds Ruth Duskin Feldman, p. 74. Avec la permission des éditions McGraw-Hill
Figure 2.6
Tirée de *Human Development 9e édition*, Diane E. Papalia, Sally Wendkos, Olds Ruth Duskin Feldman, p. 70, fig. 3.5. Avec la permission des éditions McGraw-Hill
Figure 2.7
Carlson, B. *Human embryology and develpment biology*, Saint louis, Mosby, 1994.
Figure 2.8
© Billy E. Barnes/PhotoEdit
Figure 2.9
Avec la permission du Dr Charles Linder, Medical College of Georgia. Extrait de

Goodman, R. et R. Gorlin. *Atlas of the Face in Genetic Disorders*, 2e éd., St-Louis, Mosby, 1977
Figure 2.10
© Fred R. Conrad/New York Times Pictures
Figure 2.11
Tirée de *Human Development 9e édition*, Diane E. Papalia, Sally Wendkos, Olds Ruth Duskin Feldman, p. 110, fig.4.1. Avec la permission des éditions McGraw-Hill
Figure 2.12
C.Margiotta/SPL/Publiphoto
Figure 2.13
D.Gifford/SPL/Publiphoto
Figure 2.14
L. Migdale/Photo Researchers/Publiphoto
Figure 2.15
G.Watson/SPL/publiphoto
Figure 2.16
I.Hooton/SPL/Publiphoto
Figure 3.1
Tirée de *Human Development 9e édition*, Diane E. Papalia, Sally Wendkos, Olds Ruth Duskin Feldman, p. 113, fig. 4.8. Avec la permission des éditions McGraw-Hill
Figure 3.2
© George Shelley/Corbis
Figure 3.3
Tirée de *Human Development 9e édition*, Diane E. Papalia, Sally Wendkos, Olds Ruth Duskin Feldman, p. 126, fig. 4.3. Avec la permission des éditions McGraw-Hill
Figure 3.4
Tirée de *Human Development 9e édition*, Diane E. Papalia, Sally Wendkos, Olds Ruth Duskin Feldman, p. 126, fig. 4.4. Avec la permission des éditions McGraw-Hill
Figure 3.8
Tirée de *Human Development 9e édition*, Diane E. Papalia, Sally Wendkos, Olds Ruth Duskin Feldman, p. 158, fig. 5.3. Avec la permission des éditions McGraw-Hill
Figure 3.10
© Peter Southwick/Stock Boston
Figure 4.1
Courtoisie Dr Michael Lewis
Figure 4.2
Digital stock
Figure 4.3
© Laura Dwight
Figure 4.4
Tirée de *Human Development 9e édition*, Diane E. Papalia, Sally Wendkos, Olds Ruth Duskin Feldman, p. 210. Avec la permission des éditions McGraw-Hill
Figure 4.5
© Ruth Duskin Feldman
Figure 4.6
© PhotoDisc
Figure 4.7
© Corbis

Figure 4.8
Harlow Primate Laboratory, University of Wisconsin
Figure 4.9
Tirée de *Human Development 9e édition*, Diane E. Papalia, Sally Wendkos, Olds Ruth Duskin Feldman, p. 207. Avec la permission des éditions McGraw-Hill
Figure 4.10
© Jonathan Finlay
Figure 4.11
© Brand X Pictures
Figure 5.2
a) PhotoDisc ; b) Miro Vintoni/Stock Boston
Figure 5.3
Tirée de Human Development 9e édition, Diane E. Papalia, Sally Wendkos, Olds Ruth Duskin Feldman, p. 134, fig. 7.1. Avec la permission des éditions McGraw-Hill
Figure 5.9
© Cléo Photo/Maxximages.com
Figure 5.14
A. Bichet/Publiphoto
Figure 6.1
© Laura Dwight/PhotoEdit
Figure 6.2
© Nancy Richmond/Image Works
Figure 6.3
Courtoisie HarperCollins Publishers
Figure 6.4
© Leanna RathKelly/Getty Images
Figure 6.5
© Stephen McBrady/PhotoEdit
Figure 6.6
© 1983 Éditions Glénat
Figure 6.7
MCKeone/Photoresearchers/Publiphoto
Figure 6.9
www.photos.com
Figure 6.10
P.Hattenberger/Publiphoto
Figure 7.3
© Radhika Chalasani/Corbis
Figure 7.4
© PhotoDisc
Figure 7.7
B.Seitz/Publiphoto
Figure 8.1
© Claudine Bourgès
Figure 8.2
© Michael Justice/Image Works
Figure 8.3
© Laura Dwight/PhotoEdit
Figure 8.7
© David Young-Wolff/PhotoEdit
Figure 8.8
© Nuance photo
Figure 8.10
© Reuters/Corbis